Beiträge zur Wissenschaft
vom Alten und Neuen Testament
Siebente Folge

Herausgegeben von
Siegfried Herrmann und Karl Heinrich Rengstorf
Heft 5 · (Der ganzen Sammlung Heft 125)

Verlag W. Kohlhammer
Stuttgart Berlin Köln Mainz

Taro Odashima

HEILSWORTE IM JEREMIABUCH

Untersuchungen zu ihrer vordeuteronomistischen Bearbeitung

Verlag W. Kohlhammer
Stuttgart Berlin Köln Mainz

CIP-Titelaufnahme der Deutschen Bibliothek

Odashima, Taro:
Heilsworte im Jeremiabuch : Unters. zu ihrer
vordeuteronomist. Bearb. / Taro Odashima. - Stuttgart ; Berlin ;
Köln ; Mainz : Kohlhammer, 1989
  (Beiträge zur Wissenschaft vom Alten und Neuen Testament ; H. 125 =
  Folge 7, H. 5)
  Zugl. Teildr. von: Bochum, Univ., Diss., 1984
  ISBN 3-17-009842-X
NE: GT

Meinen Eltern
Yozo Odashima (1890–1940)
Nobu Odashima, geb. Sawano (1902–1978)

Vorwort

Der vorliegenden Untersuchung liegt meine Dissertation zugrunde, die im Herbst 1984 von der Abteilung für Evangelische Theologie der Ruhr-Universität Bochum angenommen wurde. Für die Druckfassung wurde sie folgendermaßen überarbeitet:

1. Auf zwei Anhänge der Dissertation wurde hier verzichtet;
2. zwei Abschnitte (III. 4. und 5.) sowie drei Exkurse (2, 6 und 7) wurden neu verfaßt und
3. wurde der Schlußteil dementsprechend ergänzt.

Die Studie konnte ihr Thema nicht erschöpfend behandeln. Jede Fragestellung, die wissenschaftliche Bearbeitung verdient, ist mit vielfältigen Problemen verknüpft, die nur in begrenztem Umfang behandelt werden können. Außerdem müssen dabei verschiedene, sich ergänzende Methoden angewandt werden. Dies trifft in besonderem Maße auf den umstrittenen Gegenstand der Überlieferung des Jeremiabuches zu. Ich möchte deshalb auch den Anhang 1 der Dissertation (S. 168–242), der sich den formgeschichtlichen Beobachtungen der »Gedichte vom Feind aus dem Norden« im Jeremiabuch widmet, demnächst an anderer Stelle veröffentlichen.

In vielfacher Weise habe ich zu danken, zunächst in zweierlei Hinsicht Herrn Prof. D. Hans Walter Wolff, DD., Heidelberg. Er hat mir zum einen im Wintersemester 1977/78 ermöglicht, bei ihm mein Interesse für die Prophetie des alten Israel zu vertiefen; zum anderen hat er mir Herrn Prof. Dr. Dr. Siegfried Herrmann, Bochum, vermittelt, der meine Arbeit am Jeremiabuch bis zur Promotion unermüdlich gefördert hat. Auch Herrn Prof. Dr. Henning Graf Reventlow, D.Litt., der sich der Mühe des Zweitgutachtens der Dissertation unterzog, fühle ich mich verbunden. Mein Dank gilt neben Herrn Prof. Dr. Dr. Siegfried Herrmann auch Herrn Prof. D. Dr. Karl Heinrich Rengstorf, die als Herausgeber der »Beiträge zur Wissenschaft vom Alten und Neuen Testament« der Aufnahme meiner Untersuchung in diese traditionsreiche Schriftenreihe zustimmten, sowie dem W. Kohlhammer Verlag, Stuttgart, insbesondere Herrn Jürgen Schneider.

Die Untersuchung, aus der sich das vorliegende Buch entwickelte, wurde durchgeführt im Rahmen der großzügigen finanziellen Unterstützung der Alexander von Humboldt-Stiftung, Bonn-Bad Godesberg. Für die wiederholte Förderung und Betreuung der Arbeit bin ich besonders Herrn Dr. Dietrich Papenfuß und Frau Ute Hien verbunden. Ermöglicht wurde die Drucklegung der Untersuchung durch einen Druckkostenzuschuß des Fonds für Förderung der Wissenschaft der Meiji Gakuin Universität, Tokyo/Yokohama, an der ich meine Lehrtätigkeit ausübe.

Mein Deutsch bedurfte vielfacher Verbesserungen in grammatischer und stilistischer Hinsicht. Mit unendlicher Geduld haben mir dabei die Herren Professoren Dr. Dr. Siegfried Herrmann und Dr. Rüdiger Liwak sowie Herr Ingolf Simon, M.A., Frau Elke Helmboldt und Herr Bodo Prekel geholfen. Frau Margot Lösch schrieb mit großer Sorgfalt und Ausdauer das umfangreiche druckfertige Manuskript. Frau Ilse Heinig, die Sekretärin von Prof. Herrmann, unterstützte mich bei der Durchsicht der Korrekturen. Ihnen allen gilt mein herzlicher Dank.

Als Ausländer ist es mir ein besonderes Bedürfnis, an dieser Stelle die Namen von Frau Ilse Heinig, Frau Armgard Seher vom Akademischen Auslandsamt der Ruhr-Universität Bochum und nicht zuletzt meine Freunde, Herrn Reinhard Manter, M.A., und seine Frau Heidi Manter zu nennen, ohne deren aufopferungsvolle und dankenswerte Betreuung ich die Stadt Bochum nicht kennen- und liebengelernt hätte, wie es jetzt der Fall ist.

Wieviel mir mein verehrter Doktorvater, Herr Prof. Dr. Dr. Siegfried Herrmann, fachlich und menschlich geholfen hat, läßt sich schwer in Worte fassen. Dasselbe gilt in gleichem Maße auch für seinen ehemaligen wissenschaftlichen Assistenten, Herrn Prof. Dr. Rüdiger Liwak. Beide Herren haben mich im vergangenen Jahrzehnt beständig und wohlwollend unterstützt. All die Freundlich-

VIII

lichkeit, die ich in Bochum erlebt habe, verstehe ich auch als ein Geschenk der Bundesrepublik Deutschland an mein Heimatland.

Abschließend erinnere ich mich an meine Studienjahre in Tokyo, in denen mich Herr Prof. Dr. Kazuo Murakami, ein scharfsinniger Neutestamentler, für die Bibelwissenschaft zuerst begeisterte. Herzlichen Dank schulde ich auch ihm.

Bochum, im März 1988   Taro Odashima

Inhaltsverzeichnis

EINLEITUNG

I. 1. Forschungsgeschichtlicher Überblick

Das Buch Jeremia ist weniger ein Buch im üblichen Sinne
als eher ein Archiv schriftlicher Materialien, deren Ordnung nicht immer durchsichtig scheint. Man könnte es als
"Jeremia-Archiv" bezeichnen, weil die Urkunden, die es
enthält, zwar in verschiedener Hinsicht, aber doch sämtlich über den Propheten aus Anathot zeugen. Hauptsächlich
stammen diese Urkunden aus dem unerhört bewegten Abschnitt
der Geschichte Israels, der in der Restaurationsbegeiste-
rung unter König Josia begann und mit dem babylonischen
Exil endete. Daraus ließe sich erklären, warum u.a. im
Jeremiabuch unvergleichlich disparate Materialien zusammengestellt sind.

Es ist deshalb kein Wunder, daß "die vnordnung" des Buches bekanntlich schon bei M.Luther Aufmerksamkeit erregte.[1] Es bedürfte einer Monographie, wenn man alle wichtigen Untersuchungen über das Jeremiabuch referieren und sich
mit ihnen jeweils kritisch auseinandersetzen wollte. Da es
überdies scheint, daß die bisherigen Jeremiaforschungen
manche bedeutenden Fragen noch offengelassen haben, empfiehlt sich, unten die Forschungsgeschichte weniger von
einem inhaltlichen Gesichtspunkt her darzustellen, als ihre neueren Tendenzen an ihren Methoden und Intentionen
festzustellen. Man könnte sich daran informieren, was in
der Vergangenheit versucht wurde und was nicht, damit man
weitere Forschungen sachgerecht orientieren kann.

---

1   M.Luther, Vorrede vber den Propheten Jeremia,
    Weimarer Ausgabe, Bibel XI, S. 193.

Neuerdings ist es eine Gewohnheit, mit dem Kommentar B. Duhms, Das Buch Jeremia 1901,[2] anzufangen, wenn man eine Geschichte der Jeremiaforschungen darstellt.[3] Das ist kein Zufall, denn seine Theorie hat nicht nur damals ein neues Verständnis des Buches gebahnt, sondern sie begründet, wenn auch in begrenztem Maße, wohl die heutige Jeremiaforschung.

a. Differenzierende Phase

Bekanntlich unterschied Duhm im Jeremiabuch drei Arten von Texten, aus denen es sich zusammensetzen soll:

1. "die prophetischen Gedichte Jeremias"[4]
2. "die von Baruch geschriebene Lebensgeschichte Jeremias"[5]
3. "Ergänzungen"[6]

---

2   Dieses Werk konnte, ganz anders als im Fall seines Jesajakommentars, keine zweite Auflage erleben. Das dürfte vielleicht damit zusammenhängen, daß dieser Jeremiakommentar, wie unten dargestellt wird, in Deutschland zunächst nur Einwände erfuhr.

3   So auch z.B. bei C.Rietzschel (siehe unten A.190), S. 10ff., H.Graf Reventlow (siehe A.232), S.315ff., und W.Thiel (siehe A.237) S.5ff. Das neueste Beispiel findet man in S.Herrmann, Forschungen am Jeremiabuch. Probleme und Tendenzen ihrer neueren Entwicklung, ThLZ 102 1977, Sp.481-490. Bei H.Weippert (siehe A.137), S.1ff. ist es etwas anders, obwohl die Duhmsche Theorie in ihrer ausführlichen Darstellung der Forschungsgeschichte doch einen der Hauptgegenstände bildet. Auch hinter dem ersten Satz ihres Buches, mit dem Weippert die Leser in die Forschungsgeschichte einführt, erkennt man ungezwungen den unverfälschten Abriß der Theorie Duhms, siehe Zitat des Satzes unten in A.6.

4   Duhm, S.XII.

5   Duhm, S.X.

6   Duhm, S.XI-XXI. An diese Theorie erinnert der erste Satz des Buches Weipperts, der lautet: "Unter formal-stilistischem Aspekt enthält das Jeremiabuch disparates Material: metrisch geformte Prophetenworte, in Prosa gehaltene Reden und biographische Berichte über das Wirken Jeremias."

Das Neue der Theorie Duhms besteht wohl aus drei Punkten, und zwar erstens darin, daß er die Texte im wesentlichen seinem eigenen Maßstab der Stilkritik[7] gemäß voneinander abtrennte; zweitens darin, daß es bei ihm im wesentlichen um eine Echtheitsfrage ging.[8] Während bei diesen zwei Verfahren Duhms, die im Grunde voneinander abhängen, in der Forschungsgeschichte Vorläufer nicht fehlen,[9] läßt er sich wohl - das ist der dritte Punkt - ohne Vorbehalt als Bahnbrecher in dem Sinne bezeichnen, daß er die Texte, die "Ergänzungen" genannt wurden, "größtenteils" mit den Tätigkeiten der Deuteronomisten, die in der Exilszeit einige Geschichtsbücher des Alten Testaments redigiert haben sollen, in direkte Verbindung brachte.[10] Die gewaltige Menge von Ergänzungen sollen deshalb die Produkte gewesen sein, an deren Gestaltung weder Jeremia noch Baruch unmittelbaren Anteil hatten.

Selbstverständlich rief sein Kommentar zunächst weniger Beifall als Einwände hervor. Immerhin scheint er für die Entstehungsgeschichte des Jeremiabuches eine so grundlegende Betrachtungsweise vorgelegt zu haben, daß ihn seitdem

---

7   Die Merkmale der prophetischen Gedichte Jeremias sollen nach Duhm in kurzem Versmaß von "Vierzeilern mit abwechselnd drei und zwei Hebungen" zu finden sein. Die Biographie und Ergänzungen seien dagegen beide in Prosa gehalten.

8   Während die metrischen Texte, die Duhm auch "Gedichte Jeremias" nennt, von ihm für "die echte Prophetie des alten Propheten Jeremias" gehalten werden, sollen die Ergänzungen im wesentlichen   nachexilischer Herkunft sein, aaO, S.X.

9   Siehe unten EXKURS 1

10   Duhm, S.X. Die Ergänzungen sollen, wenn aber als Ganzes gesehen, "von vielen Schriftstellern und aus mehreren Jahrhunderten (stammen) und ..... Stücke von dem verschiedenen Wert und Charakter" aufweisen. Deutet Duhm den Sachverhalt auf diese Weise bedingt an, so dürfte die Meinung Weipperts, aaO. S.7, nicht ohne weiteres zutreffen, wenn sie sich äußert, "daß B.Duhm in den Ergänzungen wenn auch nicht das Werk eines einzigen Redaktors, so doch wohl das einer Schule oder einheitlichen Tradition sah." Duhm scheint in diesen Ergänzungen einen viel längeren Prozeß zu sehen als Weippert interpretiert, was unten erneut erwähnt wird.

niemand ernsthaft ignorieren konnte. Es scheint deshalb berechtigt zu sein, die unten zu referierenden Untersuchungen in Gruppen einzuteilen, je nachdem wie sie sich der Theorie Duhms gegenüber verhalten. Das ist eine Notlösung, die die Darstellung der jeweiligen Untersuchungen unvollkommen sein läßt. Anders könnte man sich aber in der komplizierten Sachlage der Forschungsgeschichte nicht zurechtfinden. Für diesen Zweck empfiehlt sich wohl nun, die Theorie Duhms nach ihrer Grundtendenz zu kennzeichnen und erst dann die darauffolgenden Untersuchungen gruppenweise zu behandeln.

Als "differenzierend" könnte sich die Betrachtungsweise Duhms kennzeichnen lassen. Damit ist auf zwei Punkte hingewiesen: zum einen, daß Duhm die Texte des Jeremiabuches, wie oben gesagt, ausschließlich alternativ sortierte. Selbstverständlich unterteilten auch die Exegeten vor Duhm die Texte mehr oder weniger ähnlich. [11] Die differenzierende Grundtendenz seiner Theorie sollte man deshalb eher in dem folgenden, also zweiten Punkt suchen, nämlich darin, daß bei seiner Theorie die drei voneinander unterschiedenen Textarten als solche abgegrenzt bleiben, ohne daß bei seiner Theorie im Grunde die Frage gestellt würde, wie sich die drei Arten von Texten überlieferungsgeschichtlich oder/und literarisch aufeinander bezogen. Zwar schreibt Duhm selbst im Hinblick auf den mutmaßlichen Zweck der "Ergänzungen": "sie (sc. die Ergänzer) wollten in ihrem Jeremiabuch einen Beitrag zu einer Art Volksbibel liefern, ein religiöses Lehr- und Erbauungsbuch, das dem Laien zu einem besseren Verständnis seiner Religion und Geschichte verhelfen sollte, ..."[12] Auch sucht Duhm ihren geschichtlichen Ort in den exilischen Synagogen.[13] Man sollte deshalb zustimmen, daß er feststellen wollte, wie die "Ergän-

---

11   Schon F.Hitzig, Der Prophet Jeremia, 1866, 2.Aufl., unterscheidet
      bei den Texten zwischen den entgegengesetzten Stichworten "Samm-
      lung seiner (sc. Jeremias) Orakel" (S.XII, wie auch "Sammlung von
      Orakeln Jer.'s", S.286) und "Beilagen" (S.XIV).

12   Duhm, S.XVI.

13   Duhm, S.X.

zer" die ihnen überkommenen jeremianischen Überlieferungen
benutzten. Auffällig ist aber bei ihm, daß er sich dagegen
nicht für die Frage interessierte, ob die "Ergänzer" nicht
überhaupt - und wenn ja - wie bei ihrer Gedankengestaltung
durch die Begegnung und Bemächtigung jeremianischer Überlieferungen beeinflußt und bestimmt wurden. Duhm scheint
diese Möglichkeit, wenn er überhaupt daran gedacht haben
mag, als die allerletzte beurteilt zu haben. Auf diesen Sachverhalt weist wohl auch die unmittelbare Fortsetzung seines soeben zitierten Satzes hin; sie lautet: ".... im Verein mit manchen anderen Schriften von ähnlicher Tendenz."
Das heißt, die "Ergänzer" sollten sich der jeremianischen
Überlieferungen nur insofern bedienen, als die betreffenden
Überlieferungen mit dem Ziel der "Ergänzer" übereinstimmend
oder zumindest verträglich zu sein schienen. Wie könnte man
dann diese Leute die "Ergänzer" nennen?[14] Immerhin ist wohl
klar, daß es sich bei Duhm im wesentlichen nicht um die Frage der Aufeinanderbeziehungen der Textarten handelte, daß
er sich eher lediglich für die Unterscheidung der Textmenge
interessierte. Die bisherigen Ausführungen müßte man folgendermaßen zusammenfassen: die Theorie Duhms ist in einem dop-
pelten Sinne differenzierend, und zwar erstens darin, daß
er die Texte des Jeremiabuches in drei Arten eingeteilt und
daß er sich zweitens für die Frage nach den Beziehungen der insoweit voneinander abgetrennten Textarten im Grunde nicht interessierte.[15]

Könnte man die Theorie Duhms auf diese Art charakterisieren, so läßt sich nun als Nachfolger Duhms ohne weiteres der

---

14   Duhm, S.X, räumt ein, daß der Name Ergänzung "nicht überall" zu-
       trifft.

15   Diese differenzierende Neigung Duhms kann man auch wohl in sei-
       ner Ansicht verspüren, die er hinsichtlich der Fremdberichte
       über Jeremia äußerte: "Das Buch (sc. die Berichte) scheint län-
       gere Zeit, wahrscheinlich mehrere Jahrhunderte hindurch, selb-
       ständig existiert zu haben, ..." (Hervorhebung im Zitat von
       mir.).

norwegische Analytiker S.Mowinckel anführen, der im Jahr
1914 seine Abhandlung "Zur Komposition des Buches Jeremia"
publizierte.[16] Er schlug vor, das Jeremiabuch, das ursprünglich nur aus Kap. 1-45 bestanden haben soll,[17] als Sammlung
von vier "Quellen" zu erklären. Das seien "eine Sammlung
jirmejanischer Orakel"[18] (Quelle A), ein Werk der "personal-
geschichtlichen"[19] Erzählungen über Jeremia (Quelle B),
"die größeren Reden"[20] (Quelle C) und schließlich die Sammlung der "Heilsweissagungen"[21], Kap. 30f. (Quelle D). Es ist
kaum nötig darauf hinzuweisen, daß diese Textgruppen von
Orakeln, Erzählungen und Reden jeweils jenen drei Textarten,
die Duhm im Buch voneinander abtrennte, im großen und ganzen entsprechen. Die beiden sind sich weiter darüber einig,
"die in Prosa gehaltenen Reden" (Mowinckel, Quelle C) bzw.
"Ergänzungen" (Duhm) den Deuteronomisten zuzuschreiben.[22]
Mowinckel unterscheidet sich aber von Duhm dadurch, daß er
diese Prosatexte, die zwar "eine Art Übergang"[23] zwischen

---

16 Selbst Mowinckel gab am Ende dieser Abhandlung sieben Berichti-
    gungen an. In einem Exemplar dieser Abhandlung, das E.Sellin
    besaß und sich jetzt im Besitz von Prof. M.Sekine befindet,
    sind außerdem 21 Berichtigungen zugefügt. Prof. M.Saebø hat
    mich am 17. Aug. 1984 anläßlich des International Meeting der
    Society of Biblical Literature in Straßburg freundlicherweise
    darüber informiert, daß Mowinckel selber die gleichen Korri-
    genda den Geschenkexemplaren zugefügt hat.

    Die Korrigenda sind in einigen Fällen so schwerwiegend, daß
    man die Abhandlung ohne sie kaum hinreichend versteht. Da sie
    aber bis jetzt, soweit ich sehe, nirgendwo - auch nicht bei
    der Rezension der Abhandlung durch M.Löhr in ThlZ 40 1925,
    Sp.429f. - erwähnt werden, lohnt es sich wohl, sie als Anhang
    zu dieser Untersuchung (unten S.314) vorzustellen.

17 Mowinckel, aaO. S.14ff.

18 Mowinckel, aaO. S.17.

19 Mowinckel, aaO. S.24.

20 Mowinckel, aaO. S.31.

21 Mowinckel, aaO. S.46.

22 Mowinckel, aaO. S.33ff.

23 Mowinckel, aaO. S.31.

Quelle A und B bilden, doch von einer Quelle herleiten
wollte. Um die Betrachtungsweise Mowinckels zu erkennen,
dürften seine folgenden Äußerungen besondere Aufmerksamkeit
verdienen: "Der Beweis, daß hier eine selbständige Quelle
vorliegt, läßt sich womöglich noch sicherer als bei A und B
führen. Wenn wir nachweisen können, daß die Stücke dieser
Gruppe gemeinsame Eigentümlichkeiten aufweisen, sowohl stilistisch als inhaltlich, daß sie eine besondere Eigenart
in der Auffassung und Wiedergabe der prophetischen Orakel
haben; wenn ferner diese Gruppe Parallelen zu A und B oder
zu beiden aufweist, dann ist der Beweis geführt."[24] Wenn
aber eine Anzahl der Textstücke auch immer vielseitige Gemeinsamkeiten aufweisen, ergibt sich lediglich aus diesem
Sachverhalt nicht die Konsequenz, daß diese Textstücke eine
selbständige Quelle gebildet hätten. Den letzten Grund für
seine "Quelle" C glaubte Mowinckel deshalb wohl erst darin
gefunden zu haben, daß alle Paralleltexte jeweils ihre Gegenstücke immer in denjenigen Texten haben, die sich nach
ihren Eigentümlichkeiten von den Texten der Quelle C unterscheiden. Diese methodische Ansicht soll nach Mowinckel
nicht nur dafür gelten, die einschlägigen Texte von der
Quelle C herzuleiten, sondern diese Stellungnahme bildet in
methodischer Hinsicht den Grundsatz zu seiner gesamten
"Quellen"-Theorie. Er äußerte sich bereits im Anfang seiner
Studie folgendermaßen: "Nun hat man ferner schon lange erkannt, daß das Buch J i r. a u s m e h r e r e n
s c h r i f t l i c h e n Q u e l l e n z u s a m m e n -
g e a r b e i t e t i s t. Den Beweis für diese These bilden die vielen P a r a l l e l e n , die das Buch aufweist."[25] Obwohl diese Parallelität der Texte aber in der
Tat wohl nicht dazu berechtigt, "eine quellenscheidende Kritik"[26] zu üben, um die Texte als Quelle A und B voneinander

---

24   Mowinckel, aaO. S.31.

25   Mowinckel, aaO. S.6.

26   Mowinckel, aaO. S.18.

zu begrenzen, bleibt immerhin diese methodische Ansicht hinsichtlich der Paralleltexte für seine Quellen-Theorie grundlegend. Um diese methodische Tendenz Mowinckels noch gründlicher zu begreifen, müßte man weiter angebliche Gründe dafür aufspüren, warum ihn die Paralleltexte im oben besagten Sinne gerade zur Quellen-Theorie gezwungen haben sollen. Darauf weisen seine folgenden Sätze hin, worin er Kap.7 (Quelle C) mit Kap.26 (Quelle B) vergleicht: "wenn die beiden Kapitel denselben Verfasser hätten, so würde er aus seinen Nachrichten ein einheitliches Ganzes gemacht, oder wenigstens eine Anspielung gemacht haben auf das früher (bzw. später) erwähnte."[27] Des weiteren: "wenn er Kap.7 komponiert hätte, warum sollte er dann den größten Teil davon noch einmal an anderen Stellen (sc. in Kap.26) mitteilen?"[28] Die Paralleltexte müssen deswegen auf verschiedene Verfasserschaft hinweisen, weil er annimmt, ein Verfasser wiederhole das gleiche in der Regel nicht. Dies dürfte man den Grundsatz seiner Quellen-Theorie in dem Sinne nennen, daß die Theorie ohne diese Einsicht nicht bestehen könnte.

Wichtig ist nun, in Betracht zu ziehen, daß Mowinckel die "Parallelstellen" ausdrücklich unterscheidet von "offenbaren Wiederholungen, die auf Rechnung der späteren Abschreiber gehen",[29] und daß jedes Paar der von ihm gemeinten Paralleltexte[30] - wie z.B. vor allem Kap. 7 und 26 deutlich zeigen - in engerem Sinne weder inhaltlich noch stilistisch das gleiche wiedergibt, sondern einander nur ähnlich ist. Nun müßte wohl angesichts des soeben erschlossenen Grundsatzes seiner Theorie die Frage unbeantwortet bleiben, warum er die "Parallelstellen" nicht auf die bloße Ähnlichkeit hin - gemäß dem tatsächlichen Befund - beobachtete, sondern im Grunde ihre Gleichheit ohne weiteres behauptete und sie voraussetzte, um

---

27   Mowinckel, aaO. S.7.

28   Mowinckel, aaO. S.8.

29   Mowinckel, aaO. S.6.

30   Mowinckel, aaO. S.6.

seine Quellen-Theorie aufzustellen. Immerhin könnte man dieses Verfahren, wenn es richtig dargestellt ist, folgendermaßen umschreiben: er begann mit den Paralleltexten, so daß er die Ähnlichkeit zwischen diesen parallelen Gegenstücken für die Gleichheit hielt, und zwar mit dem Ergebnis, daß er anhand dieser angeblichen Gleichheit der Parallelen unterschiedliche Quellen erschloß. Kurzum: er trieb aufgrund ähnlicher Texte "quellenscheidende Kritik". Selbstverständlich sollte und hätte er eigentlich angesichts der vorhandenen Ähnlichkeit der Parallelen beispielsweise nach ihren überlieferungsgeschichtlichen Berührungen fragen können. Solche möglichen Zusammenhänge befragte er aber in der Tat nicht. An diesen Tatsachen kann man deutlich die differenzierende Tendenz seiner methodischen Intention erkennen. Daß Mowinckel mit dieser Grundtendenz das Jeremiabuch zerteilte, gibt wohl das Recht, ihn als Nachfolger Duhms zu bezeichnen.

Es unterliegt wohl keinem Zweifel, daß die methodische Tendenz zur Analyse, wie sie sowohl bei Duhm als auch bei Mowinckel ermittelt wurde, die erste Phase der Jeremiaforschung in diesem Jahrhundert kennzeichnet. Man müßte an dieser Stelle auch die Meinung G.Hölschers kurz erwähnen. In seinem Buch, Die Profeten,[31] das in demselben Jahr, in dem die oben besprochene Abhandlung Mowinckels erschien, veröffentlicht wurde, zeigt sich Hölscher nahe bei Duhm, indem er die prosaischen Texte, die sich im großen und ganzen mit den Duhmschen "Ergänzungen" decken, gleich wie Duhm Jeremia absprach und sie teils mit den Deuteronomisten, teils mit den ezechielischen Traditionen in Verbindung brachte.[32] Es besteht zwischen den beiden jedoch hinsichtlich der methodischen Intention ein Unterschied. Während Duhm urteilt, daß das Jeremiabuch, das im wesentlichen ein Gemenge disparater Materialien gewesen sei, sich sogar im MT noch im Zustand "eines un-

---

31   G.Hölscher, Die Profeten. Untersuchungen zur Religionsgeschichte Israels, 1914.

32   Hölscher, aaO. S.384f.

fertig gebliebenen Buches"[33] befinden soll, redet Hölscher hingegen von einer Redaktion des Buches, der er für seine Entstehung mehr Bedeutung als Duhm beimißt.[34] Wenn man sich weiter darüber informiert, daß Hölscher diese Meinung später so entwickelte, daß er eine "deuteronomistische Redaktion"[35] annahm, so läßt er sich dann in methodischer Hinsicht von Duhm und nicht zuletzt von Mowinckel wohl unterscheiden, so daß man ihn besser in eine andere Phase der Forschungsgeschichte einbezieht, die noch später dargestellt wird. Die erste Phase können deshalb berechtigterweise Duhm und Mowinckel repräsentieren.

EXKURS 1   F.Giesebrecht als Vorläufer B.Duhms in methodischer Hinsicht

Man geht wohl nicht fehl, als den nächsten Vorläufer Duhms F.Giesebrecht zu nennen, der im Jahre 1894, also fünf Jahre vor dem Erscheinen des Duhmschen Kommentars, "Das Buch Jeremia und die Klagelieder Jeremiae"[36] veröffentlichte. In diesem Kommentar teilt Giesebrecht das Jeremiabuch ebenso wie Duhm in drei Bereiche seiner Entstehung ein: erstens, "diejenigen Stücke ..., in welchen Jeremia in erster Person erscheint, welche also von ihm selbst aufgezeichnet oder dictiert sind", zweitens "die ... von Baruch aus der Erinnerung aufgezeichneten weissagenden oder geschichtlichen Partien" und schließlich "die ... von Bearbeitern herrührenden Be-

---

33   Duhm, S.XXII.

34   Hölscher spricht im Unterschied zu "nachredaktioneller Arbeit" bzw. "Zutat" (aaO.S.380) von "Arbeit ..... des Gesamtredaktors" (S.381).

35   Siehe unten S.43.

36   F.Giesebrecht, Das Buch Jeremia und die Klagelieder Jeremiae, 1894 (unten im Exkurs zitiert hiernach), 1907, 2.Aufl. (zitiert sonst hiernach).

reicherungen".[37] Welche Textabschnitte er in die jeweiligen
Kategorien einbezieht, ersieht man ohne weiteres aus der Tabelle auf Seite XV des Buches. Abgesehen davon, daß Duhm die
oben besagte dritte Kategorie "Ergänzungen" nennt, Giesebrecht dagegen von "Bereicherungen" bzw. "späterer Bearbeitung" oder "Erweiterung"[38] spricht, liegt zwischen beiden
doch ein unverkennbarer Unterschied darin, wie sie sich den
Prozeß vorstellen, wodurch sich die Bestandteile der "Biographie Jeremias" (Duhm)[39] mit seinen Sprüchen verbanden:
Duhm nimmt an, daß diese biographischen Fremdberichte ursprünglich als abgerundetes Werk Baruchs entstanden seien
und als solche gegebenenfalls durch Jahrhunderte überliefert
worden sind, bevor sie die "Bearbeiter, ... portionsweise
in das Jeremiabuch aufnahmen,"[40] während Giesebrecht die
Tätigkeit Baruchs als tiefer und weitgehender ausgeübt sieht,
so daß Baruch Kap. 1-36 im großen und ganzen selbst zusammengestellt und redigiert hat[41] und daß er dann selbst diesen
Buchteil mit seinem eigenen Werk (Kap. 37-44), nämlich der
Lebensgeschichte Jeremias, zusammen mit dem Trostwort für
sich selbst (Kap. 45) verbunden haben soll.[42] Die Abweichung
der Meinung Duhms von der Giesebrechts beschränkt sich deshalb im Abschätzen der Rolle Baruchs bei der Kombination
der jeremianischen Sprüche mitsamt der Wirkungsgeschichte.
Darüber aber, daß Baruch "die von ihm erzählten Erlebnisse
und Handlungen Jeremias ..... miterlebt" (Duhm) habe,[43] so
daß Baruch die Geschichte Jeremias "aus der Erinnerung aufgezeichnet" (Giesebrecht)[44] haben soll, sind sich beide

---

37   Giesebrecht, S.XIV.

38   Giesebrecht, S.XVIff.

39   Duhm, S.XV.

40   Duhm, S.XV.

41   Giesebrecht, S.XVf.

42   Giesebrecht, S.XVI.

43   Duhm, S.XV.

44   Giesebrecht, S.XIV.

doch im Grunde einig. Ferner besteht auch darin Überein-
stimmung, daß sie sich beide hinsichtlich der "Ergänzungen"
bzw. "Erweiterungen" nicht mehr darum kümmern, jeremianische Herkunft herauszuarbeiten. Dieser Sachverhalt verdient
in forschungsgeschichtlicher Hinsicht besondere Aufmerksamkeit. Als unechte Ergänzungen bzw. Erweiterungen wird eine
gewaltige Anzahl von Texten dem Propheten abgesprochen: bei
Duhm betragen sie ungefähr 850 Verse,[45] also etwa zwei Drit-
tel des ganzen Buches, und bei Giesebrecht belaufen sie sich,
wenn man nach seiner Stellenangabe in der betreffenden Ko-
lumne in jener Tabelle[46] rechnet, auf mehr als 400 Verse.
Schließlich könnte man in Giesebrecht auch in dem Sinne
einen Vorläufer Duhms finden, daß ersterer stilistische
Merkmale aufgreift, obwohl es bei ihm nicht darum geht, damit jeremianische Herkunft nachzuweisen, sondern zunächst
lediglich eine geläufige falsche Anklage zu widerrufen, Jeremia habe monoton wie auch wiederholend geredet. Giesebrecht schreibt: "Diese Vorwürfe sind in einem gewissen Grade berechtigt, treffen aber mehr die von Baruch redigierten
Partien als die im eigentlichen Sinne auf Jeremia zurückge-
henden Stücke."[47] Auffällig ist in diesem Zusammenhang, daß
Giesebrecht, wenn auch nur im Hinblick auf die Klagen Jeremias, doch "das Metrum der Kinahstrophe"[48] erwähnt. Dies erinnert daran, daß Duhm konsequent mit dem Maßstab desselben
Metrums jeremianische Sprüche herausfinden zu können glaubte. Als Kina bezeichnete dieses Metrum zuerst allerdings

---

45   Duhm, S.XVI.

46   Giesebrecht, S.XV.

47   Giesebrecht, S.XVIII.

48   Giesebrecht, S.XVIII.
      Siehe auch z.B. seine Erläuterung zu 11,15-17.

nicht Duhm, sondern wohl Giesebrecht, Jeremias Metrik, 1905.[49] Diese Umstände könnten C.von Orelli dazu veranlaßt haben, den Paragraph "Die Form der Weissagung Jeremias" in seinem Kommentar, Die Propheten Jesaja und Jeremia, 1891, 2.Aufl., zu erweitern, so daß man in der 3.Aufl. - nun heißt der Kommentar "Der Prophet Jeremias" - den Paragraph "Die Form der Weissagung. Jeremias Metrik"[50] lesen kann.

Schon früher hatte man am Jeremiabuch, bes. im Rahmen der Fragen nach Anklängen des Buches an das Deuteronomium, auf der Ebene der Diktion stilkritisch gearbeitet - einige Beispiele gibt H.Weippert an -.[51] Zur Stilkritik, wobei es sich aber in erster Linie auf der Suche nach der dem Jeremia eigenartigen Redeform um Metrumanalyse handelt, dürften doch Giesebrecht und Duhm die ersten Ansätze gemacht haben. Gewiß mangelt es nicht an Beispielen, bei denen man vor Giesebrecht und Duhm Textabschnitte des Jeremiabuches im allgemeinen vom literarischen und geschichtlichen Gesichtspunkt her dem Propheten absprach: zunächst sei daran erinnert, daß schon J.G.Eichhorn, Einleitung in das AT, 1823-24, 4.Aufl., Kap. 45-51 als "eine Reihe anonymer Orakel gegen fremde Völker"[52] ansah und sie Jeremia absprach. Des weiteren hielt er auch Kap. 52[53] für unecht. Als weiteres Beispiel läßt sich

---

49   Giesebrecht, Jeremias Metrik, S.IV. Bekannt ist, daß es davor
      Budde, Das hebräische Klagelied, ZAW 2 1882, S.1-52, gelang,
      die Form und Funktion der Kina auf der breiten Basis des ATs
      festzustellen. Man beachte aber, daß er für die Klagelieder in
      engerem Sinne des Wortes lediglich vier Stellen im Jeremiabuch
      herausfinden konnte: 9,9-10 (aaO.S.22f.); V.16-21 (S.23);
      22,6-7 (S.29) und V.21-23 (S.29f.); es kam bei Giesebrecht bzw.
      Duhm hingegen in erster Linie auf das Metrum der Kina an, des-
      sen sich Jeremia bediente.

50   C.von Orelli, Der Prophet Jeremia, 1905, S.10.

51   Weippert, Prosarede, S.5f.

52   Eichhorn, Einleitung in das Alte Testament, I-V, Göttingen,
      1823-1824, S.220.

53   Eichhorn, aaO. S.223f.

noch anführen, daß F.C.Movers, De utriusque recensionis vaticiniorum Ieremiae, graecae alexandrinae et hebraicae maso-
rethicae, indole et origine, Commentatio critica 1837, die
jeremianische Herkunft von Kap.31 widerlegt, während es seinerseits mit Kap.30 zusammen einen abgerundeten Abschnitt
im Buch bilde; - "sequitur, ut oraculum Ier. 31 ..... ex
opinione Prophetae post exilium sit editum"[54] -, so daß er
sie anhand der übereinstimmenden Worte und des Stils Deuterojesaja zuschrieb.[55] Die Methode aber, aufgrund der Metrums-
anlage in gegebenen Texten "echte" Bestandteile herauszufinden, wurde auf das Jeremiabuch, wenn auch nur im Ansatz, allem Anschein nach zuerst von Giesebrecht und dann von Duhm
kühn angewandt.

b.   Ausgleichende Phase

Worauf man die Ansätze und die Wende zur neuen Phase in
der Forschungsgeschichte zurückführen kann, ist eine Frage,
die für sich zu diskutieren ist. Zwar läßt sich diese Frage
je nach dem Gesichtspunkt unterschiedlich beantworten. Man
kann aber dagegen nichts einwenden, daß bereits die Meinung
W.Erbts, die seinem Buch, Jeremia und seine Zeit, 1902,[56]
zugrunde liegt, sich von der Auffassung Duhms im Brennpunkt

---

54   Movers, De utriusque recensionis vaticiniorum Ieremiae, Graece
     Alexandrinae et Hebraicae masorethicae, indole et origine,
     Commentatio critica, Hamburg 1837, S.37.

55   Movers, aaO. S.37ff.

56   Der Nebentitel heißt: Die Geschichte der letzten fünfzig Jahre
     des vorexilischen Juda.

der Problematik des Jeremiabuches im wesentlichen unterscheidet. Erbt vertrat dort die Ansicht, auch die Prosatexte, in denen Jeremia u.a. seine eigenen Erfahrungen mit dem
Eingreifen Gottes mitteilt, seien von jeremianischer Herkunft, wenn sie auch keine poetischen Sprüche sind. Solche
in Prosa gehaltenen Texte, die Erbt auch "profetische Pre-
digt(en)" nannte,[57] könnte man nach ihm etwa von "Denkwür-
digkeiten Jeremias" herleiten, die aus den Worten bestanden haben sollen, die zwar "nicht in erster Linie Wiedergaben des profetischen Vortrags", aber doch die Ergebnisse des
Versuches "von dem Propheten selbst" sind, die Gottessprüche
"für einen späteren Leser kurz zu verumständen."[58]

Während sich Erbt auf diese Weise darum bemühte, den möglichen Grund für das Nebeneinander der Prosareden und Sprüche bei Jeremia zu ermitteln, verwickelte sich C.H.Cornill
nicht in diese Problematik der Sprech- und Redeform des Propheten, nur daß er in seinem literarkritisch ausführlichsten
Kommentar, Das Buch Jeremia, 1905, für die Prosatexte ein-
treten wollte, indem er sagte: "ihm (sc. Jeremia) aber den
Gebrauch des gleichschwebenden Rhythmus oder der rhythmi-
schen Prosa oder auch der eigentlichen Prosa bei Stoffen,
die sich zur poetischen Behandlung nicht eigneten, verbie-
ten, heißt doch wohl zu rigoros sein und einen einseitig
ästhetischen Standpunkt anlegen an eine Persönlichkeit, die,
..... gar nicht Dichter sein will und sich absolut nicht als
Literaten gefühlt hat."[59] Für Cornill bedeutete deshalb die
Prosaform einerseits, daß die einschlägigen Texte keine
direkten Wiedergaben der mündlichen Reden des Propheten

---

57 Erbt, S.70 u.a.

58 Erbt, S.108.

59 Cornill, S.XLVI. Auf diese Richtung weisen seine manchmal zi-
    tierten bzw. erwähnten Äußerungen hin: "War Jeremia ein so ge-
    nialer Improvisator, daß sich ihm auch in freier mündlicher
    Rede die Worte ganz von selbst zu Kinaversen zusammenfügten?"
    (S.93).

sind, daß sie aber andererseits, wie oben dargestellt, keine "unechten" Materialien, sondern literarische Produkte des Propheten selbst darbieten.

Am engsten verbindet sich mit dieser Grundeinsicht Cornills dann wohl die von Th.H.Robinson in seinem Aufsatz, Baruch's Roll, 1924,[60] denn auch er wollte im Jeremiabuch einen Texttyp von "autobiographical prose and literary poetry"[61] heraussuchen. Diese an sich auffällige Bezeichnung erinnert sogleich an jene unentschiedenen Formulierungen Erbts, nämlich "Worte (sc. die in Prosa gehaltenen Worte), die in ihrem Stile, ich möchte fast sagen, auf der Grenze zwischen zum öffentlichen Vortrag bestimmter Rede und Lesestück stehen."[62] Nach Robinson sollen sich diese Texte (C) einerseits von "oracular poetry" (A) und andererseits von "biographical and historical prose" (B) darin unterscheiden, daß sie "still mainly in prose (sind), thought at times they tend to exhibit parallelism and rhythm, especially when recording dialogue between the Prophet and Yahweh."[63] "This combination of autobiographical prose and oracle"[64] in Texteinheiten hielt er unter Berufung auf angeblich ähnliche Beispiele aus den anderen Prophetenbüchern für keine Besonderheit und kennzeichnete sie als "passages which are definitely and deliberately literary products, and are the result of the reasoned processes of thought as well as of eruptive feeling."[65] Da in diesen Texten Jeremia in der Regel in der 1. Person zu Worte kommt,[66] hindere nichts daran, diese Texte dem Propheten selbst zuzuschreiben[67] und sie außerdem als die Hauptbestandteile der sog. Urrolle zu vermuten.[68]

---

60   ZAW 42 1924, S.209-221.

61   Robinson, aaO. S.213.

62   Erbt, S. 109.

63   Robinson, aaO. S.211.

64   Robinson, aaO. S.212.

65   Robinson, aaO. S.213.

66   Robinson, aaO. S.211.

67   Robinson, aaO. S.219

68   Robinson, aaO. S.219

Bevor ein strittiger Punkt, auf den es in diesen Untersuchungen im wesentlichen stets ankommen sollte, nämlich das Problem der dt.-dtr. Diktionen im Buch, thematisch behandelt wird, empfiehlt es sich, an dieser Stelle noch die Meinungen von P.Volz und F.Nötscher kurz zu referieren. Die Problematik der Stilformen des Jeremiabuches behandelte Volz in der Einleitung seines Kommentars, Der Prophet Jeremia, 1928, 2.Aufl. unter dem Paragraphen "Der Redner, Dichter und Schriftsteller Jeremia". Bereits dieser Titel weist auf seine Auffassung des Propheten hin, daß sich in Jeremia diese drei Anlagen vereinigt haben sollen. Stilistische Unebenheiten, die man bisher mehr oder weniger beanstandet hatte, bestätigen für Volz nichts anderes als "Reichtum der Formen"[69], der ihn ermächtigte, dem Propheten möglichst vielerlei Stile und Gattungen zuzuschreiben. Um das Jeremiabild von Volz zu bezeichnen, genüge es, daran zu erinnern, daß er z.B. Kap. 30f. als ein Drama ansah. Dramatisch sei der "Wechsel der s p r e c h e n d e n   P e r s o n e n " , ... "der S z e n e n " sowie ein "Wechsel in   T o n   und   E m p f i n d u n g " und "im Rhythmus"[70].

Dem Kommentarwerk von Volz folgte im Jahr 1934 der Kommentar des katholischen Exegeten F.Nötscher, Das Buch Jeremia. Was die Grundeinsicht in die Entstehungsumstände des Buches anlangt, kann man kaum Unterschiede zwischen den beiden erkennen; abgesehen von einer Menge späterer Zusätze seien die Grundbestände des heutigen Buches von Jeremia herzuleiten, sowohl poetische wie prosaische Stücke, Texte in Ich-Form und Er-Form, Erzählungen, Visionen oder Briefe. Diese Ansicht wollte Nötscher durch die Annahme beweisen, daß Baruch der Schreiber der Worte des Propheten, ihr Tradent und Herausgeber gewesen sei.[71]

---

69   Volz, S.XXXIV.

70   Volz, S.288.

71   Nötscher, S.22f.

Es stellt sich nun die Frage, ob nicht bereits in diesen
Untersuchungen von Erbt, Cornill, Robinson, Volz wie auch
Nötscher die Ansätze zu einer neuen Phase der Forschungsgeschichte erkannt werden können, wenn Erbt und Cornill auch
früher als Mowinckel arbeiteten und sich zeitlich fast an
Duhm anschlossen. Selbstverständlich darf man nicht übersehen, daß sich diese vier Gelehrten meistens eigene methodische Begriffe - man erinnere vor allem an "profetische
Predigt", "autobiographical prose and literary poetry" oder
"Drama" der Prophetenworte - schufen, um damit die literarischen Probleme des Buches jeweils aufs neue, und vielleicht
endgültig, zu lösen. Wenn aber einmal in Betracht gezogen
wird, was sie sich jeweils als Grundfrage stellten, die sie
mit Hilfe jener Begriffe zu beantworten suchten, leuchtet
es ein, daß sie sich im Grunde gemeinsam contra Duhm bzw.
Mowinckel gewandt haben; es herrschte zwischen ihnen grundsätzliche Einmütigkeit darüber, daß die Unebenheiten in Stil
und Materialien, die die Texte des Buches aufweisen, zwar
als wirkliche Tatbestände ins Bewußtsein gebracht werden
müßten, daß sie aber doch nicht wie bei Duhm und Mowinckel
auf unterschiedliche Provenienzen, sondern auf verschiedene
Aspekte der Umstände bei Jeremia wie auch auf dessen Persönlichkeit zurückzuführen wären. Ließen sich die Arbeiten von
Erbt, Cornill, Robinson, Volz und Nötscher auf diese Weise
pauschalierung, so sollte man die Ansicht vertreten, daß
bereits bei Erbt eine neue Forschungstendenz ansetzte, die
von Cornill, Robinson, Volz sowie Nötscher weiter verfolgt
wurde. Aufschlußreich wäre dann an dieser Stelle diese neue
Tendenz im Vergleich mit der ersten Phase der Forschungsgeschichte zu kennzeichnen. Wird die erste Phase, die Duhm
und Mowinckel repräsentieren, wie oben dargestellt, als
differenzierend bezeichnet, so könnte man diese zweite aufgrund der dort gemeinsam ermittelten methodischen Tendenz
als "ausgleichende" Phase charakterisieren; man versuchte
in dieser Phase, zwar mit grundsätzlicher Zustimmung zur
Stilkritik, die Duhm und Mowinckel übten, daraus schließlich

doch eine andere Schlußfolgerung zu ziehen als diese beiden behaupteten, nämlich die, daß die Prosatexte im großen
und ganzen doch echt seien.

Es bedarf wohl keiner eingehenden Definition des Wortes
"Phase". Dieses Wort bedeutet in der laufenden Darstellung
jeweils einen Abschnitt der Forschungsgeschichte, der einem
anderen zeitlich nicht immer folgen muß, sondern sich teilweise neben ihm entwickeln kann; dies ist vorausgesetzt,
wenn oben bereits bei Erbt, der früher als Mowinckel arbeitete, von den Ansätzen zur zweiten Phase die Rede gewesen
ist.

Die zweite Phase dauert, wie es scheint, sehr lang. Es
dürfte daher nicht abwegig sein, an dieser Stelle einen
Überblick über ihren Umfang zu geben: Man könnte in der
zweiten Phase, die soeben als "ausgleichend" gekennzeichnet worden ist, im Laufe der Zeit annähernd fünf verschiedene Aspekte voneinander unterscheiden, je nachdem welche
methodische Tendenz den einschlägigen Untersuchungen jeweils
zugrunde liegt. Teilt man dem ersten Aspekt dieser ausgleichenden Phase die Arbeiten der oben behandelten fünf Gelehrten zu, so dürften H. Birkeland, Zum hebräischen Traditionswesen, 1938[72] und S.Mowinckel, Prophecy and Tradition,
1946,[73] den zweiten Aspekt bilden. Birkeland ging dabei von
der These seines Lehrers H.S.Nyberg aus, daß man damit rechnen müsse, daß die Überlieferung vor allem im Alten Orient
in erster Linie im mündlichen Bereich vor sich ging, wie
es im Buch Hosea der Fall gewesen zu sein scheint.[74]

---

72   Der Nebentitel heißt: Die Komposition der prophetischen Bücher des ATs.

73   Der Nebentitel heißt: The Prophetic Books in the Light of Study
      of the Growth and History of the Tradition.

74   H.S.Nyberg, Studien zum Hoseabuche. Zugleich ein Beitrag zur Erklärung des
      Problems der alttestamentlichen Textkritik, Uppsala Universitets Års-
      skrift, 1935:6, S.7: "Die Überlieferung ist im Orient selten eine reine
      schriftliche; sie ist überwiegend eine mündliche. Die lebendige Rede spiel-
      te von jeher und spielt immer noch im Orient eine größere Rolle
      als die schriftliche Darstellung. Fast jeder Niederschrift eines
      Werkes ging im Orient bis in die jüngste Vergangenheit hinein eine
      längere oder kürzere mündliche Überlieferung voraus, und auch nach
      der Niederschrift bleibt die mündliche Überlieferung die normale
      Form für die Fortdauer und die Benutzung eines Werkes."

19

Demgemäß meinte Birkeland, daß auch die jeremianischen
Überlieferungen keine Ausnahmen sein können, und kam zu
der Annahme, daß die "metrisch geformten Worte .....
schon früher s c h r i f t l i c h fixiert gewesen
sein"[75] müssen, als die Prosatexte in dem Tradentenkreis
der betreffenden Überlieferungen schließlich niederge-
schrieben wurden. Die metrischen und prosaischen Texte
seien deshalb "Jeremiaworte in zwei verschiedenen Traditi-
onsstadien",[76] so daß es methodisch falsch sei, in den Texten im Sinne von Duhm und Mowinckel "echte" Teile von "unechten" abtrennen zu wollen. Die neuen Prämissen Mowinckels,
von denen aus er seine frühere Arbeit vom Jahre 1914 nun
beträchtlich modifizierte, bedeuten wohl auch, daß eine
Tradentengruppe die ihr vertrauten prophetischen Traditionen im allgemeinen sowohl in mündlicher als auch schriftlicher Form pflegte.[77] Auf diese Grundeinsicht weise seine
Betrachtung deswegen hin, weil die Prosareden des Buches
zwar weniger mit den Sprüchen als vielmehr mit den Fremdberichten des Propheten Affinität, aber von diesen letzteren doch auch Abweichungen aufweisen sollen, weil dieser
Sachverhalt sich nur erklären lasse, wenn "the core, the
'themes' so to say, of these speeches"[78] nicht von den
schriftlichen Berichten übernommen wurden, sondern dort
"an independent parallel transmission of the memories about
Jeremiah's sayings"[79] vorauszusetzen sei. Die Prosareden,
die er einst einer "Quelle C" zutraute, sollen dementsprechend richtiger als "the sayings by Jeremiah (which) have
been transmitted and transformed according to the ideas
and the style which prevailed in the circle, exactly the
deuteronomistic ideas and forms of style and interests"[80]

---

75   Birkeland, aaO. S.42.

76   Birkeland, aaO. S.42.

77   Mowinckel, Prophecy and Tradition, S.62.

78   Mowinckel, aaO. S.62.

79   Mowinckel, aaO. S.63.

80   Mowinckel, aaO. S.61.

beurteilt werden. Da Mowinckel in dieser neuen Untersuchung "the Book of Jeremiah in its original form"[81]
(sc. Kap.1-45 mit Abzug der Prosareden) im großen und ganzen dem Schreiber Baruch zuschreibt, meinte er u.a. in den
Sprüchen noch "the original wording"[82] des prophetischen
Vortrags manchmal wahrnehmen zu können. Was die deuteronomistischen Prosareden anlangt, scheint demzufolge die Konsequenz zwingend zu sein, daß die Literarkritik auf die
Echtheitsfrage hin hier versagen muß. Obwohl man berücksichtigen sollte, daß sich diese skandinavischen Forscher,
Nyberg, Birkeland sowie Mowinckel jeweils als Ziel setzten,
einen programmatischen Entwurf vorzulegen, mehr oder weniger an den Prophetenbüchern des ATs sog. traditio-histo-
risch zu arbeiten, bleibt bei ihren Untersuchungen unerklärt, bei welchen Gelegenheiten und unter welchen Bedürf-
nissen mündliche Überlieferungen gegebenenfalls niederge-
schrieben wurden. Wenn man immerhin die Ergebnisse der Untersuchungen Birkelands und Mowinckels im Zusammenhang mit
den Jeremiaforschungen nicht ganz ignorieren will, müßten
sie wohl doch in der zweiten Phase der Forschungsentwick-
lungen, die sich als ausgleichend kennzeichnet, ihren an-
gemessenen Ort finden, denn die beiden behaupteten, es sei
grundsätzlich nicht berechtigt, alternativ zu fragen, ob
die Prosareden des Buches echt oder unecht seien, obwohl
sie in einer anderen Weise als die Sprüche doch die Worte
des Propheten wiedergeben sollen. Das heißt, daß Birkeland
und Mowinckel im Kontext der Forschungsgeschichte, der
oben dargestellt worden ist, eine Art ausgleichende Position innehaben dürften.

Etwa fünf Jahre darauf begegnet man hinsichtlich der Prosatexte des Buches folgender Äußerung: "What we have is a

---

81   Mowinckel, aaO. S.61.
82   Mowinckel, aaO. S.66.

prose tradition of Jeremiah which grew up on the basis of
his words, partly no doubt preserving them exactly, partly
giving the gist of them with verbal expansions, partly
(e.g. 17,19-27) those words as understood or misunderstood
in the circle of his disciples", - dies war das Ergebnis,
zu dem J.Bright in seinem Aufsatz, The Date of the Prose
Sermons of Jeremiah, 1951,[83] kam. Obwohl diese Beurteilung
Brights über die wahrscheinliche Kontinuität der Jeremia-
traditionen in den Prosatexten im Grunde genommen eine ähnliche Richtung wie Birkeland und Mowinckel vertrat, argu-
mentierte dafür Bright anders als die beiden, so daß man
mit seiner Arbeit einen neuen Aspekt, nämlich den dritten,
inaugurieren lassen dürfte. Der Eindruck der Untersuchung,
statistisch ausreichend begründet worden zu sein, müßte
sich aber wohl richtiger auf die Teile begrenzen, wo er anhand von tabellarisierten Vergleichsmaterialien bewies,
daß die gesamten Prosatexte, die Bright pauschal   "prose
sermons" nannte, in stilistischer Hinsicht betrachtet weder von den nachexilischen, noch von den spätexilischen Li-
teraturen des ATs abhängig sind.[84] Die datierbar letzten
Erwähnungen, die die Prosatexte enthalten, z.B. 44,30 oder
43,8-13, sollen nach Bright eher auf die Zeit um 570 v.Chr.
verweisen.[85] Daraus ergebe sich die Konsequenz wie folgt:
"the prose tradition had begun to exist even in the prophet's lifetime".[86] Da sich die Annahme der deuteronomistischen Anklänge in den Prosatexten keinesfalls als begründet
beweise, zwinge das zur Folgerung: "the prose of Jeremiah
is a style in its own right, akin to Dtr but by no means a
slavish imitation of it."[87] Er meinte, der Stil, den die

---

83   JBL 70 1951, S.15-35. Das Zitat ist aus S.27.

84   Bright, aaO. S.18 und 22.

85   Bright, aaO. S.24.

86   Bright, aaO. S.25. Hervorhebung von mir.

87   Bright, aaO. S.26.

beiden aufweisen, sei ein "example of the rhetorical prose
of the late 7th and early 6th centuries in Judah."[88] Somit
war er davon überzeugt, daß der Prosastil kein Merkmal der
"unechten" Ergänzungen sei, wie Duhm und Mowinckel vorga-
ben, sondern "genuin words of Jeremiah underlie the prose
tradition".[89] Er wiederholte diese Meinung in seinem Aufsatz, The Book of Jeremiah. Its Structure, its Problems,
and their Significance for the Interpreter.[90] Deutlicher als
früher rückte in diesem Aufsatz der Begriff von "the circle
of his (sc. Jeremias) followers" in den Vordergrund,
die Worte des Propheten, die endgültig in die Prosaform geprägt wurden, mündlich länger überliefert worden sein dürften als die Worte, die sich im Buch poetisch finden,
schriftlich fixiert wurden.[91] Diese Erklärung, wie sie
der stilistische Unterschied eigentlich ergab, nähert sich
eindeutig der Birkelands.[92] Immerhin könnte man in dieser
Studie Brights einen entschieden motivierten Versuch sehen,
die Prosaworte, die Duhm vor rund fünfzig Jahren dem Propheten absprach, ihm zurückzugeben. Den Höhepunkt der "ausgleichenden" Phase der Jeremiaforschungen erreichte er
wohl mit seiner folgenden Aussage: "In short, the terms
'genuin' and 'non-genuin' as conventionally used are out of
the place here".[93]

Diese Meinung Brights nahm O.Eißfeldt in der 2.Auflage
seiner Einleitung in das AT 1956 auf, indem er den Prosastil der Texte, die Bright "prose sermons" nannte, für
"predigtartigen Prosastil" hielt, "der sich nur gelegentlich
zu poetischem Rhythmus erhebt .....".[94] Die Voraussetzung
für diese Zustimmung bildete die allgemeine Annahme Eißfeldts, "daß etwa vom Ausgang des 7. Jahrh. an Propheten

---

88   Bright, aaO. S.27.

89   Bright, aaO. S.27.

90   Interpr 9 1955, S.257-278.

91   Bright, aaO. S.270f.

92   Siehe oben A. 75.

93   Bright, Prose Sermons, S.27.

94   Eißfeldt, Einleitung, S.426.

und Priester sich <u>neben</u> ..... den Sprüchen ....., <u>auch</u>
des mehr rationalen Mittels der Predigt zu bedienen begannen oder, wenn das schon vorher der Fall gewesen sein sollte, das jetzt jedenfalls erst in ausgedehnterem Maße getan haben."[95] Um die vermittelnde Tendenz, der Prophetie
um die Zeit Jeremias sowohl poetischen als auch prosaischen Stil zutrauen zu wollen, in dieser Annahme Eißfeldts
herauszustellen, bedarf es wohl einer weiteren Erklärung.

In den fünfziger und sechziger Jahren wurde im Bereich
der Jeremiaforschungen noch eine Anzahl von Untersuchungen
angefertigt, die sich methodisch von den bisherigen erheb-
lich unterschieden. Das sind die Arbeiten, die versuchten,
enge Zusammenhänge Jeremias mit Kulttraditionen bzw. mit
den derzeitigen kultischen Gebräuchen festzustellen. Sie
stimmen miteinander auch darin überein, mehr oder weniger
die bisher behandelte Problematik der Prosatexte des Buches konfrontiert bzw. berücksichtigt zu haben: die Verfasser wollten sich nämlich damit, wie es scheint, für die
Prosareden des Propheten, sei es grundsätzlich, sei es
teilweise, einsetzen. Wegen dieser Grundlinien, auf die
diese Arbeiten gemeinsam verweisen, läßt es sich wohl recht-
fertigen, in ihnen einen besonderen Aspekt zu sehen. Als
Studien, die diesen vierten Aspekt in der vermittelnden
Phase der Forschungsgeschichte bildeten, sind vor allem
die folgenden anzuführen: A.Weiser, Das Buch des Propheten
Jeremia, 1952/55, J.W.Miller, Das Verhältnis Jeremias und
Hezekiels sprachlich und theologisch untersucht, 1955,[96]

---

95 Eißfeldt, aaO. S.17. Hervorhebung von mir.
96 Der Titel setzt sich fort: "mit besonderer Berücksichtigung
    der Prosareden Jeremias."

A.Baumann, Urrolle und Fasttag, 1968,[97] H.Graf Reventlow,
Liturgie und prophetisches Ich bei Jeremia, 1963, sowie
ders., Gattung und Überlieferung in der ≫Tempelrede Jere-
mias≪, Jer 7 und 26, 1969.[98]

Die Grundzüge der Meinung Weisers liegen wohl darin, daß
er erstens die Mannigfaltigkeit der Stil- und Gattungsfor-
men, die das Buch aufweist, Jeremia selbst in dem Sinne zuschreibt, daß sich der Prophet verschiedener Spruch- und
Redeformen bediente, um damit situationsgemäß zu verkündi-
gen.[99] Während Weiser mit dieser Annahme z.B. Volz nahesteht,[100] entfernt er sich durch seine Vermutung entschieden von den anderen, wenn er die überwiegende Mehrheit
der Spruch- und Redeformen, die Jeremia zur Verfügung gestanden haben sollen, in der "Jahwekulttradition",[101] vor
allem "der Tradition des Bundeskultes"[102] beheimatet sein
läßt, mit der Jeremia als ein "Glied einer alten Priester-
familie ..... wohl von Jugend auf vertraut gewesen
(sei)".[103] Konsequenterweise stand Weiser der Ansicht ent-
gegen, daß die Prosareden meistens deuteronomistische Produkte seien. Er äußerte sich dahin, daß die sog. Prosareden ohne weiteres als Muster "der liturgisch paränetischen
Predigtform" bzw. "der im Bundeskult heimischen Form der
belehrend-paränetischen Predigt"[104] verstanden werden müs-

---

97   ZAW 80 1968, S.350-377. Der Nebentitel heißt: Zur Rekonstruk-
           tion der Urrolle des Jeremiabuches nach den Angaben in Jer 36.

98   ZAW 81 1969, S.315-352.

99   Weiser, S.482.

100   Auch der von Weiser gebrauchte Begriff "Kultdramatik" (S.470)
          erinnert an die Exegese Volz' von Kap.30f. des Buches.

101   Weiser, S.470.

102   Weiser, S.471.

103   Weiser, S.469. Weiser dachte, seine Ansicht finde ihre Bestä-
          tigung in erster Linie darin, daß sich im Jeremiabuch nicht
          wenige Anklänge an die Psalmen finden, siehe S.470-472.

104   Weiser, S.482. Folgende Zitate auch dorther.

sen, daß diese Redeform also kein Zeichen der Unechtheit
sein könne. Die Ähnlichkeit, die die Prosatexte und das
Deuteronomium miteinander verbindet, weise eher darauf
hin, daß diese Predigtform "sich schon im Deuteronomium
als vorgegebene Stilform zu erkennen" gebe. Er meinte,
die Tempelrede z.B. widerspreche "sachlich der Grundtendenz des Deuteronomiums" und bestätige sich deshalb als
grundsätzlich jeremianisch. Auffällig ist allerdings bei
Weiser, daß die Unterscheidung zwischen dem Deuteronomium
und der deuteronomistischen Literatur nicht zur Genüge
durchgeführt ist. Kennzeichnend ist auch, daß Weiser in
den Redepartien, die Baruch zugeschrieben werden, den Pre-
digtstil, der "den übrigen Prosastücken des Jeremiabuches
verwandt ist",[105] gefunden zu haben meinte, so daß er zur
Vermutung kam, "daß dem Baruch gewisse gottesdienstliche
Funktionen oblagen".[106] Immerhin könnte man wohl sagen,
daß Weiser mit der Theorie "der Übernahme eines bereits
vorhandenen liturgischen Brauchs und der ihm zugehörigen
Gattungsform durch Jeremia und Baruch" versuchte, die Prosatexte des Buches für den Propheten zurückzugewinnen.[107]

Miller ging in Anlehnung an Robinson und Eißfeldt von
vornherein davon aus, daß die Erzählung in Kap.36 des Buches darauf hinweise, die Urrolle bestehe aus den Prosareden, weil "eine bekannte, einfache, rhetorische Prosaform
und nicht Poesie das wirkungsvollste Mittel der Offenba-
rung"[108] sei. Ihm schien nur noch übrigzubleiben, diese
Annahme mit Belegen nachzuweisen. Er verwies darauf, daß
in Kap.1-25 die Prosapartien in der Aufeinanderfolge, wie
sie sich in der jetzigen Gestalt des Buches findet, abgesehen von den dazwischen eingefügten poetischen Texten,

---

105   Weiser, S.170f., A.1.

106   Weiser, S.171.

107   Weiser, S.482. Die Grundansicht Weisers, die hier betrachtet
       wurde, bleibt auch in der 6. Auflage seines Kommentars von
       1969 unverändert.

108   Miller, Verhältnis Jeremias und Hesekiels, S.22.

eine Struktur aufweisen sollen, die eben als Reihenfolge
der Bestandteile eines traditionellen Kultes verstanden
werden könne, nämlich, wie sie G.von Rad anhand des Deuteronomium feststellte, "Geschichtliche Darstellung der
Sinaivorgänge und Paränese, Gesetzesvortrag, Bundesver-
pflichtung sowie Segen und Fluch."[109] Daraus zog Miller
die Folgerung, jene Reihenfolge der Prosatexte in
Kap.1-25 sei kein Zufall, sondern vielmehr bestätige sie,
"daß Jeremia sich in der Zusammenfassung der Botschaft seiner 23jährigen Tätigkeit als Prophet bewußt an die Form
..... der damaligen kultischen Begehung angeschlossen hat,
die in jener Zeit (nach der josianischen Reformation) die
vier Themata aufweist, die jetzt in den vier Teilen des
Buches Deuteronomium vorliegen."[110] Da Miller in dieser
Studie sein eigentliches Ziel darin sah, einen Zusammenhang Jeremias mit Ezechiel festzustellen, zog er aus dem
soeben dargestellten Befund noch andere Konsequenzen. Es
bedarf aber wohl keiner Besprechung seiner weiteren Arbeitsgänge, um in der laufenden Darstellung der Forschungsgeschichte des Jeremiabuches seine Stellung zu ermitteln:
Miller ging in dieser Studie der Frage nach den Zusammenhängen der Sprüche und Prosareden thematisch nicht nach,
nur daß er in Anlehnung an G.Widengren die Meinung vertrat, daß diese Unterschiede "verschiedene Zeiten und Zustände" reflektieren sollen, "in denen die ursprünglichen
prophetischen Offenbarungen gebraucht wurden."[111] Er

---

109 G.von Rad, Das formgeschichtliche Problem des Hexateuch,
     1938, jetzt in: Gesammelte Studien zum AT (ThB B8, 1965),
     S.34. Diese Feststellung von Rads zitierte Miller, aaO. S.25.
     Über die Einteilung der Prosatexte des Jeremiabuches in die-
     se vier Teile, siehe S.63.

110 Miller, aaO. S.27.

111 Miller, aaO. S.15, A.2. Er meinte hier G.Widengrens Aufsatz,
     Literary and Psychological Aspects of the Hebrew Prophets,
     Uppsala Universitets Årsskrift,1948:10. Widengren seinerseits
     behandelte nirgends in dieser Studie die Problematik der Sprü-
     che und Prosareden als solche, sondern streifte sie nur, sie-
     he Widengren, aaO. z.B. S.80-82, bes. S.82. A.2.

scheint es vielmehr für wahrscheinlich gehalten zu haben,
daß man zwischen den Sprüchen und Prosareden, wie sie sich
im Buch befinden, hinsichtlich des Grades der Echtheit
keinen Unterschied machen darf. Somit spielte Miller in der
Problematik der Prosareden des Jeremiabuches die Rolle
eines Schiedsrichters.

Man könnte neben Miller vielleicht Baumann, Urrolle und
Fasttag, anführen, obwohl er sich ein anderes Ziel als Miller setzte, als er seine Untersuchung konsequenterweise,
wie der Nebentitel zeigt, auf die Wiederherstellung der sog.
Urrolle beschränkte. Abgesehen von den Einzelheiten braucht
man nur das Deuteronomium, dessen Aufbau Miller für ein
Vorbild der gesamten Prosareden des Jeremiabuches hielt,
durch Joel 1 und 2 zu ersetzen,   um die Grundposition
Baumanns zu begreifen; er ging wie Miller von der Annahme
aus, daß die Erzählung von Jer 36 geschichtliche Begebenheiten und Sachverhalte wiedergebe. Während Miller den
Kult, den Jer 36 ins Auge faßt, mittels des Deuteronomiums
bzw. von Rads Verständnis dessen, auf den "kultische(n)
Verlauf des Bundeserneuerungsfestes von Sichem"[112] zu beziehen versuchte, zwang Baumann die Angabe, es sei ein
Fasttag gewesen (36,6.9), zur Annahme, daß die Urrolle bereits bei ihrem Entwurf wohl darauf angelegt worden sei, am
Fasttag den Versammelten vorgelesen zu werden. Demzufolge
versuchte Baumann, anhand der Inhalte und Stilformen in
Joel 1 und 2, die allgemein als den Ablauf eines kultischen
Fastens widerspiegelnde Elemente anerkannt werden, im Jeremiabuch die Partien herauszufinden, die einst Baruchs Urrolle gebildet haben könnten. Daraus ergebe sich, daß als
die Abschnitte, die zum Bestand der Urrolle gerechnet werden können, 1,4-19; 46,3-12. 14-24; 47,2-7; 4,5-6,26;
14,1-15,3 in dieser Reihenfolge zu beurteilen seien.[113]
Wie Baumann die Problematik von Poesie und Prosa im Buch
grundsätzlich außer acht ließ, zeigt sich an seinen Worten:

---

112   Miller, aaO. S.27 A.1.

113   Baumann, Urrolle und Fasttag, S.367.

"In der Tat paßt dieses Kapitel (sc. 1,4-19) seinem Inhalt nach sehr gut an den Anfang einer solchen Rolle
....."[114]; Baumann berücksichtigte nicht, daß die letzten
Verse dieses Kapitels, die für seine These unentbehrlich
zu sein scheinen, oft in ihrer jeremianischen Herkunft bezweifelt worden sind,[115] nur daß Baumann darauf pauschal
hinwies, auch Mowinckel leite das Kapitel aus 'Quelle A'
ab.[116] Merkwürdig scheint zudem, daß er auch von der Sammlung der sog. Fremdvölkerorakel Kap.46f. ausnahm, ohne daß
den Entstehungsumständen dieser Sammlung ausführlich nachgegangen wurde.[117] Immerhin zeigte Baumann im wesentlichen
kein Interesse dafür, die obengenannten Problematik per se
zu behandeln, so daß er ruhig auf der Basis arbeiten konnte, wo die Stilmerkmale der Texte des Buches kein zwei-
schneidiges Schwert darstellten. In seiner obengenannten
Monographie über Jeremia schlägt Graf Reventlow in der Geschichte der Jeremiaforschungen einen neuen Weg ein, indem
er versucht, im Gegensatz zu den bisherigen Untersuchungen
der anderen Forscher "von den tatsächlich vorhandenen Gattungen her ihren Sitz im Leben" aufzuweisen und erst "von
da aus über die Institution des Prophetentums selbst, ...
neue Aufschlüsse" zu gewinnen.[118] Unter dieser Disposition
betont er: In jener Problematik der Poesie und Prosa "wird
man nicht mit einem subjektiven Für und Wider weiterkommen,
sondern nur mit einer gattungsgeschichtlichen Betrachtung,

---

114   Baumann, aaO. S.365.

115   So auch Mowinckel, Komposition, S.20, A.1.

116   Baumann, aaO. S.365, A.51.

117   Baumann, aaO. S.366, A.53.

118   Graf Reventlow, Liturgie und prophetisches Ich bei Jeremia,
       1963, S.22.

die dem Sitz im Leben der Formen nachspürt."[119]
Damit meint er, wie seine Darstellung zeigt, wohl in erster
Linie die Auffassungen Robinsons, Eißfeldts und nicht zuletzt Millers, die nämlich nach Graf Reventlow darauf hinweisen, daß die Prosareden des Jeremiabuches als "litur-
gisch-paränetische Predigt", aufzufassen seien, die er folgendermaßen definiert: "eine Redeform, die ihre ganz bestimmten, in den verschiedensten literarischen Zusammenhängen wiederkehrenden Ausdruckmittel herausgebildet hat
und darin an einen kultischen Hintergrund fest gebunden
ist."[120] Kam er demzufolge zur Überzeugung, daß "falsche
Maßstäbe, wie die Unterscheidung zwischen poetischer und
prosaischer Form, ... von vornherein ausgeschieden werden
(müssen)"[121], so stand ihm nichts im Wege, um im Jeremiabuch unter der paritätischen Aufnahme sowohl der poetischen
als auch prosaischen Texte mehrere Gattungen herauszuarbeiten, die jeweils bestätigen sollen, daß "der Prophet in

---

119   Graf Reventlow, aaO. S.19. Vgl. auch seine Äußerung (S.21):
      "Der Gegensatz beider Auffassungen (sc. hinsichtlich jener
      Problematik) wäre aber völlig unfruchtbar, wenn es dabei ledig-
      lich um das Für und Wider einer Ursprünglichkeit der Prosare-
      den ginge."

120   Graf Reventlow, aaO. S.21. Vgl. auch seine Auffassung (S.21):
      "In den Prosareden haben wir ..... gerade eine prosaische
      Form vor uns, deren Ursprünglichkeit im Rahmen der propheti-
      schen Verkündigung dennoch sehr wahrscheinlich ist."

121   Graf Reventlow, aaO. S.22.

seiner Tätigkeit von liturgischen Ordnungen und Formen bestimmt" sei.[122]

Auch im Jahre 1969 veröffentlichte Graf Reventlow einen
bedeutsamen Aufsatz zum Jeremiabuch. Er arbeitete zwar
auch hier wie dort konsequent gattungsgeschichtlich, aber
die Fragestellung selbst, zu der ihn die Beschäftigung mit
der Forschungsgeschichte führte, enthält nach dem Gesichtspunkt, der die laufende Darstellung der Forschungen leitet,
doch Neues, das sachgemäß eher in die nächste Phase der
Forschungsgeschichte einbezogen werden soll. Es repräsentieren deshalb die soweit behandelten vier Studien, nämlich
die von Weiser, Miller, Baumann und Graf Reventlow den
vierten Aspekt der zweiten Phase, in dem am Jeremiabuch im
Grunde unter Zurückweisung der literarischen Unterscheidung
zwischen den poetischen und prosaischen Texten bzw. ohne deren Berücksichtigung in unterschiedlichem Maße auf die kultischen Hintergründe hin gattungsgeschichtlich gearbeitet
wurde.

---

122   Graf Reventlow, aaO. S.258. Man erinnere sich an dieser Stelle
      an die Arbeit J.M.Berridge's, Prophet, People, and the Word of
      Yahwe. An Examination of Form and Content in the Proclamation
      of the Prophet Jeremiah, 1970; in dieser Monographie, in der er
      am Jeremiabuch, der Untersuchung Graf Reventlows folgend, unter
      Zurückweisung einer psychologischen Ausdeutung konsequent gat-
      tungsgeschichtlich arbeitete, widmete er jener lang umstrittenen
      Problematik im Einführungsteil keine Erwähnung. Das ergibt sich
      wohl auch daraus, daß er dabei auf "contents" der Texte mehr
      Wert als Graf Reventlow legte, was Berridge zum Schluß führte,
      daß "an examination of the form and content of the various Gat-
      tungen adopted by Jeremiah, some of which Gattungen were roo-
      ted in the cult, by no means supports the thesis that Jeremiah
      was the holder of a cultic office ....." "... Jeremiah has
      freely used older Gattungen, which contain the most valuable
      evidence of the individuality of the Prophet Jeremiah" (S.220).
      Man könnte vielleicht in diesem Zusammenhang der Darstellung
      auch H.Wildbergers Artikel, "Jeremia" und "Jeremiabuch", RGG,
      3.Aufl. 1959, Bd.3, Sp.581-584 und 584-590 einbeziehen, denn er
      rechnet mit der Möglichkeit, "daß die Schöpfer des Deuteronomiums
      ihre Sprache nicht selbst geschaffen haben, sondern daß sie als
      liturgisch-paränetische Predigtsprache bereits sowohl dem Deute-
      ronomiker und dem Deuteronomisten als auch J. (sc. Jeremia) zur
      Verfügung stand" (Sp.587), obwohl er der Meinung ist, daß "die
      Prosastücke nicht einfach die verba ipsissima des Propheten
      seien (Sp.587).

Wohl in diesen sechziger Jahren, in denen die soeben behandelten Untersuchungen angefertigt wurden, scheint in den
Jeremiaforschungen ein Übergangsstadium, derzeit nicht genügend bemerkt, herbeigeführt worden zu sein, in dem zwei
unterschiedliche Strömungen, nämlich der soeben besprochene Forschungsaspekt und der gleich unten zu erörternde, parallel gegangen sind. Die "ausgleichende" Phase, auf deren
Höhepunkt, wie oben gezeigt, wahrscheinlich die Untersuchungen Brights stehen, dehnte sich, wie es scheint, bis Anfang der siebziger Jahre aus. Diese Phase der Forschungsgeschichte krönen wohl die folgenden Studien: W.L.Holladay,
Prototype and Copies: A New Approach to the Poetry-Prose
Problem in the Book of Jeremiah, 1960;[123] ders., The Recovery of Poetic Passages of Jeremiah, 1966[124] und H.Weip-
pert, die Prosareden des Jeremiabuches, 1973. Da diese Untersuchungen, wie unten dargestellt wird, in methodischer
Hinsicht anders als die vorangehenden orientiert sind, könnte man hier wohl wieder einen neuen, und zwar fünften Aspekt
aufzeigen. Die Arbeiten Holladays sind dadurch gekennzeichnet, auch im Vergleich mit denen des letzten Aspekts, daß
sie beide "a purely literary analysis"[125] sind. In seinem
Aufsatz vom Jahre 1960 verglich er poetische Abschnitte jeweils mit solchen prosaischen Textstücken, die den einschlägigen poetischen Abschnitten in Wortwahl und Inhalt am
nächsten stehen sollen. Seinen unkomplizierten Gedankengang
könnte man schon am Anfang seines Aufsatzes, nämlich bei
der Phrase "die Tore von Jerusalem", deutlich verfolgen,

---

123   JBL 79 1960, S.351-367.

124   JBL 85 1966, S.401-435. Obwohl Holladay eine Vielzahl von län-
       geren und kürzeren Studien an bzw. in Zusammenhang mit dem Je-
       remiabuch veröffentlicht hat, läßt sich seine Methode und Mo-
       tivation anhand der genannten Aufsätze deutlich erkennen. Er
       hat sich in seiner neuesten Arbeit, The Architecture of Jere-
       miah 1-20, 1976, einer anderen Fragestellung zugewandt. Siehe
       auch das Referat darüber von S.Herrmann in ThLZ 105 (1980),
       Sp.104f.

125   Holladay, Prototype and Copies, S.353.

wenn er dort sagt: "This phrase appears in prose in 1,15 and three times in 17,19-27 (Vss.19.21.27). The prototype in Jeremiah's poetry is found in 22,19 in the oracle over Jehoiachim."[126] Diese Arbeitsweise erstreckt sich im Grunde unverändert bis zum Ende des Aufsatzes, wo er seine Absicht retrospektiv wie folgt formuliert: "to point out only the more obvious instances in which prose phrases find their antecedents in poetic oracles ....."[127] Wenn man auch im Prinzip einverstanden sein mag mit seiner methodischen Intention, über die stilistischen Hintergründe und Verfasserschaft der Prosatexte wie auch über ihre mögliche Verfälschung "without any a priori assumption"[128] zu arbeiten, fällt es auf, daß Holladay nirgends zur Definition bzw. Erklärung seiner methodischen Begriffe 'prototype' und 'copy' kam; um so merkwürdiger, als er manchmal so einfach den Sachverhalt schilderte wie: "the poetic prototype is 21,12, and the prose copy is 22,3."[129] Da er einerseits die Fragen, ob die Prosareden "original poetic oracles of Jeremiah" verfälschten, wie, wann und wo sie entstanden, bewußt offen läßt,[130] ist seine Stellungnahme zu diesem Problemkreis im Detail unklar. Er verweist aber andererseits auf die Studie Brights (1951) als eine wichtige Untersuchung, und zwar in dem Sinne, daß er dort zur sachgemäßen Feststellung komme, die Prosareden im Jeremia-

---

126   Holladay, aaO. S.354. Hervorhebung von mir.

127   Holladay, aaO. S.366.

128   Holladay, aaO. S.353.

129   Holladay, aaO. S.355.

130   Holladay, aaO. S.367. Vgl. auch seine Aussage in seinem Aufsatz, A Fresh Look at "Source B" and "Source C" in Jeremiah, VT 25, 1975, S.394-412, bes. S.402: "And I assured (though I did not publish the assumption) that the prose was Baruch's adaptation of Jeremiah's poetic message." Demzufolge scheint er mit "copy" das Ergebnis von "the copying by the scribe" (S.411), nämlich durch Baruch, gemeint zu haben.

buch seien an sich eigenständig.[131] Daraus, daß sich Holladay so mit der Meinung Brights einverstanden erklärte, ergibt sich wohl, daß er in diesem Aufsatz darauf zu zielen
scheint, durch Herausarbeiten von 'the pattern of prototy-
pe-copy'[132] zu zeigen, daß die Prosareden die 'echten' Worte Jeremias im allgemeinen nicht, oder nicht immer, ver-
fälscht haben sollen. Wenn ferner hinzugefügt wird, daß
Holladay die Unterscheidung zwischen den sog. Materialien
B und C nicht für notwendig hält, wird wohl eindeutig, daß
er in diesem Aufsatz darauf hinarbeitet, trotz der stilistischen Unterschiedlichkeit der Textbestände in ihnen Kontinuität bzw. Identität festzustellen. Wegen dieser Grundtendenz dürfte seine Arbeit als "vermittelnd" bezeichnet
werden. Diese Arbeitsrichtung bleibt in seinem Aufsatz vom
Jahre 1966 unverändert, obwohl er sich hier umsichtiger
zeigt. Es kommt ihm in dieser Arbeit darauf an, anhand des
Abschnittes Jer 4,23-26, der allgemein als poetisch anerkannt ist, "a theoretical framework for the analysis of
poetic form"[133] des Propheten Jeremia[134] herauszuarbeiten
und aufgrund dessen dann paradigmatisch in drei Textstücken
16,1-9; 23,1-4 und 23,25-32, die üblicherweise zu den Prosatexten des Buches gerechnet werden, jeweils poetische
Elemente und Anlagen aufzudecken. Die obengenannten Abschnitte nannte er schließlich figurativ "buried poetic passages"
und das Verfahren "looking for poetry"[135] bzw. wie der Nebentitel heißt, "recovery of poetic passages". Unverkennbar

---

131   Holladay, Prototype and Copies, S.352.

132   Holladay, aaO. S.361.

133   Holladay, Recovery of Poetic Passages, S.403.

134   Dabei scheint ihm seine Studie, Style, Ironie, and Authenti-
      city in Jeremiah, JBL 81 1962, S.44-54, viel geholfen zu ha-
      ben, siehe Holladay, Recovery of Poetic Passages, S.404.420.

135   Holladay, aaO. S.433.

ist zwar, daß er hier den unleugbaren Unterschied zwischen den poetischen und prosaischen Texten deutlicher als in seinem obengenannten Aufsatz (1960) im Auge behält, wenn er sagt: "most of what we had thought to be prose is genuine prose"[136]. Es bedarf darum doch keiner weiteren Erklärung, um zu zeigen, daß sich Holladay auch in dieser Studie um eine mögliche Annäherung der beiden Stilformen bemüht.

Am Anfang der siebziger Jahre erschien als Dissertation die Untersuchung Helga Weipperts, die dem obengenannten Buch, Die Prosareden des Jeremiabuches, 1973,[137] zugrunde liegt. Eine einleitende problemgeschichtliche Erörterung führte sie zur Schlußfolgerung, daß auf folgenden Fragenkreis plausible Antworten noch ausstehen: erstens die Frage nach Art und Weise der "Kombination der (von Duhm, Mowinckel usw.) postulierten Quellen oder des in verschiedenen Kreisen tradierten Materials",[138] zweitens die nach "Motive(n) für die Tradierung bzw. Neuschaffung jeremianischer Reden in deuteronomistischen Kreisen".[139] Falls man drittens dagegen die Prosareden mit Weiser u.a. vom gattungsgeschichtlichen Gesichtspunkt her Jeremia zuspricht, so bleibt unerklärt, weshalb Jeremia die zunächst mit dem Kult verknüpfte Gattung im prophetischen Bereich neu aktualisiert",[140] und viertens,weshalb sich Jeremia bei der Ver-

---

136   Holladay, aaO. S.433.

137   Zitate unten beziehen sich auf diese Monographie.

138   Weippert, Prosareden, S.19.

139   Weippert, aaO. S.19. Obwohl Weippert in ihrer Arbeit die Berliner Dissertation Thiels, Die deuteronomistische Redaktion des Buches Jeremia, 1970, manchmal erwähnt, kommt sein Name in ihrem sonst ausführlichen Forschungsbericht nur noch einmal (S.9) vor, und zwar in einer Reihe von Namen derjenigen Forscher, deren Arbeit Weippert mehr oder weniger gelegentlich in Betracht zieht. Man vermißt bei Weippert wohl eine grundsätzlichere Auseinandersetzung mit Thiel. Das fehlte wohl, da das Buch Thiels erst kurz vor der Drucklegung ihrer Untersuchung erschien.

140   Weippert, aaO. S. 21.

kündigung zweier verschiedener Stilformen, poetischen wie
auch prosaischen, bedient haben soll.[141] Angesichts solcher Fragen entschied sie sich dafür, weitere Untersuchungen nicht ohne weiteres von der Ansicht ausgehen zu lassen, daß in den Texten des Jeremiabuches neben den Fremdberichten noch zwei Stilformen, nämlich poetische und prosaische, voneinander zu unterscheiden seien. Sie schloß
sich vielmehr den Beobachtungen an, die schon früher darauf
verwiesen, daß die angeblichen Deuteronomismen im Jeremiabuch von den entsprechenden im Deuteronomium bzw. in der
deuteronomistischen Literatur des ATs in Wortverbindung
wie auch Sinngehalt nicht selten abweichen. Den Hauptteil
ihrer Untersuchung widmete sie demzufolge der Beweisführung,
daß sowohl die prosaischen Abschnitte, die zum Paradigma
gewählt wurden, nämlich 7,1-15; 18,1-12; 21,1-17 und
34,8-22, als auch viele andere "formelhafte Wendungen" im
Jeremiabuch, die deuteronomisch-deuteronomistisch klingen
sollen, bei genauerem Hinsehen nicht so unvermittelte Verbindungslinien aufweisen, wie pauschal angenommen wird,
sondern daß sie formal wie inhaltlich erst in engere Beziehung zu den Sprüchen Jeremias bzw. den konkreten Sachlagen,
worauf es ihm ankam, gebracht werden müssen. Nennenswert
sind an dieser Stelle zumindest noch zwei Punkte. Zum
einen wollte sie in dieser Studie ihre Ansicht, wie oben
dargestellt, dadurch begründen, daß sie die Deuteronomismen
im Jeremiabuch mit den ihnen nahestehenden Sprachmateriali-
en vergleicht. Sie ging dabei konsequent den "typischen
Kontexten"[142] nach, in denen sich die zu vergleichenden Materialien jeweils befinden, so daß sie erst dadurch die
Selbständigkeit jeremianischer Diktion gegen die deuterono-
misch-deuteronomistischen Wendungen nachweisen will. Zum anderen verschuf sie sich im Hinblick auf 21,1-7 einen metho-

---

141   Weippert, aaO. S.21.

142   Weippert, aaO. S.24. Sie gibt keine besondere Erklärung des
      Begriffs "typischer Kontext" an. Auf der Seite 107 z.B. schreibt
      sie den Begriff in "spezifischen Kontext" um.

dischen Begriff "Kunstprosa",[143] die im Gegensatz zu "der einfach erzählenden Prosa"[144] eine Gattung "der rednerischen Prosa"[145] kennzeichnet. Damit meinte sie einen Stil, der durch "eine Entmetrisierung"[146] der jeremianischen Sprüche entstanden sein soll. Durch eingehende Beobachtungen der prosaisch gefärbten Texte kam sie zum Schluß, "daß die Prosareden eine Tradition vertreten, ... die sogar so nahe an Jeremia heranzurücken ist, daß man sie als jeremianische Tradition bezeichnen muß."[147] Somit arbeitete Weippert am Jeremiabuch mit Entschiedenheit wieder in dem

---

143   Weippert, aaO. S.80 u.a.

144   Weippert, aaO. S.80.

145   Weippert, aaO. S.80.

146   Weippert, aaO. S.78. Hier sei auf den Aufsatz G.Fohrers, Jeremias Tempelrede 7,1-15, ThZ 5 1949, S.401-417 hingewiesen. Er versuchte zu beweisen, daß die Textabschnitte, die oft als Prosareden bezeichnet werden, ein Versmaß in dem Sinne aufweisen sollen, daß den einschlägigen Texten "nicht allgemein bekannten Langverse (mit Parallelismus der Versglieder), sondern Kurzverse zugrunde" (liegen). Der Kurzvers bestehe "nur aus einem Versglied, das 2 oder 3 Hebungen aufweist", und lasse "sich zu Strophen zusammenfassen" (S.407). Man brauchte nur das Stichwort "Kurzvers" in "Kunstprosa" umzuprägen, um die Unterschiedlichkeit zwischen Fohrer und Weippert zu überbrücken.

147   Weippert, Prosareden, S.228f. Vgl. auch ihren neuen Aufsatz zu derselben Thematik, Der Beitrag außerbiblischer Prophetentexte zum Verständnis der Prosareden des Jeremiabuches, BETL 54, 1981, S.83-104, wo sie sich zum Beweis ihrer These auf eine Inschrift aus Tell Dēr 'Allā beruft, die in die Zeit um 700 v.Chr. datiert wird. Nach ihr hat diese Inschrift als Vergleichsmaterial mit den Prosareden des Jeremiabuches gegenüber den vorjeremianischen Prophetenüberlieferungen im AT darin ihren Vorteil, daß sie "einen von überlieferungsgeschichtlichen Erwägungen unbelasteten Zugang zu den Prosareden des Jeremiabuches" (104) erlaubt. Selbstverständlich enthält sie sich aber in diesem Aufsatz einer Direktverbindung beider Materialien.

Sinne "ausgleichend", daß man sich nach Weippert um die
echten Worte Jeremias nun nicht mehr entweder für oder gegen die Prosareden entscheiden muß. Man könnte wohl in dieser Studie Weipperts eine Art Kulmination der vermittelnden Bemühungen sehen, zu denen Duhm und Mowinckel ihre
Nachfolger herausgefordert haben und die Erbt als erster
aufnahm.

In die oben dargestellte "ausgleichende" Phase in der
Forschungsgeschichte am Jeremiabuch könnte man noch eine
Vielzahl von Untersuchungen einordnen. An dieser Stelle
müßte aber zumindest von den drei folgenden die Rede sein:
L.Rost, Zur Problematik der Jeremiabiographie Baruchs,
1951,[148] F.Augustin, Baruch und das Buch Jeremia, 1955[149]
und J.Muilenburg, Baruch the Scribe, 1970.[150] Sie sind
sich trotz unterschiedlicher Fragestellungen sowie Methoden wohl über die Schlußfolgerung einig, daß Baruch, über
dessen Verfasserschaft bei den Fremdberichten im Buch kein
Zweifel bestehe, auch für die Prosareden mehr oder weniger verantwortlich sei. Rost nahm an, daß "..... die Jah-
weworte aus dem Munde Jeremias in der Baruchbiographie von
Baruch in Prosa umgeformt worden (wären) ..... Das dürfte
nun wirklich der Tatbestand sein."[151] Er hielt sich zurück,
den weiteren Fragen nachzugehen, ob Baruch auch die Prosareden außerhalb der Fremdberichte zuzuschreiben seien.
Augustin und Muilenburg gingen ein Stück weiter und kamen
zu dem Schluß, eine entscheidende Teilnahme Baruchs an der
Entstehung des gesamten Buches Jeremia anzunehmen: Augu-

---

148   In: FS Meiser, 1951, S.241-245.

149   ZAW 67, 1955, S.50-56.

150   In: FS Davies, 1970, S.215-238.

151   Rost, Jeremiabiographie, aaO. 224.

stin war überzeugt, daß "Baruch ..... auch in der ersten Hälfte des Buches größere und kleinere Erweiterungen vorgenommen (hat)."[152] Muilenburg folgerte, "that the socalled 'Deuteronomic additions' by no means represent a separate source, but conform to conventional scribal composition and are therefore to be assigned to Baruch."[153] Zu beachten ist, daß Muilenburg nicht wie Augustin rein literarisch arbeitete, sondern die Sachverhalte in erster Linie kulturgeschichtlich beobachtete. Immerhin wollten diese drei Verfasser in der Person und der Tätigkeit Baruchs den Berührungspunkt von Poesie und Prosa im Buch ausfindig machen.

Zu erwähnen sei in diesem Zusammenhang E.Podechard, Le livre de Jérémie. Structure et formation. 1928,[154] der auch Baruch wegen seines entscheidenden Beitrags in dem Sinne würdigen wollte, daß er für die Entstehung aller drei Teile - jeweils im großen und ganzen erstens Kap. 1-25 + 46-51, zweitens 26-35 und schließlich 36-45[155] - verantwortlich sei, aus denen das Jeremiabuch gegen Ende des babylonischen Exils oder vor der Rückkehr entstanden sei.[156] Von den obengenannten drei Verfassern unterscheidet er sich darin, daß er dem Problem der Poesie und Prosa nicht nachging, nur daß er z.B. wie folgt schrieb: "..... chapitre 26, ou la prophétie est abrégée et rapportée en prose, ad sensum."[157]

Übrigens müßte hier kurz auch von den Meinungen einiger Kommentatoren die Rede sein. Wie sich von der Natur der Sache her vermuten läßt, arbeiteten sie bis jetzt im allgemeinen nicht allzu kritisch. Th.L.W.van Ravesteijn, Je-

---

152   Augustin, aaO. S.31

153   Muilenburg, aaO. S.237.

154   RB 37, 1928, S.181-197.

155   Podechard, aaO. S.186f.189.193.

156   Podechard, aaO. S.194.

157   Podechard, aaO. S.186.

remia. Tekst en Uitleg 1925, streifte die Problematik der
Poesie und Prosa gar nicht, sondern schrieb unter Hinweis
auf Volz lediglich wie folgt: "in den Tekst tracht ik zoo-
veel mogelijk het metrum te doen uitkomen. Voor bijzonder-
heden in dezen zie men den commentaar van P.Volz, Einleitung S.43."[158] F.Nötscher, Das Buch Jeremia, 1934, sah
in der Person Baruch sowohl den Schreiber als auch den
Sammler der Worte seines Meisters und nicht zuletzt den
Verfasser der Fremdberichte und Zusätze.[159] Vor allem der
Meinung von Volz stand Nötscher nahe, wenn er schreibt:
"Denn im Verlauf einer vierzigjährigen Tätigkeit kann Stil
und Redeweise eines Schriftstellers oder Redners sehr wohl
eine gewisse Entwicklung durchmachen,"[160] bzw. "daß auch
die Prosa oft in rhythmischem Schritt einhergeht."[161] A.
Penna, Geremia, Lamentazioni, Baruch, 1970, äußert sich
angesichts der literarischen Probleme des Buches im wesentlichen umsichtiger, indem er schreibt: "Crediamo che
una tale ipotesti si raccomandi per la sua prudenza, poi-
che non pretende di determinare nei minimi particolari
la stratificazione del complesso libro di Geremia."[162]

c.   Integrierende Phase

Gleichsam wie die zweite der besprochenen Phasen der
ersten chronologisch größtenteils parallel lief, setzte
auch die dritte Phase bereits in früheren Stufen der Forschungsgeschichte des Jeremiabuches ein. Im Vergleich mit

---

158   van Ravesteijn, S.22, A.1.
159   Nötscher, S.22f.
160   Nötscher, S.25.
161   Nötscher, S.25.
162   Penna, S.16.

der ersten "differenzierenden" und der zweiten "ausgleichenden" Phase könnte man die dritte wohl als "integrierend" bezeichnen, denn man geht in den Untersuchungen, die
sich dieser Phase zuordnen lassen, zuerst mehr oder weniger von der Erkenntnis aus, daß sich im Jeremiabuch doch
die voneinander zu unterscheidenden Schichten in den Texten befinden, sei es, daß sie von verschiedenen Quellen
herrühren, oder daß sie auf andere Weise entstanden sind.
Man versucht dann in solchen Untersuchungen, zwischen diesen unterschiedlichen Schichten sowohl literarische als
auch geschichtliche Zusammenhänge ausfindig zu machen.
Nicht wenige davon könnten sich deshalb im Vergleich mit
den literarkritischen einerseits und gattungsgeschichtlichen Untersuchungen andererseits jeweils der ersten und
zweiten Phase wohl als "traditionsgeschichtliche" Untersuchungen bezeichnen lassen. Es dürfte wohl doch angebracht
sein, die Phase, die der "differenzierenden" und dann "ausgleichenden" folgt, als "integrierend" zu bezeichnen, damit man diejenigen Entwicklungsstadien der Jeremiaforschungen, welche immerhin durch besondere Problematik um das
Buch bestimmt worden sind, gegeneinander kennzeichnen kann.
Überdies dürfte man deswegen die Bezeichnung "traditionsgeschichtlich" hier nicht aufnehmen, weil sie üblicherweise eher auf eine mehr oder weniger lang andauernde, meistens allmähliche Umformung mündlicher Überlieferungen
hinweist, das aber die Untersuchungen der "integrierenden"
Phase im Grunde nicht trifft. Man wird in dieser Phase
zwei unterschiedliche Aspekte berücksichtigen müssen, bei
denen es jeweils auf "Redaktion" und "Bearbeitung" ankommt.

Im Bereich der Jeremiaforschung findet man das Wort "Redaktion" bzw. "Redaktor" z.B. bereits im Kommentar F.Hitzigs,

Der Prophet Jeremia, 1841.[163] Auch darin, daß er die Frage
offen ließ, ob der Redaktor Baruch oder ein anderer sei,[164]
war er einer der Bahnbrecher; ihm folgten bald G.Jacoby,
Glossen zu den neuesten kritischen Aufstellungen über die
Composition des Buches Jeremia, 1903, J.W.Rothstein, Das
Buch Jeremia, 1909[165] wie auch G.Hölscher, Die Profeten,
1914 und Geschichte der israelitischen und jüdischen Religion, 1922. Durch die rein literarkritischen Beobachtungen
kam Jacoby zu dem Ergebnis, daß ein Redaktor, der sich sowohl von Jeremia als auch von Baruch unterscheidet,[166]
"die ihm vorliegenden Worte des Profeten ..... bisweilen
zerspalten und die einzelnen Teile an verschiedenen Stellen ..... untergebracht (hat)"[167]. Außerdem hat der Redaktor nach Jacoby "eine Reihe von Reden Jeremia's, welche
ihm aus Erinnerung oder Tradition bekannt waren, in freier
Wiedergabe meist als Ueberleitung eingeflochten."[168] Auch
Rothstein rechnet mit einer bestimmten "redaktionellen(n)
Arbeit",[169] die erst in nachexilischer Zeit eingesetzt

---

163   Obwohl mir diese 1. Auflage des Kommentars unzugänglich war,
       erklärt der Verfasser im Vorwort zur 2. Auflage 1866 (oben A.11),
       daß hier keine großen Veränderungen eingetreten sind. Siehe
       z.B. S.XIV der 2. Auflage (Zitate und Verweise unten sind nach
       der 2. Auflage). Über die Geschichte der redaktionsgeschichtli-
       chen Methode siehe z.B. K.Koch, Was ist Formgeschichte? 1974,
       3.Aufl., S.80-83 und vergleiche Kochs Erwähnungen der Studie
       Mowinckels, Komposition, mit den obengenannten.

164   Hitzig, S.XIV.

165   In: HSAT, 1909, 3.Aufl., S.671-813.

166   Jacoby, aaO. S.5.

167   Jacoby, aaO. S.6

168   Jacoby, aaO. S.6. Hervorhebung von mir.

169   Rothstein, aaO. S.672.

habe[170] und in dem Maße abgelaufen sein soll, "daß sie
sich je und dann auch allerlei hineingearbeitet hat, um
die prophetischen Worte für ihre Zeit besonders wirksam
zu gestalten ....."[171]. Auffällig ist nun, daß Hölscher
in seinem Buch, Die Profeten, den Teil, den er dem Jeremiabuch widmete, anders als bei anderen, mit dem Paragraphen "Die Redaktion des Buches" anfing,[172] und dann
schloß, daß der Stil der langen Prosareden oder Prosapre-
digten, die überall im Buch zu beobachten sind,[173] "als
Arbeit eines von Baruch verschiedenen Redaktors, eben des
Gesamtredaktors des Buches"[174] zu erklären sei. Als er
später im Jahre 1922 "alle die prosaischen, predigtartigen
Reden Jeremias im jetzigen Buche" überzeugt einer "deuteronomistischen" Redaktion zuschrieb, schilderte er den Ent-
stehungsprozeß des Buches wie folgt: "Die Denkwürdigkei-
ten (sc. die über Jeremia von Baruchs Hand) sind dann später (etwa im 5./4. Jahrhundert) in das ältere Jeremiabuch
eingearbeitet und gleichzeitig das Ganze aufs stärkste
überarbeitet worden."[175]

Im Vergleich mit diesen Verfassern wollte J.P.Hyatt im
Hinblick auf die Redaktion des Jeremiabuches noch mehr von
der konkreten Absicht ausfindig machen, als er seine Aufsätze publizierte: Jeremiah and Deuteronomy, 1942[176] und
The Deuteronomic Edition of Jeremiah, 1951.[177] Die Voraussetzung für diese Arbeiten waren seine Überzeugungen, daß
Jeremia erstens mehrere Jahre später als die sog. Reform

---

170   Rothstein, aaO. S.672.

171   Diese Äußerungen Rothsteins veränderten sich in der 4.Aufl.
      von HSAT, 1922, nicht.

172   Hölscher, Profeten, S.379-386.

173   Hölscher, aaO. S.382f.

174   Hölscher, aaO. S.381.

175   Hölscher, Geschichte der israelitischen und jüdischen Religion,
      S.112, A.2. Hervorhebung von mir.

176   JNES 1 1942, S.156-173.

177   VBH 1 1951, S.71-95.

Josias an die Öffentlichkeit getreten sei,[178] daß er sich zweitens weder mit den Prinzipien noch mit den Methoden der Reform einverstanden erklärte,[179] daß er sogar "an active antagonist" gewesen sein könnte.[180] Hyatt folgerte dann, daß die Deuteronomisten, deren redaktionelle Arbeit am Buch unleugbar sei, sich zum Ziel gesetzt haben sollen, "to show that he (sc. Jeremia) was generally in agreement with their ideas and at one time was an ardent evangelist for the Josianic reforms (11,1-17)".[181]

Von den bereits erwähnten Verfassern unterschied er sich im wesentlichen nicht, als H.G.May seinen Aufsatz, Towards an Objective Approach to the Book of Jeremiah: the Biographer, 1942[182] schrieb, nur daß er hier annahm, "the Book of Jeremiah, in much the form in which we posses it,"[183] sei nicht durch "any school", sondern durch "the hand of one person",[184] nämlich einen "Biographer",[185]

---

178 Hyatt, The Peril from the North in Jeremiah, JBL 59, 1940, S.499-513, bes. S.513, setzte den Beginn der prophetischen Laufbahn des Propheten in den Jahren zwischen 614 und 612 v.Chr. an.

179 Hyatt, Jeremiah and Deuteronomy, S.158.

180 Hyatt, Deuteronomic Edition, S.92. Er räumt aber ein, daß es schwierig ist, "to offer thoroughly convincing proof that Jeremiah did not, or could not, approve of the Deuteronomic reforms ....." (Jeremiah and Deuteronomy)

181 Hyatt, Deuteronomic Edition, S.92. Dieses Ergebnis differiert von dem seiner früheren Arbeit, Jeremiah and Deuteronomy, im Grunde nicht, da er dort zu dem Schluß kam, daß "purpose (sc. der deuteronomistischen Redaktoren) in part was to claim for Deuteronomy the sanction of the great prophet" (S.158). Nennenswert ist, daß er in seiner Einleitung in: The Interpreters Bible, Vol.5. The Book of Jeremiah, S.775-1142, in dem Paragraph "The Deuteronomic Edition" (S.788-790) seine obengenannte These nirgends erwähnte, außer daß er in einer Anmerkung (S.789) auf seinen letzteren Aufsatz, Deuteronomic Edition, verwies.

182 JBL 61 1942, S.139-155.

183 May, aaO. S.141.

184 May, aaO. S.141.

185 May, aaO. S.140.

zustande gebracht worden. Der Biograph soll mit den Orakeln Jeremias, den Memoiren des Propheten durch seinen
Amanuensis Baruch und den in der Zeit des Biographen dem
Propheten zugesprochenen Materialien seine eigenen Worte
in dem Buch verbunden haben,[186] damit er in seinen Zeitgenossen in erster Linie die Hoffnung auf die Wiederherstellung der davidischen Monarchie erwecken könne.[187]
Nach May arbeitete er frühestens in der ersten Hälte des
5. Jahrhunderts.[188] Abgesehen davon, daß man kaum verstehen würde, warum der "Biograph" so genannt und warum die
angenommene Arbeit einer einzigen Person zugeschrieben
werden müßte, sei hier nur noch zu erwähnen, wie sich May
den Biograph vorstellt: "the Biographer did not hesitate
to place in the mouth of Jeremiah long speechs or oracles
which were entirely or largely his own composition."[189]

Man mußte bis auf C.Rietzschel warten, um einen grundsätzlichen Versuch vor Augen zu haben, der die Entstehung
des Jeremiabuches redaktionsgeschichtlich erklären will.
In seiner Monographie, Das Problem der Urrolle, 1966,[190]
ging Rietzschel von der Annahme aus, daß die Prosareden
als Predigten im Jeremiabuch nicht dem Propheten,[191] sondern dem Levitentum in der Exilszeit zuzusprechen[192] sei-
en; zu dieser Annahme zwang ihn zweierlei: erstens fand er
nichts gegen die Beurteilung E.Janssens, daß die Prosareden des Buches den gleichen Aufbau aufweisen, wie er sich
in den Reden innerhalb des deuteronomistischen Geschichts-
werks im AT zeigt.[193] Rietzschel konnte zweitens die Mög-

---

186   May, aaO. z.B. S.141.

187   May, aaO. S.146.

188   May, aaO. S.152.

189   May, aaO. S.141.

190   Der Nebentitel heißt: Ein Beitrag zur Redaktionsgeschichte des
        Jeremiabuches.

191   Rietzschel, aaO. S.19.23.

192   Rietzschel, aaO. S.21.

193   E.Janssen, Juda in der Exilszeit, 1956, S.105-197.

lichkeit nicht für wahrscheinlich halten, daß diese paränetische Form, wie sie die Prosareden des Buches prägt, neben den Orakeln in der Verkündigung des Propheten beheimatet sein könnte. Sehr merkwürdig erschien nun Rietzschel, daß keine Forscher der Möglichkeit nachgingen, daß die deuteronomistischen Kreise, die in der Exilszeit "die levitische Tradition gepflegt haben", auf der einen Seite die Prosareden des Jeremiabuches verfaßt und auf der anderen Seite die prophetischen Orakel gesammelt und überliefert haben" könnten.[194] Deshalb vermutete er im voraus, "daß das Jeremiabuch aus einer Reihe von mehr oder weniger großen Sammlungen zusammengestellt oder gewachsen ist, die schon von vornherein in sich deuteronomistisch gefärbte Prosareden und metrisch geformte Prophetensprüche enthielten."[195] Da er demzufolge im Buch vier "Überlieferungsblöcken" (Kap.1-24; 26-35; 36-44 und 25 + 46-51) begegnete, die jeweils aus mehreren "Überlieferungskomplexen" bestanden haben sollen, kam er zu dem Schluß, daß "sich der Redaktor des Jeremiabuches darauf beschränken (konnte), die vier ..... Überlieferungsblöcke aneinander zu reihen, ..."[196] Man kann ahnen, daß Rietzschel nach seiner Meinung im ersten Überlieferungskomplex des ersten Blocks, nämlich in Kap.1-6, auf die sog. Urrolle stoßen konnte.[197]

---

194   Rietzschel, Urrolle, S.24.

195   Rietzschel, aaO. S.23

196   Rietzschel, aaO. S.127.

197   Rietzschel, aaO. S.136. Zwar müßte in diesem Zusammenhang von der Monographie G.Wankes, Untersuchungen zur sog. Baruchschrift, 1971, die Rede sein. In dieser Studie ist er, gegen seine Erwartung (S.VII) dahin gekommen, in diesen Fremdberichten des Jeremiabuches "drei ihrer Entstehung, Struktur und Tendenz nach völlig verschiedene Überlieferungsgebilde" voneinander zu unterscheiden - nämlich: A.19,1-20,6; 26-29 und 36; B.37-44 und C.45 wie 51,59-64 -, so daß er sich folgerichtig die Frage gestellt hat, wie sich jene Abschnitte vorerst zu den einzelnen Komplexen und dann weiter zum gesamten Jeremiabuch verbunden haben. Seine Antwort auf diese Frage bleibt aber, wie er selbst betont, im Bereich reiner Vermutung ohne tragfähige Begründung. Es steht jedoch außer Zweifel, daß Wanke in dieser Arbeit zum besseren Verständnis des Buches dadurch viel beigetragen hat, daß er die Mehrschichtigkeit der Texte des Buches betonte und zu begründen versuchte.

Beliebig ließen sich die Beispiele vermehren, die die
Redaktion des Jeremiabuches in unterschiedlichem Maße behandeln; die Erwähnung der Arbeiten Duhms oder Mowinckels
könnte vielleicht an dieser Stelle wieder erwartet werden.
Man müßte ferner zumindest die Berliner Dissertation W.
Thiels, Die deuteronomistische Redaktion des Buches Jeremia, 1970, zweifellos eine der wichtigsten Untersuchungen
des Jeremiabuches, in diesem Zusammenhang der Darstellung
in Betracht ziehen. Es scheint aber wohl angebracht, vielleicht sogar nötig zu sein, in den Untersuchungen, in denen es sich um Redaktionen bzw. redaktionelle Tätigkeiten
hinsichtlich des Jeremiabuches handelt, zwei unterschiedliche Tendenzen, wie bereits erwähnt, voneinander zu unterscheiden, je nachdem, ob die einschlägigen Untersuchungen in erster Linie die sog. Schluß- oder Endredaktion des
Buches ausfindig machen, oder ob sie eher die literarischen Vorgänge erklären wollten, die gegebenenfalls mit
der Haupt- oder Endredaktion abschließen könnten. Beachtenswert ist, daß in den oben behandelten Arbeiten Jaco-
bys, Rothsteins, Hölschers, Hyatts oder Mays und Rietz-
schels hinter der Gestaltung des Jeremiabuches - wenn eine
Schematisierung gestattet ist - jeweils ein einfacher Re-
daktionsvorgang etwa in dem Sinne angenommen wurde, daß
ein Haupt- oder Endredaktor - selbstverständlich meint
man damit, abgesehen von May, keine einzelne Person - so
arbeitete, daß er die ihm vorliegenden Überlieferungen
meistens lediglich aneinandergereiht habe und nur zu Worte gekommen sein soll, wenn er sich dazu veranlaßt fühlte. Ferner wurden dabei jene Worte des Redaktors, der in
der Forschungsgeschichte in den Zusammenhang mit den Deuteronomisten gebracht zu werden pflegte, oft als "Zusätze"
und implizit sogar als Einmischungen betrachtet. Kurzum:
Viel besser wäre es, wenn uns der Redaktor die Traditionen unberührt überliefert hätte, da er das gekonnt hätte!
Dies ist allerdings ein vereinfachtes Bild der betreffenden Untersuchungen, aber kein unzutreffendes; das wird

klar, wenn man zum Vergleich eine Reihe von Untersuchungen in Betracht zieht, bei denen es sich zwar auch um das
Redaktionelle handelt, es aber im Grunde doch auf einen
anderen Aspekt der Sachen ankommt. Diesen Aspekt könnte
man im voraus im Unterschied zu "Redaktion" als "Bearbeitung" hervorheben. Sie soll in den darauffolgenden Erörterungen, wie oben angedeutet, selbst auf diejenigen literarischen Vorgänge auf dem Weg zur Gestaltung des Buches
verweisen, die ohne Rücksicht auf die darauffolgende Haupt-
oder Endredaktion jeweils sich behaupten können. Diesen
Aspekt könnten weniger weitere Vorbemerkungen als die konkreten Beispiele anschaulich machen.

Die Ansätze zu diesem Aspekt befinden sich bereits im
Kommentarwerk W.Rudolphs, der unglücklicherweise zu einer
Theorie gegriffen hat, die von ihrem Vertreter, nämlich
von S.Mowinckel, schon grundsätzlich modifiziert wurde.[198]
Im Jahre 1944 publizierte Rudolph einen Aufsatz, Zum Jeremiabuch, der "einige Hauptergebnisse seines seit 1941
druckfertigen Kommentars" zusammengestellt haben soll.[199]
Dort nannte er die dritte der vier Hauptgruppen von Texten
des Jeremiabuches   " R e d e n   J e r e m i a s   i n
d e u t e r o n o m i s t i s c h e r   B e a r b e i -
t u n g   (Mowinckels Quelle C)"[200] in dem Sinne, daß sie
einerseits manchmal "sachliche Verschiebungen" aufweisen,
"die bis zur Entstellung von Jeremias eigener Meinung führen können", daß "sie andererseits keine freie Schöpfung
sind, sondern auf echten Aussagen Jeremias fußen" sollen.
Was er mit der Wendung "auf echten Aussagen Jeremias fußen"
tatsächlich meint, kann man in seinem Kommentar, Jeremia,
1947, beispielsweise erfahren; er schreibt in der Auslegung von Jer 7,28f. folgendermaßen: "die Worte von 28b

---

198   Mowinckel, Prophecy and Tradition.

199   Rudolph, Zum Jeremiabuch, ZAW 60, 1944, S.85-106. Das Zitat
      findet sich in der Anmerkung des Herausgebers der Zeitschrift
      auf S.85.

200   Rudolph, aaO. S.89.

fallen gegenüber den vorhergehenden Allgemeinwendungen
durch ihre Prägnanz auf, hier scheint ein echtes Jer-Wort
unverändert aufgenommen zu sein", oder die Worte von V.29
"sind rhythmisch und kraftvoll und sind wohl wieder (wie
28b) ein Jer-Zitat, das der Bearbeiter in seine Predigt
(in den exilischen Synagogen)[201] eingefügt hat."[202] Zwar
ergibt sich daraus wohl, daß Rudolph mit "Bearbeitung"
hauptsächlich einfach die Zitierung jeremianischer Sprüche in seinem eigenen Wortlaut meint, daß er aber in der
Bearbeitung doch auch anderes als Zitate sieht, wenn er
sagt, daß in den Fällen von 11,5f. 9; 16,1; 17,19; 18,3.5
und 35,3ff. "Selbstberichte Jeremias zugrunde liegen, die
aber nicht Quelle A zugerechnet werden können, eben weil
sie die deuteronomistische Bearbeitung aufweisen."[203] Es
ließe sich fragen, wo denn oder ob ein Unterschied zwischen Rudolph und Mowinckel liegen würde. Er besteht wohl
darin, daß Rudolph die Ähnlichkeit, die sich in manchen
Texten des Buches befindet, als solche im Auge behält,
daß er weiter zu erklären versucht, worin solche Ähnlichkeit an sich bestanden hat. Das setzt voraus, daß er die
einander ähnlichen Texte in dem Sinne von zwei Seiten her
betrachtet, daß die Texte einander weder ganz verschie-
den noch ganz gleich sind. Dagegen erklärte Mowinckel das
Vorhandensein ähnlicher Texte, die er zwar als Paralleltexte, nämlich wohl unbewußt wegen ihrer Zweiseitigkeit,
kennzeichnete, doch schließlich einseitig ausschließlich
als Hinweis auf unterschiedliche Quellen, wobei er die Frage, wie solche Quellen eigentlich entstanden sein könnten,
auf sich beruhen ließ. Daß Rudolph, wie bisher dargestellt,
sich nicht damit begnügte, die Unterschiedlichkeit der Tex-

---

201   Rudolph, S.XVI.
202   Rudolph, S.50.
203   Rudolph, Zum Jeremiabuch, S.90.

te festzustellen, sondern daß er die Beziehungen zwischen
den unterschiedlichen Texten manchmal positiv erklären
wollte, berechtigt wohl dazu, in Rudolph die Ansätze zum
oben besprochenen Aspekt von "Bearbeitung" - im Unterschied
zum Aspekt von "Redaktion" - innerhalb der "integrierenden"
Phase der Jeremiaforschungen zu erkennen. Der Begriff "Bearbeitung" in diesem Sinne scheint erst in der Leipziger
Habilitationsschrift S.Herrmanns, Der Gestaltwandel der
prophetischen Heilserwartung, 1959,[204] an Boden gewonnen zu
haben. Obwohl es sich bei dieser Arbeit um die Heilserwartungen in den Büchern von Jeremia und Ezechiel sowie
diejenigen Deuterojesajas handelt und sich der Verfasser
deshalb auf dieses Thema des öfteren zurückbesinnen mußte,
ist neben anderen auch das literarische Problem des Jeremiabuches im größeren Umfang in Betracht gezogen worden. Es
könnte sogar auffällig sein, daß in seinen Erörterungen
über das Jeremiabuch, die annähernd hundert Seiten umfassen,
von "Redaktion" im Grunde keine Rede ist, abgesehen von der
vereinzelten Verwendung des Wortes im Sinne von "End-" bzw.
"Schlußredaktion" im Zusammenhang mit dem Korpus von Kap.
30f.[205] Das ist aber kein Zufall, sondern die Konsequenz
seiner Einsicht; er wollte in dieser Studie in parallelen
Verhältnissen unter anderem zu den politischen sowie theologischen Bewegungen der Zeit, demnach nicht eine Kodifizie-
rung feststellen, sondern den Gestaltwandel prophetischer
Überlieferungen verfolgen, wie er sich in der "Gestaltung
des Jeremiabuches"[206] niedergeschlagen hat. Überzeugt ist
der Verfasser davon, indem er sich auch auf die oben genannte Arbeit Janssens[207] beruft, daß auf die Gestaltung des Bu-

---

204   Jetzt in: S.Herrmann, Die prophetischen Heilserwartungen im AT,
      1965, S.155ff. Zitate und Verweise nach diesem Buch.

205   Herrmann, aaO. S.220-222.

206   Herrmann, aaO. S.193.

207   Herrmann, aaO. S.157, A.2 und S.191, A.67.

ches die deuteronomistische Schule in der Exilszeit[208]
"von maßgebendem Einfluß"[209] gewesen ist. Ihr literarisches Verfahren beschreibt Herrmann hauptsächlich mit dem
Wort 'Bearbeitung'[210] sowie 'Überarbeitung'[211] oder 'Verarbeitung'[212] mit unterschiedlichen Schattierungen. Für dieses
Verfahren der Bearbeitung, das er, wie es scheint, mit
"Traditionsverknüpfung und Neubildung"[213] umschreiben kann,
könnte man vielleicht als anschauliches Beispiel die folgenden Darstellungen über 3,6ff. anführen:

"Zunächst in formgeschichtlicher Hinsicht: Ein mutmaßlich echtes Jeremia-Wort (V.12aβ bis 13a) löst einen höchst
künstlichen 'Midrsch' (V.6-10 + 11) aus, wobei das Jeremia-Wort selbst am Ende des Textes innerhalb der Texteinheit
zu stehen kommt. Was den Inhalt anbelangt, so trägt der
'Midrasch' ein Problem an das Jeremia-Wort heran, das zunächst nicht expressis verbis in ihm angelegt war, das Problem des Götzendienstes. Jeremia sprach nur von 'Umkehr' und
'Erkenntnis der Schuld'; der 'Midrasch' weiß mehr. Er weiß,
worin diese Schuld besteht, nämlich im Abfall zu anderen
Göttern. Der Zusatz V.13b will am Ende diesen Sachverhalt
noch einmal deutlich herausstellen. Zwar ist die Verehrung
fremder Götter auch von Jeremia selbst angegriffen und ver-
urteilt worden, doch ist das für ihn eine Schuld unter anderen. Unser 'Midrasch' will daraus die alleinige, die Haupt-
sünde machen."[214]

---

208   Herrmann, aaO. S.191.

209   Herrmann, aaO. S.192.

210   Herrmann, aaO. S.156 u.v.a.

211   Herrmann, aaO. S.187.

212   Herrmann, aaO. z.B. S.193.

213   Herrmann, aaO. S.156.

214   Herrmann, aaO. S.228. Daß Herrmann für "Bearbeitung" die Festhal-
       tung an Traditionen voraussetzt, erfährt man daraus, daß er in
       der Auseinandersetzung mit E.Rohland schreibt: "Aber kann man
       wirklich noch von "Bearbeitung" sprechen, wenn das Gedankengut des
       "Bearbeiters" so uneingeschränkt das Feld beherrscht, wie es Jer
       31,31ff. der Fall ist?" (S.201).

Wichtig ist nun zu beachten, daß er bei den Auslegungen
einerseits unterschiedliche Schichten in den Texten im Auge
behält,[215] daß er andererseits versucht, die Beziehungen
der Textschichten zu ermitteln. Dabei hat er in der Forschungsgeschichte des Jeremiabuches wohl als erster die
deuteronomistischen Partien im Buch, die seit Duhm öfters
als Zusätze oder Ähnliches negativ eingeschätzt wurden, in
positiver Weise zur Geltung gebracht. Das resultiert wahrscheinlich daraus, daß er, wie oben erwähnt, im wesentlichen darauf zielt, die Gestaltung des Buches nach ihrem
möglichst genauen Verhältnis zu den politischen Ereignissen
sowie theologischen Bewältigungsversuchen derzeitiger Probleme ins Licht zu rücken. In seinem Aufsatz vom Jahre 1961,
Das Prophetische,[216] greift er auch die Frage auf, wie
die prophetischen Bücher, unter anderem Jeremia und Ezechiel, in der Form, wie sie jetzt vorliegen, gestaltet wurden,
wobei er seine Grundauffassung von der allmählichen und
komplizierten Genese der Prophetenbücher, wie sie in seiner Habilitationsschrift vertreten worden ist, durch eine
Annahme ergänzt, die sich auf "eine jeremianische und eine
ezechielische Bearbeitergruppe, die jeweils vereinheitli-

---

215   Vgl. auch seinen arbeitshypothetisch eingeführten metho-
       dischen Begriff "exklusiv" im Gegensatz zu "inklusiv"
       (S.214f.).

216   Jetzt in: Probleme alttestamentlicher Hermeneutik, hrsg.
       von C.Westermann (ThB Bl1, 1963, 2.Aufl.), S.341-362. Dieser
       Aufsatz stellt die vom Verfasser selbst abgekürzte Wieder-
       gabe des gleichnamigen Aufsatzes dar, der zuerst in FS Mül-
       ler, 1961, veröffentlicht wurde.

chende Tendenzen vertrat ... ",[217] bezieht. Erst im Jahre
1977 hat Herrmann einen Aufsatz verfaßt, dessen Thema sich
im wesentlichen auf die literarischen Probleme des Jeremiabuches begrenzt, auch wenn hier parallele Verhältnisse vor
allem im Buch Ezechiel, wie oft in seinen anderen Veröffent-
lichungen, manchmal in Betracht gezogen werden. In diesem
Aufsatz, Die Bewältigung der Krise Israels. Bemerkungen zur
Interpretation des Buches Jeremia,[218] begegnet man seiner
Stellungnahme zu bisherigen Jeremiaforschungen, die mit
seiner Grundkonzeption zu tun hat, die ihrerseits in seinem
im Entwurf vorliegenden Jeremiakommentar konkrete Formen
annehmen dürfte. Er polarisiert hier nämlich die neueren
Forschungen in "jene Gruppe ....., die möglichst viel für
Jeremia selbst in Anspruch nehmen möchten, und jene, die
einer starken redaktionellen Verarbeitung das Wort reden
...",[219] wobei er sich aber gegen beide erklärt. Er meint,
grob gesagt, eher einen Mittelweg einzuschlagen, indem er
einen "fortschreitenden Prozeß der Verarbeitung propheti-

---

217   Herrmann, Heilserwartungen, S.356. Vgl. auch seinen Aufsatz,
       Das prophetische Wort, für die Gegenwart interpretiert, EvTh
       31, 1971, S.650-664. Er schreibt z.B. auf der Seite 658, daß
       "das prophetische Schrifttum nicht den Charakter von Proto-
       kollen oder Stenogrammen hat, sondern die Spuren vielfältiger
       Bearbeitung und Überarbeitung an sich trägt." Diese Auffassung
       Herrmanns, Bearbeitung im Unterschied zu Redaktion in den
       Vordergrund zu rücken, zeigt sich wohl auch in den folgenden
       Besprechungen des Jeremiabuches in seinem Vortrag im Jahre
       1974, Ursprung und Funktion der Prophetie im alten Israel.
       In: Rheinisch-Westfälische Akademie der Wissenschaften,
       Vorträge G 208,1976, S.36:"... liefert das später kano-
       nisch gewordene Buch Jeremia des Alten Testaments klare
       Zeugnisse für eine weiterverarbeitende Tätigkeit verschiede-
       ner Hände, die ältere Sprüche überarbeiteten, andere hinzu-
       fügten und das ganze Buch schließlich durch erzählendes Gut
       über den Propheten anreicherten. Immerhin beließ die Endre-
       daktion die von ihr übernommenen Materialien im wesentlichen
       in einer noch deutlich abgrenzbaren quellenhaften Gestalt."

218   FS Zimmerli, 1977, S.164-178.

219   Herrmann, aaO. S.172f.

schen Wortes, wie er sich im Prophetenbuch bereits nieder-
geschlagen hat,"[220] verfolgt. Um diese Fortgänge beispielsweise anzudeuten, differenziert er im ersten Kapitel des
Buches einige Material- und Verarbeitungsschichten, so daß
er zunächst in diesem Kapitel "eine Heterogenität der
Bilder" feststellt, "die schwerlich aus ein und demselben
Traditionskreis stammen wird, im übrigen auch nicht als
Eigenschöpfung Jeremias betrachtet werden muß."[221] Er ist
der Meinung, daß diese literarischen Vorgänge, die sich im
Kap.1 paradigmatisch aufzeigen lassen, dann verständlich
werden, wenn das gesamte Buch als "das Buch der Abrechnung
mit der Vergangenheit, der Ruf zur Umkehr, ein Dokument der
Hoffnung für Israel und der künftigen Weisung Jahwes für
alle Völker"[222] aufgenommen wird. In dieser Perspektive soll
nach Herrmann z.B. auch die auffällige Erwähnung von Achi-
kam ben Schapan, der den Propheten vor Verfolgung ge-
schützt hat (26,24), in dem Sinne wohl als Hinweis auf Er-
mutigung verstanden werden, "daß Juda nicht unterschiedslos
verderbt und verloren war,"[223] daß ihm deshalb die Möglichkeit der Wiederherstellung noch offensteht. Die Sicht Herrmanns kennzeichnet sich demzufolge wohl dadurch, daß er
das Jeremiabuch als Endgestalt eines längeren Vorganges
der literarischen Bearbeitungen betrachtet, wobei man
fortdauernd schwierige Verhältnisse der Exilszeit durch Ak-
tualisierung der Worte Jeremias zu überwinden versuchte.

---

220   Herrmann, aaO. S.169.

221   Herrmann, aaO. S.169. Das gleiche hat Herrmann, Jeremia -
       der Prophet und die Verfasser des Buches Jeremia, in:
       Bogaert, Livre de Jérémie, S.197-214, auch am Beispiel vom
       Kap.2 des Buches gezeigt, wobei er im Abschnitt 2,20-28 die
       dtr. Prosatexte (S.211) ausgesondert hat, deren Funktion er
       in Interpretierung und Konkretisierung (S.209) der Sprüche
       Jeremias erblickt.

222   Herrmann, Bewältigung der Krise, S.172.

223   Herrmann, aaO. S.177.

Die Meinung, die deuteronomistische Schule in der Exilszeit sei für die Endgestalt des Jeremiabuches verantwortlich, hat auch E.W.Nicholson in seiner Monographie, Preaching to the Exiles, 1970[224] geteilt. Er nimmt bewußt ohne Rücksicht auf die Unterscheidung zwischen den Fremdberichten über den Propheten und die Prosareden[225] an, "That
they (sc. die Prosareden) took shape and assumed at least
substantially their present form within the context of and
as a result of a preaching and teaching ministry which was
concerned with the problems and needs of a listening
audience to whom those responsible for it addressed them-
selves."[226] Obwohl er diese Prosareden für "the product
and deposit of a living, active tradition"[227] hält, ist er
doch davon überzeugt, daß sie "a conscious and deliberate
development of the prophet's teaching"[228] wiedergegeben haben sollen und fühlt sich infolgedessen dazu veranlaßt und
gleichzeitig sogar fähig, zu bestätigen, "that they (sc.
die Tradenten, m.a. Worten "The Jeremianic circle"[229])
employed genuine Jeremianic sayings and oracles; that in
many instances they did so seems quite evident, as we shall
see."[230] Wenn er auch in dieser Arbeit in der Tat dieses
zuletzt aufgestellte Vorhaben wohl kaum hinreichend durchge-

---

224   Der Untertitel heißt: A Study of the Prose Tradition in the
      Book of Jeremiah.

225   Nicholson, aaO. S.36.

226   Nicholson, aaO. S.14.

227   Nicholson, aaO. S.14.

228   Nicholson, aaO. S.13. Hervorhebung von mir.

229   Nicholson, aaO. S.13

230   Nicholson, aaO. S.12. Hervorhebung von mir.

führt hat,[231] ist er konsequenterweise auf eine Frage gestoßen, nämlich auf die, wie und inwieweit die literarischen Beziehungen zwischen den Sprüchen und Prosareden im
Buch erklärt werden können. Soweit kann man seine methodische Einsicht, wie sie sich zunächst z.B. in seinen Wendungen von "employment" und "development" der Sprüche Jeremias
prägt, gleich wie die von Rudolph und Herrmann, mit dem
Stichwort "Bearbeitung", besser wohl mit dem Wort "mündliche
Bearbeitung" kennzeichnen.

Im Lauf der sechziger Jahre, wo in den Jeremiaforschungen
der Gesichtspunkt "Bearbeitung", ob nun so oder anders genannt, augenscheinlich immer mehr in den Vordergrund gerückt worden ist, fing man an, sich zu bemühen, nicht nur
die geschichtlichen loci der Bearbeitungen, sondern auch
ihre literarischen, sogar schriftlichen Entstehungsverhältnisse möglichst konkret zu verfolgen. Einem leuchtenden
Vorbild dafür begegnet man bereits im oben erwähnten Aufsatz Graf Reventlows aus dem Jahre 1969, Gattung und Überlieferung in der "Tempelrede Jeremias", Jer 7 und 26.[232]
Nachdem er am Kap.7 des Buches gattungsgeschichtlich arbeitete, ist er der Frage nach dem Charakter der Erzählung
von 26,1-19 mit dem Ergebnis nachgegangen, daß der Erzähler eindeutig von den Stoffen, wie sie Kap.7 bildeten, abhängig sei. Das signalisiert er im Kontext der Forschungsgeschichte wie folgt: "Vieles ist eben in B aus C."[233]
Nicht nur darin, daß er mit diesem Ergebnis auf die Möglichkeit verweisen konnte, den bisher angenommenen Überliefe-

---

231   Nicholson, aaO. S.137f., verweist auf einige prosaische
      Textabschnitte, wo man nach ihm jeweils als ihre Vorlagen
      Sprüche Jeremias annehmen soll, ohne daß er aber die mögli-
      chen Sachverhalte im einzelnen beweist.

232   ZAW 81 1969, S.315-352.

233   Graf Reventlow, aaO. S.351.

rungsstrom umdrehen zu müssen, sondern auch darin war er
richtungsweisend, daß er sowohl in formaler als auch in
inhaltlicher Hinsicht dem Text gemäß erklärte, wie Kap.26
anhand von Kap.7 geschaffen worden ist.[234] Er kam in dieser
Studie zu dem Schluß, daß der Erzähler von Kap.26 "einen
Stoff aus der Wirksamkeit Jeremias (benutzt), um daraus
für seine Zeitgenossen im Exil Mahnung und Hoffnung zu
schöpfen".[235] Graf Reventlow selbst gebraucht das Wort
"Bearbeitung" allerdings nicht. Wenn er aber durch seine
Beobachtungen "in der Beschäftigung mit der Überlieferung
..... sowohl Gebundenheit als auch Freiheit"[236] feststellt,
so ist wohl möglich, auch seine Arbeit, vor allem in ihrer
letzten Hälfte, in den Aspekt "Bearbeitung" im obenbesprochenen Sinne einzubeziehen.

Es könnte sehr merkwürdig sein, wenn an dieser Stelle der
Darstellung noch einmal von der Untersuchung Thiels die
Rede ist, denn er arbeitete dort, wie schon ihr Titel, Die
deuteronomistische Redaktion des Buches Jeremia,[237] besagt, ganz bewußt redaktionsgeschichtlich.

Allerdings arbeitete Thiel in dieser Untersuchung insofern redaktionsgeschichtlich, als er zum einen die Texte
des Jeremiabuches, hauptsächlich aufgrund der Ergebnisse
bisheriger Untersuchungen, die er einzeln im Referat heran-
zieht, im wesentlichen in drei Kategorien differenziert:
das sind   1. authentische Jeremiaworte (sowohl) in poeti-
               schen Texten als auch in Selbstberichten),
           2. biographische Abschnitte - Fremdberichte und
           3. deuteronomistische Texte.[238]

---

234   Graf Reventlow, aaO. S.341-351.

235   Graf Reventlow, aaO. S.351.

236   Graf Reventlow, aaO. S.352.

237   Berliner Dissertation aus dem Jahre 1970. In den Jahren 1973
       und 1981 erschienen beide Teilabdrucke unter den Titeln:
       Die deuteronomistische Redaktion von Jeremia 1-25 und
       Die deuteronomistische Redaktion von Jeremia 26-45.

238   Thiel (1973), S.43.

Zum anderen ist seine Arbeitsweise dadurch redaktionsgeschichtlich, daß er außerdem versuchte aufzuhellen, wie
das Buch schließlich aus diesen Materialien entstand. Soweit scheint er zwar Duhm nahezustehen, doch faßt Thiel
nicht, wie Duhm u.a., etwa einen solchen Redaktor als dritte Person auf, der ohne weiteres diese verschiedenartigen
Stoffe als Quellen verwendet und das Jeremiabuch zusammengesetzt haben könnte. Thiel sieht die Schwierigkeiten solcher Quellentheorie nicht zuletzt darin, die auffällige
literarische Erscheinung, die die Texte des Buches aufweisen, nicht ausreichend erklären zu können, nämlich jene,
daß "das wesentlichste Merkmal" der deuteronomistischen
Texte ..... "auch in den biographischen Prosa-Abschnit-
ten zu beobachten" ist, daß er "schließlich sogar in poetischen Abschnitten in Form von prosaischen und halbpoe-
tischen Elementen ..... zu erkennen" ist.[239] Man stehe notwendig vor der Alternative, den Sachverhalt entweder etwa
von "Zusätze(n) im Geist von C[240] (sc. den deuteronomistischen Texten)" herzuleiten oder ihn als Folge "einer durch-
greifenden redaktionellen Bearbeitung des Buches"[241] zu erklären. Die letztere Annahme, die in methodischer Hinsicht
wahrscheinlich den Hauptausgangspunkt dieser Untersuchung
bildet, könnte sich inhaltsmäßig wohl auch derart umschreiben lassen, daß sowohl die deuteronomistischen Texte als
auch die sog. Zusätze eigentlich von ein und derselben
Hand herrühren können. Von dieser Annahme ausgehend kam er
zu dem Schluß, daß die Hauptredaktion des Buches im Land
Juda "am ehesten in den Jahren um 550 entstanden sei",[242]
und daß sie sich der "sammelnde(n) und bearbeitende(n) Tätigkeit der deuteronomistischen Theologen der Exilzeit"

---

239   Thiel, aaO. S.32f.
240   Rudolph, S.XXI.
241   Thiel, aaO. S.33. Hervorhebung von mir.
242   Thiel (1981), S.114. Siehe unten S. 295.

verdanken dürfte.[243] Da im laufenden Überblick der Forschungsgeschichte bisher mehr Gewicht darauf gelegt wurde,
jede Untersuchung weniger dem Inhalt oder der Schlußfolgerung nach als der Tendenz und Methode nach darzustellen
und sie aufeinander zu beziehen, empfiehlt sich dementsprechend, auch die Arbeit Thiels vom gleichen Gesichtspunkt her zu besprechen, nur daß hier die Frage ausführlicher behandelt wird, inwieweit Thiel zwischen seinen
methodischen Begriffen, vor allem "Redaktion" und "Bearbeitung", unterscheiden will.

Wie üblich stellt er die folgenden Punkte als Aufgabe
nebeneinander: erstens "Identifikation und Aussonderung
des redaktionellen Materials", zweitens "Herausarbeitung
des Redaktionsverfahrens" und schließlich "Aufdeckung der
leitenden Prinzipien dieser Redaktion".[244] Was das Redaktionsverfahren angeht, stellt er zuerst die Frage nach
der "Herausarbeitung des Redaktionsverfahrens, d.h. der
Arten und Möglichkeiten, mit der die Verknüpfung der vorgegebenen Überlieferungen von der Redaktion vollzogen wurde."[245] Soweit ist sein Versuch grundsätzlich redaktionsgeschichtlich. Viel wichtiger scheint aber für Thiel in diesem Zusammenhang "die unleugbare Sprachbeziehung der dtr.
Texte zu den original-jer. und zu den biographischen Abschnitten"[246] zu sein. Infolgedessen ist er dahin gekommen,
mit der Möglichkeit - das wäre die Kehrseite seiner og.
Annahme - zu rechnen, "daß die Redaktion sowohl bei der
Bearbeitung des vorliegenden Materials als auch bei frei-
en Kompositionen sich an Form und Stil der überlieferten

---

243   Thiel (1981), S.114.

244   Thiel (1973), S.44.

245   Thiel (1973), S.44. Hervorhebung von mir.

246   Thiel (1973), S.39.

Texte ..... anlehnen und diese nachahmen konnte."[247] Aus
dem, was Thiel geäußert hat, ergibt sich wohl, daß er in
das Redaktionsverfahren zunächst drei Blickrichtungen einbezieht; nämlich: Verknüpfung vorgegebener Überlieferungen,
ihre Bearbeitung und freie Komposition. Es würde sich loh-
nen zu fragen, inwieweit Thiel nun zwischen den zwei letzteren tatsächlich unterscheidet.

Aus dem letzten Zitat, in dem Thiel die "Bearbeitung" und
"freie Komposition" zwar nebeneinander stellt, leuchtet
bereits hinreichend ein, daß er mit der Bearbeitung weder
eine Veränderung des vorliegenden Materials noch seine Auswahl, noch Ausscheidung meint, sondern daß er dabei sachlich doch eher an irgendeine Gestaltung neuer Texte zu denken scheint. Die "Bearbeitung" dürfte deshalb im Sinne der
Gestaltung neuer Texte gerade der "Komposition"[248] nahestehen. Thiel konnte das Redaktionsverfahren auch derart beschreiben, daß die deuteronomistische Redaktion "die vorgegebenen Texte auch in starkem Maße in ihrer dtr. Diktion
und nach eigenen Gesichtspunkten bearbeitet und darüber
hinaus auch zu den jer. Traditionen vollkommen frei formulierte Texte (3,6ff; 11,1ff; 17,19ff; 24,1ff) beigesteuert
(hat)".[249] Daraus ergibt sich, daß er mit der oben neben

---

247   Thiel (1973), S.41.

248   Auch auf diesen Befund könnten wohl schon folgende Sachver-
      halte hindeuten: wenn Thiel auch im Schlußteil seiner Arbeit
      die redaktionellen "Verfahrensweisen" zusammenstellt, be-
      spricht er sie als diejenigen, "die die Redaktion zur Ver-
      knüpfung verschiedener Überlieferungen bzw. eigener Texte
      mit vorgegebenem Material und zur Gestaltung eigener Texte
      anwandte" (aaO. S.284, Hervorhebung von mir). Das bedeutet,
      daß Thiel im Redaktionsverfahren im Grunde nur noch zwei
      Blickrichtungen sieht und daß er hier selbst zwischen Bear-
      beitung und freier Komposition nicht wesentlich unterscheidet.

249   Thiel (1973), S.283. Hervorhebung von mir.

der "Bearbeitung" angeführten "freien Komposition" wohl
freie Formulierung der Texte durch den Redaktor meint.
Prüft man dann die Erörterungen über die genannten Stellen, z.B. über 3,6ff. nach, so kann man sich der weiteren
Frage nicht entziehen, ob in 3,6ff. wirklich eine "vollkommen freie Formulierung" durch den Redaktor vorliegt;
denn selbst Thiel hält es zunächst für naheliegend, "daß
dieses ganze Prosastück (sc. V.6-12aα+13bβ)von dem vorgegebenen Spruch (sc. V.12aβ-13bα) her Thema und Anregung
empfangen hat, geradezu auf ihn hin komponiert worden
ist."[250] Das dürfte also heißen, daß der vorgegebene
Spruch in irgendeiner Weise die Gestalt des Prosastückes
bestimmt hat. Um so mehr ist die obengestellte Frage
nicht zu umgehen , als er weiter in einem anderen Zusammenhang sagt: "Die dtr. Komposition 3,6-13 ist thematisch
und terminologisch von dem aufgenommenen Spruch 12aβ-13bα
und vom Kontext (besonders 3,1) bestimmt."[251] Man dürfte
angesichts dieser Äußerungen sogar sagen, daß er eine
"freie Formulierung" lediglich auf der Ebene der Diktion
angesetzt haben würde. Der Sachverhalt ist dann schwerer
zu begreifen, wenn er im Hinblick auf das Prosastück 24,1-10,
das er, wie oben zitiert, zwar als Beispiel der "vollkommen
frei formulierten Texte" nennt, doch die Möglichkeit der
"Bearbeitung eines ursprünglichen Selbstberichtes"[252] zuläßt.

---

250   Thiel (1973), S.86.

251   Thiel (1973), S.285. Hervorhebung von mir.

252   Thiel (1973), S.258. Bei 11,1ff. und 17,19ff. verhält es sich
      nach Thiel ein wenig anders: er betrachtet den Text 11,1-17
      als so gestaltet, daß der Redaktor nur in V.15f. jeremiani-
      sche Worte aufgenommen und ihn zunächst durch V.14 und 17
      gerahmt hat (S.156), so daß der Kern einer "stilisierte(n)
      Szene jer. Verkündigung" gestaltet werden konnte (S.286).
      Mehr Freiheit als in 11,1f. habe nach Thiel der Redaktor
      bei Gestaltung von 17,19ff. genossen. Dieses Prosastück
      kann ihm im strengen Sinne des Wortes als Beispiel vollkom-
      men frei formulierter Texte dienen.

Hier ist noch die zurückgestellte Frage zu beantworten, weshalb Thiel dieses literarische Verfahren "Redaktion" genannt hat. Er dürfte es nicht nur deswegen so genannt haben, weil der Begriff Redaktion ein Pauschalbegriff ist, in dem es nicht lediglich auf das redaktionelle Verfahren, sondern auch auf seine mögliche konsequente Zielsetzung ankommt. Man sollte wohl die folgenden Gründe hinzufügen: er ist überzeugt davon,

1. daß sich dasselbe Verfahren fast durch das gesamte Buch hindurchziehe,
2. daß sich kein anderes Verfahren finde, welches sich in seiner Konsequenz und Durchsetzung mit diesem vergleichen läßt,
3. daß dieses Verfahren für die Endgestalt des Buches maßgebend gewesen sei.

Die gleiche Interpretation scheint jedoch nicht zu gelten, wenn Thiel eine "post-deuteronomistische Redaktion (PR)" ansetzt, der er die Entstehung der vierten Kategorie der Texte des Buches zuschreibt;[253] denn er wollte mit dieser Redaktion kein literarisches Verfahren verbinden, das die Gestaltung des Buches endgültig bestimmt hätte. Vielmehr ist er sich dessen bewußt, daß sie im wesentlichen nur in Kap.25 als solche festzustellen sei.[254] Alles, was diese Redaktion dem Kapitel wirklich verschafft haben sollte, ist nur, daß sie "an die D-Rede 25,1-13 den Komplex der Fremdvölkersprüche an(schloß)"[255], außerdem, daß sie auf dieses Ziel hin durch die Zusätze von Zeitangaben usw. auch das vorgegebene Material uminterpretierte. Man sollte sich deshalb grundsätzlich fragen, worauf Thiel mit einer "Redaktion" verweisen will, oder zumindest, inwieweit er zwischen Redaktion und Bearbeitung sachlich unterscheidet.

---

253   Thiel (1973), S.43.

254   Thiel (1973), S.43, A.45.

255   Thiel (1973), S.273.

Es müßte aber genügen, im Hinblick auf die Untersuchung Thiels gezeigt zu haben, daß es sich hier bei der Redaktion, vom Gesichtspunkt des literarischen Verfahrens
her gesehen, tatsächlich annähernd um die Bearbeitung vorliegenden Materials, sei es eine terminologische, themati-
sche oder kontextuelle, handelt. Wenn die Besprechung der
Arbeit Thiels soweit sachgemäß ist, so dürfte man sie in der
Forschungsgeschichte des Jeremiabuches wohl nicht unter dem
Aspekt "Redaktion", sondern eher unter dem der "Bearbeitung"
einordnen.

Zuzugestehen ist im allgemeinen, daß in der alttestamentlichen Wissenschaft "Redaktion" als methodischer Begriff
nicht immer hinreichend differenziert angewandt wird, obwohl man sich zunächst darüber einig sein könnte, daß unter
"Redaktion" ein Werdegang von der Erstverschriftung mündlicher Überlieferungen bis zur literarischen Endgestalt verstanden werden sollte. Zwar dürfte wohl diese Erläuterung
des Begriffes "Redaktion" nur dann ausreichen, wenn dieser
Vorgang zeitlich nicht lange dauert und dementsprechend nur
wenige grundsätzliche Veränderungen der Materialien an sich
zur Folge hat. Es versteht sich von selbst, daß es sich
meistens, besonders im Pentateuch und nicht zuletzt in den
großen Prophetenbüchern wie Jeremia und Hesekiel, nicht so
einfach verhält.

Dementsprechend greift man notgedrungen gewöhnlich den
Begriff "Be-, Um-, Überarbeitung" usw. auf, um damit den
soeben besprochenen Werdegang, der wirklich nicht wenige
Veränderungen der Materialien mit sich bringt, sachgemäß
erläutern zu können.[256]
Es erregt in diesem Zusammenhang Aufmerksamkeit, daß
W.Richter als einen Aspekt der formalen Textanalyse "die
Kompositionen und Redaktionen"[257] in Pluralform nebeneinandergestellt angibt. Schon dieses weist darauf hin, daß der
Werdegang auf unterschiedlichen Stufen abläuft. Um so auffälliger ist aber, wenn er in seinem sonst so ausführlichen
Buch niemals erklärt, warum nicht ein, sondern zwei methodische Begriffe wie "Komposition" und "Redaktion" - lediglich in diesem fünften Aspekt - nebeneinander vorgegeben
werden müßten, abgesehen davon, daß er nur in einer Fußnote

---

256   Vgl. K.Koch, Formgeschichte, S.72; H.Barth, O.H.Steck, Exegese
      des Alten Testaments, 1976, 6.Aufl., S.48.

257   W.Richter, Exegese als Literaturwissenschaft 1971, S.165.

jene Unterscheidung streift: "Komposition und Redaktion
sind zu unterscheiden, wenn man unter der letzteren Art
eine Verfasserschaft durch unverbundenes Nebeneinander-
stellen von Einheiten versteht, unter der ersteren durch
stärkeres Eingreifen in vorliegende Einheiten ihren geziel-
ten Einbau und die Konstruktion eigener Abschnitte an be-
absichtigter Stelle".258

Es erhebt sich nun die Frage, ob man schon dann von einer
Verfasserschaft sprechen sollte, wenn vorliegende Einheiten unverbunden nebeneinandergestellt werden; denn das wäre
einfach "Verknüpfung" (Thiel) oder "Zusammenfügung" (Richter) der vorliegenden Materialien. Abgesehen davon ist immerhin festzustellen, daß Richter sich auf der einen Seite
dazu gezwungen sieht, in diesem literarischen Werdegang
zwei Blickrichtungen voneinander zu unterscheiden, daß er
auf der anderen Seite diese jedoch nicht in zwei völlig
verschiedene Aspekte etwa in Komposition und in Redaktion
aufteilen kann. Man sollte Richter wegen dieser zweischich-
tigen Einsicht nicht tadeln, sondern deswegen schätzen, weil
er damit auf die Kompliziertheit des obenbesprochenen literarischen Werdegangs aufmerksam machte. Kennzeichnend ist
nur, daß er sich vorstellt, im og. Werdegang gehe der Prozeß der Komposition dem der Redaktion im Prinzip zeitlich
voran. Er nennt diese beiden Prozesse in seinen Darstellungen nicht nur immer in dieser Reihenfolge, sondern sagt
auch: "..... die Kompositionen, Schichten und Werke, ferner deren letzte Redaktion, von der die gesamte Untersuchung
ausging, ...".259

Auch seine eigenen Beobachtungen zu Ri. 6, die er für seine Methode als Beispiel benutzt, bestätigen weiter die oben-
erschlossene Reihenfolge von Komposition und Redaktion:
"Die nicht zu diesem Werk gehörenden Teile ..... lassen keine gegenseitigen Verbindungen und Verweise erkennen, sie
stellten deshalb keine Komposition dar, sondern sind Erweiterungen der Komposition, Zusätze ('Redaktion')"260. Allerdings ist selbstverständlich, daß auch bei der Theorie Richters mit der Möglichkeit gerechnet wird, daß sich die Reihenfolge in entsprechenden literarischen Prozessen wiederholt.

---

258   Richter, aaO. S.166, A.4. Hervorhebung von mir.

259   Richter, aaO. S.169. Vgl. auch seine anderen Äußerungen:
      "nämlich das Verhältnis der Kompositionen und Redaktionen
      innerhalb je einer Endredaktion" (S.172) oder: "denn welche
      Kompositionen in einem Werk verarbeitet worden sind, entschei-
      den die Redaktoren oder der Endredaktor" (S.173).

260   Richter, Exegese, S.169. Hervorhebung von mir.

Kurzum, in seiner Methodologie wird die Redaktion im wesentlichen als nachträglicher und fragmentarischer Vorgang angesehen. Richter würde die dtr. Redaktion im Sinne Thiels folglich ohne zu zögern als Komposition bezeichnen.

Diesen Sachverhalt könnte man, abgesehen davon, ob die Terminologie Richters die Sachlage trifft, wohl von allgemeinerem Gesichtspunkt her gesehen auch dahingend beurteilen, daß der Begriff "Redaktion", der gewöhnlich als methodisch selbstverständlich angesehen wurde, nun in neueren methodologischen Diskussionen in seiner Gültigkeit mehr oder weniger in den Hintergrund rückte.

Allerdings kann man die literarischen Vorgänge, die Thiel im Buch Jeremia vorfindet, doch als Redaktion bezeichnen. Daß man aber die Arbeit Thiels im laufenden Überblick der Jeremiaforschungen inhaltsgemäß wohl weniger begründet der Blickrichtung "Redaktion" als der der "Bearbeitung" zurechnet, wird dann ersichtlich, wenn die Untersuchung K.F.Pohlmanns, Studien zum Jeremiabuch, 1978,[261] als ein Beispiel, bei dem es um eine schlichte Redaktion geht, herangezogen wird. Er will dabei hauptsächlich auf eine "golaorientierte Redaktion" des Buches hinweisen. Er geht davon aus, daß für die Entstehung der Texte wie Kap.24, in dem den nach der Eroberung Jerusalems 587 v.Chr. im Lande Zurückgebliebenen der Heilswille Jahwes ganz und gar versagt bleibt, eine deuteronomistische Redaktion, wie sie Thiel um 550 v.Chr. in Juda ansetzt, nicht in Frage kommen könne.[262] Vielmehr findet Pohlmann in diesen Texten eine konkrete redaktionelle Absicht vor, "die Vorrangstellung der babylonischen Gola, wahrscheinlich der ersten Gola unter Jojakin, herauszuarbeiten (Jer 24,5-7) bzw. das endgültige Verwerfungsurteil über die, die im Lande zurückbleiben konnten, aussprechen zu lassen und damit die Ansprüche der Gola in Babel oder derer, die sich von ihr herleitet, abzusichern".[263] Auf der Suche nach deutlicheren Spuren dieser redaktionel-

---

261 Der Nebentitel heißt: Ein Beitrag zur Frage nach der Entstehung des Jeremiabuches.

262 Pohlmann, aaO. S.16f.

263 Pohlmann, aaO. S.29.

len Tätigkeiten erweiterte er die Analyse vorerst um
21,1-10 mit dem Ergebnis, daß "der ganze Abschnitt die
einheitliche Komposition eines Verfassers ist".[264] Nachdem er dann die inhaltliche Korrespondenz und die übrigen
Verbindungslinien zwischen Kap.24 und 21,1-10 ermittelt
hatte, konnte er die beiden Einheiten als "eine aufeinander abgestimmte Rahmenkomposition"[265] bezeichnen. Diese
Erkenntnisse über Kap.24 und 21 befähigen Pohlmann zu
weiteren Beobachtungen mit der Aussicht, daß auch den anderen Erzählungstexten des Buches, nämlich Kap.37-44, in
ihren jetzigen Fassungen dieselbe redaktionelle Absicht
zugrunde liegen wird. Er kommt zu dem Schluß: "Die Rahmenkomposition Jeremia 21,1-10/Jer 24 und die vorliegende
Textgestalt der Schlußerzählungen Jer 37-44 wie auch deren jetzige Stellung sind auf ein und denselben Redaktions-
vorgang zurückzuführen."[266] Diese Redaktion, die zwar auf
eine Vorrangstellung des babylonischen Golajudentums in
Juda angelegt ist, sei doch nicht den Erwartungen und Hoffnungen der Exilierten in Babylon zuzuschreiben. Nach Pohlmann könne "man für die zeitliche Ansetzung der Redaktion
frühestens das 4. Jhdr. (längere Zeit nach Nehemia vor
Entstehung des chronistischen Geschichtswerkes) in Anspruch
nehmen".[267]

---

264 Pohlmann, aaO. S. 39.

265 Pohlmann, aaO. S.184.

266 Pohlmann, aaO. S.185.

267 Pohlmann, aaO. S.191. Der Hauptgrund für diese Spätdatierung
     sei darin zu finden, daß eine Entvölkerung des Landes Juda,
     die die Redaktion, z.B. in 24,10 vorhersagte, nach 587 v.Chr.
     nicht geschah, daß zudem die Theorie der Vorrangstellung der
     Zurückgekehrten aus dem Exil "erst dann verstehbar (war),
     wenn ihre Anhänger die derzeitig in Juda Ansässigen zu einem
     großen Teil als aus Babylon Zurückgekehrte ansehen konnten
     und folglich selbst schon in Juda wirkten." (S.190)

In dieser Arbeit beschränkt sich Pohlmann nicht auf den
Hinweis auf die "golaorientierte Redaktion". Natürlicher-
weise versucht er, auch die ehemalige Gestalt und Abfolge
der Texte ausfindig zu machen, in welche diese Redaktion
nachträglich eingegriffen haben soll. Diese Texte, die
er die "Vorlage" der Redaktion nennt, sollen schon Bemühungen aufweisen, die Gedanken und Hoffnungen zu festigen,
"daß Jahwe Juda und seine Bewohner auch nach der Katastrophe nicht aufgegeben hat und unabhängig von einer Exils-
wende sein künftiges Heilshandeln gerade das Land und seine
Bewohner zum Ziel haben wird".[268] Gerade diese Heilserwartungen, die die Vorlage angibt, sollen deshalb später das
Golajudentum im Land dazu gezwungen haben, sie auf ihre
Seite zu bringen. So müsse die "golaorientierte Redaktion"
des Jeremiabuches entstanden sein.

Als wirkliche literarische Verfahren, die der Redaktor
für seine Zwecke dienstbar machte, zählt Pohlmann folgende auf:

- Versetzung eines Abschnittes in der Vorlage,[269]
- Konzipierung größerer Einheiten, wie z.B. jene
  Rahmenkomposition von Kap.21,1-10 und Kap.24 und
- Erweiterungen bzw. Zusätze vorwiegend an den
  Rändern der Vorlage.

Zu rechnen seien zu den letzteren auch die Wiederaufnahme
eines vorgegebenen Abschnittes in der Vorlage an neuer Stelle sowie Erweiterungen mit Sachkorrekturen.

Auch wenn nun alle diese redaktionellen Verfahren dazu
dienten, Anliegen und Aussagerichtungen der Vorlage "abzu-
schwächen", zu "entschärfen", "um(zu)orientieren", zu "korrigieren", sie damit zum Schluß "grundsätzlich (zu) verändern", könnte man diese literarischen Vorgänge schon des-

---

268   Pohlmann, aaO. S.189.

269   Er ist auf nur einen Fall im Abschnitt 34,1-7 gestoßen, der ur-
       sprünglich in der Vorlage vor 37,11ff. zu lesen sei, aaO. S.62f.

halb von Bearbeitungen, wie sie oben erörtert worden sind, nicht scharf unterscheiden, da es sich auch bei den letzteren im Grunde um irgendeine Veränderung des vorgegebenen Materials handelt. Als "Bearbeitung" kann man jedoch ein literarisches Verfahren, wie es Pohlmann der "golaorientierten Redaktion" zuschreibt, deswegen nicht zutreffend bezeichnen, weil der für diese Redaktion Zuständige durch jene literarischen Maßnahmen die Aussage wie auch Inhaltsrichtungen der Vorlage in ihrer Hauptsache ins genaue Gegenteil umzulenken versuchte.

Die Absicht und Zielsetzung des Redaktors, den Erzählzusammenhang der Vorlage mit dem Wort Pohlmanns, "umzupolen",[270] ist wohl doch nicht zu leugnen, wie glatt auch immer in der jetzigen Fassung die redaktionellen Teile und die Texte, die die Vorlage bildeten, ineinanderzugreifen scheinen, daß ihre Kongruenz bei flüchtigem Blick unbemerkt bliebe. Im Vergleich zu diesem Redaktor läßt ein Bearbeiter, wie er in der laufenden Darstellung bis jetzt im Auge behalten ist, sich wohl dadurch kennzeichnen, daß er sich in Grenzen zu halten bemüht, was sich im vorgegebenen Material - explizit oder implizit - nicht findet, keinesfalls aufzugreifen, daß er sich aber befähigt sieht, das in ihm Eingeschlossene bzw. Verborgene zu enthüllen und zu entwickeln.

Im Anschluß daran sollte darauf hingewiesen werden, daß Pohlmann ebenso wie Thiel in seiner Studie das Wort "Redaktion" anscheinend ohne weiteres mit dem Begriff "Bearbeitung" auszutauschen pflegt.[271] Das rührt wahrscheinlich einfach daher, daß es bei beiden auf solche terminologische Unterscheidung nicht ankommt, um ihre Annahmen jeweils nachzuweisen.

---

270   Pohlmann, aaO. S.197.
271   So besonders oft in S.185ff.

d. Schlußfolgerung

Somit wurden, zwar in erheblicher Verkürzung, die Haupt-
linien der Forschung behandelt, die die komplizierte Beschaffenheit des Jeremiabuches gefordert hat. Sind die Darstellungen in ihrer Weise sachgerecht geordnet, so ist
daraus zu folgern, daß in diesen letzten zwanzig Jahren der
Jeremiaforschungen eine methodische Tendenz als dominie-
rend hervorgetreten ist, die sich in zwei Punkten gegen die
früheren kennzeichnen läßt: die Untersuchungen mit dieser
Tendenz setzen nämlich einmal die Mehrschichtigkeit der Texte des Buches voraus. Hier bedeuten die Textschichten nicht
etwa diejenigen unterschiedlicher Texte, die sich, wie in
den Untersuchungen der früheren "ausgleichenden Phase" angenommen, herleiten ließen von den verschiedenen Wirkungs-
perioden, "Sitzen im Leben" und/oder dementsprechend Aus-
drucksstilen des Propheten selbst, oder von den verschiedenen Tradentengruppen, die sich mit seinen Worten beschäftigten. Die Mehrschichtigkeit bedeutet auch nicht ohne weiteres,
daß das Buch, wie einst die Untersuchungen der "differenzierenden Phase" annahmen, aus sog. echten wie auch unechten
Texten bestehe. Vielmehr ist dabei eine sozusagen dritte
oder Zwischen-Kategorie der Texte im Auge zu behalten, die
zwar aus den Worten des Propheten, aber doch wohl erst
durch ihre literarischen Bearbeitungen entstanden sind. Zum
anderen kann man sich unter dieser Sicht deshalb die Entstehungsumstände des gesamten Buches nicht mehr wie in den
Untersuchungen der "differenzierenden Phase" derart einfach
vorstellen, daß die vorliegenden Materialien, die üblich
als Quellen angeführt wurden, von Redaktoren, besser: von
Sammlern ohne weiteres zum Buch zusammengesetzt worden wären, abgesehen von unwichtigen nachträglichen Zusätzen. Dagegen sind nun die Grundlinien dafür wahrscheinlicher geworden, daß sich jeder Bearbeiter unter dem Druck derzeitiger Probleme, mit denen ihn maßgebliche Überlieferungen mit

dem Ergebnis konfrontieren lassen mußten, daß er neue Texte geschaffen hat, die in unterschiedlichem Maße und Modus,
immerhin aber in der Kontinuität mit dem Überlieferten
standen, wobei aber selbstverständlich zuzugestehen ist,
daß vorliegende Überlieferungen gegebenenfalls ohne weiteres zu Überlieferungskomplexen zusammengefügt worden sein
können. Es kommt deshalb bei den Untersuchungen, von denen
hier die Rede ist, schließlich darauf an, bei den Textschichten des Buches, die literarisch voneinander zu unterscheiden sind, in ihrem literarischen wie auch geschichtlichen Kontext nach ihren gegenseitigen Beziehungen zu fragen.[272] Das könnte bedeuten, mehrere Textschichten des Buches miteinander zu integrieren. Diese methodischen Einsichten, die Jahrzehnte der mühsamen Erforschungen gekostet
haben, müßten offenbar bei weiterer Untersuchung am Buch
umsichtig überprüft und entfaltet werden.

Es erscheint nicht unbedingt abwegig, wenn im folgenden
zur Differenzierung methodischer Terminologie im Hinblick
auf literarische Verfahren, wie sie bisher erörtert wurden,
ein Vorschlag gemacht wird. Dabei brauchen nur die drei Kategorien "Bearbeitung", "Redaktion" und "Komposition" in
Erwägung gezogen zu werden. Es wurde oben zuweilen gezeigt,
daß zwischen diesen Arbeitsweisen aufgrund ihrer Ergebnisse
nicht hinreichend unterschieden werden kann. Daraus ließe
sich folgern, daß zwischen ihnen eher darin differenziert
werden müßte, wie man sich den Überlieferungen gegenüber
verhält. Zuerst wären die Bearbeitung und die Komposition
im Unterschied zur Redaktion dadurch zu charakterisieren,

---

272   Vgl. die programmatische Aussage Thiels (1981), S.118:
       "Da aber die ebenfalls vorhandenen markanten Differenzen
       eine Einebnung der drei Texttypen unmöglich machen, ist eine
       Interpretation nötig, die Gemeinsamkeiten und Unterschieden
       gleichmäßig gerecht wird."

daß beide in die Überlieferungen verhältnismäßig intensiv
eingreifen, um sich selbst in irgendeiner Weise auszudrük-
ken, wobei gleichgültig ist, ob man die einschlägigen Überlieferungen als homogen, einheitlich bzw. für sich abgeschlossen hält oder nicht. Inhaltliche Konfrontation mit
den Überlieferungen ist wohl der Hauptanlaß für die Bearbeitung wie auch für die Komposition. Dagegen könnte die
Redaktion dadurch gekennzeichnet werden, daß sie sich in
erster Linie dazu veranlaßt sieht, mit möglichst wenigen
Eingriffen die Überlieferungen miteinander zu verbinden,
damit sie für die Nachkommenschaft zugänglich gemacht werden können. Den Anlaß für dieses Unternehmen gab dem Redaktor hauptsächlich die Einsicht, daß die Überlieferungen unerträglich disparat gegeneinanderstehen. Es kommt
beim Redaktor im wesentlich nicht darauf an, seine eigenen
Texte zu gestalten und sie in den Überlieferungen geltend
zu machen. Bearbeitung und Komposition, die soweit miteinander übereinstimmen, könnten sich nun zweitens darin unterscheiden, inwieweit sie in die vorliegenden Überlieferungen eingreifen. Die Bearbeitung soll sich nämlich, wie
oben erwähnt, davon zurückhalten, das aufzugreifen, was in
den Überlieferungen, explizit oder implizit, nicht vorhanden bzw. gemeint ist, wenn sie auch ihre eigenen Texte
schafft. Die Komposition unterscheidet sich von der Bearbeitung nur darin, daß sie sich - verglichen mit der letzteren - gegenüber den Überlieferungen vielmehr frei verhält, so daß sie manchmal durch die Gestaltung eigener Texte dazu kommt, die eigentlichen Sinngehalte bzw. Aussagerichtungen der Überlieferungen zu verfälschen. Die Redaktion, wie sie einst Mowinckel für die Entstehung des Jeremiabuches angenommen hat, ist ein gutes Beispiel für
die Art von Redaktion, die soeben im Unterschied zur Bearbeitung und Komposition gekennzeichnet wurde. Als ein Beispiel zu der soeben besprochenen Komposition könnte man
wohl "die golaorientierte Redaktion" des Jeremiabuches im
Sinne Pohlmanns angeben. Ein Beispiel zur Bearbeitung wer-

den schließlich wohl die unten angeführten Beobachtungen
liefern. Nach der soeben versuchten Schematisierung
stellt "die deuteronomistische Redaktion" des Buches Jeremia, die Thiel vorführt, wohl eine Mischform von Bearbeitung und Komposition dar.

EXKURS 2   Besprechung des Kommentars von W.McKane

"The time has come ... to concentrate more on the in-
ternal relations of the constituents of the book of Jeremiah", so schreibt McKane in seinem neu erschienenen
Kommentar.[273] Er richtet diese Aussage zwar in erster
Linie gegen eine Methodik, wie sie zuletzt von Weippert
repräsentiert wird.[274] In diesem Satz äußert sich aber
zugleich McKanes Grundeinsicht, wie man sich auf die Mannigfaltigkeit der Überlieferungen von Jer 1-25 einstellen
soll. Er kennzeichnet sein Verständnis der Entstehungsvorgänge der Kapitel mit dem Stichwort "a rolling *corpus*"
und erklärt den Begriff wie folgt:

"... What is meant by a rolling *corpus* is that small
pieces of pre-existing text trigger exegesis or commentary. MT is to be understood as a commentary or commen-
taries built on pre-existing elements of the Jeremianic
corpus. ...the rolling *corpus* 'rolled' over a long period
of time and was still rolling in the post-exilic period."[275]

---

273   W.McKane, The Book of Jeremiah, 1986, S.XLVII. Siehe die
       Erwähnung dieses Kommentars im Vorwort der laufenden Unter-
       suchung.

274   Die Fortsetzung des Zitates lautet folgendermaßen: "and to be
       less bothered about comparisons between the prose of the pro-
       se discourses of the book of the Jeremiah and the prose of
       other bodies of Old Testament literature."

275   McKane, S.LXXXIII.

Man könnte fragen, warum McKane die bildhafte Vorstellung
"to roll" gewählt hat. Damit scheint er verschiedene
Aspekte der Entwicklung der Überlieferungen pauschal zum
Ausdruck bringen zu wollen. Mit der Vorstellung vom
"rolling *corpus*" ist aber wohl auch das unaufhaltbare
Anwachsen der Überlieferungen gemeint, das zumeist weder
zielstrebig noch programmatisch war. Als solche Vorgänge
und Aspekte der Entwicklungen zählt McKane vor allem die
folgenden auf:

1. Erweiterungen ("expansions") und Kommentare, die
   kein "systematic, comprehensive scheme of editing"
   zeigen; sie sind eher "... exegetical additions of
   small scope operating within limited areas of
   text".[276]

2. die Vorgänge, in denen die "kernel" neue Zusätze
   und Kompositionen hervorriefen. In dieser Hinsicht
   seien die Beobachtungen darauf zu richten, "to dis-
   cern how additional material has been aggregated
   and organized in relation to that core";[277]

3. die Gestaltung der Prosatexte durch Aufnahme vorlie-
   gender Sprüche, die an die Prosatexte nicht angrenzen. McKane kennzeichnet die Vorgänge derart, "that
   the vocabulary of Jeremianic poetry is re-used in
   the prose of the book, so that a poetry is a 'reservoir' for the prose";[278]

4. die Vorgänge, in denen die vorhandenen Überlieferungen neues Sprachgut erzeugen bzw. dazu Anlaß geben.
   Die Kennworte dafür sind "to generate" bzw. "to trigger". Drei Möglichkeiten von "generation/triggering"

---

276   McKane, S.LXXXI. Diesen Aspekt behandelt er unter der
         Ziffer D1 und 2.

277   McKane, S.LIII. In Einzelheiten unterscheidet McKane zwischen
         "kernel" und "core": Im Gegensatz zu einem "kernel around
         which a coherent composition is organized" (S.LXXXII) hält er
         "core" für "aggregations ... which do not produce a cumulati-
         ve literary unity" (S.LXII).

278   McKane, S.LVI. Ziffer D4.

werden erwogen: "poetry generates prose", "poetry
generates poetry" und "prose generates prose". Diese Vorgänge unterscheiden sich von den zuletzt mit
dem Kennzeichen "reservoir" genannten darin, daß
von "generation/triggering" nur die Rede ist, wenn
sich die überlieferten Texte einerseits und die neu
erschaffenen andererseits anreihen; hier handelt es
sich also um "a relationship of contiguity, which
are not explicable in terms of literary continuity
or highly significant coherence ...".[279] McKane
charakterisiert die "processes of generation" folgendermaßen:

"They may have aspects of arbitrariness, they are
not related to a systematic, comprehensive editorial tendency, they may rest on mistaken exegesis,
and sometimes they are so dark that an explanation
can be offered of them. We are not, for the most
part, engaging with highly organized literary com-
posions informed with all-embracing editorial prin-
ciples or a theological plan which superintends
chapters 1-25 as a whole".[280]

Mit dem methodischen Begriff vom "rolling *corpus* " steht
McKane im Gegensatz zu den Kommentatoren, die der "differenzierenden Phase" der Forschungsgeschichte angehören,
denn seine "rolling *corpus* "-Theorie läßt kein gleichzei-
tiges Vorhandensein selbständiger Überlieferungsblöcke zu,
die sich nachträglich zum Jeremiabuch zusammengefügt haben sollen; seine Theorie kontrastiert demnach mit der
"Quellen"-These Duhms bzw. Mowinckels. Auch von den Ver-
tretern der "ausgleichenden Phase" unterscheidet sich

---

279   McKane, S.LXI. Ziffer D5.
280   McKane, S.LXXXIII.

McKane in dem Sinne, daß er erstens die Entstehungsvorgänge von Jer 1-25 für zeitlich gewachsen und dem Wesen
nach bei weitem komplizierter hält als die genannten Ex-
ponenten annahmen. Er zeigt sich zweitens viel umsichtiger als sie, um in den Texten die Überlieferungen zu identifizieren, die bis zu einem gewissen Grade auf Jeremia
selbst zurückgeführt werden können: Eine jeremianische
Herkunft wird möglicherweise nur den poetischen Texten
zuerkannt, wenn ermittelt wird, daß die betreffenden Texte die angrenzenden Prosatexte generiert haben: "Where the
Argument is that poetry generates prose there is the
assumption that the poetry which has generated prose com-
ment is attributable, for the most part, to the prophet
Jeremiah."[281]

Nun fragt sich, ob sich McKane mit seinen methodischen
Einsichten und Ergebnissen zu den Kommentatoren der "integrierenden Phase" im obenerörterten Sinne zählen läßt.
Das erste Zitat seiner Worte im laufenden Abschnitt erweckt bei flüchtigem Lesen den Eindruck, er gehöre dieser
Phase an. Im genaueren Sinne ist das aber nicht der Fall;
er scheint einen anderen, neuen Weg einschlagen zu wollen.
Ein Begriff von "literarischer Schicht" z.B. ist ihm fremd;
er erweist sich zurückhaltend gegenüber einer Annahme kontextueller Zusammenhänge bzw. absichtlicher Bezugnahmen

---

281 McKane, S.LXXXIII. Solche Zuerkennung trifft aber auf "ker-
     nels" im Grunde nicht zu: "... my treatment of 'kernal' is
     not necessarily connected with the recovery of the *ipsissima
     verba* of the prophet Jeremiah, but is directed towards the
     identification of a core, whether or not it is a Jeremianic
     core" (S.LIII.)

zwischen den Texten, die nicht aneinander angrenzen.[282]
Daher kann man McKane dem Forscherkreis der "integrierenden Phase" nicht zuzählen, da es sich in dieser Phase der
Jeremiaforschungen im wesentlichen um Redaktion bzw. Bearbeitung handelt. Um die Methodik McKanes zu verstehen,
ist die Frage unumgänglich, woraus seine grundsätzlich
negative Stellungnahme gegen mögliche Redaktionen bzw.
Bearbeitungen im Buch resultiert. McKane will sich vor
Spekulationen hüten und den Ausgangspunkt seiner Beobachtungen auf einer überprüfbaren Basis beruhen lassen. Als
solche hat er die Vergleiche zwischen MT und LXX ausgewählt. Er begreift die aus den Vergleichen ergebenden Ver-
schiedenheiten zwischen den beiden Textformen im wesentlichen als "expansions" in MT: "Sept. gives us access to
a Hebrew text which is shorter than MT, and so enables
us to identify expansions of the Hebrew text ... and it
(sc. der gezogene Schluß) is the right point of departu-
re for the examination of the concept of a rolling
corpus."[283] Bemerkenswert ist nun, daß er auch die zwei
anderen Vorgänge, die jeweils unter dem Gesichtspunkt von
"kernels" und "generation/triggering" beobachtet werden

---

282 Vgl. auch seine folgenden Äußerungen: "My particular appeal
     to *corpus* is not a claim that 1-25 is a well-ordered, lite-
     rary whole, with a cumulative, theological significance.
     Rather it is introduced with the caveat (and in this I con-
     front Thiel) that there is a tendency to underestimate the
     untidy and desultory nature of the aggregation of material
     which comprises the book of Jeremiah. One does not have to
     look far for this: it is not only a lack of large-scaled
     homogeneousness to which I refer, but sharp dissonances
     of form and content, and examples of erroneous, secondary exe-
     gesis, consisting of only a few verses" (S.XLIX).

283 McKane, S.150. Hervorhebung von mir.

sollen, als "expansions" kennzeichnet.[284] Das trifft auch
auf den Aspekt zu, dem McKane die Ziffer D2 gibt. Er
schreibt:

"Similar types of _expansions_ postulated by me for MT
without a foundation in textual criticism ... and a similar pattern of secondary _expansions_ was already present in
the Hebrew _Vorlage_ of Sept., so that no process of textual
comparison as between MT and Sept. will disclose it. These
results rest on nothing more than my judgement and critical acumen; on my nose for secondary processes of _expansion_
which have been superimposed on a shorter, more original,
Hebrew text ..."[285]. Eine Ausnahme bildet zwar der Fall der
Prosatexte, deren Entstehung und Formulierungen im Grunde
auf poetische Überlieferungen als "reservoir" zurückgeführt
wird, da McKane diese Prosatexte nicht "expansions", "additions" oder "aggregations" nennt. Das hängt aber einfach
damit zusammen, daß sich McKane selbst gegen den genannten
methodischen Gesichtspunkt kritisch verhält.[286] Aus diesen
Erörterungen folgt, daß er alle Entstehungsvorgänge von
Jer 1-25 als Prozesse von "expansions" kennzeichnen kann,
wenn er die Vorgänge zugleich auch als die von "additions"

---

284   Die Beispiele dafür: "... a _kernel_ which _triggers_ peacemeal,
      exegetical _expansions_ of a near-sighted kind" (S.LXXXII);
      "We are encountering aggregations of material with a peacemeal
      character which are products of _generation_ or _triggering_; they
      accumulate from local stimuli which consist of no more than
      a verse or a few verses of pre-existing text and they have the
      characteristics of exegetical _expansions_ or commentary"
      (S.LXII). Hervorhebungen sind jeweils von mir.

285   McKane, S.LI. Hervorhebung von mir.

286   "... the 'reservoir' method is abstract in a damaging sence.
      It involves a explanation which is superimposed on verses of
      poetry and prose, verses which do not 'live together' in
      the extant text, but are brought together to give substance
      to a hypothesis that the prose of the book of Jeremiah re-
      uses and develops vocabulary and word-strings found in the
      poetry" (S.LXI).

bzw. "aggregations" usw. bezeichnen mag.[287] Damit hängt
zusammen, daß er die ganzen Vorgänge konsequent sozusagen
als 'rolling of a pre-existing *corpus*' begreifen zu wollen scheint,[288] auch wenn er in der 'rolling of a *corpus*'
unterschiedliche Aspekte beobachtet.

Es läßt sich gegen diese bemerkenswerte Arbeit McKanes
zum Schluß eine kritische Frage stellen. Man kann vielleicht sagen, daß er Jer 1-25 etwa als Ergebnis einer
langandauernden "Selbstvermehrung" schriftlicher Überlieferungen beobachtet; denn McKane behandelt "expansions/
additions/aggregations", als seien sie im Grunde aus imma-
nenten Anlässen zu "exegesis/commentary" entstanden. Dagegen ist freilich anzunehmen, daß die Tradentenkreise,
die sich mit den Überlieferungen beschäftigten, jeweils
mit den konkreten Problemen ihrer Zeit konfrontiert waren.
Des weiteren ist kaum zu bezweifeln, daß sich die Probleme
selbst und/oder Versuche ihrer Bewältigung in "expansions"
usw. irgendwie als "exegesis/commentary" artikulieren,
wenn sie auch sehr kurz sein und "local", "arbitrary"
oder "mistaken" aussehen mögen. Daher stellt sich die Frage, ob McKane solche grundsätzliche Korrelation der Literatur mit geschichtlichen Hintergründen und dementsprechend
versteckte Versuche der Redaktionen bzw. Bearbeitungen in
Jer 1-25 kategorisch verneint, oder ob seine weitgehende
Trennung der Texte von den geschichtlichen Hintergründen
wesentlich von seiner arbeitstechnischen Prämisse herrührt,
seine philologischen Beobachtungen auf sichere Grundlagen
zu stellen. Da er aber diese Problematik nie thematisch
behandelt hat, fällt es schwer, die Frage eindeutig zu
beantworten, auch wenn man seine folgenden Äußerungen
liest:

---

287 Vgl. auch seine allgemeine Erklärung: "We must take more
     account of expansions of such limited scope in our efforts
     to understand the processes by which the Jeremianic *corpus*
     was developed." (S.150).

288 Vgl. oben das Zitat von Anmerkung 275.

"The stepping out from the inner world of the *corpus*
of the book of Jeremiah into the particulars of external
history has appeared to me as the most problematic aspect
of my entire investigation. I am profoundly sceptical of
some of the historical correlation which have been found
for pieces of poetry and to which their exegesis has been
bound."[289] Wenn er die Korrelation zwischen Literatur
und Geschichte bestreiten und dementsprechend für Jer
1-25 mögliche redaktionelle Absichten von Grund aus ab-
sprechen sollte, könnte man ihm nicht zustimmen. Es wurde oben besprochen, daß McKane zum einen aus dem Vergleich
zwischen MT und LXX auf 'Erweiterungen' ("expansions")
geschlossen hat; er definiert sie als "expansions of the
Hebrew *Vorlage* of Sept. und MT".[290] Diese Erweiterungen
sollten dann aus dem 3. und 2. Jh. v. Chr. stammen. Zum
anderen verweist er auf "the posibility that a similar
pattern of secondary expansions was already present in
the Hebrew *Vorlage* of Sept."[291] Es fragt sich, ob man, wie
McKane verfährt, die beiden genannten Arten von "expansions", die eindeutig in zeitlich und wohl auch räumlich
unterschiedlichen Verhältnissen entstanden sein sollten,
ohne Differenzierung ihres Charakters mit ein und demselben Begriff kennzeichnen darf. Das ist sehr fragwürdig.
Man müßte auf die methodische Absicht McKanes Wert legen als Mahnungen zu "a tendency to underestimate the
untidy and desultory nature of the aggregations of material which comprises the book of Jeremiah." Trotzdem
kann man auf die Frage nicht verzichten, der bei jeder
Phase der bisherigen Jeremiaforschungen nachgegangen ist,
auf die Frage, warum die Überlieferungen in jedem Sta-

---

289   McKane, S.LXXXIX.
290   McKane, S.150f.
291   Hervorhebung von mir.

dium der Entwicklung ihre jeweilige Form und Gestalt annehmen mußten. Diese Frage muß immer gestellt werden,
auch wenn die Antwort darauf derzeit nicht ins Blickfeld
gegeben werden kann. McKane schreibt:

"... we err when we suppose that these processes (sc.
die Vorgänge bis zur Entstehung des Buches) are always
susceptible of rational explanation, or that they must
necessarily contribute to a thoughtful, systematic redac-
tion."[292] Zielt die <u>kritische</u> Arbeit nicht auf "rational
explanation", obwohl man mit McKane sagen muß: "... our
explanation have to be tentative ..."?[293]

2. Fragestellung

Es unterliegt nun keinem Zweifel, daß das Jeremiabuch
aus mehreren Textschichten von unterschiedlicher Herkunft
entstanden ist, wobei zu bedenken ist, daß sich jede
Schicht im Laufe der Zeit durch die immer wachsenden Über-
lieferungskomplexe ausgedehnt hatte. Wahrscheinlich muß es
sowohl lange als auch kurze Textschichten gegeben haben.
Als großangelegte Schichten sollten neben vermuteten
Sammlungen der prophetischen Sprüche wie auch Fremdberichten oder Erzählungen, auf deren allmähliche Entstehung
Wanke hingewiesen hat,[294] auch die sog. deuteronomistischen
Texte aufgeführt werden, wenn auch ihre Ausdehnung in der
Jetztgestalt des Buches seit der Untersuchung Pohlmanns
umstritten ist. Es ließe sich leicht vorstellen, daß noch
einige kleinere Schichten in den Spruchsammlungen vorhanden

---

292   McKane, S.XLIX.
293   McKane, S.XLIX.
294   Siehe oben A.197.

sind. Diese Möglichkeit scheint wiederum Thiel, wohl unab-
sichtlich, anzudeuten, wenn er z.B. in 3,25; 22,21 und
38,20 das Vorkommen von "quellenhaften, vor-dtr. Texten"[295]
konstatiert, obgleich er im Buch, abgesehen von nachträglichen Zusätzen, neben den Erzählungen und den deuteronomistischen Texten im wesentlichen, wie oben erwähnt,[296] nur
noch die authentischen Jeremiaworte vorfinden will. Des
weiteren dürfte Ähnliches gelten, wenn er bei der Analyse
der bekannten Stelle "des neuen Bundes" (31,31-34) zugeben mußte, "daß diesem Wort trotz seiner eindeutigen Stellung innerhalb der deuteronomistischen Denkbemühungen doch
eine unzweifelhafte Singularität zuzusprechen ist."[297]
Freilich zeigt sich hier keine Inkongruenz, da Thiel in
dieser Untersuchung arbeitshypothetisch von einer angenommenen Dreischichtigkeit des Buches ausgeht. Wenn er aber
nur einen allmählicheren Wachstumsprozeß des Buches als
denjenigen, den er anscheinend aus der Forschungsgeschichte erschlossen hat, einmal vorausgesetzt hätte, würde er
folgerichtig gegebenenfalls versucht haben, sozusagen Zwi-
schenschichten, wie geringfügig sie zunächst scheinen mögen, ausfindig zu machen.

Einzubeziehen sei in diesen Zusammenhang die Untersuchung
S.Böhmers, Heimkehr und neuer Bund. Studien zu Jeremia
30-31, 1976, die oben in der forschungsgeschichtlichen Darstellung unerwähnt blieb. Nachdem er im wesentlichen durch
literarkritische Analyse mehrerer Heilsworte im Buch die
Merkmale der "authentischen Heilsworte" hervortreten sah,
wendete er sich den Beobachtungen der Kap.30-31 mit dem
Ergebnis zu, daß er in diesen zwei Kapiteln neben der
Schicht der jeremianischen Worte einerseits und der der
deuteronomistischen andererseits eine weitere Schicht ersichtlich machte. Böhmer bezeichnet sie als die "nachje-

---

295   Thiel (1973), S.86.

296   Siehe oben S. 57.

297   Thiel (1981), S.28.

remianische", die also als die zweitfrüheste Schicht zeitlich zwischen den soeben genannten beiden Schichten stehe.
Er ordnet ihr die Einheit 30,5-7 zusammen mit 30,10f.
16-21; 31,7-14. 21f. zu. Nach der Meinung Böhmers sind
die "nachjeremianischen" Worte in der Exilszeit entstanden. Die Frage nach dem Ort, wo der Verfasser der "nachjeremianischen" Worte arbeitete, bleibt im Grunde offen; er
behält sich vor, die Erwähnung "aus dem Land im Norden"
(31,8) als unwiderlegbaren Beweis dafür aufzunehmen, daß
die Worte im Lande Juda entstanden seien. Auch die Frage,
ob die Deuteronomisten die jeremianischen und die "nachjeremianischen" Worte erst gesammelt und dann selbst zu der
Komposition der Kap.30-31 zusammengefügt haben, bleibt offen, obwohl er die grundsätzliche Beziehung zwischen dem
Verfasser der "nachjeremianischen" Worte und den Deuteronomisten folgendermaßen erkennt: "Eigenartigerweise sind
kaum sprachliche Berührungen zwischen den nachjeremianischen und den dtr Texten zu beobachten." Aufgrund dieses
Befundes deutet er die Möglichkeit an, "daß die nachjeremianischen und die dtr Worte in verschiedenen Gruppen entstanden sind." Immerhin kann man sich bei dem Herausarbeiten der Textschichten innerhalb der beiden Kapitel
wohl auf die Beurteilung Böhmers in ihren Grundlinien
stützen. Jede Schicht, die er in den Kapiteln findet, ist
der Einfachheit halber auch einschließlich der bereits erwähnten "nachjeremianischen" Worte in folgender Übersicht
aufgeführt:

jeremianische Worte	30,12-15. 23-24; 31,2-6. 15-17. 18-20.
nachjer.	30,5-7. 10-11. 16-17. 18-21;
	31,7-9. 10-14. 21-22.
deuteronomistisch	30,1-4. 8-9. 22; 31,1. 27-30. 31-34.
nachdeuteronomistisch	31,23-26. 35-37. 38-40.

Es kann zwar zunächst merkwürdig erscheinen, daß Böhmer
nicht fragt, in welchen Beziehungen die "nachjeremianischen"
Heilsworte der Kap.30-31 mit denjenigen in den sonstigen

Teilen des Buches stehen, zumal ihm die Analyse der letzteren, allerdings mit anderen Beobachtungen zusammen, ermöglicht hatte, die Kriterien herauszuarbeiten, aufgrund derer er, wie oben besprochen, zwischen den angeblichen "nachjeremianischen" einerseits und den jeremianischen Worten andererseits unterschied. Doch wird dann begreiflich, warum Böhmer die obengenannte Frage nicht stellt, wenn man sich darüber informiert, daß er die betreffenden Worte deswegen "nachjeremianisch" genannt hat, weil sie aus "der nachjeremianischen Zeit"[298] herrühren sollen; Böhmer sieht in ihnen also überhaupt keine einheitliche Größe, sondern Heilshoffnungen von möglicherweise unterschiedlicher Herkunft.[299] Trotzdem kann man sich aber wohl der Frage nicht enthalten, ob nicht die "nachjeremianischen" Heilsworte zumindest der Kap.30-31 von einem Verfasser bzw. einer Gruppe herkommen, da sie gleiche Stimmung und ähnliche Diktion aufweisen: z.B. machen die fünf Abschnitte davon offenbar Trostworte für "Jakob" aus, abgesehen von den kürzeren, 30,16-17 und 31,21-22. Diese Frage nach einer einzigen Verfasserschaft ist aber nur dann zutreffend, wenn erklärt wird, wie sich die "nachjeremianischen" Worte zu anderen Abschnitten in den zwei Kapiteln verhalten. Diese Frage erweckt aber sofort eine weitere Frage, die wohl noch wichtiger zu sein scheint: nämlich die, in welchen Beziehungen die "nachjeremianischen" Heilsworte der Kap.30-31 mit den, allgemeiner gesagt, "anderen" Heilsworten in sonstigen Teilen des Buches stehen. Diese zweite Frage, die selbstverständlich mit der ersten verbunden ist, wird dann Anspruch auf Nachprüfung haben, wenn man nur den Sach-

---

298 Böhmer, S.46. Vgl. auch S.82.

299 Dementsprechend gibt Böhmer selbst die "nachjeremianischen" Heilsworte als eine unteilbare Schicht zusammengehöriger Worte nicht an, obwohl sie oben der Einfachheit halber als zu einer Schicht gehörend vorgestellt wurden.

verhalt erwägt, daß in den beiden Kapiteln die "nachjeremianischen" Heilsworte eindeutig die an sie angrenzenden
Sprucheinheiten Jeremias als vorliegende Texte anzunehmen
scheinen: um diese höchstwahrscheinlichen Beziehungen der
"nachjeremianischen" Worte mit denen des Propheten ersichtlich zu machen, genüge es vorerst, Entsprechungen in
Wortschatz sowie Inhalt zwischen den "nachjeremianischen"
einerseits und den jeremianischen Worten andererseits in
tabellenartiger Darstellung im folgenden aufzuzeigen.

30,11 (nachjer.)	30,12-15	30,16-17 (nachjer.)
ויסרתיך (11)	מוסר (14)	
	מכתך (12)	וממכותיך (17)
	מכת (14)	
	אותך לא ידרשו (14)	דרש אין לה (17)

31,2-6	31,7-14 (nachjer.)	31,15-20
בהרי שמרון (5)	בראש הרים* (7)	
בהר אפרים (6)	בהרים ציון* (12)	
	ישובו (8)	ושבו (16)
		ושבו (17)
	בבכי (9)	בכי (15)
		מבכה (15)
		מבכי (16)
ואפרים בכרי הוא (9)		בן* יקיר לי אפרים (20)
	במחול (13)	[במחול] (4)
	ונחמתים (13)	להנחם (15)
	ובתנחומים* (9)?	

(* Siehe BHS. App.)

84

Selbstverständlich sieht es so aus, daß diese Entsprechungen deswegen entstanden sind, weil die Deuteronomisten ähnliche Sprüche hätten suchen, sammeln und aneinanderreihen können.[300] Man kann jedoch zu dem Schluß kommen, daß erstens die drei "nachjeremianischen" Abschnitte 30,10-11. 16-17; 31,7-14, und demzufolge wahrscheinlich auch die anderen, auf ihre gleiche Arbeitsweise und ihr Anliegen hin beurteilt, von ein und demselben Verfasser geschaffen wurden, daß sich zweitens der Verfasser der "nachjeremianischen" Worte die jeremianischen Sprüche in Kap.30-31, seien es Gerichtsworte, seien es Heilsworte, angeeignet hatte, so daß er die ihm vorgegebenen jeremianischen Gerichtsworte (30,12-15, wahrscheinlich auch 23-24) sowie Heilsworte (31,2-6. 15-17 und 18-20) mit den selbstgedichteten Trostworten rahmte und die somit verbundenen jeremianischen und "nachjeremianischen" Worte zu einem "Trostbüchlein" zusammenfügte. So verdankt das "Trostbüchlein" 30,5 - 31,22 (ohne 30,8-9 und 31,1) seine Entstehung in seinen Grundzügen nicht den Deuteronomisten, die in diese Schrift erst später eingriffen, sondern dem Verfasser der "nachjeremianischen" Worte. Ein und dieselbe Verfasserschaft der "nachjeremianischen" Worte der Kap.30-31, die durch die unten anschließenden Beobachtungen noch wahrscheinlicher wird, kann vorläufig arbeitshypothetisch vorausgesetzt werden, solange keine Inkongruenz hervortritt, da das Urteil über eine einzige Verfasserschaft sachgemäß sehr schwer zu fällen ist. Soweit bleibt die Möglichkeit noch offen, daß die jeremianischen Sprucheinheiten, sowohl Gerichts- als auch Heilsworte, die Böhmer als die früheste Schicht in Kap.30-31 von den anderen unterscheidet, nämlich 30,12-15. 23-24; 31,2-6. 15-17. 18-20,

---

300   Nebenbei sei hier darauf hingewiesen, daß Erkenntnis der Entsprechungen dieser und ähnlicher Art in der laufenden Untersuchung von essentieller Bedeutung ist.

zu einer selbständigen Schrift zusammengefügt worden sein können, bevor sie mit den "nachjeremianischen" Worten verbunden wurden. Diese Möglichkeit schließt sich aber dann aus, wenn man den uneigneten Zusammenhang bedenkt, der aus der unmittelbaren Reihenfolge der gerade genannten jeremianischen Spracheinheiten entstanden wäre; die zweite Spracheinheit 30,23-24 hätte dann unmittelbar nach den Gerichtsworten V.12-15 gestanden und wäre wegen des so entstandenen Kontextes für reine Gerichtsworte gehalten worden. Dann hätten aber z.B. V.24a und 31,2a inhaltlich in krassem Widerspruch zueinander gestanden. Die jeremianische Einheit 30,23-24 wurde daher aller Wahrscheinlichkeit nach vom Verfasser der "nachjeremianischen"Worte wohl aus der kleinen Spruchsammlung "An die Propheten" (23,9ff.) herausgenommen und nach 30,18-21 gestellt, als der Verfasser das "Trostbüchlein" schuf. Die Einheit 30,23-24, die ursprünglich wohl gegen die sog. falschen Propheten gesprochen wurde, ist an der jetzigen Stelle unmittelbar nach den Heilsworten V.18-21 als Gerichtswort gegen die Feinde des Gottesvolkes umgedeutet worden. Insofern spielen die Gerichtsworte gegen die Feinde die Rolle des Epilogs am Ende des Kap.30, der die Erwähnung der göttlichen Vergeltung gegen die Feinde des Gottesvolkes im Kapitel (V.11b. 16. 20b) zusammenfaßt, so daß "es (sc. Kap.31) die Feinde Israels und ihr Ergehen gänzlich außer acht läßt."[301]

Wenn der Verfasser der "nachjeremianischen" Worte wahrscheinlich die jeremianische Spracheinheit 30,23-24 an ihre jetzige Stelle im "Trostbüchlein" eingefügt hat, so dürfte es auch bei der anderen jeremianischen Spracheinheit in Kap.30, nämlich V.12-15, der Fall sein; ein einstiger Anschluß der Einheit unmittelbar an 31,2-6 ist unvorstellbar, denn die Unheilbarkeit der Wunden, die in 30,12. 15a in Bezug auf das Gottesvolk ausgesprochen worden ist, stößt sich an dem Restgedanken wie auch der Heilszusage Jahwes in 31,2-6. Wenn die jeremianischen Spracheinheiten in

---

301   Böhmer, S.81.

Kap.30, nämlich V.12-15 und V.23-24, wie soweit erörtert, wahrscheinlich erst vom Verfasser der "nachjeremianischen" Worte aus den Spruchsammlungen Jeremias herausgenommen und in den Zusammenhang mit den "nachjeremianischen" Worten in Kap.30 gebracht worden sind, so kann man annehmen, daß auch die jeremianischen Sprüche in Kap.31, nämlich V.2-6 und 15-20, durch den Verfasser aus einer Spruchsammlung, mutmaßlich einer möglichen Sammlung der Heilsworte des Propheten, entnommen und an die jetzige Stelle in Kap.31 gestellt wurden, als der Verfasser sein "Trostbüchlein" entwarf. Die andere Möglichkeit, daß die drei Heilsworte Jeremias 31,2-6. 15-17. 18-20, wie oben gestreift, als eine selbständige Schrift in der vor- oder nachexilischen Zeit umgegangen wären, kann man nicht ernstlich in Erwägung ziehen.

Von den obigen Beobachtungen über die literarischen Zusammenhänge der jeremianischen und "nachjeremianischen" Sprüche in Kap.30-31 aus kann man zu dem Schluß kommen, daß die jeremianischen Worte 30,12-15. 23-24; 31,2-6 und 15-20 nicht zusammengesetzt wurden, bevor der Verfasser der "nachjeremianischen" Worte sowohl die jeremianischen als auch seine eigenen Worte zum "Trostbüchlein" zusammenfügte.

Es läßt sich nun fragen, wo sich die jeremianischen Worte in Kap.30-31 befanden, bevor sich ihrer der Verfasser bediente, um das "Trostbüchlein" zu schaffen. Die Bestandteile der Spruchheit 30,12-15 stehen jeweils anderen jeremianischen Gerichtsworten nahe. 30,23-24 ist, wie oben gesagt, wahrscheinlich aus der Spruchsammlung "An die Propheten" (23,9ff.) genommen. Da die anderen jeremianischen Worte in Kap.30-31, nämlich 31,2-6 und V.15-17 wie 18-20, eindeutig Heilsworte sind, müssen sie zusammen mit anderen möglichen Heilsworten Jeremias tradiert worden sein. Unvorstellbar ist es, daß die drei Spruchheiten vor der Bearbeitung des Verfassers vom "Trostbüchlein" selbständig

tradiert worden sein konnten. Da sie mit ihren Erwähnungen Ephraims in V.6. 18. 20 wie Rachels in V.15 ursprünglich über das ehemalige Nordreich Israel ausgesprochen
wurden, kann es auch sein, daß sie von Haus aus zusammen
mit anderen eventuellen Heilssprüchen Jeremias ans Nordreich tradiert wurden, die aber danach verloren gegangen
wären.

Sind diese Beobachtungen soweit richtig, so ist nun mit
Wahrscheinlichkeit darauf zu schließen, daß der Verfasser
der "nachjeremianischen" Worte der Kap.30-31 auch mit den
Sprüchen Jeremias in sonstigen Teilen des Buches in unmittelbare Berührung gekommen sein kann, daß er sich weiter diesen Sprüchen Jeremias gleich konfrontiert sah und
sich zudem zu ihnen so verhielt wie zu denjenigen in Kap.
30-31, so daß man auch in anderen Teilen des Buches erwarten kann, "nachjeremianische" Heilsworte ausfindig zu machen. Hat sich insofern die Frage nach möglichen literarischen Zusammenhängen der "nachjeremianischen" Worte der
Kap.30-31 mit den Heilsworten der sonstigen Kapitel des
Buches als begründet erwiesen, so sollte man sie nun als
berechtigte Annahme aufnehmen, die sorgfältig zu prüfen
sein wird.

Bevor dieser Abschnitt abgeschlossen wird, wäre zu über-
legen, ob die Benennung "nachjeremianisch" für die Texte,
die bisher so genannt wurden, treffend ist, da die Benennung sehr pauschal ist; der Ausdruck "nachjeremianische"
Worte kann auf alle Worte hinweisen, die in der Zeit nach
dem Propheten entstanden und insofern in engerem Sinne des
Wortes nicht authentisch sind. Folglich können auch "deuteronomistische" sowie "nachdeuteronomistische" Worte einbezogen werden. Um so unzutreffender klingt diese Benennung,
wenn im Zusammenhang mit diesen Worten eine Arbeitsweise,
etwa in Form von "nachjeremianische Bearbeitung", angegeben werden muß, da diese zuletzt genannte Wendung fast

nichts mehr als eine Bearbeitung bedeutet, insofern eine
Bearbeitung durch den Propheten selbst nicht vorausgesetzt
wird. Der Hauptgrund für das Urteil, die Benennung "nachjeremianisch" sei unangebracht, liegt darin, daß sich die
Texte, die Böhmer unter diesem Namen eigentlich zu verstehen meint, mit denjenigen Texten, worauf die laufende Untersuchung abzielen wird, nicht in ihrem ganzen Umfang dek-
ken. Vorzuschlagen sei statt dessen die Bezeichnung "vordeuteronomistisch" bzw. in Abkürzung "vor-dtr." (so immer
im folgenden), denn man kann mit dieser Bezeichnung am
besten die zeitliche Ansetzung der einschlägigen Texte konkret begrenzen, nämlich die Zeit nach Jeremia und vor der
Beteiligung der Deuteronomisten am Buch, welche sogar nach
der durch Pohlmann vorgenommenen Modifikation der Thiel-
schen These noch im wesentlichen unbestritten scheint.
Somit soll die oben aufgestellte Annahme, deren Richtig-
keit unten zu erweisen sein wird, folgendermaßen umformuliert werden: es ist anzunehmen, daß der als vor-dtr. zu
nennende Verfasser, dem die Heilssprüche 30,5-7. 10-11.
16-17. 18-21; 31,7-9. 10-14 und 21-22 ihre Entstehung verdanken, wahrscheinlich auch in anderen Teilen des Buches
Heilssprüche in der Weise gestaltete, daß er Wortschatz
bzw. Diktion aus den vorliegenden Sprüchen Jeremias aufnahm und daran anschließend seine eigenen Heilshoffnungen
formulierte, so daß die derart geschaffenen vor-dtr. Heilssprüche die Kontinuität mit dem Sprachgut des Propheten
Jeremias aufweisen können. Allerdings ist es von Ergebnissen weiterer Beobachtungen abhängig, ob im Hinblick auf
diese Heilssprüche schließlich von einer "vor-dtr. Schicht"
die Rede sein kann, somit dürfte schon die hier aufgestellte Annahme die neuere Tendenz der Forschungen repräsentieren, die auf das Herausstellen der Mehrschichtigkeit des
Jeremiabuches abzielen.

3. Methodische Vorbemerkungen

Ersichtlich ist, daß sich die hier vorgetragene Annahme
der Zusammenhänge der vor-dtr. Heilsworte innerhalb und
außerhalb von Kap.30-31 im Grunde genommen durch die Beobachtungen ausbauen ließe, die zwischen den Abschnitten innerhalb von Kap.30-31, wie oben in der tabellarischen Übersicht gezeigt, literarische Beziehungen aufwiesen, wenn
auch in begrenzter Zahl von Beispielen. Dort lassen sich
nämlich diese literarischen Beziehungen zwischen den Abschnitten anhand der Entsprechungen in Wortschatz und Diktion darstellen. Folglich sollte man auf der Suche nach
den vor-dtr. Heilsworten außerhalb von Kap.30-31 vorerst
darauf abzielen, die soeben charakterisierten Entsprechungen herauszufinden. Dazu ist erforderlich, die Beschaffenheit dieser literarischen Entsprechungen im voraus zur
Kenntnis zu bringen.

Festzustellen sind die folgenden Sachverhalte: Die Entsprechungen sind erstens, wie oben erörtert, nicht dadurch
entstanden, daß ähnliche Abschnitte gesammelt und aneinandergereiht worden wären, sondern die einschlägigen vor-dtr.
Heilsworte wurden jeweils derart geschaffen, daß sie Wortschatz bzw. Diktion aus den Sprüchen Jeremias, die sie
vorausgesetzt hatten, in sich aufnehmen sollten. Daraus ergibt sich zweitens, daß in den so geschaffenen Texten die
Kontinuität mit den Sprüchen des Propheten bewahrt ist,
während aber zugleich selbst den übernommenen Elementen in
neu geschaffenen literarischen Kontexten andere Bedeutungs-
richtungen gegeben werden konnten, als sie eigentlich hatten. Dadurch ist drittens wohl darauf abgezielt, die Sprüche des Propheten in aktuelle Situationen einzubeziehen,
kurzum zu vergegenwärtigen. Man erinnere sich z.B. nur an
אותך לא ידרשו (Jer 30,14) - דרש אין לה (vor-dtr. 30,17),
um das soeben erläuterte Verfahren an einem Beispiel zu
veranschaulichen: Die jeremianische Sprucheinheit 30,12-15

wurde wohl vorausgesetzt, als die darauffolgenden vor-dtr. Worte (V.16-17) geschaffen wurden. Dabei wurde die zuerst angeführte Wendung (V.14) wahrscheinlich in die zuletzt genannte (V.17) umformuliert. Damit ist die Bedeutungsrichtung bemerkenswert verschoben; während die erste Wendung diejenige Verlassenheit einer Frau - wohl Jungfrau Israel (vgl. 31,4) - meint, welche die Heimsuchung Gottes mit sich brachte, ist die zweite dagegen ein Schimpfwort, und zwar wohl von den Feinden Zions, das aber als Folge Gott zum Heilshandeln für Zion rührte. Damit ist einerseits das Gerichtswort des Propheten "gegen das Volk Israel" nun offensichtlich in eine Heilsankündigung "für Zion" umgewandelt, zugleich ist andererseits dadurch die Kontinuität mit dem überlieferten Sprachgut des Propheten in der vor-dtr. Einheit ins rechte Licht gerückt. Wenn damit dieses literarische Verfahren in seinen Grundlinien richtig erkannt ist, sollte es gerade mit jener "Bearbeitung" identifiziert werden, die man an den Textschichten des Jeremiabuches, wie der oben versuchte Überblick der Forschungen zeigt, besonders in den letzten zwanzig Jahren mehr und mehr erkannt hat.[302] Somit wird man mit der Frage nach den vor-dtr. Bearbeitungen außerhalb von Kap.30-31 an vorderster Front stehen, die nach langer Vorgeschichte der Forschungen schließlich durch die Untersuchungen der "integrierenden Phase" erreicht wurde.

Insoweit ist die Arbeitsweise erläutert, die der vor-dtr. Verfasser einst zu seinem Zweck anwandte und die als vor-dtr. Bearbeitung anzusehen ist.[303] Nun sollte in prakti-

---

302 Vgl. auch W.Zimmerli, Das Phänomen der «Fortschreibung» im Buch Ezechiel, FS Fohrer, 1980, S.174-191, bes. S.191, wo er sich mit diesem Phänomen gerade der dtr. Bearbeitung des Jeremiabuches befassen will, die Thiel herausgestellt hat, vgl. auch Zimmerli, Ezechiel, BK XIII/1, S.106*f.

303 Der hier besprochenen Stellungnahme steht O.Kaiser, Einleitung in das AT, 1978, 4.Aufl., S.221, nahe, wenn er "die .... gegebenenfalls vorauszusetzende vordeuteronomistische Bearbeitung .... jeremianischer Tradition" erwähnt.

scher Hinsicht durchdacht werden, wie man in der Jetztgestalt der Texte außerhalb von Kap.30-31 die Heilsworte
herauslösen kann, die der vor-dtr. Verfasser wohl mit dieser Arbeitsweise gestaltete. Zuerst müßte wiederum auf jene Entsprechungen in Wortschatz und Diktion zwischen den
betreffenden Textabschnitten verwiesen werden. Selbstverständlich sind in den Textbeständen mannigfaltige Entsprechungen zu erkennen. Demzufolge hat man bisher diese
literarischen Erscheinungen in verschiedene Richtungen ge-
deutet: Man findet bei Mowinckel, einem Vertreter der
Forschungen der "differenzierenden Phase", ein merkwürdi-
ges Beispiel: die Entsprechungen oder "Paralleltexte" in
seiner Bestimmung deutet er als miteinander gleiche Texte um, so daß er sich dazu gezwungen sah, sie derart auf
"Quellen" zu verteilen, daß sich die gleichen Elemente
nicht in ein und derselben Quelle befinden; dieses Verfahren sei berechtigt, weil eine Quelle das gleiche nicht
wiederholen müsse.[304]

Vielleicht sollte auch aus der nächsten "ausgleichenden
Phase" der Forschungen noch ein Beispiel angeführt werden,
nämlich das von Holladay gebrauchte Begriffspaar "prototype and copies". Er hält die in Betracht kommenden Texte
grundsätzlich für gleich, auch wenn sie in ihrer Stilform,
nämlich Poesie oder Prosa, voneinander abweichen.[305] Man
müßte eher Entsprechungen, die sowohl gleiche als auch
verschiedene Momente in sich enthalten, genau beobachten,
um zu sehen, in welchen Verhältnissen die ähnlichen Momente des einen und des anderen Teils stehen: eine entscheidende Einsicht dafür gewähren wohl die Beobachtungen, ob

---

304   Vgl. auch die Erörterungen über die Denkweise Mowinckels
       oben auf S. 6ff.

305   Siehe die Besprechung der Arbeiten Holladays oben auf
       S. 32ff.

die betreffende Ähnlichkeit in Wortschatz bzw. Diktion
- man erinnere sich noch einmal an die oben tabellarisch
aufgeführten Beispiele - auch in ihren jeweiligen literarischen Kontexten mehr oder weniger bestätigt werden kann,
oder ob sich die Ähnlichkeit doch lediglich auf die Ebene
von Wort bzw. Diktion beschränkt, so daß einschlägigen
Worten bzw. Diktionen jeweils kontextuell verschiedene Be-
deutungsmöglichkeiten gegeben werden. Um diesen zuletzt
genannten Fall einleuchtend zu machen, genügt es wohl, der
obenzitierten Entsprechung zwischen 30,14 und V.17 ein
anderes Beispiel hinzuzufügen, dem man bereits in jener
tabellarischen Übersicht begegnet ist:
‎בהרים/ברוש הרים* und (31,5/6, jer.) ‎בהרי שמרון/בהר אפרים
‎ציון*[306] (31,7/12, oben als nachjer. bezeichnet, jetzt
vor-dtr.). Daraus läßt sich schließen, daß das Wort ‎הר
bzw. ‎הרים wohl aus dem Spruch Jeremias in die vor-dtr. Abschnitte aufgenommen wurde, wobei einerseits die Kennzeichnung des "Gebirges" als Ort für die Kundgebung
(‎קרא V.6; ‎השמיעו V.7) einer heranbrechenden Heilszeit unverändert bleibt, während aber andererseits die Lokalisa-
tion in Nordisrael jetzt eindeutig zum Zion versetzt ist.
    Wenn die Beobachtungen soweit richtig sind, läßt sich
wohl daraus folgern, daß die Entsprechungen, wie sie soeben dargestellt wurden, meistens durch die oben besprochene Bearbeitung aus literarischer Arbeitsweise entstanden
sind, daß man sich zunächst auf Entsprechungen dieser Art
stützen kann, um unten in den Texten außerhalb von Kap.
30-31 gegebenenfalls weitere vor-dtr. Heilsworte aufzudek-
ken. Es läßt sich aber ohne eingehende Argumentation voraus-

---

306   Die masoretische Lesart ‎במרום־ציון für ‎בהרי ציון in
       31,12 könnte ältere Tradition wiedergeben. Wenn es der
       Fall ist, trifft wohl die obige Auslegung immerhin zu,
       da ‎הר und ‎מרום nahestehen, vgl. ‎מרום הרים (2 Kön 19,23; vgl.
       Jes 24,4) mit ‎בהר מרום (Ez 17,23; 20,40). Die mutmaß-
       liche Lesart ‎בהרים in V.7 ist wohl der masoretischen
       ‎הגוים vorzuziehen.

sehen, daß zwischen Textabschnitten des Buches auch Entsprechungen anderer Herkunft bestehen. Von ihnen sollten
zumindest diejenigen an dieser Stelle in Betracht gezogen werden, die sich in den Spruchsammlungen des Propheten befinden können. Obwohl die Ausmaße einzelner Sammlungen im jetzigen Stand der Forschung noch nicht festgestellt worden sind, sondern lediglich das Verfahren angenommen wird, von den vorgegebenen Mischtexten die Teile
zu eliminieren, die solchen Sammlungen nicht anzugehören
scheinen, ist aber die Annahme der dem Buch zugrunde liegenden Spruchsammlungen wohl unumstritten. Tatsache ist
nun allerdings, daß in solchen Sammlungen, z.B. 2,5-3,5,
Kap.4; 6 und 21,11-22,30, abgesehen von nachträglichen
Texten, diejenigen Wort- bzw. Diktionsentsprechungen,
welche zwar mutmaßlich zur Aneinanderreihung und demzufolge zur Sammlung einschlägiger Abschnitte geführt haben
können, doch bei überprüfendem Nachlesen der Texte nur
selten auffallen, daß deshalb eher die Entsprechung des
gesamten Aussagegehaltes die Zusammensetzung der Abschnitte verursachte. Selbstverständlich ist aber auf der Suche
nach literarisch bearbeiteten Texten nicht zu vernachläs-
sigen, die verbalen Entsprechungen der soeben besprochenen Art ständig vorauszusetzen. Diese Entsprechungen, die
zwischen den Worten bzw. Diktionen innerhalb der Spruchsammlungen gegebenenfalls bestehen, lassen sich voraussichtlich wohl darin kennzeichnen, daß die Aussagegehalte
entsprechender Worte bzw. Diktionen, von dem sie umgebenden Kontext her beurteilt, im wesentlichen aufeinander
verweisen, daß diese verbalen Entsprechungen also auch
hinsichtlich des Kontextes theoretisch noch wechselseitig
festgestellt werden können, während die Worte bzw. Diktionen, die erst literarische Bearbeitungen im oben erörterten Sinne zur Folge gehabt zu haben scheinen, sich auf
der Ebene des Kontextes nicht mehr in ihrem ganzen Umfang
der Wortfelder gegenseitig entsprechen.

Nennt man diese zwei Arten von Entsprechungen durch Worte bzw. Diktionen der Einfachheit halber jeweils wechselseitige und einseitige Entsprechungen, so kann man das unten, im Hinblick auf die vor-dtr. Bearbeitungen einzuschlagende Verfahren voraussichtlich derart bestimmen, daß verbale Entsprechungen daraufhin herausgesucht werden, in ihnen einseitige Wort- bzw. Diktionsentsprechungen zum Unterschied von wechselseitigen Entsprechungen herauszuarbeiten, so daß man bei den ersteren mögliche Hinweise auf Bearbeitungen finden wird. Weitere Arbeitsgänge bis zur möglichen Identifikation dieser Bearbeitungen mit den vordtr. Arbeitsweisen, wie sie in Kap.30-31 beobachtet werden, dürfen durch die Methode der Literarkritik im weiteren Sinne ausgeführt werden.

Anschließend sollte darauf verwiesen werden, was aus dem soweit Erörterten zu folgern sein wird: es sollte heute eine allgemeine Erkenntnis werden, daß sich die Formkritik - hier im umfassenden Sinne des Wortes gemeint, etwa wie bei K.Koch[307] - bei den Sprüchen im Jeremiabuch nicht so wie bei denen Amos', Hoseas oder Jesaias durchsetzen kann, so daß Ausleger bei Abgrenzung der Texteinheiten manchmal bis zu beneidenswertem Ausmaß Freiheit genießen, was z.B. für die letzte Hälfte des 3. Kapitels beispielhaft zutrifft. Diesen Sachverhalt versucht man verschiedentlich dadurch zu begründen bzw. zu erläutern, daß man annimmt, Jeremia lebte und wirkte gerade in der Zeit, in der sich die Prophetie und dementsprechend auch ihre Formsprache allmählich umzugestalten begannen.[308] Die Formkritik, die im Grunde durch Analogien ermöglicht wird, versagt deshalb im Jeremiabuch oft an wesentlichen Stellen. Diese Annahme,

---

307   Siehe oben A. 163.

308   Z.B. G.von Rad, Theologie des ATs, Bd.II, 1962, 3.Aufl., S.212f.

die die Eigenartigkeit der Sprüche Jeremias aus einer
Übergangszeit in der Geschichte der Prophetie Israels erklären will, kann sich zwar nicht als unrichtig erweisen,
sie müßte sich aber jedenfalls auf einer literarkritisch
mehr gesicherten Basis aufbauen lassen. Wenn man in diese
Problematik die oben erörterten Sprüche mit einbezieht,
gewinnt sie einen neuen Horizont: Es gibt die Heilssprüche, die der Form nach von anderen Heilsworten Jeremias
zu unterscheiden sind, die aber aufgrund ihrer anscheinend poetischen Beschaffenheit sowie jeremianisch klingenden Worte und Wendungen schließlich doch dem einen
oder anderen persönlichen Wirkungsbereich des Propheten
zugeschrieben zu werden pflegen. Sie können deswegen nun
daraufhin nachgeprüft werden, ob sie erst durch die oben
besprochenen Bearbeitungen entstanden sind. Denn einerseits bemühte sich die vor-dtr. Bearbeitung offensichtlich, in den zu erarbeitenden Texten den Stil und die Terminologie Jeremias wiederzugeben. Andererseits aber, wie
in Kap.30f. zu beobachten ist, vernachlässigte sie ihre
Aufgabe oder war vielleicht bei den zuletzt genannten an-
spruchsvollen Aufgaben nicht mehr imstande, dem Propheten
auch in der Sprachform nachzugehen. Somit dürften diese
Überlegungen wohl mit der Aussicht abgeschlossen werden,
daß man eher in denjenigen Sprüchen des Buches gegebenenfalls auf die vor-dtr. Bearbeitungen stoßen wird, die keine erwarteten Merkmale für Gattungs- und Formenbestimmun-
gen überhaupt tragen, die deshalb kaum als geschlossene
Einheiten herausgestellt werden können. Daraus ergibt sich,
daß die unten sogleich anzusetzenden Beobachtungen im
Hauptteil dieser Untersuchung nicht, wie üblich, damit an-
gefangen zu werden brauchen, die betreffenden Texte formkritisch zu beobachten und möglicherweise dann in ihnen etwa ursprüngliche Einheiten voneinander zu trennen, sondern
nur damit, die Texte ausfindig zu machen, die den vor-dtr.
Sprüchen von Kap.30f. entsprechen oder ihnen zunächst ähnlich scheinen.

In der folgenden Untersuchung wird in der Regel davon abgesehen, sich auf Lesarten der griechischen Überlieferungen
(LXX) zu berufen, weil die geschichtlichen und inhaltlichen
Verhältnisse der masoretischen und griechischen Texte trotz
der Untersuchungen, z.B. von F.M.Cross, The Contribution of
the Qumran Discoveries to the Study of the Biblical Text,
IEJ 16, 1966, S.81-95, bes. 87. 92 oder G.Janzen, Studies
in the Text of Jeremiah, 1973, bes. 127-135, nicht genug
aufgehellt sind, um Korrekturen hinreichend zu begründen.
Überdies sind an den Textstellen, die im folgenden behan-
delt werden, die Unterschiede zwischen den beiden Überlieferungen nicht so wichtig, als daß sie die Ergebnisse der
Beobachtungen entscheiden würden, vgl. E.Tov, The Text-
Critical Use of the Septuagint in Biblical Research, 1981,
S.296.

II.   Die Bezugnahmen in Kap. 30-31 auf andere Teile
       des Buches

1.   10,17-25[*]

Es ist bemerkenswert, daß man in den Heilsworten von Kap.
30-31 einen Nachklang der sog. "Gedichte vom Feind aus dem
Norden" wahrnehmen kann, die vorwiegend in Kap. 4 und 6 begegnen, wenn auch nun in diesen Heilsworten die Tonart im
Grunde von Moll in Dur gewechselt hat; man kann zunächst den
Schlußteil von Kap. 10 mit dem Anfangsteil von Kap. 30 vergleichen:[1]

10,24-25   Züchtige uns Jahwe, aber in Billigkeit,
               nicht im Zorn, damit du uns nicht zu ge-
               ring machst!

   (V.25)   Gieße deinen Zorn aus über die Völker, die
               dich nicht kennen,
               und über die Geschlechter, die deinen
               Namen nicht anrufen,
               denn sie haben Jakob gefressen und seine
               Aue verwüstet.

30,10-11   Und du, fürchte dich nicht, mein Knecht Jakob,
               Spruch Jahwes, und erschrick nicht, Israel,
               denn siehe, ich errettete dich aus der Ferne
               und deine Nachkommen aus dem Land ihrer
               Gefangenschaft,
               und Jakob wird wiederum ruhig wohnen
               und sicher und ungestört sein.

   (V.11)   Du, fürchte dich nicht, mein Knecht Jakob, denn
               ich bin mit dir, dir zu helfen;
               denn ich mache es garaus mit allen Völkern,
               unter die ich dich zerstreute,
               aber dir mache ich nicht den Garaus,
               sondern züchtige dich in Billigkeit, jedoch
               ganz ungestraft lassen kann ich dich nicht.

---

1   Nach der Übersetzung Rudolphs. Hervorhebung von mir.

Gemeinsam ist den beiden Stellen die Gedankenstruktur:
einerseits Gottes Züchtigung (יסר Hi.) seines Volkes Jakob
in Billigkeit (=Gerechtigkeit משפט), die dem Volk aber keine Vernichtung bringt (10,24; 30,11), und andererseits die
Heimsuchung Gottes (10,25 Zorn gießen; 30,11 Garaus machen),
die diejenigen Völker (10,25; 30,11 הגוים) betrifft, welche das Gottesvolk verfolgten (10,25 fressen; 30,10 Gefan-
genschaft).

Nur von diesen Entsprechungen kann man allerdings nicht
auf irgendeine Bezugnahme in Kap. 30 auf das Ende von Kap. 10
schließen, denn der Gedanke z.B., daß Gott sein Volk züchtig-
te, ist für die Exilszeit typisch und kann der Koeffizient
der deuteronomistischen Werke sein.[2] Die dargelegten Entsprechungen sind aber nicht so unklar, daß man sie außer
acht lassen könnte. Sie fordern eher dazu auf, den Vergleich
zwischen allen Teilen von Kap. 10 und denen von Kap. 30-31
auszuweiten. Wenn man zunächst 10,17-25*[3] mit den gesamten
vor-dtr. Worten von Kap. 30-31 vergleicht, sind einschließlich der obenzitierten Stellen die folgenden Entsprechungen zu nennen:

---

2   Vgl. u.a. 2 Kön 24,2-4.

3   Siehe über die Meinungen der Kommentatoren über Abgrenzung dieses
     Abschnittes die eingehenden Erörterungen bei Graf Reventlow,
     Liturgie, 196f.

Nr.	Jer 30,5-31,22	10,17-25*
1	קול חרדה שמענו (30,5aβ)	קול שמועה הנה באה (22aα)
2	ועת־צרה היא ליעקב (7bα)	[4] והצרותי להם (18bα)
3	אעשה כלה בכל־הגוים (11bα)	שפך חמתך על־הגוים (25aα)
4	אך אתך לא־אעשה כלה (11bγ)	ויכלהו (25bβ)
5	ויסרתיך למשפט (11bδ)	יסרני יהוה אך־במשפט (24a)
6	כל־אכליך יאכלו (16aα)	אכלו את־יעקב ואכלהו (25bα)
7	הנני־שב שבות אהלי יעקוב (18aβ)	[5] אהלי שדד (20aα)
8	[6] ונבנתה עיר על תלה (18bα)	לשום את־ערי יהודה / [7] שממה מעון תנים (22bα)
9	והרבתים ולא ימעטו (19bα)	אל־באפך פן תמעטני (24b)
10	[8] והיו בניו כקדם (20aα)	[9] בני יצאני ואינם (20bα)
11	הנני מביא אותם / מארץ צפון (31,8aα-β)	ורעש גדול מארץ צפון (22aβ)
12	מאין כמהו (30,7aβ)	[10] בפעם הזאת (18aδ)
13	הנני מושיער מרחוק ואת־ / זרעך מארץ שבים (10aδ-ε)	בני יצאני ואינם (20bα)
14	וקבצתים מירכתי ארץ (31,8aγ)	הנני קולע את יושבי הארץ (18aβ-γ)
15	מזרה ישראל יקבצנו (10bα)	הנני קולע את יושבי הארץ (18aβ-γ)

---

4 Vgl. die griechischen Übersetzungen εν θλιψει (=בצרה).

5 אָהֳלִי in 30,18a gibt außer Fragmenten und Rezensionen nur codex Sinaiticus mit απoικιαν wieder, während אָהֳלִי in Jer 10,20a in den griechischen Übersetzungen als η σκηνη μου gut bezeugt ist, siehe LXX.

6 Die Kommentatoren sind sich darüber nicht einig, ob עיר hier die Stadt Jerusalem meint. Graf, Naegelsbach, Keil, Duhm, Cornill, Volz, Wambacq, Rudolph und Weiser deuten das Wort kollektiv. Hitzig, Neumann, v.Orelli, Giesebrecht, Köberle, van Ravesteijn und Nötscher deuten es singularisch und denken, mit Ausnahme von Giesebrecht, beim Wort, mit oder ohne Vorbehalt, an Jerusalem. Immerhin kann man aber hier in 30,18b neben der Wortentsprechung von עיר (30,18bα) zu עיר (יהודה) in 10,22bα auch die gegensätzliche Bedeutungsentsprechung zwischen den beiden Stellen im jeweiligen Kontext feststellen.

7 Vgl.über die Wendung מעון תנים (oder שמה)//שממה Jer 9,10; 49,33;51,37.

8 Wenn man hier die griechische Lesart και ευσελευσονται (=ובאד), in Anlehnung an den Hinweis Rudolphs, annimmt, dann wird die gegensätzliche Entsprechung zu 10,20bα בני יצאני .... anschaulicher.

9 Die griechische Lesart τα προβατα μου (=וצאני) paßt nicht zu dem Kontext, siehe Rudolph, z.St. Anders Duhm, z.St.

10 Die griechischen Übersetzungen überspringen בפעם und lesen hier τηv γηv ταυτηv (=הזאת)(בפעם)(הארץ). Cornill, z.St., beanstandet aufgrund von 16,21, gegen Duhm, die Masora nicht. Auch wenn 16,21 postdeuteronomistisch sein mag (so Thiel (1973), S.200.282), ist die hebräische Lesart des Verses offensichtlich älter als jede griechische Übersetzung.

100

Die Tabelle ist angelegt, daß man in der ersten Gruppe
(Nr.1-11) die Entsprechungen der Ausdrücke der vor-dtr. Worte in Kap. 30-31 zu den Formulierungen in 10,17-25* überblik-
ken kann. Nr. 3-11 entsprechen sich so, daß die bevorstehenden bzw. bereits eingetretenen negativen Momente, die die
Worte in 10,17-25* enthalten, in Kap. 30-31 in positive Wirk-
lichkeiten bzw. Hoffnungen verändert worden sind (Nr. 3.4.
6.[11] 7.8.10 und 11). Zum anderen entsprechen sich die einzelnen Bestandteile auch darin, daß den Wünschen, die in den
Worten von Kap. 10 geäußert worden sind, in den vor-dtr. Worten von Kap. 30-31 die Erfüllung zugesichert ist (Nr. 5 und
9). Nicht nur die Vielfalt der Entsprechungen auf der Ebene
der Wortfelder, sondern auch der genannte inhaltliche Tenor
der Entsprechungen legen die Annahme nahe, daß die vor-dtr.
Worte von Kap. 30-31 im Hinblick auf die Worte in 10,17-25*
gebildet wurden.

Diese Annahme ermöglicht es, in den Worten der zweiten
Gruppe (Nr. 12-15) weitere Entsprechungen zu konstatieren:
es handelt sich hier zwar um keine Entsprechungen zwischen
denselben Worten bzw. Wendungen, aber doch mit Ausnahme
von Nr. 12 um die Entsprechungen, die aus den sachverwandten
Worten (Nr. 13 und 15) bzw. aus den Worten mit umgekehrter
Bedeutung (Nr. 14) resultieren. Wie bei der ersten Gruppe
der Entsprechungen (Nr. 3-11) ist auch in dieser zweiten
Gruppe zu beobachten, daß die negativen Zustände, die in
Kap. 10,17-25* geschildert sind, in den vor-dtr. Worten in
Kap. 30-31 (Nr. 13-15) schon aufgehoben worden und die Zusagen Gottes in den Vordergrund getreten sind. Es fällt deshalb auf, daß in dem ersten Abschnitt von Kap. 30 (Nr. 1.2.
und 12) auf die Notzeit Jakobs überhaupt hingewiesen worden

---

11   Wenn der Versuch M.Dahoods, The Word-Pair 'ĀKAL//KĀLĀH in Jere-
      miah XXX 16, VT 27 1977, S.482, zutreffend ist, in der masoretischen
      Lesart כֻּלָּם "kolīm, ein Partizip von כלה im Sinne von "Aufzehren",
      zu lesen, dann besteht zwischen 30,16aβ und 10,25b eine weitere
      Entsprechung, und zwar so, daß die Parallele כלה // אכל an beiden
      Stellen zu erkennen ist.

ist. Da die Hinweise aber in den folgenden Teilen in Kap.
30-31 keine tragende Rolle zu spielen scheinen, kann man
sie wohl als Ergebnisse der Umschreibung der entsprechenden
Partien in 10,17-25* verstehen.[12] Aus allen diesen Beobachtungen folgt, daß die Bestandteile von 10,17-25* jeweils
ihren Niederschlag in den vor-dtr. Worten in Kap. 30-31
finden. Wenn man nicht nur die Vielfalt der Entsprechungen,
sondern auch ihre genannten Intentionen bedenkt, kann man
die Möglichkeit zufälliger Entsprechungen ausschließen und
kommt mit Sicherheit zu dem Schluß, daß die vor-dtr. Worte
in Kap. 30-31 die Worte von 10,17-25* voraussetzen. Außer
Zweifel steht, daß 10,17-18 und V.22 jeremianisch sind. Der
soeben gezogene Schluß weist darauf hin, daß der vor-dtr.
Verfasser auch die anderen jeremianischen Überlieferungen
kannte; der Spruch 30,12-15 z.B. stammt nicht vom Verfasser selbst, sondern ist wohl ein Zitat eines Spruches des
Propheten.[13] Man muß fragen, warum der Verfasser inmitten
der Heilssprüche in Kap. 30 ausgerechnet den Unheilsspruch
des Propheten zitierte. Hier handelt es sich wohl darum,
daß der vor-dtr. Verfasser z.B. in 8,22 in Zusammenhang
mit dem Gottesvolk das Thema "verwundet sein" vorfand, daß
er dieses Thema aber nicht unbearbeitet ließ. Er beabsichtigte vielmehr, das Thema im Sinne der "Züchtigung" des
Volkes durch Gott dadurch umzudeuten, daß er zunächst einen
Unheilsspruch Jeremias, in dem es auch auf dasselbe Thema
ankommt, nämlich 30,12-15, aus den ihm vorliegenden Überlieferungen heraussuchte und ihn dann gerade hinter die
Sprucheinheit V.10-11 stellte, in der auch von der Züchtigung Gottes die Rede ist. Ebenso kann man wohl bei dem
Zitat des Unheilsspruches 30,23-24 ein entsprechendes Ver-

---

12 Die Eigenartigkeit der Entsprechung, wie sie sich bei Nr. 1.2.
    und 12 im Vergleich mit den anderen Entsprechungen zeigt, wird
    unten in II.2 erklärt.

13 Böhmer, S.62f., 81f.

fahren des vor-dtr. Verfassers annehmen, und zwar in dem
Sinne, daß er zwischen שפך חמתך על-הגוים (10,25aα)
und הנה סערת יהוה חמה יצאה (30,23α) die Wort- und Sinnent-
sprechung herstellen wollte.

Offen bleibt noch die Frage, ob sich der Verfasser der
vor-dtr. Worte in Kap. 30-31 nicht selbst an der Gestaltung
der Worte in 10,17-25* beteiligt hat.[14] Es ist angesichts
der bisherigen Beobachtungen möglich, daß 10,19-25* von jenem Verfasser formuliert und ans Ende des Komplexes der
Sprüche Jeremias (10,17-18) angeschlossen wurde. So konnte
der Verfasser seine Worte in 30,11 wohl als Antwort auf
die Bitte 10,24 formulieren und dadurch sein ganzes Werk
30,5-31,22 mit dem Schlußteil von Kap. 10 in einen literarisch festen Zusammenhang bringen. Diese Möglichkeit ruft
eine für das entstehungsgeschichtliche Verständnis des Buches Jeremia grundlegende Frage hervor, ob nämlich der Verfasser überhaupt beabsichtigte, seine Heilsworte 30,5-31,22
als ein selbständiges Dokument erscheinen zu lassen.

2.   6,22-26

Daß die Anfangseinheit des "Trostbüchleins" des vor-dtr.
Verfassers, 30,5-7, von einer bevorstehenden Notzeit spricht,
ist auf den ersten Blick merkwürdig, weil schon in der darauffolgenden Einheit 30,10-11[15] wie auch in den übrigen Teilen im Grunde vorausgesetzt ist, daß die Bedrängnis das Volk
Jakob/Israel bereits erreicht hat, daß es deshalb ins Exil
(30,10a) weggeführt worden ist. Es läßt sich daher fragen,
warum der vor-dtr. Verfasser seinem Werke die düstere Ahnung

---

14   Rudolph grenzt 10,23-25 aus. Der Versuch Reventlows, Liturgie,
      S.203f. in 10,10-25 eine jeremianische Einheit zu sehen, dürfte
      die Frage offenlassen, warum in V.25 die Erwähnung "Jakobs",
      die ihrerseits in den vermutlich echten Sprüchen Jeremias wohl
      nicht begegnet, hier plötzlich vorkommt. Vgl.die Erörterungen
      über "Jakob" in Jer 2,4 unten in III,1, bes. S. 155f.

15   Über die spätere Herkunft von 30,8-9, siehe Böhmer, S.59f.83.84f.

eines kommenden Unheils vorangestellt hat, die nicht weiter entfaltet zu sein scheint.[16] Diese Frage ist dringend,
zumal der Verfasser selbst wahrscheinlich in der Exilszeit
lebte.

Obwohl die Einheit viele Schwierigkeiten in sich hat, auf
die unten eingegangen wird, liegt es auf der Hand, daß die
Einheit im Vergleich mit den anderen vor-dtr. Worten im wesentlichen dadurch charakterisiert wird, daß sie ein zukünftiges Unheil Jakobs (V.7) ankündigt, unabhängig davon, ob
hier der sog. "Tag Jahwes" gemeint ist oder nicht.[17] Unverkennbar ist aber, daß die Vorstellung eines zukünftigen Unheils Jakobs genau genommen noch einmal in den vor-dtr. Worten vorkommt, und zwar in der Wendung ויסרתיך למשפט (V.11bδ)
in 30,10-11.[18] Diese Zusage Jahwes fällt in der Sprucheinheit weiterhin in dem Sinne auf, daß sie allein von der

---

16 Die Beantwortung dieser Frage wird manchmal dadurch umgangen,
   daß man, in Kap. 30-31 bzw. im allgemeinen, ein Entfaltungs-
   prinzip von Unheil zu Heil zu erkennen versucht; z.B. schreibt
   Hitzig, S. 371, "Da in dem Folgenden die Schilderung der Zukunft mehrmals von der traurigen Gegenwart ausgeht .....".
   Ähnliches auch bei Aeschimann, S.170,"(5-7) Ad augusta per
   angusta. ..... On s'étonne au premier abord de trouver une
   description si redoutable au seuil d'un livre d'esperance».
   Mais c'a été de tout temps la pensée prophétique que l'avène-
   ment du salut doit être précédé par une période de grande dé-
   tresse."

17 Aus dem Beiwort גדול "jenes Tages" zieht Graf den Schluß, daß
   der Tag der "Tag Jahwes" sei. Siehe auch v.Orelli, Giesebrecht,
   Rothstein, Hyatt, Aeschimann, Weiser und auch Böhmer, S.57.

18 Ungeachtet dessen, ob 30,10-11 echt (Ewald, Graf, Keil, Volz,
   Nötscher, Wambacq, Rudolph, Weiser und Berridge, Prophet,
   People and the Word of Yahwe, S.187, bes. A.20) oder unecht
   (Hitzig, Naegelsbach, v.Orelli, Duhm, Cornill, Rothstein, Con-
   damin und Hyatt; wohl auch Giesebrecht) sei, ist die Frage oft
   erörtert worden, warum 30,10-11 in LXX fehlt. Diesen Sachver-
   halt, der manchmal den Kommentatoren gegen die Echtheit der
   Worte zu sprechen schien (so bei Cornill und Condamin), hat Duhm
   zum ersten Male aufgeklärt: "Die beiden Verse finden sich mit
   ganz geringen Abweichungen auch 46,27 28; die LXX hat sie nur
   Cap 46, nicht hier, aber nur deshalb, weil bei ihr Cap 46 vor
   Cap 30 kommt, denn sie läßt auch sonst die Dubletten weg".
   Diese Erläuterung Duhms hat weiter in Volz, Wambacq und Rudolph Nachfolger gefunden.

Züchtigung[19] Gottes spricht, während es bei den übrigen Teilen derselben Sprucheinheit konsequent auf die Heilstaten
Gottes ankommt. Auf diesen Sachverhalt wird unten eingegangen.

Die Fluchtlinie, die nun zwischen der Erwähnung der Züchtigung Jakobs durch Gott in 30,5-7 und der in V.11 zu ziehen ist, dehnt sich schließlich bis zu einem Spruch Jeremias
aus, den der Verfasser in sein "Trostbüchlein" übernommen
hat, und zwar bis 30,14bα-β: כי מכת אויב הכיתיך מוסר אכזרי,
abgesehen von dem Unterschied, daß hier von einer bereits
erfolgten Züchtigung Gottes die Rede ist. Außer Zweifel
steht, daß die genannte Erwähnung der Züchtigung Jakobs
durch Gott 30,11 bδ durch den vor-dtr. Verfasser in Beziehung zu diesem jeremianischen Spruch V. 14 gesetzt ist, weil
ein rein zufälliges und unabsichtliches Aneinanderreihen
derselben Vorstellungen in 30,11 und V.14 undenkbar ist.[20]

---

19   Das Verbum יסר kann sowohl eine körperliche Züchtigung, näm-
      lich durch eine Rute, als auch eine Zurechtweisung durch Wor-
      te bedeuten. Nach M.Saebø, THAT I, Sp.741, meint das Verbum
      und Nomen מוסר /יסר in den prophetischen Gerichtsworten haupt-
      sächlich "Gottes strafendes Gerichtshandeln angesichts seines
      Volkes". Wenn man die Gotteszusage ויסרתיך למשפט 30,11bδ
      mit den vorangehenden Worten von V.11 (u.a. אעשה כלה ,להושיעך)
      in Zusammenhang bringt, so wird deutlich, daß die Zusage keine
      Zurechtweisung durch Worte, sondern eine strafende Tat Gottes
      in der Geschichte meint.

20   Das ist um so wahrscheinlicher, als die Vorstellung der Züchti-
      gung durch Gott in V.10-11 fast am Ende dieser Sprucheinheit
      ausgedrückt ist; die Vorstellung kommt aber dann an der an die
      darauffolgenden Sprüche Jeremias angrenzenden Stelle zu Wort,
      wenn man Volz folgt, der den allerletzten Stichos der Spruchein-
      heit, nämlich ונקה לא אנקך (V.11bε) für eine Randnote hält.
      Auf den genannten Sachverhalt deutet auch die folgende Darstel-
      lung von Volz, 287, hin. "...feine   v e r k n ü p f e n d e
      F ä d e n : ....., die leise Züchtigung Jakobs in der letzten
      Not 30,11 führt zu der schweren Züchtigung des vollzogenen und
      noch wirkenden Strafgerichts zurück 30,12ff. ....." Auch an fol-
      genden Stellen ist die Absicht des vor-dtr. Verfassers anzuneh-
      men, zwischen den jeremianischen und den eigenen Sprüchen Wort-
      zusammenhänge herzustellen: נכה in 30,12b.14b (jer.) und V.17a
      (vor-dtr.); עשה in 30,11b (vor-dtr.) und V.15b (jer.); נחם in
      31,13b (vor-dtr.) und V.15b (jer.). Vgl. in diesem Zusammenhang
      auch die Wortbezogenheiten sogar in den vor-dtr. Sprüchen:
      ישע in 30,7b und V.10a. 11a wie auch חרד in 30,5a und V.10b.

Möglich ist deshalb, daß der vor-dtr. Verfasser seine Vorstellung der Züchtigung Jakobs durch Gott in 30,7 und V.11 aus dem Spruch Jeremias V.12-15 übernommen hat. Aufgrund dieser angenommenen Bezugnahme des Verfassers kann man den Grund nennen, warum er seinem "Trostbüchlein" eine düstere Ahnung voranstellen mußte: Der Verfasser hält die Züchtigung des Volkes durch Gott für eine unumgängliche Voraussetzung für die Heilszeit[21] und sah sich deshalb veranlaßt, an den Anfang seines eigenen Werkes die Schilderung einer bevorstehenden Notzeit zu stellen. So konnte der Verfasser die unerläßliche Ankündigung der Züchtigung Gottes V.11 in sein literarisches Werk nahtlos einpassen, da sie im darauffolgenden Spruch Jeremias V.14 als erfolgt erklärt wird.

Dies ist eine mögliche Erklärung für die Funktion, die der Verfasser der Anfangseinheit 30,5-7 geben wollte. Damit ist aber noch nicht erklärt worden, warum der Verfasser die Einheit so formulieren mußte, wie sie jetzt vorliegt. Diese Frage nach der Notwendigkeit der Formulierungen von 30,5-7 wird unausweichlich, wenn man darauf Rücksicht nimmt, daß sich die Komponenten der Einheit nicht zu ergänzen scheinen. Deshalb hat sie den Exegeten seit langem ernsthafte Schwierigkeiten bereitet.

Eine dieser Schwierigkeiten ist die Frage der Botenformel כה אמר יהוה , die der Einheit vorangestellt ist. Die LXX hat wohl aufgrund dieser Formel das darauffolgende Wort שמענו in V.5aβ mit ακουσεσθε (= תשמעו) wiedergegeben;[22] die LXX versteht also zumindest V.5-6a, wahrscheinlich nicht zu Recht, als Gottesbefehl an die Menschen. Movers hat mit nicht wenigen Nachfolgern die Meinung vertreten, daß die Botenformel der Einheit sekundär und inhaltlich falsch vorangestellt

---

21 Man kann im Zusammenhang mit diesem Gedanken des vor-dtr. Verfassers den jeremianischen Spruch 31,18-20 in Erwägung ziehen, in dem Gott Ephraim, der sich gegenwärtig in einer Notzeit befindet, eine friedliche Zukunft verspricht; dieser Spruch dürfte den Verfasser beeinflußt haben.

22 LXX.

ist.[23] Mit dieser wohl richtigen Beobachtung werden aber
die Schwierigkeiten in der Einheit nicht behoben.

Die Hauptprobleme der Einheit 30,5-7 konzentrieren sich
darin, wie man sie einheitlich verstehen könnte. Hier lassen sich wohl im wesentlichen zwei Fragenkreise voneinander
unterscheiden: einmal geht es um die Frage, ob nichts anderes als היום ההוא (V.7), nämlich ein Tag in der Zukunft,
auch in V.5-6 gemeint ist[24] oder nicht,[25] und zum anderen
um die Frage, wem die Wehklagen in V.5-6, die bald שמענו ,
bald ראיתי schreien, zuzuschreiben sind, Jeremia zusammen
mit dem Volk[26] oder dem Propheten allein.[27] Volz versucht
offensichtlich, aus dem Labyrinth dieser Probleme durch die
folgende Auffassung herauszufinden: "Dramatisch ist der
Wechsel der s p r e c h e n d e n   P e r s o n e n ;
meist tritt Jahwe als Redner auf, bisweilen der Prophet als
Zuschauer oder als Sprecher für die Gesamtheit 30,5-6;

---

23   So bereits Movers, De utriusque..., S.38: "... versus 1-4 qui-
        bus vaticinium 30,5 sqq. introducitur et Ieremiae adscribitur,
        posteriore tempore additi sunt, ...; etenim verba V.5., a populo
        pronuntiata, V.4 inepte et falso Iovae adscribuntur." Siehe auch
        Volz, Schmidt, Rudolph und bes. Wildberger, Jahwewort und prophetische
        Rede bei Jeremia, 94; vgl. aber Driver und Nötscher.

24   So Naegelsbach, Keil, v.Orelli, Duhm, Nötscher, Wambacq und
        Weiser.

25   So Hitzig, wohl auch Giesebrecht.

26   So Hitzig, Graf, Keil, Duhm und Nötscher. Den Mittelweg hat
        Giesebrecht eingeschlagen, indem er dem Volk ... שמענו und dem
        Propheten ... ראיתי in den Mund legt. Condamin scheint dadurch
        diesem Problem ausgewichen zu sein, daß er קול חרדה שמענו
        mit dem Satz "un cri d'effroi s'est fait entendre" wiedergibt.
        Vgl. auch Gelin.

27   So Volz, van Ravesteijn, Rudolph und Weiser.

31,10-13; 31,15-17"[28]. Volz weist außerdem auf den Wechsel
der "Szenen" hin, den Wechsel in " T o n   und   E m p f i n -
d u n g " wie auch im "Rhythmus".[29] Selbstverständlich können aber solche Hinweise für sich einen Verfasser nicht
charakterisieren, denn sie können auch Hinweise auf Verfasser verschiedener Provenienz sein. Es bedarf deshalb für
die Meinung, wie sie Volz repräsentiert, eines sozusagen
dialektisch erklärenden Begriffs, der es ermöglicht, eine
Dichtung, die an sich auf eine Vielschichtigkeit hinweist,
doch für das Charakteristikum eines Verfassers zu halten.
Der Begriff "Drama" spielt bei Volz eine derartige Rolle.[30]
Da die Einheit aber in der Tat, wie Böhmer gezeigt hat, aller Wahrscheinlichkeit nach nicht dem Propheten Jeremia,
sondern dem Verfasser der vor-dtr. Worte zuzuschreiben ist,[31]
bleibt die Frage doch berechtigt, warum dieser Einheit die
obenerörterte Mehrdeutigkeit gegeben werden mußte.

---

28 Gemeint ist wohl das gleiche, wenn die Kommentatoren jeweils
    folgendermaßen schreiben: "der Prophet versetzt sich im Geiste
    in die Zeit des über die Gewalthaber kommenden Gerichtes und
    hört mit seinem Volke das losgebrochene Kriegsgetümmel" (Graf),
    "In dichterische Lebendigkeit versetzt der Prophet die Hörer
    oder Leser seiner Weissagung sogleich mitten in den großen
    Zukunftstag ..." (Keil, S.314), "Subjekt von שמענו ist der
    Dichter und alle die, die den großen Tag V.7 erleben werden,
    den der Dichter im Geist vorher erlebt" (Duhm) oder "Zunächst
    redet Jeremia (5f.) nicht als 'Mund Jahwes', sondern als Beob-
    achter, als Augenzeuge der Not, gewissermaßen als Stimme aus
    dem Volke" (Nötscher).

29 Volz, S. 288.

30 Zuerst schreibt Volz, S.287: "Wie in einem mittelalterlichen
    T r i p t y c h o n   hat Jeremia hier (sc. in Kap. 30-31)
    einen Reichtum von Szenen zusammengefügt ...". Dann kommt er,
    S.288, zum Begriff "Drama". Eine ähnliche Rolle spielt der Be-
    griff "Geist" bei Graf und Duhm, nämlich der Geist des Propheten.
    Bei Keil spielt die gleiche Rolle der Begriff "dichterische Le-
    bendigkeit". Vgl. auch die Kritik Böhmers an der Meinung von
    Volz, Böhmer, S.50f.

31 Böhmer, S.57-59; in seinem Wort "nachjeremianisch".

Um diese Frage über die Formulierung von 30,5-7 zu beantworten, empfiehlt sich ein Versuch herauszustellen, ob,
wenn ja, wie in anderen vor-dtr. Einheiten die gleiche Mehrdeutigkeit besteht. Zu beachten ist, daß auch der Einheit
V.10-11 eine solche Mehrdeutigkeit zugrunde liegt. Bei genauerem Zusehen wird aber klar, daß es hier zum einen weniger auf eine Mehrdeutigkeit, wie sie die ganzen Teile der
Einheit betrifft, als auf eine abrupte Modulation in der
Ausdrucksintention ankommt, daß zum anderen die Modulation
auf einen bestimmten Teil innerhalb der Einheit zurückzuführen ist, nämlich auf die Wendung: ויסרתיך למשפט (ונקה
(לא אנקך 30, 11bδ (-ε).[32] Das gleiche Verhältnis kann man
auch in der Anfangseinheit V.5-7 beobachten, und zwar in
V.7b:

ועת־צרה היא ליעקב וממנה יושע

Diese am Ende der Anfangseinheit des "Trostbüchleins" auf-
gelöste Aussage ist wie folgt aufgebaut: die Elemente
von V.5-7a sind in ועת־צרה היא ליעקב zusammengezogen, während dann nur der letzte Teil der ganzen Einheit, וממנה יושע,
eine Rettung aus der Notzeit in der Zukunft verspricht.[33]
Es ist in diesem Zusammenhang wichtig, sich darüber im klaren
zu sein, daß es sowohl hier als auch dort in 30,11b auf die
Züchtigung Jakobs und dann auf dessen zukünftiges Heil ankommt. Da die Vorstellung der Züchtigung Jakobs in beiden
Einheiten, wie oben beobachtet, von derselben Vorstellung
im Spruch Jeremias in V.14 abhängig zu sein scheint, kann
es sein, daß es sich an den beiden Stellen gleichermaßen um
eine abrupte Modulation des Kontextes handelt, die sich aus
dem literarischen Verfahren des vor-dtr. Verfassers ergab,
seine Heilsworte an die jeremianischen Überlieferungen anzugleichen.

---

32 Vgl. die Beurteilung von Volz über diese letzte Reihe von
    30,10-11 oben A.20.

33 Giesebrecht, S.161.

Diese Erwägung läßt fragen, ob sich nicht der Verfasser
bei der Gestaltung der Anfangseinheit 30,5-7 auch andere
Sprüche Jeremias als V.12-15 angeeignet hat. Diese Frage
wird gewichtig, wenn man berücksichtigt, daß die Formulierungen in V.5-7, vor allem die "Wir-Rede" (שמענו) in V.5a,
anscheinend weder ein Vorbild in 10,17-25*noch eine Entfaltung in den darauffolgenden vor-dtr. Einheiten finden.[34]
Es erregt deshalb Aufmerksamkeit, daß Cornill die Wir-Rede
in V.5 anders als die meisten Kommentatoren ausschließlich
auf den Spruch Jeremias 6,24 bezieht:[35] " שמענו ..... ist
wörtlich aus 6,24 entlehnt."[36] Obwohl Cornill sein Urteil
gar nicht begründet, scheint das angesichts der bisherigen
Betrachtungen höchstwahrscheinlich. Der masoretische Text
von 6,24 lautet:

שמענו את־שמעו רפו ידינו

צרה החזיקתנו חיל כיולדה

---

34   Die übrigen Teile der vor-dtr. Worte sind in formaler Hinsicht,
     mit Ausnahme von 31,22b, wahrscheinlich die Zusagen Jahwes.
     Gegen Rudolph, der 30,10-11 für "die echte Fortsetzung von 5-7"
     hält, vertritt Böhmer, S.60, die Meinung, daß sich 30,10-11
     mit V.5-7 deswegen "nur lose" verbindet, weil in V.5-7 "von
     Israel in der dritten Person gesprochen" wird, während "Jahwe
     in dem Heilsorakel (sc. V.10-11) sein Volk in der zweiten Per-
     son anredet". Bekannt sind allerdings die Beispiele des Heils-
     orakels, in denen den Jahweworten als dem eigentlichen Bestand-
     teil des Heilsorakels die Bitte um Hilfe seitens des Menschen
     oder die Klage über die Situation vorangeht (darüber J.Begrich,
     Das priesterliche Heilsorakel, S.219-225). Doch kann man
     selbstverständlich 30,5-7 + V.10-11 nicht als derartig erwei-
     tertes Heilsorakel charakterisieren, denn V.5-7 ist weder Bitte
     um Hilfe noch die um Erhörung; es fehlt zwischen den beiden
     Sprüchen an der grundsätzlichen Entsprechung: in V.5-7 ist eine
     kommende Notzeit vorausgesetzt, während in V.10-11 sich Israel
     schon in der Exilszeit befindet.

35   Gegen die jeremianische Herkunft des Spruches 6,24 ist, soweit
     ich sehe, von Kommentatoren kein Einwand erhoben worden.

36   Cornill.

Offensichtlich ist aus den vier Stichen dieses Spruches jeweils ein Wort in 30,5-7 aufgenommen, nämlich צרה,ידינו,שמענו
und כיולדה, und in den folgenden Wendungen entfaltet worden:

קול חרדה שמענו (V.5a)

ידיו על־חלציו כיולדה (V.6b)

ועת־צרה היא ליעקב (V.7b)

Man kann aus diesen Befunden die literarische Abhängigkeit
der Einheit 30,5-7 von 6,24 erschließen.

Freilich ließe sich fragen, ob 30,5-7 von 6,24 unabhängig
gewesen ist, daß diese beiden Stellen eher jeweils nach
einer traditionellen Redeform formuliert wurden, die z.B. als
"discription of dismay at the approach of bad news" bezeichnet werden kann.[37] Nach Hillers, der diese Form aus dem Alten
Testament wie auch aus der ugaritischen Literatur herausge-
funden hat, wird die Form im wesentlichen von vier Elementen
gebildet: "1) approach of the bad news; 2) the hands' falling
down; 3) pains in the loins like labor pains; 4) melting of
the heart."[38] Der Versuch, die Formulierung der beiden oben
behandelten Stellen im Jeremiabuch auf diesen formgeschichtlichen Hintergrund zurückzuführen, scheitert aber doch an
dem Befund, daß die Erwähnung des "Herzens" zum einen, die
sich in den Beispielen der Redeform findet,[39] gerade in den
beiden genannten Stellen fehlt,[40] daß die beiden zum zweiten

---

37 D.R.Hillers, A Convention in Hebrew Literature: The Reaction to
    Bad News, ZAW 77 1965, S.86-90. Zitat aus S.87.

38 Hillers, aaO. S.88.

39 In erster Linie sind dazu Jes 13,7-8; 21,3-4; Jer 49,23-24 (siehe
    BHS App b-b zu V.23) und Ez 21,11-12 zu rechnen. Die typischen
    Worte für Redeform חבלים und כיולדה kommen auch in Jer 22,23b
    vor. Diese Stelle ist aber offenbar als das Vorbild für 30,5-7 we-
    niger geeignet als 6,24.

40 Da übigens in Jer 50,43 das Wort "Herz" fehlt, ist diese Stelle
    mit Sicherheit als Nachahmung von 6,24 zu bestimmen, siehe Rudolph,
    S.305.309. Der Grund dafür, daß auch in Jer 49,23-24 die Erwähnung
    des "Herzens" ausbleibt, erklärt sich aus der Absicht, angesichts
    der doppelten Erwähnung des Herzens in 49,22b die Wiederholung
    des Wortes zu vermeiden.

eben in dieser Eigenart übereinstimmen. Dieser Sachverhalt schließt deshalb die Möglichkeit aus, daß die beiden voneinander unabhängig nach jener Redeform formuliert worden sind, es sei denn, daß man einen reinen Zufall zur Geltung bringen will. Es liegt auch nahe, daß sich Jeremia der herkömmlichen Redeform bei der Gestaltung des Spruches 6,24 bediente, nach dem der vor-dtr. Verfasser später die Einheit 30,5-7 formulierte. Dabei ist es gleichgültig, ob der Verfasser selbst im Spruch Jeremias die traditionelle Redeform als solche erkannte oder nicht. Man kann ferner nirgends einen Grund finden, der den Verfasser dazu veranlaßt hätte, die ursprüngliche Form zu modifizieren, als er die Einheit gestaltete. Nun ist deshalb angesichts der gemeinsamen Wortwendungen in 6,24 und 30,5-7 der Schluß zwingend, daß die Formulierungen der Einheit 30,5-7, selbstverständlich auch die "Wir"-Rede, von den Formulierungen des jeremianischen Spruches 6,24 in hohem Maße bestimmt wurden.

Die bisherigen Beobachtungen haben es wahrscheinlich gemacht, daß der vor-dtr. Verfasser bei der Gestaltung von 30,5-7 vom Spruch Jeremias 6,24 abhängig war. Diese Beweisführung wird dann abgeschlossen, wenn geklärt wird, warum der Verfasser die Worte 30,5-7 auf seine Grundeinstellung zu den jeremianischen Überlieferungen, seine eigene Absicht und Motivation hin so formuliert hat, wie sie vorliegen. Bei dieser Aufgabe kommt es immer auf die Beobachtungen an, wie 30,5-7 den jeremianischen Überlieferungen einerseits angeglichen sind und andererseits von ihnen abweichen.

Wie kann man nun die Unterschiede zwischen 6,24 und 30,5-7 erläutern? Offenkundig kann שמענו (30,5), wahrscheinlich auch ראיתי (V.6) als eine literarische Variation, von שמענו in 6,24 unmittelbar hergeleitet werden. Das ist auch bei

ידיו, כיולדה (V.6)[41] und צרה (V.7), wie oben erwähnt, der

---

41   Mehrere Kommentatoren haben כיולדה in V.6b für eine Glosse
     gehalten, weil erstens die Wendung in den älteren griechischen
     Übersetzungen fehle (Grund -a), zweitens das Metrum störe (Grund
     -b) und sie drittens in inhaltlicher Hinsicht überflüssig sei
     (Grund -c), siehe Hitzig (a.c), Duhm (a.c., wohl auch b; vgl.
     Duhm, Das Buch Jeremia, Poet-proph BAT III, 1903. S.85), Cornill
     (a.b), Schmidt (a.c), Volz (a.b), Rothstein (a.b), Rudolph (a
     wohl auch c) und Weiser (a).
         Allgemein ist aber heute anerkannt, daß man einen Textteil nicht
     schon deswegen für eine Glosse halten kann, weil er in LXX fehlt
     (Grund -a). Selbst die griechischen Übersetzungen von 30 (LXX:37),
     6 bereiten große Schwierigkeiten. J.Ziegler, Beiträge zur Ieremi-
     as-Septuaginta 1958, S.97, behandelt den Vers unter den "Allge-
     mein bezeugten Dublette(n)". Die erste Hälfte V.6b (και περι φοβου,
     εν ω καθεξουσιν οσφυν, και σωτηριαν   ) kann man nach ihm
     für "die alte LXX-Wiedergabe" halten, während die letztere (δια
     τι εοπακα .... οσφυος αυτου) sekundär ist. Dabei läßt sich die
     Frage offenhalten, wie "και σωτηριαν" vorkam, "das כיולדה als
     Äquivalent hat" (Ziegler). Zumindest ist aber vom Vorkommen von
     και σωτηριαν als Äquivalent von כיולדה zu erschließen, daß
     כיולדה wohl in der alten masoretischen Überlieferung vorlag. J.G.
     Janzen, Studies in the Text of Jeremiah,1973, S.29, hält כיולדה
     in 30,6 dagegen   f ü r   e i n e n   s p ä t e r e n   Z u s a t z   i n d e r m a s o r e t i -
     schen Überlieferung; der griechische Text von V.6 sei, so meint
     er wohl in Anlehnung an Ziegler, später mit dem Ergebnis ver-
     bessert worden, daß die letzte Hälfte des Verses, δια τι .. οσφυος
     αυτου , entstand; trotzdem "the secondary correction does not
     agree exactly with M̸ (omitting כיולדה)" (vgl. auch S.49), so
     daß כיולדה einen gegenüber dieser sekundären Verbesserung der LXX
     noch späteren Zusatz in der masoretischen Überlieferung darstellen
     müsse. Diese Argumentation ist aber nicht zwingend. Der Grund da-
     für, daß die sekundäre Wiedergabe - "the secondary correction"
     nach Janzen -, כיולדה nicht aufgenommen hat, ist vielmehr ent-
     weder darin zu suchen, daß der masoretische Wortlaut von כיולדה
     den zweiten Übersetzern so verderbt vorgelegen hat, daß sie ihn
     nicht richtig lesen konnten, oder daß bewußte Einfachschreibung
     vorlag. Die erste Möglichkeit ist wahrscheinlicher, denn sogar
     "Bei der alten Übersetzung (sc. V.6a: και περι ... οσφυν) kann
     man mit Not eine Brücke zum hebr. Text schlagen" (Ziegler, aaO.).
     Die zweite Möglichkeit, die "bewußte" Haplographie, kommt nicht
     selten in den griechischen Übersetzungen des Buches Jeremia vor
     und ist deshalb nicht auszuschließen (darüber siehe Giesebrecht,
     S. XXXIV, unter 2.). Insofern haben Hitzig, Duhm und Schmidt,
     die כיולדה als "schleppend" oder "überflüssig" annehmen (Grund
     -b), ihre Ansicht gerade mit jenen späteren griechischen Über-
     setzern geteilt, die die Wendung bewußt weggelassen haben dürften.
     Angesichts dieser Beobachtungen bestehen nun die obengenannten
     Gründe -a und -b wohl nicht. Das scheint auch bei dem angebli-
     chen Grund -c der Fall zu sein, vgl. auch F.Giesebrecht, Jeremias
     Metrik am Texte dargestellt, 1905, z.St. Siehe ferner Condamin,
     z.St. Das Kriterium des Metrums an sich ist auch im Hinblick auf
     die vor-dtr. Worte angesichts des literarischen "Angleichungsver-
     fahrens" beim Verfasser unhaltbar, was unten im EXKURS 3 am Bei-
     spiel von 31,7-14 dargelegt wird (S.124ff).

Fall. Die Fragenden und Auffordernden, die in V.6
"שאלו־נא וראו" aussprechen, sind wahrscheinlich, wie bei
ראיתי, mit den Leuten gleichzusetzen, die im "Wir" von
V.5 zu Wort kommen. Das Motiv der Erschrockenheit, das in
6,24 durch die Wendung רפו ידינו dargestellt wird,[42] findet sich auch in 30,5-7 in חרדה und פחד . Soweit kann man
die Formulierungen von 30,5-7 aus dem literarischen Verfahren der Wort- bzw. Vorstellungsverschiebung leicht verstehen.

Auffällig sind nun in 30,5-7 die Fragen אם־ילד זכר מדוע
ראיתי כל־גבר ידיו על־חלציו כיולדה (V.6b.7a).[43] Allerdings könnten diese Fragen wiederum wegen der Worte ידיו
und כיולדה als eine einfache Erweiterung des jeremianischen Spruches 6,24 erklärt werden, der רפו ידינו und
חיל כיולדה enthält. Man kann aber bemerken, daß das Nomen
חיל in diese Fragesätze nicht übernommen wurde. Da das Wort
in der Sprachwelt des Alten Testaments auch "sich winden"
und "beben" ausdrücken kann, das nichts Unmittelbares mit
dem "Gebären" zu tun hat,[44] dürfte das Auslassen des Wortes
חיל in 30,5-6 wohl zur Folge gehabt haben, daß die Vorstellung des Gebärens, die durch die Wurzel ילד ausgedrückt
wird, herausgehoben wurde. Diese Erläuterung stimmt damit
überein, daß die übrigen anderen Prädikatelemente der besagten Fragesätze, nämlich

---

42   Vgl. den Parallelismus zwischen כל־ידים תרפינה und
     וכל־לבב אנוש ימס (Jes 13,7a und b).

43   Schmidt, S.359, hat vermutlich in der Frage, ob ein Mann ge-
     biert, fremde Elemente innerhalb des "Gedichts" gefunden, so
     daß er sich gezwungen fühlte, den Scherz des Propheten zu
     streifen: "Wer das (sc. die rhetorische Frage) schreibt, der
     ist nicht erschrocken vor dem 'Schreckens-Geschrei' ..... Er
     steht dem Kommenden mit solcher Gelassenheit gegenüber, daß er
     darüber zu scherzen vermag".

44   KBL unterscheidet bei חיל I drei Bedeutungsfelder:
     1. kreissen 2a. sich winden b. beben.

(ילד(־זכר) und ידיו על־חלציו [45] (כל ־גבר .(. . .), ausschließlich auf die Vorstellung des Gebärens hinweisen. Diese Ak-
zentverschiebung, die dem Verfasser der Einheit 30,5-7 zuzuschreiben ist, ist um so bemerkenswerter, als es in 6,24
und sogar auch in der ganzen Einheit 6,22-26[46] im Grunde
genommen auf das Gebären nicht ankommt.

Nun läßt sich fragen, worauf der Verfasser durch jene
Hervorhebung in 30,5-7 zielt. Zunächst ist offensichtlich,
daß der Verfasser mit der zweiten Frage (30,6bβ) beabsichtigte, die Gebärden der Wöchnerin anschaulicher als in 6,24
zu schildern. Das Merkwürdigste an dieser Frage liegt aber
darin, daß diese anschauliche Beschreibung der Wöchnerin
auf den Mann, גבר , bezogen ist; das Nomen גבר kann allerdings neben אדם und איש eine allgemeine Bezeichnung für

---

45   ידיו־על חלציו scheint nicht idiomatisch zu sein; obwohl Hillers
        (aaO. S.88) "pains in the loins like labor pains" als eine Kom-
        ponente der obenerwähnten Redeform annimmt, angeblich weil der
        Schmerz ist "mentioned explicitly in four of five examples
        (=Jer 6,24; 50,43;49,23f.;Jes 13,7-8 und Ez 21,11-12) and
        alluded to in the fifth by šibrôn måtnájim", sind aber "the pains
        in the loins" genauer genommen nur im zuletzt genannten Beispiel er-
        wähnt. Die Erwähnungen der Hüften sind in diesem Zusammenhang
        vielmehr in den Beispielen, die Hillers dort aus der ugariti-
        schen Literatur gesammelt hat, öfters zu beobachten. Ist die
        Wendung ידיו על־חלציו zwar bei der oben besagten Redeform
        nicht üblich, so ist ihre Bedeutung aufgrund des Parallelismus
        (כל־גבר ידיו על־חלציו // אם־ילד זכר) doch eindeutig: sie
        macht anschaulich, wie man sich gebärdet, wenn man, wie eine
        Gebärende, in den Hüften unerträgliche Schmerzen hat. Hitzig,
        z.St., schreibt: "Sie (sc. die Freunde des Propheten) halten
        von zwei Seiten den Unterleib, in welchem sie Schmerz empfin-
        den ..... ".

46   Die Botenformel כה אמר יהוה kennzeichnet den Anfang der
        Sprucheinheit von 6,22ff., in der es hauptsächlich um die Be-
        drängnis geht, die gegen die "Tochter Zion" (V.23) / "Tochter
        meines Volkes" (V.26) gerichtet ist. In V.27 hingegen kommt es
        schon auf einen "Prüfer" an. Aufgrund der Zweigliedrigkeit der
        Einheit - der Aufforderung zur Flucht (V.22-23.25) und der
        Klage (V.24.26) -, die auch in den anderen sog. "Gedichten vom
        Feind aus dem Norden" in Kap. 4 sowie 6 zu beobachten ist (siehe
        Odashima, Diss. S.173ff.), kann man folgern, daß die Einheit
        6,22ff. mit V.26 endet.

"Mann" sein,[47] aber sobald man den parallelen Fragesatz
זכר אם־ילד in V.6a in Betracht zieht, wird es deutlich,
daß das Nomen גבר hier ganz absichtlich im Gegensatz zu
"Frau" gebraucht worden ist,[48] denn die parallele Frage,
ob ein Mann gebiert, wie schon das Wort זכר andeutet,[49]
kann nur dann gestellt werden, wenn der Gegensatz des
Mannes zur Frau bewußt ist. Man kann deshalb mit Sicherheit schließen, daß bei beiden Fragesätzen in 30,6 die
maskuline Gestaltung im Gegensatz zur Frau absichtlich in
den Vordergrund gerückt ist.[50] Die obigen Beobachtungen
sind folgendermaßen zusammenzufassen: der Verfasser der
Einheit 30,5-7 hat die Vorstellungen von ידינו und
כיולדה im Spruch Jeremias 6,24 aufgenommen und sie zur
Vorstellung des "Gebärens" entfaltet, weil er sein besonderes Interesse für die maskuline Figur im Gegensatz zur
femininen mit Hilfe der rhetorischen Frage, ob ein Mann
gebiert, merkwürdigerweise in den Vordergrund treten lassen möchte.

Aus den bisherigen Beobachtungen kann man mit hoher Wahrscheinlichkeit den Schluß ziehen, daß der vor-dtr. Verfasser bei der Gestaltung der Anfangseinheit seines "Trostbüchleins" vom Spruch Jeremias 6,24 abhängig war. Es ist
ohne weiteres ersichtlich, wohin diese Bezugnahme auf den
jeremianischen Spruch zielt: es ist wahrscheinlich so, daß
der Verfasser die Einheit 30,5-7 zunächst nach der Fassung
von 6,24 formulierte und so einen literarischen Zusammenhang schaffen wollte. Dabei meinte der Verfasser wohl, aufgrund dieses literarischen Zusammenhangs von den Lesern erwarten zu können, daß sie die beiden Stellen, 6,22-26 und
30,5-7, in dieser Reihenfolge als Fortsetzung lesen sollten.

---

47   Vgl. Jer 22,30; 23,9 wie auch die weisheitlichen Stellen 17,5.7.
     Vgl. ferner GBHW, גבר I.2. sowie J.Kühlewein, Art. גבר, 3. c,
     THAT I, Sp. 399.

48   Vgl.Dtn 22,5. Siehe auch H.Kosmala,Art.גבר VI.1.,ThWAT.I,Sp.913.

49   Siehe die etymologische Erklärung in KBL II. Vgl. auch R.E. Cle-
     ments,Art. זכר I, ThWAT II, Sp. 593f.

50   Siehe unten EXKURS 3.

116

Damit beabsichtigte der Verfasser, die Ankündigung des
feindlichen Angriffs in 6,24 als Ankündigung der Gottes-
züchtigung Jakobs zu erläutern, die in 30,5-7 die Vorstufe
des künftigen Heils Jakobs (30,7b) bildet.

Selbstverständlich erkannte der Verfasser aber schon von
Anfang an darin die Schwierigkeit, daß in 6,24 oder sogar
in der ganzen Sprucheinheit 6,22-26 eindeutig nicht von
Männern, geschweige denn von Jakob, sondern konsequent von
Frau die Rede ist[51] und es also diese Frau sein muß, der
in 6,23b der feindliche Angriff angekündigt worden ist. Aus
dieser Schwierigkeit wollte der Verfasser wohl dadurch herausfinden, daß er die Anfangseinheit 30,5-7 zwar nach der
Fassung von 6,24 formuliert, sie aber gleichzeitig eben so
aufgebaut hat, daß die Leser annehmen können, die Leidenden
vor der bevorstehenden Bedrängnis in 6,24 seien doch die
Männer gewesen, wobei selbst die Themaverschiebung - von
der "Frau" zum "Mann" -, die oben als die Einstellung zur
maskulinen Formulierung charakterisiert wurde, geschickt
hinter jene rhetorische Frage, ob ein Mann gebiert, versteckt
wurde. So ist die maskuline Stilform, die in 30,5-7 herausgestellt wurde, eben aus dieser sozusagen "Maskulinisierung"
der jeremianischen Sprucheinheit 6,22-26 zu verstehen und
die Möglichkeit besteht deshalb nicht, daß die maskuline
Stilform ein Gegenargument gegen die Abhängigkeit der Einheit 30,5-7 von 6,24 sein könnte.

Der letzte Abschnitt II, 1. endete mit der grundsätzlichen Fragestellung, ob der Verfasser der vor-dtr. Worte in
Kap. 30-31, deren literarische Abhängigkeit von 10,17-25[*]
dort nachgewiesen wurde, auch die Absicht gehabt hat, seine Heilsworte in den beiden Kapiteln trotz der besagten Abhängigkeit doch als ein selbständiges Dokument erscheinen

---

51   אל־תלכי , אל־תצאי ;V.23 עליך בת־ציון   V.25 (s.BHS, App);
       עשי לך ,בת־עם חגרי שק והתפלשי   V.26

zu lassen. Diese Frage veranlaßte im laufenden Abschnitt die Beobachtung der Unterschiede, die die Anfangseinheit 30,5-7 gegenüber den darauffolgenden vor-dtr. Worten zeigt. Die bisherigen Beobachtungen haben erstens darauf hingewiesen, daß die wichtigen Worte und Wendungen der Einheit 30, 5-7 von 6,24 übernommen worden sind, daß zweitens in der Einheit eine merkwürdige stilistische Einstellung, nämlich die zur maskulinen Formulierung, vorliegt. Drittens ist dargelegt, daß sich diese Einstellung wohl nur aus der Bemühung des Verfassers erklären kann, den Zusammenhang, den er von der Schilderung einer die Frau betreffenden Notzeit in 6,24 nach 30,5-7 überträgt, - hauptsächlich durch die rhetorische Frage, ob ein Mann gebiert - zu "maskulinisieren", damit der Verfasser in 30,5-7 die kommende Notzeit als Vorstufe zur Heilszeit Jakob zusprechen kann (וממנה יושע   ), der in den folgenden vor-dtr. Worten neben "Israel" offenbar die Hauptrolle spielt.[52] Daraus folgt, daß sich die Möglichkeit ausschließt, der Verfasser der vor-dtr. Worte habe sein Werk 30,5-31,22 - mit der Ausnahme von 30,8-9 und 31,1 - als eine selbständige Schrift umgehen lassen wollen, denn die oben besprochene "Maskulinisierung" war dafür nötig, daß die Leser den Spruch 6,24 und die Einheit 30,5-7 lesen und erfassen konnten, als ob die beiden Stellen von Anfang an in dieser Reihenfolge - wenn auch nicht aneinander - gestanden und dieselbe Herkunft und Bedeutung hätten. Angenommen, daß der Verfasser 30,5-31,22 als ein selbständiges Werk komponiert hätte, dann hätte er in 30,5-7 weder jene merkwürdige rhetorische Frage für die "Maskulinisierung" noch die "Wir"-Rede benötigt, ebensowenig hätte er, wie oben gezeigt, aus allen Reihen des Spruches 6,24 jeweils ein Wort entleihen müssen. Man kommt deshalb mit Sicherheit zum Schluß, daß der Verfasser der Worte seine Schrift 30,5-31,22 derart komponierte, daß sie im Hinblick auf 6,24 gelesen und verstanden werden kann. Erinnert man sich hier an die Tatsache, daß

---

52   Siehe unten EXKURS 3, bes. S. 128.

der Verfasser mit den jeremianischen Überlieferungen vertraut war, wie es die Sprüche Jeremias innerhalb von 30,5-
31,22 wie auch die Vorstellungs- bzw. Wortübernahme aus
10,17-25*[53] zeigen, so ist der soeben gezogene Schluß daraufhin zu modifizieren, daß der Verfasser 30,5-31,22 zumindest
mit der ganzen Einheit 6,22-26[54] in unmittelbaren Zusammenhang bringen wollte. Auf diesen Sachverhalt weist wahrscheinlich auch der Parallelismus hin, der in 6,22 wie auch in den
vor-dtr. Worten 31,8 vorliegt:[55]

(6,22) הנה עם בא מארץ צפון   (31,8a) הנני מביא אותם מארץ

צפון וקבצתים מירכתי־ארץ   וגוי גדול יעור מירכתי־ארץ

Damit ist aber noch nicht endgültig geklärt, ob sich 30,5-
31,22 unmittelbar an die jeremianische Spruch einheit 6,22-26
anschloß, als der Verfasser 30,5-31,22 komponierte.

Es ergibt sich nun die Frage, warum der Verfasser der vor-
dtr. Worte seine Heilsbotschaft 30,5-31,22 ausgerechnet mit
6,22-26 verbinden wollte, weil er in 30,5-31,22, wie im letzten Abschnitt festgestellt, nicht wenige Worte sowie Vorstellungen auch aus 10,17-25* übernahm. Man kann die Frage
zunächst durch die Annahme beantworten, daß der Verfasser
für den Vorspann seiner Heilsbotschaft irgendeine authentisch
jeremianische Vorankündigung der bevorstehenden Notzeit benötigte, daß er das Gedicht vom Feind aus dem Norden in 6,22-
26 eben als solche Ankündigung vorfinden konnte. Diese Annahme ist zwar in dem Sinne zum Teil richtig, daß der Verfasser,
wie oben dargelegt, seine Idee der Züchtigung Jakobs durch
Gott (30,11b) durch die vorangehende Erwähnung der Notzeit
(30,5-7) in seine Heilsbotschaft einordnen wollte. Doch ruft
diese Annahme sofort die Gegenfrage hervor, warum nicht der

---

53   Siehe oben II.1. 10,17-25*.

54   Siehe zur Abgeschlossenheit von 6,22-26 oben A.46.

55   Die Wendung מירכתי־ארץ kommt im AT zwar noch zweimal vor, näm-
      lich in Jer 25,32 und 50,41, aber nicht im Parallelismus mit
      מארץ צפון . Die Form מירכתי begegnet im AT sonst zweimal, und
      zwar in Ez 38,6 und 39,2 in der Verbindung mit dem Wort צפון .

Verfasser dann für den besagten Zweck irgendwelche anderen
Worte Jeremias, etwa 9,17-21, auswählte; diese Sprüche könnten jenem Zweck gut entsprechen und vielleicht deswegen
günstiger sogar als 6,22-26 sein, weil 9,17-21 in der
dem Verfasser vermutlich vorliegenden Spruchsammlung Jeremias wahrscheinlich unmittelbar vor 10,17-21[56] stand, als der
Verfasser in sein entworfenes Werk die Worte wie auch Vorstellungen aus 10,17-25* übernahm.

Wenn man mögliche Willkür des Verfassers außer acht läßt,
so muß der Grund für die planmäßige Bezugnahme in 30,5-7
auf 6,22-26 eben in irgendwelchen Besonderheiten der letzten
Stelle gesucht werden. Dabei ist selbstverständlich, daß die
hier in Frage kommende Besonderheit von 6,22-26 zunächst
die folgenden zwei Bedingungen erfüllen muß, nämlich einmal, daß das in Frage kommende Charakteristikum von
6,22-26 auch in den anderen vor-dtr. Worten wie in 30,5-7
relevant sein muß, und zum anderen, daß sie zugleich diejenige Eigenschaft sein muß, die die Spracheinheit 6,22-26

---

56   Duhm schreibt 9,22-10,16 "irgendwelchen Lesern oder Besitzern
     des Buches" zu. Thiel, aaO. (1973), S.94.A.52, bemerkt die
     eindeutige Isoliertheit von 9,22-25 in seinem jetzigen Kontext,
     obwohl er über seine Herkunft mit seinem endgültigen Urteil
     zurückhält. Über die Wahrscheinlichkeit der späteren Entstehung
     von 10,1-16 siehe Rudolph und Thiel (1973), S.282. Über die
     frühere Auslegungsgeschichte des Abschnittes 10,1-16 siehe
     A.Kuenen, Historisch-critisch onderzoek naar het ontstaan en
     de verzameling van de boeken des Ouden Verbonds, II. De profe-
     tische boeken des Ouden Verbonds, 1889, S.180, A.9, wo er ihn
     nicht für jeremianisch hält. Vgl. aber auch B.N.Wambacq,
     Jérémie, X, 1-16, RB 81 (1974), S.57ff., die in diesem Abschnitt
     die authentischen Worte Jeremias und ihre mehrmaligen Redaktio-
     nen erkennen will. Vgl. auch B.Margalit, Jeremiah X 1-16:
     A Re-Examination, VT 30, 1980, S.295-308, der im genannten Ab-
     schnitt "an authentic Jeremianic composition; at least a close
     affinity to his language and style" (aaO., 306) erblicken will;
     die Adressaten seien "the remnants of the northern tribes, in-
     cluding the descendants of those Judeans who were exiled in
     700, when almost all Judah was conquered by the Assyrians "
     (aaO. 307). Margalits Beobachtungen haben vermutlich ihre Schwä-
     che in der Fragestellung, ob der Abschnitt entweder "echt" oder
     "unecht" sei.

gegenüber den anderen Sprüchen Jeremias, etwa 9,17-21, mar-
kiert. Versucht man nun, in 6,22-26 das zu bestimmen, was
die obengenannten zwei Bedingungen erfüllt, so ist folgendes zu nennen: in 6,23 wird ein den Zion angreifender
Feind aus dem Norden angekündigt. Daß sich diese Ankündigung
als richtig erwiesen hat, ist eindeutig in den vor-dtr. Worten vorausgesetzt (z.B. 30,10a.17b; 31,8a).

Offensichtlich kommt die Ankündigung eines gegen den "Zion"
anrückenden Feindes aus dem Norden aber auch in 6,1-5 vor.[57]
Die nächste Frage ist deshalb die, warum der Verfasser die
Einleitung in seine Heilsbotschaft 30,5-7 nicht an 6,1-5,
sondern an 6,22-26 angeschlossen hat. Diese Frage kann folgendermaßen beantwortet werden: es ist schon oben dargelegt,
daß der Verfasser seine Schrift 30,5-31,22 unter der Voraussetzung komponierte, daß die Leser die Schrift im Hinblick
auf 6,22-26wie auch als eine Entfaltung von 6,22-26 lesen
und verstehen sollten. Selbstverständlich ist also, daß der
Verfasser die Einheit 6,22-26 vielleicht 6,1-5 deswegen vorgezogen haben dürfte, weil die erstere Sprucheinheit, nämlich 6,22-26, in der Aufeinanderfolge der "Gedichte vom
Feind aus dem Norden" am Ende steht[58] und weil sie sich deshalb für den besagten Zusammenhang geeigneter als die Einheit 6,1-5 zeigt. Man kommt deshalb zu dem Schluß, daß der
Verfasser als Anhaltspunkt der Anfangseinheit 30,5-7 seiner eigenen Schrift aus diesen und anderen Sprüchen Jeremias
die Sprucheinheit 6,22-26 wohl deswegen gewählt hat, weil
erstens die Einheit ankündigt, daß der Feind aus dem Norden
gegen den Zion anrückt und weil zweitens die Einheit 6,22-26
am Ende der Reihenfolge der Gedichte vom Feind aus dem Norden steht. Daß sich der Verfasser bei seiner Erwähnung von
der Rückkehr des Volkes 31,8 in formaler Hinsicht wahrscheinlich nicht an 10,22, sondern an 6,22 angelehnt hat, spricht
wohl wiederum für sein besonderes Interesse für die Sprucheinheit 6,22-26, für das "Gedicht vom Feind aus dem Norden".

---

57 Siehe Odashima, Diss. S.200f.
58 Siehe Odashima, Diss. S.174-208.

EXKURS 3   Die maskuline Formulierung im literarischen
            Verfahren des vor-dtr. Verfassers

Die literarische Intention zur maskulinen Formulierung,
die oben beim vor-dtr. Verfasser in bezug auf 30,5-7 bemerkt wurde, erklärt sich bisher nicht in ihrer vollen Brei-
te. Diese Tendenz zu maskuliner Formulierung könnte sich
dem Anschein nach an die Worte desselben Verfassers 30,16-17
stoßen, denn dieser Spruch ist durchaus feminin formuliert.
Diese scheinbare Inkonsequenz wird aber verständlich, wenn
man bedenkt, daß 30,16-17 + 18-21 vom Verfasser von Haus
aus in ihrer jetzigen Reihenfolge gedichtet wurden. Eindeutig ist, daß sich V.16-17 als Fortsetzung des vorangehenden
Spruches Jeremias V.12-15 darstellt; dafür sprechen die folgenden Analogien:

jer.	נחלה מכתך	(12)
	אותך לא ידרשו	(14)
vor-dtr.	וממכותיך ארפאך	(17aβ)
	ציון היא דרש אין לה	(17bβ)

Durch diese entsprechenden Formulierungen will der Verfasser wohl die verschuldete Frau, die im Spruch Jeremias V.12-
15 in der 2. Person angeredet wird, mit dem "Zion" identifizieren, wahrscheinlich um die gezüchtigte und verwundete
Frau im Spruch Jeremias als die zertrümmerte Stadt Zion zu
deuten. Daß dabei der Satz ציון היא דרש אין לה nicht
unmittelbar an den Spruch Jeremias anschließt, sondern daß
er erst am Ende von V.16-17 vorkommt, dient dazu, daß der
eigentlich unverkennbare Unterschied zwischen der genannten
Frau in der 2. Person und der Stadt Zion in der 3. Person
wegen der dazwischenliegenden Elemente bis zu einem gewissen Grad
verschwommen wird, damit die abgezielte Identifikation um
so scheinbar glatter geleistet werden kann.
Erst durch diese kontextuelle Veränderung im Hinblick auf
die lokale Dimension kann der Verfasser nun in V.18 zum Thema über die Zelte Jakobs, seine Wohnstätten, die Stadt wie

auch den Hügel und schließlich den Palast an der einst gewohnten Stelle übergehen. Auch aus 31,11-12 ist ersichtlich, daß der Berg "Zion" für den Verfasser gerade der Ort
ist, zu dem das erlöste Volk Jakob zurückkehrt.[59] Daraus
folgt, daß der Spruch Jeremias 30,12-15 durch V.16-17 mit
den darauffolgenden Worten V.18-21 in Verbindung gebracht
worden ist, damit sich diese drei Sprüche den Lesern als
eine ursprüngliche Einheit und als eine ununterbrochene Entfaltung - vom Unheil zum Heil - darstellen können. Somit
entsteht weiterhin eine strukturelle Entsprechung zwischen
dieser sekundären Einheit 30,12-21 (unten I) einerseits und
der Reihenfolge von 6,22-26 + 30,5-7 + V.10-11 (unten II)
andererseits, die, wie oben dargelegt, der literarischen Absicht des Verfassers der vor-dtr. Worte zuzuschreiben ist:

	a. Unheilsan-kündigung (jer.)	b. Übergang (vor-dtr.)	c. Heilsankündigung (vor-dtr.)
I.	30,12-15	30,16-17 (mittels "Maskulinisierung")	30,18-21
II.	6,22-26	30,5-7 (mittels lokaler Momente)	30,10-11

Gemeinsam sind zwischen I. und II.: 1. Die Formulierungen
des Übergangsteils (b.) sind von jeremianischen Sprüchen (a.)
abhängig, während die der Heilsankündigung (c.) davon ganz unabhängig sind, 2. der Übergang (b.) besteht im wesentlichen
aus zwei Teilen, und zwar aus den Erwähnungen i) der Notlage
(I.: 30,16; II.: 30,5-7bα) und ii) der Auflösung der Notlage
(I.: 30,17 Genesung der Wunde; II.: 30,7bβ Rettung aus der Bedrängnis), während in der Heilsankündigung (c.) das Wohlergehen
im Heimatland positiv zugesagt wird, und 3. alles geht um
Jakob (I.: zweimal 30,18; II.: 30,10).

Aus diesen Beobachtungen könnte man schließen, daß die Maskulinisierung des Zusammenhanges von 6,22-26 her, die in der

---

59 Wenn man die unbegründete Meinung Rudolphs berücksichtigen möchte,
daß in 31,12 statt במרום־ציון nach LLX בהרים ohne "Zion" zu lesen
sei, kann man statt dessen auf den Spruch Jeremias über den "Zion"
31,6b hinweisen, der dem Verfasser zur Verfügung stand.

vor-dtr. Einheit 30,5-7 beobachtet wird, zwar eine der Variationsformen der Bemühungen des Verfassers ist, seine eigenen Worte den Sprüchen Jeremias anzugleichen und mit ihnen zu verbinden. Daß sich die maskuline Stilform in 30,5-7 aber doch aus keiner ad hoc-Maßnahme, sondern aus der grundlegenden Einstellung des Verfassers ergab, wird plausibel, wenn man ferner als anderes Beispiel 31,2-6 und V.7-14 in Betracht zieht und auf die Frage eingeht, wie sich der Verfasser mit seinen eigenen Worten V.7-14 gegenüber dem jeremianischen Spruch V.2-6 verhält. Offensichtlich ist es so, daß sich die vor-dtr. Worte in zwei Einheiten teilen: V.7-9 und V.10-14;[60] der Anfang der beiden Teile beginnt jeweils mit ähnlichen Worten: der Botenformel, der Nennung Israels und Jakobs, und der Aufforderung zur Erklärung der Heilstat Jahwes gegenüber den Fremdvölkern (V.7 und V.10-11). Die beiden Einheiten unterscheiden sich nur darin voneinander, daß die erstere V.7-9 hauptsächlich das erlöste Volk auf dem Weg zum Heimatland schildert, während die letztere V.10-14 das dem Volk zugesagte Wohlergehen im Lande erzählt. Wenn man im Hinblick auf diese Zweiteilung der vor-dtr. Worte nun fragt, wie diese beiden Einheiten mit den vorangehenden bzw. darauffolgenden Sprüchen Jeremias verbunden worden sind, wird gleich ersichtlich, daß die beiden Einheiten den zwei Teilen des jeremianischen Spruches V.2-6 entsprechen; wenn über V.2 literarkritisch auch unterschiedliche Meinungen vertreten worden sein mögen[61], ist aber immerhin offenkundig, daß zwischen V.2-3a und 3b-6 eine Trennlinie gezogen werden kann, und zwar in dem Sinne, daß im ersteren Abschnitt auf die Auflösung der Notlage des dem Schwert entronnenen Volkes durch Jahwes Eingriff objektiv - Jahwe in der 3. Person - hingewiesen ist, während im letzteren Jahwe selbst in der 1. Person dem Volk den Wieder-

---

60   Vgl. Böhmer, 66 und 68.

61   Vgl. auch die Behandlung des Verses unten in III.1.,
      bes. S. 140ff.

aufbau in der Zukunft wie auch das Wohlergehen verspricht.
Man beachte in diesem Zusammenhang das dreimalige עוד in
V.4 und 5a. Ist diese Erkenntnis der Zweiteilung sachgemäß - gleichgültig, ob V.2-6 von Haus aus eine in sich ab-
geschlossene Einheit ist oder sich erst sekundär als solche darstellt -, so sind die folgenden Entsprechungen sowohl zwischen V.2-3a und V.7-9 als auch zwischen V.3b-6 und
V.10-14 ersichtlich:

Die Sprüche Jeremias 31,2-3a		Die vor-dtr. Worte 31,7-9	
(2a)	עם־שרידי חרב	(7b)	שארית־<u>ישראל</u>
(2b)	<u>ישראל</u>		
(3a)	מרחוק יהוה נראה לי	(8a)	וקבצתים מירכתי ארץ

V.3b-6		V.10-14	
(4a)	בתולת <u>ישראל</u>	(10b)	<u>ישראל</u>
		(13aα)	בתולה
(4b)	ויצאת במחול משחקים	(13a)	תשמח בתולה במחול
		(13aβ)	(ובחרים וזקנים יחדו)
(5a)	תטעי כרמים	(12a)	על תירש
(5a)	בהרי שמרון	(12a)	במרום ציון
(6a)	בהר אפרים		
(6b)	קומו ונעלה ציון	(12a)	ובאו ורננו במרום ציון
(6b)	אל יהוה אלהינו	(14a)	ורויתי נפש הכהנים דשן

Aus diesen Entsprechungen zwischen den Sprüchen Jeremias
und den darauffolgenden vor-dtr. Worten ist deutlich zu erkennen, daß der Verfasser der vor-dtr. Worte den Namen "Israel" aus den Sprüchen Jeremias übernommen hat, und zwar in
der Weise, daß er den Namen sowohl aus dem ersten Teil des
Spruches Jeremias V.2-3a in die erste Einheit seiner eigenen
Worte V.7-9 als auch aus dem letzten Teil des Spruches Jeremias V.3b-6 in die letzte Einheit V.10-14 übertragen hat.
Beachtenswert ist dann eine Verschiebung der Rolle des Wortes בתולה in dem neuen Kontext des vor-dtr. Verfassers;
das Wort liegt in den vor-dtr. Worten zweifellos deswegen

vor, weil es im Spruch Jeremias in V.4a mit dem Namen
"Israel" fest verbunden vorkommt. Die unmittelbare Verbindung hat sich aber in V.10-14 gelockert, indem das Wort in
dem vor-dtr. Kontext eine unmittelbare Verbindung mit dem
Wort מחול , Reigen, eingegangen ist. Der entscheidende Unterschied liegt darin, daß in den Sprüchen Jeremias allein
die Jungfrau Israel den Reigen tanzt, während in den vor-
dtr. Worten von einer fröhlichen Zukunft die Rede ist, in
der nicht nur die genannte Jungfrau, sondern auch בחרים
und זקנים (V.13aβ), d.h. alle ohne Unterschied des Alters
und Geschlechts, den Reigentanz mitmachen. Wenn diese Beobachtungen richtig sind, dann ist der Schluß zwingend, daß
das Wort בתולה , das absichtlich in V.13a eingebettet ist,
anders als in V.3b-4 nun neben בחרים und זקנים lediglich
ein Glied des Volkes darstellt und in diesem Sinne relativiert worden ist. Daß בתולה allein im Unterschied zu den
beiden anderen Wörtern singularisch formuliert ist, weist
wiederum auf das Angleichungsverfahren des vor-dtr. Verfassers an dasselbe Wort in den Sprüchen Jeremias hin. Wenn
sich aber der Verfasser besonders dafür interessiert zeigt,
das überlieferte Wort des Propheten in seine eigenen Worte
aufzunehmen, so läßt sich fragen, warum denn der Verfasser
die Rolle des Wortes in dem selbst hergestellten Kontext relativiert hat. Es kann in diesem Zusammenhang nicht außer
Betracht bleiben, daß in den beiden Einheiten des vor-dtr.
Verfassers Jakob (V.7.11)/Ephraim (V.9), seine Lieblingsfi-
guren, genauso als Symbolgestalt für das Gesamtisrael im
Vordergrund steht, wie jene Jungfrau in den Sprüchen Jeremias stand. Die Annahme liegt deshalb nahe, daß die oben besprochene Relativierung von בתולה im entsprechenden Verhältnis dazu steht, daß Jakob/Ephraim in den Vordergrund gerückt sind. Treffen die Beobachtungen soweit zu, dann kann
man den Schluß ziehen, daß die maskuline Stilform des vor-
dtr. Verfassers kein einzelnes, zufälliges Ergebnis seiner
literarischen Arbeit ist, sondern seine Einstellung aus-

drückt, die seinen Bearbeitungen der jeremianischen Überlieferungen zugrunde liegt.[62]

Jeder, der sich mit den literarischen Problemen von Jer
30-31 befassen will, sollte es sich zur Aufgabe machen, den
Sinn und Grund des Wechsels der Anrede in angrenzenden
Spruchmeinheiten aufzuhellen. Diese Aufgabe wird schwierig,
wenn man den Wechsel nicht, wie in der laufenden Untersuchung, unterschiedlichen Schichten des Buches zuschreiben
will, sondern die Ursprünglichkeit der entsprechenden Sprucheinheiten behauptet, wie es zuletzt auch bei N.Lohfink, Der
junge Jeremia als Propagandist und Poet. Zum Grundstock von
Jer 30-31,[63] der Fall ist. Unten sei kurz von seinem Erklä-
rungsversuch der soeben besprochenen Frage die Rede, damit
sich der oben in diesem Exkurs gezogene Schluß über die
Grundeinstellung zur maskulinen Formulierung des vor-dtr.
Verfassers als wahrscheinlich und notwendig zeigen wird. Da
aber Lohfink seine Abgrenzung der Spruchmeinheiten - wohl
aus technischen Gründen - nicht begründet,[64] müßte ein endgültiges Urteil über seine Meinungen vermieden werden.

Die Annahme, die Lohfink beweisen möchte, ist, daß der jeremianische Grundstock von Kap. 30-31 nicht durch Sammlung
verschiedener Sprüche entstanden, sondern daß er mit einem
"zusammenhängenden Text"[65] zu identifizieren sei. Der Grund-
text werde nach Strophen folgendermaßen eingeteilt:

I	30,5-7 (nach Böhmer "nachjeremianisch")
II	V.12-15
III	V.18-21 (nach Böhmer "nachjeremianisch")
IV	31,2-5
V	V.15-17
VI	V.18-20
VII	V.21-22 (nach Böhmer "nachjeremianisch")

Er versucht aufgrund seiner Grundthese, in diesen Einheiten
sowohl "Gleichheit" in Thema und Wort[66] als auch "eine

---

62   Siehe auch unten EXKURS 4.

63   BETL 54, S.351-368.

64   Lohfink, aaO.,S.351.

65   Lohfink, aaO.,S.353.

66   Lohfink, aaO.,z.B. S.358.

durchsichtige strophische Gesamtkomposition", "strophen-
übergreifende Stichwortbeziehungen und ....., eine motiv-
liche Rahmung"[67] ausfindig zu machen. Dabei scheint ihm un-
nötig zu sein zu fragen, ob es sich nicht bei solchen scheinbar zusammengehörigen Texten lediglich um literarische Beziehungen handelt, die erst sekundär entstanden; er unterscheidet nämlich nicht, wie es scheint, zwischen ein-
und wechselseitigen Entsprechungen.[68] Eher glaubt er in
den Sprüchen, nach Themen beobachtet, folgende Paarungen
der angrenzenden Strophen gefunden zu haben:[69]

I und II	*(der) Norden in seiner Not*
III und IV	*Wiederaufbau im Land*
V und VI	*Heimkehr der Deportierten*
(und schließlich VII	*Aufruf zur Heimkehr der Deportierten)*

Eine besondere Beobachtung verlange bei seiner Untersuchung die Erscheinung, daß in den Sprucheinheiten die an-
geredete Hauptfigur oft wechselt. Die Befunde werden wie
folgt schematisiert:

I	Jakob
II	*eine Frau*
III	Jakob
IV	*Jungfrau Israel*
V	*Rachel*
VI	Efraim
VII	*Jungfrau Israel*

Nach Lohfink sind die drei oben genannten Paarungen der
Strophen auch bei der Wandlung der Symbolgestalten zu beobachten, und zwar in dem Sinne, "daß der Norden (sc. das
Volk des ehemaligen Nordreiches?) jeweils einmal in einer
männlichen, einmal in einer weiblichen Symbolgestalt repräsentiert erscheint." Anschließend schreibt er wie folgt:
"Dies erklärt auch hinreichend, warum zwischen verschiedenen Symbolgestalten gewechselt wird." Man sollte eher fragen, warum denn die Symbolfigur derart gewechselt werden
muß. Die unverkennbare Irregularität, daß "die Reihenfolge

---

67   Lohfink, aaO., S.363.

68   Siehe oben I.3., bes. S.95.

69   Lohfink, aaO., S.364. Auch die folgenden Zitate sind dorther.

der Geschlechter beim Übergang von Strophe IV zu Strophe V umspringt", versucht er folgendermaßen zu begründen:

"Für die Klage, die die Zionswallfahrer an der alten Grenze stoppt, bot sich nicht der Stammvater Jakob, sondern dessen Lieblingsfrau, die Stammutter Rachel an, deren Grab dort lag. Als ihr Gegenpart konnte dann auch nicht Jakob in der folgenden Strophe erscheinen. So wurde in Efraim eine andere männliche Parallelfigur gefunden, während dann in der Schlußstrophe ordnungsgemäß wieder die weibliche Gestalt der 'Jungfrau Israel' steht."

Lohfinks Erklärungsversuche können offenkundig nicht ihren Zweck erfüllen, sondern erwecken vielmehr den Eindruck, daß die Strophe V, wo plötzlich Rachel um ihre verlorenen Söhne klagt, ursprünglich doch eigenständig gestaltet worden sein kann. Die Aufgabe, die auffällige Erscheinung der unterschiedlichen Symbolgestalten in den Sprüchen in Kap. 30-31 verständlich zu machen, ist auch für die These Lohfinks ein Prüfstein gewesen; ihm scheint, wie beobachtet, nicht gelungen zu sein, die Textbefunde einleuchtend zu machen. Um so wahrscheinlicher ist angesichts dessen die Erklärungsweise, die diese Untersuchung vorlegt.

EXKURS 4. נקבה תסובב גבר   in Jer 31,22bβ

Die in dieser Untersuchung aufgestellte These der Grundeinstellung des vor-dtr. Verfassers zur maskulinen Formulierung scheint auf den ersten Blick angesichts von Jer 31,21-22 unhaltbar zu sein. Aufgrund der oben gemachten Beobachtungen[70] ist aber zu schließen, daß es beim Verfasser im Hinblick auf sein literarisches Verfahren nicht auf ein Entweder-Oder, sondern auf eine Angleichung ankommt, und zwar in dem Sinne, daß er sich die Sprüche Jeremias, z.B. 31,2-6, die ursprünglich wohl an die exilierten Nordisraeliten ge-

---

70   Siehe EXKURS 3.

richtet wurden,[71] angeeignet hat und formal wie auch inhaltlich nur in Angleichung an diese jeremianischen Sprüche seine eigene Heilsbotschaft für die Zeitgenossen der Exilszeit formulieren wollte. Wenn man von diesem Verständnis der literarischen Beschäftigung des Verfassers ausgeht, wird begreiflich, daß der Verfasser die maskuline Stilform nicht immer durchgehalten haben dürfte. Ein solches Beispiel könnte für 31,21-22 genannt werden. Es muß daher gezeigt werden, daß die Aufforderung des Verfassers an die "Jungfrau Israels" in 31,21 keinesfalls mit jener Grundeinstellung in Widerspruch steht.

---

71 Dank der Untersuchung Böhmers, auf der die vorliegende Arbeit beruht, kann man sich jetzt ein verhältnismäßig klares Bild davon machen, was Jeremia mit "Israel" meint. Der Name Israel kommt beim Propheten Jeremia in Kap. 30-31 nur in der Einheit 31,2-6 vor, und zwar zweimal: "Israel" in V.2 in der 2. Person maskulin und "Jungfrau Israels" in V.4 in der 2.Person feminin Singular. Unter dieser "Jungfrau Israels" versteht man meistens die exilierten Nordisraeliten (so Naegelsbach, Giesebrecht, Duhm, Cornill, Driver, Rothstein, Volz, Nötscher, Hyatt, Wambacq, Rudolph, Böhmer, aaO. S.52f. und H.W.Hertzberg, Jeremia und das Nordreich Israel, bes. S.93 - er bezieht V.12-17 aber nicht auf die Exilierten, sondern auf die Verbliebenen im Bereich des ehemaligen Nordreichs -, wohl auch A.Gelin, Le sens de mot « Israel » en Jérémie XXX-XXXI, (FS J.Chaine 1950, S.165). S.Herrmann, Heilserwartungen, S.217, behandelt den Spruch unter dem Stichwort "Ephraim-Israel-Sprüche", vgl. auch A.8. L.Rost, Jeremias Stellungnahme zur Außenpolitik der Könige Josia und Jojakim, ChuW 5, 1929, S.72, bildet dadurch eine Ausnahme, daß er 31,2-3 nach Analogie zu 2,2.31; 4,1 usw. von 31,4-6 abtrennt und somit V.4-6 als Jeremias Billigung der Expansionspolitik Josias deutet, vgl. auch seine Untersuchung, Israel bei den Propheten, 1937, S.57f., - die Stellenangabe 31,3 auf der Seite 57 ist offensichtlich 31,4 -. Wenn "Jungfrau Israels" in 31,4, die vom Propheten Jeremia in der 2. Person Singular angedeutet ist, die weggeführten ehemaligen Bewohner des Nordreichs bedeutet, so wird mit dem anonymen, verwundeten Femininum, das in 30,12-15 auch in der 2. Person Singular angeredet ist, aller Wahrscheinlichkeit nach derselbe Personenkreis gemeint sein. Außerhalb 30,23-24 gibt es in Kap. 30-31 noch zwei Sprucheinheiten Jeremias: Rachel-Spruch 31,15-17 und Ephraim-Spruch V.18-20. Selbstverständlich meint Jeremia auch mit diesen Sprüchen dieselbe Menschengruppe, die in 30,12-15 sowie 31,2-6 gemeint ist (so Naegelsbach, Giesebrecht, Duhm, Cornill, Rothstein, Volz, Nötscher,Hyatt, Aeschimann, Wambacq, und Rudolph).Hertzberg, Jeremia und Nordreich Israel, S.94 sieht in 31,18-20 "das gesamte Volk, im Lande Verbliebene und Heimgekehrte". Wohl auch Gelin, aaO., S.163. Anders Rost, Jeremias Stellungnahme, S.71f.

Über den Sinn der Sprüche 31,21-22 wird seit langem eine umfangreiche Diskussion geführt.[72] Neuerdings hat auch E.Jacob in seinem Aufsatz, Féminisme ou Messianisme? A propos de Jérémie 31,22[73] eine "forte connotation sexuelle" von נקבה תסובב גבר (V.22bβ) bemerkt.[74] Dabei hat er aber, wie es scheint, aus dieser Feststellung nicht konsequent, wie bei W.L.Holladay,[75] die Schlußfolgerung gezogen, so daß er zu einer eklektischen Vorstellung gelangt, die nämlich in V.22bβ "une jalon intermediaire entre les deux formules (sc. den Formeln in Hohelied 2,17 und Jer 31,22)" sieht.[76] Gemeint ist nach Jacob mit נקבה in Jer 31,22 wohl eine "bien-aimée qui a l'initiative, qui cherche et qui poursuite le bien-aimé".[77] Diese Erklärung Jacobs steht mit seiner Deutung von תסובב in Einklang: "le verbe tesōbēb indique plutôt une danse, une ronde autour de l'homme dans une relation libre et joyeuse". Da Jacob bei dieser Erklärung als Partner der "Jungfrau Israels" beim Reigentanz aber immer an Jahwe denkt, ruft seine Erklärung die schwierige Frage hervor, warum der Verfasser die "nouvelle expression de l'alliance" zwischen der "Jungfrau Israels" und Jahwe so ungewöhnlich und rätselhaft formulierte; die Formulierung kann, wenn sie bei Jacob die treffende Erklärung fände, sogar mißverständlich sein, zumal schon in 31,13 der Reigen der "Jungfrau" mit בחרים und זקנים erwähnt ist.[78] Gegen das Verständnis Jacobs von V.22bβ, soweit er unter גבר Jahwe verstehen

---

72 Siehe Rudolph, S.199. Vgl. auch R.North, Art חדש ThWAT II, Sp.771ff.

73 FS Zimmerli, S.179-184.

74 Jacob, aaO., S.183.

75 W.L.Holladay, JER XXXi 22B Reconsidered: The woman encompasses the man", VT 16 1966, S.236-239. Vgl. auch Weiser.

76 Jacob, aaO., S.183.

77 Jacob, aaO., S.182. Das nächste Zitat aus derselben Seite.

78 Vgl. oben EXKURS 3,bes. S.125f. Einer der Topoi des Wortes מחול im AT ist wohl darin zu finden, daß Frauen beim Empfang der zurückgekehrten Männer zur Ehre tanzten, Ri 11,34; 1Sam 18,6, vgl. auch Ex 15,20.

will,[79] liegt ein überzeugendes Gegenargument in einem for-
melhaften Spruch innerhalb der vor-dtr. Worte, nämlich 31,9b:
"Ich (sc. Jahwe) bin der Vater Israels und Ephraim ist mein
Erstgeborener!"; die Vorstellung Jahwes als des Vaters Israels (und Ephraims) einerseits und die Jahwes "comme un amou-
reux" andererseits können kaum nebeneinander stehen. Man
sollte deshalb von גבר weniger auf Jahwe als auf Männer
schließen. Um den Satz נקבה תסובב גבר , der dem vor-dtr.
Verfasser zuzuschreiben ist, sachgemäß zu verstehen, sollte
man sich weiter klarmachen, welche Rolle das Feminine in
der Gedankenwelt des Verfassers spielt. Seine Erwähnungen
der Frauen sind zunächst zahlenmäßig begrenzt:

30,6b	"wie eine Gebärende"
30,17	"ich bringe dir Genesung und heile dich (fem.)
	von deinen (fem.) Wunden ....."
31,8a	"Schwangere und Wöchnerinnen zusammen"
31,13a	"Dann erfreut sich eine Jungfrau am Reigen".

Aus diesem Überblick ist ersichtlich, daß beim Verfasser
die Frauen im wesentlichen im Hintergrund bleiben, daß man
daher der "Jungfrau Israels" ausnahmsweise keine tragende
Rolle zu geben braucht. Vielmehr sollte man, zunächst ohne
darüber zu urteilen, ob נקבה תסובב גבר eine Glosse sei,[80]
den folgenden Punkt konstatieren:

1. נקבה unterscheidet sich im wesentlich darin von den
anderen ähnlichen Worten, daß mit נקבה weder die Ehefrau
wie bei אישה noch "die Frau in ihrer Schwäche und Ohn-
macht",[81] sondern die Frau in sexueller Hinsicht gemeint
ist. Diese sexuelle Implikation des Wortes führt den
Satz durch Vermittlung des vorangehenden Satzes כי־ברא
יהוה חדשה בארץ zur Schöpfungsgeschichte der Genesis, insbesondere zu den Worten:

---

79   Jacob, aaO., S.183. Das nächste Zitat aus derselben Seite.
     Auch so bei Schreiner.

80   Duhm hält es für eine Glosse, die wahrscheinlich ein Sprich-
     wort gewesen sei. Dagegen Bright.

81   Rudolph, S.198, A.2 und 3.

זכר ונקבה ברא אותם... [82]

ויאמר...פרו ורבו ומלאו את־הארץ (1,27b-28a)

Hier verbindet sich die Schöpfung des Menschen als Mann
und Frau mit der Fruchtbarkeit des Menschen.[83] Daß in
Jer 31,22bβ als Gegenbegriff zu נקבה nicht זכר , wie in
Gen 1,27, sondern גבר vorkommt, hindert aber nicht daran, die Implikation von נקבה תסובב גבר auf die Fruchtbarkeit zu deuten, denn "diese Fähigkeit (sc. des Kinder-
zeugens) ist von Anfang an ein wesentlicher Inhalt des Begriffs *gaebaer*, der auch später niemals verlorengegangen
ist."[84]

---

82   Holladay, JER xxxi 22B, S.237. Dieser Spruch der Genesis gehört,
      wie allgemein erkannt, zu der sog. Priesterschrift (C.Wester-
      mann, Genesis 1-11 BK I/1, S.220, siehe auch die Auslegung We-
      stermanns zu Gen 17,2 als Priesterschrift in seinem Kommentar,
      Genesis 12-36 BK I/2, S.312), deren Entstehung man auch in der
      früheren Phase der nachexilischen Zeit annehmen kann (Kaiser,
      Einleitung in das Alte Testament, 1978, 4.Aufl., S.108f. sowie
      Smend, Die Entstehung des Alten Testaments, 1978, S.58f.).

83   Westermann, Genesis 1-11, S.220-222.

84   Kosmala,Art.גבר, ThWAT I, Sp.914. Von Kosmala unterscheidet sich
      Holladay in der Ansicht: "The Word גבר does not denote the
      male as a sexual being, but the male as a warrior" (JER. xxxi
      22B, S.237). Er könnte zwar recht haben, sofern er diese Aus-
      legung auch auf גבר in der Einheit Jer 30,5-7 anwendet, in der
      er in Anlehnung an die Studie D.Hillers, Treaty-curses and the
      OT Prophets, eine Andeutung auf "battle taunt" bzw. "standard
      taunt" "offered to the enemy" (aaO. S.237) im Schlachtfeld fin-
      det, dessen typisches Beispiel heiße: Your "warriors will become
      women" (S.237). Die Auslegung Holladays von גבר in Jer 30,6b
      ist aber doch keineswegs zwingend, weil erstens "Weiber werden"
      in der genannten Verspottung im Schlachtfeld unmittelbar nichts
      mit den Frauen in Geburtswehen zu tun hat, deren Anspielung hin-
      gegen in V.5-7 im Vordergrund steht, weil zweitens selbst in
      V.6 möglicherweise eine Implikation von גבר jedoch durch den
      Parallelismus mit זכר relativiert ist. Unsicher ist deshalb die
      Auslegung Holladays von 31,22b: "the females will surmount the
      warrior!" (S.239). Dasselbe behauptet er in seinem Aufsatz, Je-
      remiah and Women's Liberation, ANQ 12, 1972, S.213-223. Um so
      unzutreffender scheint die Interpretation von גבר in 31,22b
      als Kriegsmänner, weil man nicht gut begreifen kann, warum hier
      ausgerechnet von Kriegsmännern die Rede sein sollte; allerdings
      möchte Holladay die genannte Interpretation durch den Hinweis be-
      gründen, daß es in V.24f. auf ein "Neues" im Sinne eines Umtau-

2. Es ist leicht, aus den vor-dtr. Worten zu schließen,
daß sich der Verfasser stark für die Bevölkerungszunahme
im Lande interessiert: 30,19 "ich mehre sie, daß sie sich
nicht mindern" wie auch 31,8 "Schwangere und Wöchnerin-
nen". Dieses Interesse ist in der Exilszeit selbstverständlich begreiflich. Man vergleiche Jes 49,19f.; 54,
1-3; Ez 36,10f. 37f.; Sach 2,8.
3. In den alttestamentlichen Schriften ist auch mitgeteilt, daß in der nachexilischen Zeit Probleme der Mischehe die jüdische Gemeinde stark belasteten: Neh 6,18;
10,31; 13,3. 4.23f.25.27;Esr 9,12.15; 10,2f.10f.14.18f.44.
Unübersehbar ist dabei, daß es sich bei den Hauptberich-
ten, die jeweils das letzte Kapitel des Buches Nehemia
und Esra, Neh 13,23-29 und Esr 10, bilden, nicht um die
Mischehe zwischen Heiden und Israelitinnen, sondern um den
umgekehrten Fall geht[85] und darum, daß die vollzogene
Mischehe von Israelitinnen mit heidnischen Männern mit
einer möglichen Ausnahme von einem Fall eines "Tobia" Neh
6,18[86] nirgends in den Berichten mitgeteilt ist. Das ist

---

sches von "sex roles" (JER xxxi 22B, S.239) ankomme, daß nämlich die "Jungfrau Israels", die sonst in den jeremianischen Überlieferungen konsequent mit der Vorstellung von "ten-
derness, innocence, helplessness" (S.238) verbunden sei, nun
Kriegsmänner umringen ("compass") werde. Er hätte aber eine
andere Wendung wählen sollen, die etwa hieße: "Your women will
become warriors!"; das besagt die Einheit 30,5-7 allerdings
nicht.

85   Zur allgemeinen Darstellung der Verhältnisse siehe R.Kittel,
     Geschichte des Volkes Israel III § 60,5.

86   U.Kellermann, Nehemia. Quellen, Überlieferung und Geschichte,
     BZAW 102, 1969, S.168, hält Tobia für "einen Halbjuden aus
     einer jüdisch-ammonitischen Mischehe mit jüdischer Mutter".
     In Neh 10,31; 13,25; Esr 9,12 ist zwar von beiden Fällen der
     Mischehen - der mit jüdischen Frauen und der mit nichtjüdi-
     schen - die Rede, aber es ist doch klar, daß es dabei nicht
     auf bereits vollzogene Ehen, sondern nur auf ein prinzipiel-
     les Verbot der Mischehe im allgemeinen ankommt.

auch bei Mal 2,10-16 der Fall.[87] Allerdings ist bekannt,
daß diese Berichte ihre Entstehung im wesentlichen den zeit-
bedingten Angelegenheiten verdankten, die rein jüdische
Gemeinde um den geweihten Tempel im ummauerten Jerusalem
aufzubauen. Andererseits ist aber nicht zu leugnen, daß
die Mitteilungen, die Mischehen mit nichtjüdischen Frauen
seien praktiziert worden, der Tatsache entsprechen. Es besteht weiter kein Grund anzunehmen, daß die Mischehenpro-
bleme, die in den obengenannten Stellen zu Wort gekommen
sind, in der nachexilischen Zeit ohne Vorgeschichte plötzlich aufgetaucht wären. Vielmehr wird den geschichtlichen
Gegebenheiten recht getan, wenn man annimmt, daß die Mischehe mit nichtjüdischen Frauen, die in Ansätzen schon vor
dem Ende der Selbständigkeit des jüdischen Staatswesens am
Anfang des 6. Jahrhunderts v.Chr. vollzogen worden sein
dürfte, nun unter der Fremdherrschaft zahlenmäßig rasch zu-
nahm. Wahrscheinlich ist auch, daß die Ehen mit nichtjüdischen Frauen weniger aus den kulturell-politischen Gründen
als angesichts des Mangels an einheimischen Frauen vollzogen wurden,[88] gleichgültig, ob Monogamie oder Polygamie da-

---

87 S.Schreiner, Mischehen-Ehebruch-Ehescheidung. Betrachtungen
    zu Mal 2,10-16, ZAW 91, 1979, S.207-228, geht aus von einer
    allgemeinen "Frage nach Erlaubnis oder Verbot der Ehescheidung"
    (S.207) und versucht, ihr dadurch Antwort zu geben, indem er
    die Maleachi-Stelle aus deuteronomischen Ehe- und Scheidungs-
    gesetzen versteht. Vielleicht kommt deswegen in seinen Beob-
    achtungen ein zwischen den beiden obengenannten Typen der
    Mischehen differenzierender Gesichtspunkt im Grunde nicht
    vor, wenn er auch sachlich die Mischehe der Judäer mit nicht-
    jüdischen Frauen im Auge behält.

88 "Daß diese um sich greifende Ehenot ihre eigentliche Ursache
    in der bis hinab zu Nehemia und Esra herrschenden Heiratspo-
    litik der zurückgekehrten Oberschicht hat, die durch Verschwä-
    gerung mit den führenden Schichten der Nachbarstaaten ihre Po-
    sition zu heben suchte," ist nicht so zweifellos, wie (Th.H.
    Robinson und) F.Horst, Die Zwölf Kleinen Propheten, S.269
    (Hervorhebung von mir) schreibt; man müßte eher fragen, warum
    sich Mischehen so verbreiten konnten, wie die angeführten Stel-
    len berichten. Die Verbreitung müßte ihren Grund in erster Li-
    nie in Lebensbedürfnissen des Volkes gefunden haben.

mals üblich waren. Wenn man weiter auch die allgemein anzunehmende Seßhaftigkeit unter den gegebenen Umständen bei
den Frauen im Vergleich mit den Männern denkt, ist plausibel, daß es das bevölkerungs- wie auch religionspolitische
Desiderat der exilischen sowie nachexilischen Zeit im Lande war, daß die Israelitinnen bei den einheimischen Männern bleiben bzw. zu ihnen zurückkehren sollen. Das sind
die Gegebenheiten der Exilszeit, in denen der Verfasser der
vor-dtr. Worte, wie oben unter 2. besprochen, mit wachen
Interessen für die Bevölkerungszunahme im Lande lebte.

Von diesen sprachlichen sowie geschichtlichen Beobachtungen aus, die die ursprüngliche Einheit von 31,21-22a und
V.22b voraussetzt, könnte man schließen, daß die Frauen, die
in V.21-22 vom Verfasser zur Heimkehr aufgefordert sind,
die Israelitinnen waren, die während der unermeßlichen
Kriegsunruhen und der Exilszeiten unter Umständen zu heidnischen Männern gegangen waren.[89] Für diese Annahme scheinen
die Ausdrücke der Aufforderung in V.21-22a zu sprechen, denn
sie deuten an, daß es lediglich auf die Entscheidung der

---

89 Diese Interpretation von 31,21f. scheint sich daran zu stoßen,
    daß בתולה , wie bei KBL, gewöhnlich mit "Jungfrau" übertragen
    wird. So übersetzen das Wort auch J.Aistleitner, Wörterbuch
    der ugaritischen Sprache und C.-F.Jean/J.Hoftijzer, Diction-
    naire des inscriptions des sémitiques de l'ouest. Diese
    Übertragung gilt aber nicht immer; denn M.Tsevat, Art. בתולה
    II.IV, ThWAT I, Sp.875, sieht im Gebrauch des Wortes, mit Ausnah-
    mefällen von Lev 21,13f.; Dtn 22,19 und Ez 44,22, keine ein-
    schränkende Implikation auf Virginität. Dafür spricht am deut-
    lichsten Joel 1,8. In den ugaritischen Texten kommt *btlt* des
    öfteren als epitheton ornans der Göttin Anat vor (siehe C.H.
    Gordon, Ugaritic Textbook, Glossary, No.540, *btlt*), die als
    Gemahlin Baals ihm Kinder erzeugt (UT, bes. Text, Nr.132,
    Zeile 1-8). Im Beinamen *btlt* erblickt G.Fohrer, Geschichte
    der israelitischen Religion 1969, S.35, einen Ausdruck von
    "Jugendfrische und unerschöpfliche(r) Lebens-, Liebens- und
    Empfängniskraft". Diese Implikation von *btlt* entspricht ganz
    der Auslegung von Jer 31,21f. in der laufenden Untersuchung.
    בתולה könnte demnach im Haupttext der Untersuchung mit "junge
    Frau" übersetzt worden sein, aber die geläufige Wiedergabe
    "Jungfrau" wurde meist vorgezogen.

Frau ankommt, ob sie heimkehrt oder nicht; man beachte
die stark psychologische Nuance der Aufforderungen in den
Wendungen: שתי לבך למסלה דרך הלכתי   wie auch עד־מתי
תתחמקין. Dieser Versuch, unter בתולת ישראל   in V.21b die
untreuen Israelitinnen der exilischen und möglicherweise
auch vorexilischen Zeit zu sehen, findet seine Bestätigung in der Wendung: הבת השובבה   (V.22a), die בתולת ישראל
parallel geht, denn die Bedeutung von (ה)שובב , nämlich "ab-
trünnig sein", ist durch שובו בנים שובבים   in 3,14.22 belegt.[90] Wenn die Beobachtungen soweit richtig sind, ergibt
sich die folgende Bedeutung von V.22b: Jahwe hat durch den
Eingriff in die Geschichte im Lande ein Neues geschaffen.
Das heißt, daß die Kriegszeit im Lande endgültig beendet
ist (31,5.12b). Der Frieden herrscht im Lande und die
Frauen können sich deshalb unter den Landsleuten mit den
Männern, die die Kriegszeiten hindurch im Feld standen,
nun verbinden, so daß ihre Nachkommenschaft nicht geringer
werden wird (30,19a).[91]

---

90   W.L.Holladay, The Root ŠUBH in the Old Testament, 1958,
     S.134-137, gibt שובב mit "faithless" wieder. Anders z.B.
     Duhm und Cornill, wohl aber nicht zu Recht. Vgl. auch Holla-
     day, JER, xxxi 22B, S.236.

91   Es ist in diesem Zusammenhang interessant, daß die Nachge-
     schichte des sog. "amphiktyonischen Krieges" in Ri 21-22
     - eine schöne Erzählung über die Gotteszüchtigung, die die
     Vernichtung Benjamins nicht herbeigeführt hat - Jer 31 in
     manchen Punkten ähnlich ist:
     1. es kommt auch bei der Nachgeschichte auf das Nachkommen-
     schaftsproblem an (Ri 21,3.17), und zwar die Nachkommenschaft
     des "Restes" aus Benjamin (פליטה לבנימין   V.17). Man ver-
     gleiche diese Wendung mit den Sätzen: "das Volk der dem
     Schwert Entronnenen" (עם שרידי חרב   Jer 31,2) und (Jahwe
     rettete) "den Rest Israels" שארית ישראל את   V.7). Man
     könnte vielleicht auch darin eine kontextuelle Entsprechung
     zum Satz "das Volk der ..... Entronnenen hat Gnade in der
     Wüste gefunden" (מצא חן במדבר עם שרידי חרב   Jer 31,2) fin-
     den, daß sechshundert Männer aus dem "Schwert" der Alliier-
     ten in die "Wüste" auf den Felsen von Rimmon entfliehen konn-
     ten (Ri 20,17a.45a).
     2. das Wort מחול   (Reigentanz) begegnet in Ri 21,21; Jer
     31,4.13. Vgl. auch oben S. 126.
     3. man könnte vielleicht Ri 21,23 (Themen von "als Ehegattin

Diese Erklärung von 31,22b schließt aber die Möglichkeit nicht aus, daß V.22b (כי ברא... גבר) ein späterer
Zusatz als die vor-dtr. Worte ist; sieht man hinter V.22b,
wie es oben erklärt ist, die Frage der Nachkommenschaft
in der exilischen wie auch nachexilischen Zeit, dann findet sie ihren Niederschlag wohl auch in V.27 (deuteronomistisch)[92] sowie in V.36-37 (postdeuteronomistisch)[93].

Immerhin kann von den bisherigen Beobachtungen mit Sicherheit geschlossen werden, daß die Erwähnungen der
"Jungfrau Israels", und also des Femininen im allgemeinen,
in den vor-dtr. Worten aus den Forderungen der Zeit zu verstehen sind, in der der Verfasser lebte, und daß die femininen Figuren dort keine tragende Rolle spielen; das Vorkommen der "Jungfrau Israels" in 31,21 deshalb kein Gegenargument gegen die Grundeinstellung des vor-dtr. Verfassers zur maskulinen Formulierung sein kann.

---

aus den Tanzenden zu wählen", "Zurückkehr samt der Frauen
zum eigenen Land" und "Wiederaufbau der Städte") mit Jer
31,21-22 und 30,18 vergleichen. Siehe auch Ziegler, Beiträge,
S.97.A.1.

92   Herrmann, Heilserwartungen, S.166f., Thiel (1981), S.22,
      Böhmer, S.72ff.

93   Thiel (1981), S.28.

III.   Die vor-dtr. Heilsworte in Kap. 2, 3, 6 und 10

1.   __2,2aγ-4__

Es fällt auf, daß die erste Hälfte des jeremianischen
Spruches 31,2-6 zum Teil den Worten 2,2aγ-3 ähnlich ist,[1]
die den Anfang der poetischen Teile des Buches Jeremia
bilden:

31,2aβ-6   (2) מצא חן במדבר עם שרידי חרב
הלוך להרגיעו ישראל   (3)מרחוק יהוה נראה לי
ואהבת עולם אהבתיך   על־כן משכתיך חסד
(4) עוד אבנך ונבנית בתולת ישראל
עוד תעדי תפיך ויצאת במחול משחקים
(5) עוד תטעי כרמים בהרי שמרון
נטעו נטעים [2]וחללו
(6) כי יש־יום קראו נצרים בהר אפרים
קומו ונעלה ציון אל־יהוה אלהינו

2,2aγ-3   (2) זכרתי לך חסד נעוריך אהבת כלולתיך
לכתך אחרי במדבר בארץ לא זרועה
(3) קדש ישראל ליהוה ראשית תבואתה
כל־אכליו יאשמו רעה תבא אליהם נאם־יהוה

---

1   Schon Graf, S.378, hat darauf hingewiesen. Auch Nötscher.
     Auf die Parallele von 2,2 mit 31,2 haben Graf, Volz und Wam-
     bacq, mit 31,3 v.Orelli und Rothstein hingewiesen. Nötscher
     bringt 31,2-3 mit 2,2 in Verbindung.

2   Siehe über die Lesart die befriedigende textkritische Erklä-
     rung Cornills, daß man statt וחללו   das Imperfekt des Zeit-
     wortes יחללו   lesen soll. Ihm folgend Rudolph, z.St. Anders
     Ehrlich, Randglossen, z.St. Rudolph hält נטעו נטעים וחללו
     für eine "rhythmisch überschießende Glosse nach Dt 28₃₀".
     Dabei setzt sein Urteil voraus, daß 31,2-13 aus 3 achtzeiligen
     Strophen bestehe (S.188), was aber aus seinen Übersetzungen
     nicht immer ersichtlich ist. Wenn man den Spruch Jeremias
     V.2-6 für sich behandelt, wird deutlich, daß zumindest die
     drei letzten Verse, V.4-6 formal am besten als zweizeilig ge-

In diesen beiden Einheiten sind der Wortschatz sowie
einzelne Vorstellungen zum Teil gemeinsam: in beiden
(31,3b und 2,2a) kommt das Wortpaar חסד–אהב im parallelismus membrorum vor. Die beiden Worte begegnen im Parallelismus mit Ausschluß von Esth. 2,17 sonst im AT nicht.[3]
Wenn auch die Subjekt-Objekt-Beziehung um diese Worte in
den beiden umgekehrt sein mag,[4] handelt es sich immerhin
um die Beziehung zwischen Jahwe (31,3; 2,3) und Israel
(31,2; 2,3), wobei immer Jahwe sein Volk Israel in der
2. Person anredet (31,3b.4f.; 2,2aγ-b). Gemeinsam sind

---

gelesen werden können, wobei jeweils zwischen den zwei Zeilen
eine inhaltliche Entfaltung gemeint ist. Vgl. die Anordnung dieser drei Worte bei BHS und bei Giesebrecht, Jeremias Metrik,z.St.

3   Man beachte neben dem synonymen Parallelismus zwischen diesen
zwei Worten noch Parallelen in der Grundbedeutung zwischen
עולם (אהבת) und (חסד) משכתיך . Gegen Duhm, der von der Verbindung משכתיך חסד wegen angeblicher grammatischer Schwierigkeit חסד streicht, siehe Cornill und Rudolph, z.St. Man
sollte ferner beachten, daß diese Zeile einschließlich חסד
im Grunde offensichtlich chiastisch aufgebaut ist, vgl. auch
Holladay, Style, Irony and Authenticity, S.45.

4   Nach der geläufigen Ansicht handelt es sich in 2,2a um Israels eigenen חסד , an den sich Jahwe erinnert. Aber M.V.Fox,
Jeremiah 2:2 and the "Desert Ideal", CBQ 35, 1973, S.441-450,
legt חסד נעוריך als den חסד aus, der von Jahwe 'dir in
deiner Jugend gegeben wurde'. Diese Interpretation stützt sich
auf zweierlei Beobachtungen: erstens darauf, daß "hessed is
never used to describe man's attitude or actions toward God.
..... hessed does not imply mutuality, but rather a one-si-
ded boon or favor given by one who has the power to aid the
recipient of the hessed " (S.443). "So hessed could never be
applied to Israel's behavior toward God" (S.444). Zweitens beruft sich die Interpretation von Fox darauf, daß נעוריך (חסד)
syntaktisch z.B. mit דוד חסדי (Jes 55,3) bzw. אלהי חסדי
(Ps 59,18) zu vergleichen ist; die zwei letzten Wendungen sind
nach Fox als "objective genitive" (S.444) konstruiert und deshalb bedeuten sie jeweils "the devine hessed given him" (sc.
David) (S.444) 'den Gott, von dem ich חסד erhalten habe'.
Fox meint, daß נעורין in Jer 2,2 dementsprechend den
hessed bedeutet, den Jahwe Israel in seiner Jugendzeit
gegeben hat.

ihnen weiterhin nicht nur die Erwähnung von מדבר , wohl im Hinblick auf Ägypten,[5] sondern auch der Vergleich Israels mit einer jungen Frau (בתולת ישראל 31,4; כלולתיך[6] 2,2). Des weiteren ist zu beachten, daß auch gemeinsam in den beiden das Wort הלך gebraucht wird, um die Wanderung in der Wüste auszudrücken (31,2;[7] 2,2). Man kann weiter darauf hinweisen, daß sich קדש ישראל ליהוה ראשית תבואתה (2,3a) und כרמים ... נטעו נטעים יחללו (31,5) aufeinander beziehen können, und zwar in dem Sinne, daß sich die beiden

---

5   Nicht selbstverständlich ist in V.2, welche Wüste in der Umgebung Israels mit במדבר gemeint ist. Böhmer, S.52-54, nimmt anhand der Vorschläge Rothsteins und Bachs an, daß מצא חן במדבר ursprünglich מצא יהוה במדבר war und der darauffolgende Satzteil עם שרידי חרב nicht das Subjekt, sondern das Objekt von מצא bezeichnet. Böhmer findet für die durch diese Konjektur entstandene Bedeutung ("Jahwe fand in der Wüste ein Volk dem Schwerte Entronnener") Indizienbeweise in den Belegen, die sich an die Wüstenzeit Israels erinnern (Hos 9,10; Dtn 32,10; Ez 16,4ff.). So deutet er במדבר in 31,2 als die Wüste, durch die Israel beim Auszug aus Ägypten wanderte. Zur gleichen Auslegung von במדבר in 31,2 ist schon Cornill, z.St. ohne Textänderung mit der Begründung gelangt: "unvorbereitet und ohne jede nähere Bezeichnung ..... konnte ein Leser oder Hörer unter <u>der Wüste</u> schlechthin, in welcher Israel Gnade gefunden (hat), nur die מדבר ארץ מצרים , ... verstehn." Anders Weiser, z.St. Auch wegen נעוריך bezieht sich במדבר wohl auf den Auszug aus Ägypten.

6   Umstritten ist die genaue Bedeutung des Wortes כלולות in 2,2, vgl. Schottroff (unten A.10), S.267. bes. A.21 und 22. Eindeutig ist aber anhand des Parallelismus אהבת כלולתיך // חסד נעוריך , daß כלולות auf den Stand der jungen Frauen deutet, siehe auch KBL und M.Tsevat, Art. בתולה , ThWAT I, Sp.875ff. Soweit steht כלולתיך in 2,2 dem Wort (ישראל) בתולת in 31,4 parallel.

7   Siehe den App. BHS zu הלוך in 31,2. Obwohl einst die Kommentatoren meinten, daß הלוך eine Art Selbstaufforderung Jahwes sei (so Graf, Ewald, Naegelsbach, Keil, v.Orelli und Driver), ist heutzutage die Meinung vorherrschend, daß ישראל das Subjekt zu הלוך ist, so auch Ehrlich, Randglosse. Vgl. aber Duhm, der statt ו(להרגיע) ישראל in Verbindung mit dem darauffolgenden מרחוק gewagt וְיָשָׁר אֵל lesen will. Diese Konjektur ist aber unwahrscheinlich, denn אל statt יהוה als Gottesbezeichnung ist dem Propheten offensichtlich fremd.

gemeinsam auf die kultische Vorstellung der Erstlingsfrüchte aufbauen.[8] Von diesen Befunden kann man erschließen, daß die dargelegten Entsprechungen in Wort und Vorstellung zwischen 31,2-6 und 2,2aγ-3 nicht zufällig sind. Da der Parallelismus der Worte חסד und אהב beinahe nur in den beiden Einheiten vorkommt, schließt sich die Möglichkeit aus, daß sich die beiden nicht unmittelbar aufeinander beziehen würden, sondern sie einen breiteren überlieferungsgeschichtlichen Hintergrund haben könnten, woraus sie einzeln entstanden wären.

---

8 Die eigentliche Bedeutung von חלל in 31,5b ist, wenn es als Pi'el, nämlich als יְחַלְּלוּ , gelesen wird, eindeutig "in (profanen) Gebrauch nehmen" (E.Jenni, Das hebräische Pi'el, 1968, S.234). Diese Bedeutung unterscheidet sich offenkundig von der Hiph'il-Form des Wortes "anfangen", wobei gleichgültig ist, ob sich die letztere Bedeutung, wie W. Dommershausen, Art. חלל I ThWAT II, Sp.972, vermutet, von der ersten herleitet, und zwar im Sinne von "nach einer Weihezeit in profane Nutzung nehmen (vgl. Jer 31,5)". יחללו in 31,5b erinnert deshalb an die Gesetze in Lev 19,23-25. Obwohl an beiden Stellen nicht von Erstlingsfrüchten bzw. -ernten, wie in Ex 23,19 oder Nu 18,12-13, die Rede ist, läßt sich erschließen, daß es in Jer 31,5b sowie in Lev 19,23-25 immer auf die Erstlinge ankommt. Erkannt ist weiter, daß dieser Brauch des Entweihens, der vermutlich mit dem Privilegrecht der Priesterfamilien zu tun hat (K.Elliger, Leviticus, HAT I, 4, 1966, S.261), grundsätzlich auf der Vorstellung beruht, daß die Erstlingsernten heilig (קדש Nu 19,24) sind. Wenn man diesen kultgeschichtlichen Hintergrund von יחללו richtig begreift, so nähern sich dieses Wort und Jer 2,3 einander, denn die kultischen Vorstellungen קדש, אשם (vgl. u.a. Lev 5,14-16), insbesondere aber ראשית תבואתה Erstling der Ernte (vgl. Lev 2,12; Nu 15,20.21; 18,12) wie auch אכל in Verbindung mit ראשית תבואתה bestimmen die Formulierungen und Bedeutung von 2,3 entscheidend. Vgl. auch die Beurteilung Duhms, z.St., daß "der Priestersohn Jeremia sich eines kultischen Bildes bedient ....." Ersichtlich ist aber auch, daß 31,5, als Ganzes gesehen, weniger den Entweihungsgesetzen wie z.B. Nu 19,23-25 als der "Ansprache der Amtleute" in Dtn 20,6 nahesteht, wo es um "eine Befreiung vom Kriegsdienst" (G.v.Rad, Das fünfte Buch Mose. Deuteronomium, ATD, S.94) geht. Denn 31,5 findet sich in der Heilszusage Jahwes und spricht von der Friedenszeit. Man kommt deshalb zu dem Schluß, daß sich 31,5 auf 2,3 wohl nicht bezieht und daß sich aber 2,3 von 31,5 entfaltet haben kann.

Wie ist dann diese Beziehung zwischen den beiden aufzufassen? Daß der Parallelismus חסד // אהבה in 2,2 auftaucht, spricht nach Böhmer für die positive Bewertung der
Echtheit von 31,2-6.[9] Man darf in diesem Zusammenhang die
ausführliche Untersuchung W.Schottroffs zu 2,1-3 heranzie-
hen, die zum Schluß gekommen ist, daß die Einheit aller
Wahrscheinlichkeit nach aus einer exilischen Redaktion
stammt.[10] Er stellt das methodische Prinzip auf, "daß jede als selbständig nachweisbare literarische Einheit zunächst aus sich selbst allein heraus erklärt werden muß."[11]
Dann werden mehrere bisherige Versuche, 2,1-3 als eine in
sich geschlossene und für sich stehende literarische Einheit zu erklären, jeweils kritisch in Betracht gezogen, so
daß Schottroff urteilt, "daß offensichtlich die Einheit
Jer 2,1-3 aus sich selbst heraus nicht sinnvoll verstanden
werden kann."[12] Er ist deshalb dazu gezwungen, den inhaltlichen Zusammenhang der Einheit mit V.4ff. zu prüfen und
ist zum Ergebnis gekommen: "Trotz der deutlichen formalen
Unterschiede, die zwischen Jer 2,1-3 einerseits und Jer
2,4ff. andererseits bestehen, kann Jer 2,1-3 nicht in dem
Sinne als eigenständiger Spruch bezeichnet werden, daß er
in der uns vorliegenden Form einmal selbständig vorgetragen
und für sich überliefert worden wäre."[13] Daraus schließt er,
daß die enge Bezogenheit von 2,1-3 auf V.4ff. dafür spricht,
"daß dieser Spruch (sc. 2,1-3) von vornherein auf Jer 2,4ff.

---

9   Böhmer, S.54f. Dabei hat er den Unterschied in Subjekt-Objekt-
     Beziehung zwischen Jahwe und Israel in 31,2-3 und 2,2 bemerkt
     und wohl erfolglos versucht, die Abweichung so zu erklären:
     "dort (sc. 2,2f.) beschreibt Jeremia das Verhalten Israels ge-
     genüber Jahwe mit diesen Begriffen (sc. אהבה - חסד); aus
     Jer 31,3b wird deutlich, welch einem Gott Israel gefolgt ist ..."

10   W.Schottroff, Jeremia 2₁₋₃. Erwägungen zur Methode der Prophe-
     tenexegese, ZThk 67, 1970, S.263-294.

11   Schottroff, aaO. S.268, zitiert hier die Worte O.Eißfeldts.

12   Schottroff, aaO. S.270.

13   Schottroff, aaO. S.290.

hin konzipiert worden ist."[14] Soweit hat Schottroff durch
diese Feststellung der "nachjeremianische(n) Entstehung
von Jer 2,1-3",[15] recht, die nach ihm "auf die exilische
Verarbeitung der 587 v.Chr. hereingebrochenen Katastrophe im Anschluß an Jeremia ... zurückzuführen ist."[16] Anhand dieser Beobachtungen erklärt er die Einheit 2,1-3 als
die "den Versen 4ff. vorangestellte Verteidigungsrede Jahwes in eigener Sache, in der es diesem um den 'Beweis für
die eigene Unschuld' geht."[17]So wird ihm deutlich, "daß
die Aussagen von V.2f. sämtlich auf die Vergangenheit zu
beziehen sind (Ich gedachte dir zu Gunsten deiner Jugend-
treue ... . Heilig war Israel Jahwe .....) und die Abwehr
des Vorwurfs darstellen, Jahwe sei seinem Volk schon in
der Vergangenheit nicht gemeinschaftsgemäß begegnet".[17]
Seine Annahme, "daß die Aussagen von V.2f. sämtlich auf
die Vergangenheit zu beziehen sind ...", hat sich aber
nicht bewährt; er hat merkwürdigerweise V.3b (כל־אכליו
יאשמו רעה תבא אליהם) in seiner sonst ausführlichen Untersuchung nirgendwo für sich behandelt, so daß er nicht ausreichend erklären konnte, warum man auch diese zwei Sätze
im Imperfekt, die offensichtlich auf die Zukunft gerichtet
sind, als Präterium erläutern müßte, indem er V.3 nur als
den "Höhepunkt des Spruches, in beinahe lehrsatzmäßiger
Formulierung als die Unantastbarkeit Israels in der ver-

---

14   Schottroff, aaO. S.290. Durch diese Schlußfolgerung unterschei-
      det sich Schottroff von R.Bach, Die Erwählung Israels in der
      Wüste, Bonner Diss. 1951, der meint: "Der Spruch (Jer 2,2-3)
      ist durch eine Überschrift (sc. V.4) ..... und den Wechsel
      der angeredeten Person deutlich vom Folgenden getrennt. Trotz-
      dem wird man ihn nicht isolieren können" (aaO. S.3). Bach
      versucht, diese Diskrepanz aus "der beabsichtigten Zweideutig-
      keit des Spruches" (aaO. S.5) zu erklären, mit der "der Prophet
      seine Zuhörer ..... aufmerksam läßt in freudiger Stimmung, um
      dann dreinzuschlagen mit seinem Vorwurf (sc. V.5ff.) ....."
      (aaO. S.5). Die Schwäche dieser Beobachtung Bachs liegt wohl
      darin, daß er auf die Frage nach dem Aussagegehalt der Über-
      schrift V.4, wie bei Schottroff, nicht eingeht (vgl. aaO.S.3,A.10).

15   Schottroff, aaO. S.292.

16   Schottroff, aaO. S.291.

17   Schottroff, aaO. S.290. Auch die folgenden Zitate sind dorther.

gangenen Zeit des Wüstenzuges" kennzeichnete. Nun kann
man die bisherigen Besprechungen folgendermaßen zusammenfassen: Schottroff ist einerseits insofern recht zu geben, als er erkennt, daß 2,1-3 aus sich selbst heraus keinesfalls sinnvoll verstanden werden kann und deshalb von
einer Redaktion herrühren muß, andererseits aber trifft er
insoweit wohl nicht das Richtige, als er schließt, daß
2,1-3 lediglich im Zusammenhang mit 2,4ff. als die "Apologie Jahwes"[18] erläutert werden muß. Diese Auffassung
Schottroffs von 2,1-3 als Apologie Jahwes zu V.4ff. scheint
verursacht zu haben, daß über den "gewissen stilistischen
Bruch, der im Übergang von der Ich-Rede Jahwes und der Anrede an Israel in V.2 zur Rede von Jahwe und Israel in
3. Person besteht",[19] keine weitergehende Betrachtung an-
gestellt wurde.

Bemerkenswert ist in diesem Zusammenhang, daß S.Herrmann
die Einheit 2,1-3 als den "ersten sich selbständig gebenden
Spruch im Jeremiabuch" gekennzeichnet und dieser Sprucheinheit den Wert "programmatischer Bedeutung" beigemessen hat,
als er das Problem der Redaktionen des Buches behandelte.[20] Dieser Hinweis Herrmanns ruft den Versuch hervor, die
Einheit 2,1-3 nicht nur, wie bei Schottroff, in Beziehung
zu den darauffolgenden Abschnitten V.4ff. zu setzen, sondern auch in möglicherweise weiterreichende Zusammenhänge
im ganzen Buch zu bringen.[21] Nun erinnert man sich gleich
angesichts der Beobachtungen, die am Anfang des vorläufi-
gen Abschnittes gemacht worden sind, daran, daß es keine
andere Einheit im Buch Jeremia als 31,2-6 gibt, die sich so
eng auf 2,1-3 bezieht. Die Meinung, die beiden Einheiten
seien voneinander zu entfernt, um aufeinander bezogen zu
werden, ist nicht zwingend, denn die Stellung von Kap. 30-31

---

18   Schottroff, aaO. S.292.

19   Schottroff, aaO. S.270

20   S.Herrmann, Die Bewältigung der Krise, S.173.

21   Siehe unten A.45, bes. meine Besprechung über die Untersuchung
      Peter K.D. Neumanns in den letzten Zeilen der Anmerkung.

im Buch ist erst durch die deuteronomistische Redaktion
der Exilszeit bestimmt worden [22] und die Frage, wie die Elemente, die die Redaktion zum Buch zusammenfügten, vor der
Redaktion angeordnet waren, ist noch nicht endgültig geklärt.
Daraus ergibt sich die Möglichkeit, daß sich 2,2-3 und
31,2-6 unmittelbarer aufeinander bezogen haben, anders als es
jetzt im MT erscheint. Diese Möglichkeit steht im wesentlichen im Einklang auch mit dem Urteil Schottroffs, daß 2,1-3
"nachjeremianisch"[23] und exilisch sind,[24] denn auch der
Verfasser der vor- dtr. Worte in Kap. 30-31, der den Spruch
Jeremias 31,2-6 in sein Werk Kap 30-31 übernommen hat,[25]
lebte in der Exilszeit. Auffällig ist nun, daß die Zukunfts-
aussage Jahwes 2,3b, deren Zusammenhang mit V.2-3a bei
Schottroff keine gute Erklärung finden kann, genau den vor-
dtr. Worten 30,16 entspricht:[26]

> Aber alle, die dich gefressen (אכל) haben,
> sollen wieder gefressen (אכל) werden,
> und alle deine Bedränger sollen in Gefangenschaft wandern.
> Die dich ausgeplündert, sollen der Plünderung verfallen,
> und alle, die dich ausgeraubt, gebe ich dem Raube preis.

Der Sachverhalt ist deshalb so, daß 2,2 - 3a und V.3b
jeweils dem Spruch Jeremias 31,2-6 und den vor-dtr. Worten
30,16 entsprechen. Das heißt, daß man 2,2-3 teils in en-
gem Zusammenhang mit den jeremianischen, teils mit den
vor-dtr. Worten verstehen kann. Wichtig ist nun, ins Auge zu
fassen, daß die Vorstellungen und Gedanken, die man von den
vor-dtr. Worten 30,16 herleiten kann, weniger in der ersten
Hälfte als in der letzten von 2,2-3; nämlich in V.3, vorkom-

---

22   Thiel (1973), S.282.

23   Schottroff, Jeremia 2,1-3, S.292.

24   Schottroff, aaO. S.292

25   Siehe oben EXKURS 3 , bes. S.124ff.

26   Hitzig deutet die Beziehung zwischen 2,3 und 30,16 an. Die Über-
     setzung erfolgt hier nach der Jerusalemer Bibel.

men. Dieser Sachverhalt entspricht den Verhältnissen in den
vor-dtr. Worten 30,5-7; auch hier schafft der Verfasser,
wie oben dargelegt,[27] zuerst in V.5-6 für die Aufnahme des
Spruches Jeremias 6,24 Raum, der dann in V.7 selbst zur
Sprache kommt. Wenn man diese Beobachtungen mit der Erkenntnis des "gewissen stilistischen Bruches"[28] zwischen 2,2 und
V.3 wie auch mit der Auffassung von V.3 als dem "Höhepunkt
dieser Einheit"[29] verbindet, wird es naheliegen, daß die
Entstehung dieser Worte auch jenem literarischen Angleichungsverfahren zuzuschreiben ist, das den vor-dtr. Verfasser charakterisiert. Dann bietet sich die Möglichkeit, daß man 2,2-3
das Ergebnis des Bestrebens des Verfassers sehen kann, in
Anlehnung an den Spruch Jeremias 31,2-6 seine eigenen Worte
zu formulieren. Erst von diesem Angleichungsverfahren kann
man gut erklären, warum sich 2,2-3 einerseits nach vorn und
hinten als abgeschlossen zeigt und andererseits in sich
selbst nicht völlig einheitlich ist.

Die zweiseitige Beziehung der Einheit 2,2-3 einerseits mit
den jeremianischen und andererseits mit den vor-dtr. Worten
in Kap. 30-31 kann man ferner auch im Hinblick auf das Verbum
זכר in 2,2 wahrnehmen. Das Wort kommt innerhalb der Einheiten von 30,5-31,22 nur einmal vor, und zwar in 31,20 in Form
von זכר אזכרנו.[30] Es läßt sich deshalb fragen, inwieweit
sich 31,18-20[31] und 2,2-3 aufeinander beziehen. Schon auf

---

27 Siehe oben EXKURS 3, bes. S. 123ff.

28 Schottroff, aaO. S.270.

29 Schottroff, S.276. Der Satz, in dem sich das Zitat befindet,
lautet: "Daß hier in V.3., der wohl kaum nur als bloße Weiter-
führung des Gedankens von V.2 angesehen werden kann, sondern
offensichtlich den Höhepunkt dieser Einheit darstellt ....."
Auch Duhm scheint zwischen 2,2-3a und V.3b eine Diskrepanz zu
spüren: "Die klassische Zeit der Religion und Geschichte Israels ... dient hier am Eingang (sc. in V.2) als Folie der gegenwärtigen Zustände" (S.16), hingegen "auf die Gegenwart gehen
sie (sc. die "Verben V.3b) nicht" (S.17).

30 Sonst kommt das Verbum im Jeremiabuch noch in 3,16; 4,16;
11,19; 14,10.21; 15,15; 18,20; 20,9; 23,36; 31,34; 51,50 vor.

31 Über die Abgrenzung des Spruches 31,18-20 von V.15-17 siehe
Böhmer, S.63f., vgl. auch Weiser.

den ersten Blick fällt es auf, daß auch das Wort "Jugendzeit" נעורים in den beiden Einheiten auftaucht (נעורי
2,2a; נעורי 31,19b). Gemeinsam sind den beiden Einheiten
also erstens die Beschreibung der grundsätzlichen Beziehung
Jahwes mit zwei Prädikaten zu Israel (2,3aα) bzw. Ephraim
(31,20aα), zweitens der Rückblick auf die Jugendzeit Israels (2,2aδ) bzw. Ephraims (31,19bβ), drittens Jahwes Gedenken (זכר) des Verhaltens Israels in der Vergangenheit
(2,2aγ) bzw. Jahwes beständiges Gedenken (זכר) der Person
Ephraims (31,20aδ) und schließlich der Hinweis auf die Sicherheit Israels (2,3b) bzw. Ephraims (31,21aβ) in der Aussicht auf Jahwes Eingreifen. Hinzuzufügen sind für die
Feststellung des Zusammenhanges zwischen den beiden Einheiten noch zwei Punkte: einmal ist in 31,20 die Beziehung
Jahwes zu Ephraim in der Frageform ausgedrückt, während in
2,3 seine Beziehung zu Israel im Aussagesatz festgestellt
ist. Insofern besteht ein Unterschied; es ist aber leicht
anzunehmen, daß Jahwe seine an sich gerichtete Frage
schließlich bejahen will, wenn man den Entschluß Jahwes
(v.20bβ) in Betracht zieht.[32] Man kann deshalb die Frage
Jahwes "Ist mir denn Ephraim ein teurer Sohn, ist er Lieblingskind?" (31,20aα-β) mit der Eigentumserklärung Jahwes
"Heilig ist Israel Jahwe, sein Erstlingsertrag" (2,3aα-β)
vergleichen. Die Zweigliedrigkeit dieser Sätze ist hier
auch zu bemerken. Noch liegt zwischen den beiden ein deutlicher Unterschied darin, daß in 31,18-20 von "Ephraim" und
in 2,1-3 von "Israel die Rede ist. Es ist aber in diesem
Zusammenhang bemerkenswert , daß der vor-dtr. Verfasser in
31,9b "Ephraim" mit "Israel" identifiziert.[33] Da der Ver-

---

32   Man findet eine tiefgründige Erläuterung der Frage Jahwes
      (31,20) bei Weiser.

33   Böhmer, S.82f., legt dieses Nebeneinander von "Israel" und
      "Ephraim" in 31,9 darauf hin aus, daß " 'Ephraim' ..... eine
      wichtige, doch partikulare Größe" sei (S.83). Man kann aber
      annehmen, daß diese Periode im sog. synthetischen Parallelis-
      mus aufgebaut ist; obwohl es von der ersten Reihe (Ich (sc.
      Jahwe) = Vater Israels) nicht unbedingt erschlossen werden

fasser der Einheit 2,2-3 wie oben festgestellt, wohl die
vor-dtr. Worte 30,16-17 kannte, muß er auch diese Identifikation vorausgesetzt haben. Daher kann man aufgrund dieser
Beobachtungen 31,20a in inhaltlicher Hinsicht im Grunde
folgendermaßen auslegen: "Mein teurer Sohn ist Israel,
(mein) Lieblingskind." Wenn man weiter bedenkt, daß die
Erwähnung von Israel (=Ephraim) jeweils in 2,2-3 und in
31,18-20, wie oben schon gezeigt, von den Worten זכר und
נעורים begleitet wird, ist der Schluß fast sicher, daß
sich 2,2-3 und 31,18-20 aufeinander eng beziehen. Der Sachverhalt, daß die beiden Einheiten trotz dieser Entsprechungen wohl durch keine bisher bekannte Gattung gestaltet
worden sind,[34] dürfte auf die literarische Abhängigkeit

---

kann, daß Israel sein Erstling sei, liegt es doch nahe, daß
diese Periode weniger die zweimal verschiedenen Stellungnah-
men Jahwes einmal zu Israel, einmal zu Ephraim hintereinander erklären will, als daß sie ein und dieselbe Beziehung
Jahwes mit Israel-Ephraim herausstellt. Man kann deshalb in
diesem synthetischen Parallelismus wohl die Absicht der Identifikation von Israel und Ephraim ablesen. Wenn man weiter
Rücksicht darauf nimmt, daß der Verfasser der vor-dtr. Worte
lediglich hier in 31,9 den Namen erwähnt, kann man hier sicherlich die Absicht ablesen, die darauf zielt, durch die
Identifikation "Ephraim" in den Namen "Israel" aufzulösen.
Deuterojesaja, dem der Verfasser zeitlich wie auch gedanklich nahesteht - was zunächst der Parallelismus "Jakob"-"Israel" bestätigt -, erwähnt "Ephraim" nicht. Dieses Indiz, das
mit der negativen Einstellung des Verfassers der "nachjeremianische" Worte zu "Ephraim" im Einklang steht, könnte, obwohl es argumentum e silentio ist, den territorialgeschicht-
lichen Gegebenheiten der Exilszeit entsprechen.

34 Weiser bemerkt in 31,18-19 einerseits "die wesentlichen Form-
    elemente des 'Bußlieds'" und vermutet, daß die Sprüche "nach
    liturgischem Vorbild gestaltet" sind. Andererseits übersieht
    Weiser die Besonderheit des Spruches nicht und kommt zu dem
    Schluß: "Der durch die Tradition vorgegebene Rahmen der Buß-
    feier und die prophetische Erkenntnis vom Wesen und der Be-
    deutung echter Buße ..... erklärt hinreichend Formen und In-
    halt der Bußliturgie". Schottroff, aaO. S.268, hätte aufzei-
    gen sollen, "daß das Verbum זכר hier (sc. 2,2) in einer be-
    stimmten gattungstypischen Verwendung stünde".

der Einheit 2,2-3 von 31,18-20 hinweisen. Schließlich kann
man noch die vor-dtr. Worte 31,9b als Argument dafür anführen, daß 2,2-3 vom vor-dtr. Verfasser gestaltet wurde.
31,9b lautet:

כי־הייתי לישראל לאב ואפרים בכרי הוא

Diese Definition, daß Israel - Ephraim der Erstling Jahwes ist,[35] erinnert ohne weiteres an 2,3a:

קדש ישראל ליהוה ראשית תבואתה

Man kann zwischen den beiden die Ähnlichkeit im Gedanken
feststellen: Israel ist hier in 2,3a ראשית תבואתה , dort
in 31,9b בכרי .[36]

Angesichts der soweit gemachten Beobachtungen ist schon
wahrscheinlich, daß der vor-dtr. Verfasser auch 2,2-3 gestaltete. Gegen diese Schlußfolgerung hinsichtlich der Verfasserschaft von 2,2-3 könnte ein Bedenken gehegt werden,
daß sich die Formulierungen in 2,2, אהבת כלולתיך לכתך אחרי
במדבר , an jener Grundeinstellung des Verfassers zur maskulinen Formulierung stoßen, die sich an seinem Angleichungsverfahren bemerken läßt, das, wie oben zwischen 6,24 und
30,5-6[37] wie auch zwischen 31,4 (בתולת ישראל) und V.13
(בתולה)[38] beobachtet wurde, auf die "Maskulinisierung"
bzw. auf die Relativierung der femininen Formulierungen in
den Sprüchen Jeremias zurückgreift. Dieses Bedenken wird
aber beseitigt, wenn man den folgenden Fragen nachgeht, nämlich, ob in 2,2 das Feminine wirklich im Vordergrund steht
oder ob nicht das Feminine, wenn es auch so scheinen mag,

---

35   Siehe oben S.148, A.33.

36   Über den recht- und kultgeschichtlichen Zusammenhang zwischen
     dem Begriff בכור und ראשית   im AT siehe die Zusammenfassung
     M.Tsevats, Art.בכור, ThWAT I, Sp.648:(das Erbgesetz des Erstlings
     ist) "Im Grunde nichts als ein Ausdruck der ..... Hochschätzung
     des ersten, und zwar männlichen Kindes. Der Erste ist das Beste.
     ראשית heißt beides ....." Auch die Konstruktion בכרי הוא
     erinnert an den ähnlichen Aufbau im sog. sexuellen Dekalog Lev
     18,7-17: nämlich an V.7b. 8b. 11a. 12b. 13b. 14b. 16b und 17b
     (siehe auch Elliger, HAT, z.St.).

37   Siehe oben EXKURS 3, bes., S.123f.

38   Siehe oben EXKURS 3, bes., S.125f.

in irgendeinem Maße relativiert worden ist. Man hat seit
langem angenommen, daß die obenzitierten Worte von 2,2,
explizit oder implizit, die Vorstellung des Ehezustandes
Israels mit Jahwe voraussetzen.[39] Üblich ist bei dieser
Annahme, daß man sich auf die Worte Hoseas, u.a. 2,17 wegen der Formulierungen von כימי נעוריך und עלתה מארץ־
מצרים beruft,[40] was an sich wohl gerecht ist. Wichtig ist
nun, genau zu beobachten, wie sich die Worte in Jer 2,2,
die denen in Hos 2,17 nahestehen, aufeinander beziehen und
was sie eigentlich bedeuten. Es fällt auf, daß die Kommentatoren auf den Parallelismus חסד נעוריך // אהבת כלולתיך
ihre Aufmerksamkeit nicht hinreichend gerichtet haben. Eindeutig bestehen zwischen diesen zwei Wortverbindungen manche Parallelismen, nämlich die semasiologische Parallele
zwischen חסד und אהבה , die grammatische Parallele in No-
menverbindungen durch status constructus und die Parallele
durch eine Art Assonanz zwischen נעוריך und כלולתיך.
Von diesen vielschichtigen Parallelismen kann man mit Sicherheit schließen, daß zwischen נעוריך und כלולתיך
auch der Parallelismus in der Bedeutung beabsichtigt ist.
Wenn dieser Schluß richtig ist, dann kann man urteilen, daß
die Vorstellung des Femininen, die das Wort כלולות als
"Brautzeit, -stand"[41] neben anderen in sich hat, wegen des
Parallelismus mit נעוריך in den Hintergrund und im umge-

---

39   So Keil, Cornill, Driver, Schmidt, Volz, Nötscher, Köberle,
      van Ravesteijn, Weiser sowie Bach, Erwählung, S.3.7. Ähnliches
      bei Rudolph, wohl auch Rothstein und Wambacq, vgl. auch Aeschi-
      mann.

40   Wolff, Dodekapropheton 1: Hosea, BK XIV/1, 1965, 2.Aufl., S.53,
      bezeichnet Jer 2,2 als Auslegung von Hos 2,17. Vgl. auch K.Gross,
      Hoseas Einfluß auf Jeremias Anschauungen, NKZ 42, 1931, S.241-
      256.327-343, bes. S.244.251. Die Kommentatoren berufen oft
      auch auf Hos 2,4ff.21ff.; 5,11; 11,1.

41   KBL, z.St.

kehrten Verhältnis dazu die Vorstellung von "jung sein"
in den Vordergrund getreten ist.[42] Daß in 2,2 das Feminine
keinesfalls betont ist und daß deshalb mit dem Femininen
keine Ehegattin von Jahwe als Ehegatte gemeint ist,[43] entspricht dem Inhalt des darauffolgenden Verses 2,3; hier
ist das Feminine dem Blickfeld ganz entschwunden und statt
dessen kommt "Israel" eindeutig als Maskulinum vor. Auch
die Definition Israels als (תבואתה) ראשית weist darauf
hin, daß Israel hier für maskulin gehalten ist. Da man
aber zur gleichen Zeit nicht anders annehmen kann, als daß
die feminine Person, die in V.2 von Jahwe in der 2. Person
angeredet wird, in V.3 mit "Israel" zu identifizieren ist,
kann der Sachverhalt in V.2-3 auch so gekennzeichnet werden, daß in dieser kurzen Einheit das Feminine, das in V.2
in dem Wort כלולות einigermaßen im Vordergrund steht, in
V.3 in "Israel" gänzlich maskulinisiert worden ist. Diese
Beobachtungen führen wiederum zum Schluß, daß auch 2,2-3
jene Tendenz zur "Maskulinisierung" beim vor-dtr. Verfasser
exemplifiziert und daß deshalb dieselbe Verfasserschaft
hinsichtlich von 2,2-3 wahrscheinlich ist. Die Frage, warum
dann die feminine Person eigentlich in V.2 zur Sprache gekommen ist, läßt sich schon aus der Annahme erklären, daß
der Verfasser, wie schon oben dargelegt, mit den Sprüchen
Jeremias vertraut war und daß er deshalb die femininen Formulierungen in den Sprüchen des Propheten zunächst 2,17-25
und V.32-37, nicht ignorieren wollte, damit er seinen eigenen Worten einen guten Anschluß an die Sprüche Jeremias
schaffen konnte.

42　Diese Beurteilung steht im Einklang auch mit der Meinung C.Wié-
　　ners, Jérémie II,2: ≮fiançailles≯ ou ≮épousailles≯ ? RSR 44,
　　1956, S.403-407, bes. S.407, daß כלולות "la jeune femme au
　　jour même de ses noces" bedeutet, obwohl seine Beobachtung von
　　der Frage ausgegangen ist, wie sie sich im Untertitel ausdrückt.

43　H.J.Stoebe, Art.חסד , THAT I, Sp.600-621, bes. 615f., erklärt
　　das Wort so, daß es hier in Jer 2,2 "nicht Voraussetzung des
　　besonderen Gemeinschaftsverhältnisses, sondern Antwort auf eine
　　Erklärung Gottes" ist. Man kann deshalb von diesem Wort keinen
　　unmittelbaren Hinweis auf den Ehezustand Israels mit Jahwe
　　erschließen.

Es bedürfte hier einer Besprechung der Meinung P.Neu-
manns, Das Wort, das geschehen ist ..... Zum Problem der
Wortempfangsterminologie in Jer I-XXV,[44] der folgendermaßen annimmt: "ii 1-3 sind i 13-19 in ganz ähnlicher Weise - auch im Blick auf den quantitativen Umfang der Einheiten - zugeordnet wie i 11-12 zu i 4-10" (S.187).Den
Ausgangspunkt seiner Untersuchung bildet die Ansicht,
"daß die Wortereignisformel (abgekürzt: WEF, sc. ויהי דבר
יהוה אלי לאמר   ), ... keineswegs an beliebiger Stelle erscheinen kann, sondern ihren festen Ort und damit zugleich eine ganz spezifische Funktion hat. Sie taucht
nicht bei den eigentlichen *Prophezeihungen*, also bei reinen Sprucheinheiten auf, sondern bei drei Gattungen, die
berichtenden Charakter haben" (S.179). Nach diesem Gesichtspunkt fällt ihm "der Abschnitt i 4 - ii 3 ..... in
formaler Hinsicht durch die stereotype Abfolge verschiedener Formeln auf: Nach einem viermaligen Hinweis auf das Ereignis des Jahwä*dabar* (WEF i 4,11,13; ii 1) folgt dreimal
eine kurze göttliche Anrede, die mit einer durch *wa' omar*
eröffneten Entgegnung des Propheten fortgesetzt und durch
eine mit *wajjomär jahwä 'eláj* eingeleitete göttliche Aussage abgeschlossen wird" (S.181). Nach dieser rein formalen
Analyse bestehen Jer 1,4-2,3 also aus vier Unterabschnit-
ten, an deren Anfang jeweils die Wortereignisformel steht:
1,4-10. V.11-12. V.13- 19 und 2,1-3. Zugleich macht er jedoch auch darauf aufmerksam, daß "der letzte Abschnitt (ii
1-3) ..... einen Sonderfall dar(-stellt); denn in ihm ist
von visionären Zügen nichts zu bemerken" (S.182). Des weiteren auf die Besonderheit von 2,1-3 in dem Sinne, daß
"sie (sc. die Wortereignisformel) sich *am Anfang* und nun
nicht mehr vor reinen Jahwä*debarim*, sondern - abgesehen von
ii 1-3 - vor *Dialogen* (findet)" (S.182f.). Trotz dieser Besonderheit des Abschnittes zieht er aufgrund der angenommenen Beziehung von 1,11-12 auf 1,4-10, wie oben zitiert, den

---

44   VT 23 1973, S.171-217.

Analogieschluß, daß 2,1-3 dem vorangehenden Unterabschnitt
1,13-19 zugeordnet ist. Der Schluß ist somit nicht zwingend; Neumann hätte den ihm offenbaren Besonderheiten des
Abschnittes 2,1-3 nachgehen sollen. Er charakterisiert 2,
1-3 als Erhörungsorakel aufgrund des "betont einsetzende(n)
göttliche(n) *zakǎrti* (ii 2a), das sich am besten als positive Antwort auf eine vorausgegangene Klage verstehen läßt,
die eine Bitte um Jahwäs 'Gedanken' enthielt" (S.186). Obwohl Neumann nicht erwähnt, wo "die vorausgegangene Klage"
abzulesen ist, kommt er zur Erläuterung, daß die "reine
Heilsaussage für Jerusalem" (S.186), nämlich "Jer ii 1-3
..... die Funktion (hat), deutlich zu machen, daß das in
i 13ff. angekündigte Unheil über das eigene Volk nicht Jahwäs letztes Wort, vielmehr ein Durchgangsstadium ist" (S.187).
Allein der darauffolgende Satz Neumanns ist bemerkenswert:
"Vor der eigentlichen ..... Unheilsbotschaft, die mit dem
Appell 'Hört den Jahwä*dabar* .....' (ii 4) eingeleitet ist,
steht ein über sie hinausweisendes Pluszeichen, das auf das
nachfolgende Teilbuch 'Heil für das eigene Volk' (c.**xxix**ff.)
vorausblickt ....." (S.187). Zugleich ist zu beachten, daß
diese Darlegung keine zwingende Schlußfolgerung des voran-
gegangenen Satzes ist, sondern sich schon von der Einheit
2,1-3 allein ableiten läßt.[45]

---

45   Außer der oben angedeuteten Schwäche in der These Neumanns
     scheint es noch eine weitere zu geben, indem er keineswegs
     überprüft, ob 2,1-3 <u>in inhaltlicher Hinsicht</u> der Einheit 1,14-19
     zugeordnet werden kann; "Jerusalem" in 1,15 steht vielmehr, wie
     in den vielen deuteronomistischen Abschnitten (4,3f.; 7,17.34;
     8,1; 11,2.6.9.12f.; 13,9; 17,20.25f.; 18,11; 19,3.7.13; 24,8;
     25,2.18; 34,19; 35,13.17; 44,2.9.17.21), "Juda" parallel, und
     deshalb ist der Übergang von 1,14ff. zu 2,1-3 auf keinen Fall
     nahtlos. Merkwürdig ist es in diesem Zusammenhang, daß Neumann
     in 4,5 wegen der Erwähnung von Juda/Jerusalem als Adressaten
     den Anfang eines anderen Unterabschnittes sehen will als 2,4-
     4,4, der nach Neumann an das Nordreich adressiert ist (S.215,
     bes. A.2). Ferner ist von der Besonderheit des Ausdruckes
     (וקראת באזני ירושלם) in 2,2aα, der in Kap.36 achtmal vor-
     kommt, bei Neumann nicht die Rede (vgl. aber Neumann, Das Wort
     Jahwäs. Ein Beitrag zur Komposition alttestamentlicher Schrif-

Daß 2,2-3 aller Wahrscheinlichkeit nach vom vor-dtr. Verfasser gestaltet wurde, ist soweit lediglich anhand der Formulierungen von 2,2-3 dargelegt worden. Diese wahrscheinliche Verfasserschaft wird sich dann als tatsächlich beweisen, wenn man weiter darlegen kann, daß der Verfasser für sein Werk Kap. 30-31 wahrscheinlich einen kontextuellen Zusammenhang mit 2,2-3 benötigt hat. Diesen Beweis ermöglichen wohl die folgenden Beobachtungen von 2,4.

Warum taucht der Appell an "das Haus Jakob und alle Geschlechter des Hauses Israel" (בית יעקב וכל־משפחות בית ישראל) augenscheinlich ohne Zusammenhang nach vorn wie auch hinten plötzlich hier in 2,4 auf? Allerdings kommt der Name "Israel" schon in 2,14 vor, er steht aber dort allein. Der Name "Jakob" begegnet erst in 5,20, und zwar zusammen mit "Juda". Der Parallelismus "Jakob"//"Israel" kommt im Buch Jeremia nach 2,4 zuerst 10,16[46] vor und ferner in 30,10 (=46,27) und 31,7. Daraus folgt, daß der Parallelismus in 2,4 in den ersten Kapiteln des Buches isoliert vorliegt. Da 10,1-16 wesentlich exilisch oder nachexilisch ist,[47] scheint die Annahme nahezuliegen, daß sich 10,1-16 wegen des Parallelismus in V.16 literarisch auf 2,4 bezieht. Eindeutig ist jedoch der tendenzielle Unterschied zwischen den

---

ten. 1975, S.360, A.2). Obwohl Neumann 1,4-2,3 mit "dem Privaten Orakel an den Propheten selbst" (S.215) beschreibt, ist es bei ihm, wie oben besprochen, weder in formaler noch inhaltlicher Hinsicht ausreichend begründet, daß 2,1-3 dem Komplex 1,4-19 zugeordnet werden kann, dessen Entstehung Thiel (1973), S.62-97, wohl zu Recht eher der deuteronomistischen Endredaktion des Buches zuschreibt. Vgl. auch die negativen Besprechungen der Arbeit Neumanns durch R.Albertz in seinem neueren Aufsatz, Jer 2-6 und Frühzeitverkündigung Jeremias, S.27, A.29. Neumann trifft wohl nur insoweit das Richtige, als er in 2,1-3 ein Vorzeichen "auf das nachfolgende Teilbuch 'Heil für das eigene Volk' (c.xxixff.) vorausblickt" (S.187). Siehe auch Herrmann, Jeremia, S.44.

46 Das Fehlen des Namens "Israel" in 10,16 bei LXX beweist nicht unbedingt, daß der Parallelismus "Jakob"//"Israel" an dieser Stelle nicht ursprünglich ist, siehe Rudolph.

47 So Rudolph.

Aussagen von 10,16 und 2,4: an den ersteren Stellen handelt
es sich um Götzenpolemik, wobei im Grunde vom wesentlichen
Unterschied zwischen Jahwe und Götzenbildern als Schöpfer
(V.12.16) und Geschaffenen(V.3) die Rede ist. Selbstverständlich wurden 10,1-16 zwar nicht verfaßt, um die Heiden
anzusprechen, sondern um den Jahweglauben vor dem Götzendienst zu schützen (V.6); es ist aber auch deutlich, daß
in V.16 "Jakob" und "Israel" als anwesende Zuhörer nicht
angeredet werden. Im Unterschied zu dieser Stelle sind in
2,4 "Jakob" und "Israel" der Gegenstand der Anrede in der
2.Person und daher wird von ihnen erwartet, daß sie auf
die dem Appell folgende Rede hören. Da die Funktion der Erwähnung der beiden Namen in 2,4 und 10,16, wie soeben dargelegt, unterschiedlich ist, kann man schwerlich die beiden Stellen ohne weiteres in einen literarischen Zusammenhang bringen. Deshalb ist schlüssiger, den Parallelismus
"Jakob"//"Israel" in 2,4 in unmittelbare Beziehung zu demselben Parallelismus in 30,10 zu setzen, denn auch hier
werden "Jakob" und "Israel" genau wie dort in der 2.Person
angeredet. Es bedarf ferner keines Arguments für den weiteren literarischen Zusammenhang zwischen 2,4 und 31,7, wo
der Parallelismus vorkommt, denn die zuletzt genannte Stelle steht als vor-dtr. Worte in unmittelbarer literarischer
Beziehung zu den Worten desselben Verfassers 30,10. Der
Schluß, 2,4 stehe in unmittelbarer Verbindung mit den vor-
dtr. Worten 30,10 und 31,7 stützt sich weiterhin darauf,
daß der Name "Jakob" selbständig noch dreimal in den vor-
dtr. Worten in Kap. 30-31 begegnet (30,7.18; 31,11).[48]
Der Name "Jakob" scheint deshalb, sei es zusammen mit dem
Namen "Israel", sei es allein, wohl die Parole des Verfassers der vor-dtr. Worte in Kap. 30-31 zu sein. Damit ist
die Beziehung zwischen 2,4 und den vor-dtr. Worten in Kap.

---

48   Der Name "Jakob" kommt im Jeremiabuch außerdem in 5,20; 10,25;
     23,26 und 51,19 vor.

30-31 deutlich geworden. Nun liegt es auf der Hand, daß
2,4 von Haus aus die Fortsetzung der vorangehenden Stelle
2,2-3 ist, was in aller Hinsicht plausibel ist; allerdings
bliebe vielleicht die andere Möglichkeit noch offen, daß
2,4 von einer jüngeren Hand als dem vor-dtr. Verfasser
verfaßt und vor die Spruchsammlung 2,5ff. vorgeordnet
wurde. Diese Möglichkeit ist aber deswegen unwahrscheinlich, weil man dann die Absicht dieses möglichen Zusatzes
ohne Zusammenhang mit Kap. 30-31 nicht erklären kann. Der
Schluß ist deshalb zwingend, daß 2,2-3 und V.4 als eine
Einheit vom Verfasser der vor-dtr. Worte in Kap. 30-31 verfaßt wurden.

Nun läßt sich fragen, welche Funktion dem Parallelismus
"Jakob"//"Israel" in 2,4 gegeben ist. Diese Frage ist um
so unausweichlicher, als der Parallelismus, wie oben beobachtet, keinen Anhaltspunkt für die Erklärung seiner literarischen Rolle auch in 10,16 bietet, so daß der Namenparallelismus in 2,4 merkwürdigerweise bis Kap. 30-31 völlig
isoliert ist. Dieser Sachverhalt weist aber schon darauf
hin, daß die literarische Funktion des Namenparallelismus
in 2,4 nur im Zusammenhang mit seinen Entsprechungen in
Kap. 30-31 erklärt werden kann. Nun sei daran erinnert,
daß der Verfasser der vor-dtr. Worte, wie oben dargelegt,[49]
sein Werk Kap. 30-31 wohl unter der Voraussetzung komponierte, daß die Leser dieses Werk nicht nur im Hinblick auf die
sog. "Gedichte vom Feind aus dem Norden" in Kap. 4 und 6,
sondern auch als ihre Entfaltung lesen sollten. Jedoch ist
auf den ersten Blick ersichtlich, daß keine Gedichte den
Namen "Jakob" anführen oder darauf gar andeuten.[50] Es ist

---

49   Siehe oben S. 121.

50   Die Erwähnung von "Haus Jakob" und "Juda" kommt in 5,20 vor,
     jedoch außerhalb des "Gesamtgedichtes vom Feind aus dem Norden"
     in Kap. 4 und 6, siehe darüber Diss.S.175ff. Die Annahme, daß
     diese Erwähnung an der genannten Stelle auch vom Verfasser der
     vor-dtr. Worte in Kap. 30-31 herrühre, ist schon deswegen un-
     wahrscheinlich, weil er "Juda" keinesfalls in Kap. 30-31 erwähnt.

deshalb anzunehmen, daß sich der Verfasser wohl dazu veranlaßt fühlte, den feindlichen Angriff, der in den Gedichten
wiederholt geschildert wird, der "Notzeit Jakobs" (30,7)
gleichzusetzen, damit sein "Trostbüchlein" so nahtlos wie
möglich mit den "Gedichten vom Feind aus dem Norden" verbunden werden kann. Diesem Zweck dient der Namenparallelismus "Jakob"//"Israel" wohl in der Weise, daß der Parallelismus vor den Gedichten steht, so daß sie von Haus aus an
"Jakob"//"Israel" gerichtet zu sein scheinen. Die nächste
Frage ist die, warum der Verfasser nicht so vorging, daß
er den Parallelismus statt in 2,4 unmittelbar zu den Gedichten in Kap. 4 und 6, etwa vor 4,5,[51] gestellt hat. Dieser
Frage nachzugehen, wird die Aufgabe des nächsten Teils der
laufenden Untersuchung sein, obwohl die Frage dort anders
formuliert wird, und zwar so, ob nicht der Verfasser doch
auch kurz vor dem Anfang der "Gedichte vom Feind aus dem
Norden", nämlich vor 4,5 zu Wort kommt. Hier sollte man
aber zunächst die Frage beantworten, was der Verfasser beabsichtigte, als er 2,2-4 nicht vor den Anfang der Gedichte,
sondern vor 2,5-3,5 stellte. Es war wahrscheinlich so, daß
der Verfasser das 1. Kapitel noch nicht kannte, denn das
Kapitel wurde aller Wahrscheinlichkeit nach erst bei der
Endredaktion des Buches gestaltet.[52] Der Verfasser stellte
seine Heilsworte 2,2-4 wohl an den Anfang der Spruchsamm-

Vielmehr ist die Erwähnung Judas in 5,20-22 wohl in Verbindung
mit den jüngeren Schichten des Buches, z.B. mit 33,26 im Rahmen von 33,14-26 (siehe Rudolph) zu bringen; gemeinsam sind
ihnen die Erwähnung von Jakob und Juda wie auch die kosmolo-
gischen Interessen (u.a. חול גבול לים 5,22aα, חול הים 33,22;
חק־עולם 5,22aβ, חקות שמים 33,25). Eine Ähnlichkeit ist auch
zwischen den folgenden rhetorischen Fragen zu beobachten: האותי
לא־תיראו in 5,22 und הלוא ראית in 33,24.

51   Siehe Diss. S.175.

52   Siehe Thiel (1973), S.78, vgl. aber auch Herrmann, Die Bewälti-
     gung der Krise, S.166-172, der anhand des 1. Kapitels des Bu-
     ches den "fortschreitenden Prozeß der Verarbeitung" (S.169)
     der prophetischen Überlieferung verdeutlicht hat.

lung Jeremias, weil er darauf zielte, die wichtigste Sammlung der Sprüche des Propheten Kap. 2-6 + 8-10[53] am Anfang
und am Ende mit seinen Heilsworten zu umgeben und diese
Kapitel samt Kap. 30-31 zu einem zusammenhängenden Buch gestalten wollte. Darin sollten die Zeitgenossen des Verfassers auf die dringende Frage der Zeit nach dem Grund und
Sinn der nationalen Katastrophe des Jahres 587/6 v.Chr.,
in deren Schatten sie noch lebten, die Antwort finden. Sie
sollten ihre Hoffnung auf die nahe Zukunft setzen können,
weil Jahwe schon am Anfang des ihnen nun vorliegenden Buches 2,3, noch bevor die Unheilssprüche 3,5ff. gesprochen
wurden, ihnen zugesagt haben sollte, an ihrem Feind die Vergeltung zu üben. Wenn die Beobachtungen der Einheit 2,2-4
und die Annahme ihres kontextuellen Zusammenhangs mit Kap.
30-31 soweit richtig sind, steht nun nichts im Wege, anzunehmen, daß 2,2-4 vom Verfasser der vor-dtr. Worte in Kap.
30-31 gestaltet wurde.

Zusammenfassung

1. Die Sprucheinheit 2,2-3 kann nicht als eigenständiger
Spruch bezeichnet werden, sondern sie ist wohl in der exilischen Zeit auf die folgenden jeremianischen Sprüche hin
konzipiert worden (mit Schottroff). Diese Worte enthalten
aber einen stilistischen Bruch, der zwischen V.2 und V.3
am deutlichsten am Personenwechsel zu bemerken ist. Dieser
Bruch verbietet es, diese Worte einheitlich als "Apologie
Jahwes zu V.4ff." zu verstehen (gegen Schottroff).
2.   2,2-3a bezieht sich wörtlich wie auch gedanklich auf
den jeremianischen Spruch 31,2-6. Der Parallelismus חסד //
אהבה kommt im AT neben Esth 2,17 nur an diesen zwei Stellen
vor. Eine literarische Beziehung von 2,2-3 zu dem Spruch Je-

---

53   Über den deuteronomistischen Charakter von Kap. 7 siehe Thiel
      (1973), S.103ff.

remias ist deshalb anzunehmen. Da dieser jeremianische
Spruch dem Verfasser der vor-dtr. Worte bekannt war, liegt
es nahe, daß der Verfasser die Worte 2,2-3 auch anhand von
31,2-6 gestaltete. Für diese Entstehungsweise von 2,2-3
sprechen auch andere jeremianische Sprüche und weitere Worte des vor-dtr. Verfassers (31,18-20 jeremianisch; 30,16;
31,9b vor-dtr.).

3.   Daß der Verfasser von 2,2-3 in der ersten Hälfte der
Einheit jeremianische Wendungen und Gedanken ausdrückt und
dann selbst zu Wort kommt (V.3), hat eine Parallele in den
vor-dtr. Worten 30,5-7 und weist wiederum darauf hin, daß
2,2-3 von dem vor-dtr. Verfasser gestaltet wurde. Dieses
Angleichungsverfahren an jeremianische Sprüche, das der
Verfasser bei der Gestaltung von 2,2-3 angewandt hat, kann
den obengenannten Bruch in 2,2-3 erklären.

4.   Die Anrede Jahwes an einen femininen Adressaten in 2,2
erklärt sich als Ergebnis des Angleichungsverfahrens an die
Erwähnungen der Frau, wie sie in den Sprüchen des Propheten
zunächst in 2,17-25 und V.32-37 vorkommt. Das Femininum in
V.2 ist durch den Parallelismus von "Brautzeit" und "Jugendzeit" in V.2 wie auch durch die Identifizierung des angere-
deten Femininums mit "Israel" als Maskulinum relativiert
worden. Dieser Sachverhalt weist wiederum auf die Grundeinstellung zur maskulinen Formulierung hin, die den Verfasser
der vor-dtr. Worte in Kap. 30-31 kennzeichnet.

5.   Der Parallelismus von "Haus Jakob" und "Haus Israel"
in 2,4 bringt diesen Vers mit dem Verfasser der vor-dtr.Wor-
te in Zusammenhang, denn erstens liegt hier der Parallelismus isoliert vor, zweitens kommt er im Jeremiabuch mit Ausnahme von 10,16 nur in 30,10 (vor-dtr.) = 46,27 und 31,7
(vor-dtr.) vor und drittens ist der Name "Jakob" das Kenn-
wort des Verfassers (30,7.18; 31,11). Der Parallelismus läßt
sich deshalb als ein gutes Beispiel jenes Angleichungsverfahrens beim Verfasser kennzeichnen.

6.   Die Beobachtungen von 2,2-3 und die von V.4 sind unabhängig voneinander gemacht worden, führten aber doch über-

einstimmend zu dem Ergebnis, daß 2,2-3 und V.4 jeweils ihre Gestaltung dem Verfasser der vor-dtr. Worte verdanken.

2.   3,12aβ-13bα

Kurz bevor die Gedichte vom Feind aus dem Norden in 4,5 beginnen, begegnet man im mosaikartigen Kap. 3 einzelnen Heilsworten. Zunächst stehen in V.12aβ-13bα folgende Worte:[54]

שובה משבה ישראל נאם־יהוה לוא־אפיל פני בכם   (12)
כי־חסיד אני נאם־יהוה לא אטור לעולם
אך דעי עונך כי ביהוה אלהיך פשעת   (13)
ותפזרי את־דרכיך לזרים

Im MT stehen diese Heilsworte zwischen zwei Prosastücken, 3,6-12aα und V.14ff. Zuletzt hat Thiel richtig erkannt, daß sie früher angesetzt werden müssen als die genannten Prosastücke.[55] Daraus ergibt sich, daß einst 3,1-5, V.12aβ-13bα und 19ff. in dieser Reihenfolge hintereinander angeordnet waren. Diese Erkenntnis ist von grundlegender Bedeutung. Wenn Thiel aber von dieser Erkenntnis her weiter schließt, daß "die Authentizität dieses Spruches (sc. der Heilsworte) ..... vorausgesetzt werden (darf)",[56] kann man ihm nicht zu-

---

54   Diese Worte werden unten der Einfachheit halber "Heilsworte" genannt, obwohl sie offensichtlich keine Heilsankündigungen sui generis darstellen.

55   Thiel (1973), S.83-93. Wohl zuerst Duhm; siehe auch Herrmann, Heilserwartungen, S.223ff. Unter Berücksichtigung der Forschungsgeschichte seit B.Stade ist Thiel zu der Folgerung gelangt: "1. Ein jer. Spruch (12aβ-13bα) ..... wurde 2. von D (sc. dem deuteronomistischen Redaktor) mit Rahmen und Kommentar (3,12aα, 13bβ) versehen, ..." Hinzu fügte er "3. eine nachexilische Korrektur (14-17) ..... . An sie schloß sich 4. ein weiterer Zusatz (18) an ....." (S.93). Vgl. auch Böhmer, S.23. Thiel setzt hier, wie seine Worte zeigen, die Meinung voraus, die wohl zuerst von Stade, Miscellen, 2. Jer 3,6-16 ZAW 4, 1884, S.151-154, geäußert und von Kuenen, Historisch-kritisch onderzoek, II, S.171. A.10, geteilt wurde, und zwar die Meinung, daß der Abschnitt 3,1-5 eigentlich von V.19ff. unmittelbar gefolgt wurde.

56   Thiel (1973), S.86. Er bezeichnet den Spruch auch als "jer. Heilsspruch", S.89.90.

stimmen. Er scheint dabei sein Urteil darauf stützen zu
wollen, daß erstens die Heilsworte poetisch geformt seien
oder zumindest poetische Elemente enthalten und daß die
Worte zweitens einer früheren Traditionsschicht als der
deuteronomistischen zugeschrieben werden können, denn sie
seien vom deuteronomistischen Prosastück V.6-12aα vorausgesetzt worden.[57] Insoweit hätte Thiel auch diese Heilsworte
"vordeuteronomistisch" nennen sollen, wie er es z.B. bei
3,25 tut.[58] Man kann deshalb angesichts der Beobachtung
Thiels die Heilsworte 3,12aβ-13bα so bestimmen, daß sie
eine Worteinheit sind, die zu einer vordeuteronomistischen
Schicht des Buches gehört. Nun läßt diese Bestimmung der
Worte schon annehmen, daß sie auch zu jener vordeuteronomistischen Schicht gehören wie eine beträchtliche Anzahl von
Heilsworten in Kap. 30f. und auch 2,2-4. Diese Annahme zu
bestätigen ist das eigentliche Ziel dieses Abschnittes.

Bekanntlich ist die sogenannte Echtheit von 3,12aβ-13bα
im allgemeinen anerkannt, obwohl dafür keine Beweise angeführt worden sind.[59] Es ist daher zweckmäßig, zunächst kurz
der Echtheitsfrage von 3,12aβ-13bα in dem Sinne nachzugehen, ob man diese Heilsworte genau so von Jeremia herleiten
kann wie z.B. 2,5-3,5. Die Argumente, die für eine mögliche
Herkunft von 3,12aβ-13bα bisher vorgebracht wurden, scheinen nicht zwingend zu sein. Wenn Duhm z.B. die Heilsworte
als jeremianisch aus seinem Textzusammenhang herausarbeitet,
dann stützt er sich wesentlich auf eine Analyse des Metrums,
und zwar offensichtlich auf seine bekannte Theorie des jeremianischen Qina-Metrums.[60] Duhm meint weiter, ein Indiz für

---

57   Thiel (1973), S.78-91.

58   Thiel (1973), S.86, vgl. auch die Besprechungen über seine Mei-
      nung oben in Fragestellung S. 81.

59   Die Ansicht Thiels akzeptiert ohne weiteres G.Warmuth, Das
      Mahnwort, 1976, S.137, wenn er sagt: "wobei das dem Abschnitt
      (sc. 3,6-18) zugrunde liegende Wort Jeremias in V.12aβ-13 zu
      suchen ist." Siehe bes. A.121. So auch Böhmer, aaO. S.23.

60   Siehe oben S.3, A 7 der laufenden Untersuchung.

die Echtheit der Worte wohl darin gefunden zu haben, daß
in ihnen der Name Israel genau wie in den jeremianischen
Sprüchen in Kap. 2 dasjenige "Israel" bedeutet, das noch in
Palästina wohnt."[61] Diese Argumente aufgrund des typischen
Metrums und Wortgebrauches sind aber nicht unwiderleglich,
denn die Heilsworte sind zu summarisch und knapp, um die
Möglichkeit ausschließen zu können, daß sie auf jeremianische Sprüche hin sekundär formuliert wurden. Nicht anders
scheint es sich zu verhalten, wenn sich Holladay zum Echt-
heitsbeweis der Heilsworte auf das Wortspiel von שובה משבה
in V.12aβ berufen will, indem er sagt: " ..... šûbhâ me-
šûbhâ yiśra'ēl is just the kind of phrase Jeremiah would
use."[62] Um das Argument gegen die Echtheit der Worte zu
entkräften, weist er einerseits im Zusammenhang mit der
deuteronomistisch klingenden Wendung תחת כל־עץ רענן in
V.13b auf die Möglichkeit hin, daß " ..... one source may
have simply borrowed the phrase from the other"; andererseits berücksichtigt er aber nicht im Hinblick auf שובה
משבה ישראל eine ähnliche Möglichkeit, etwa ein Angleichungsverfahren, sondern möchte im Wortspiel, wie das vor-
letzte Zitat zeigt, ein jeremianisches Charakteristikum
finden. Man kann deshalb resümieren, daß Duhm wie auch Holladay nur auf die Möglichkeit hinweisen konnten, die Heilsworte 3,12aβ-13ba seien von jeremianischer Herkunft. Dennoch löst sich aber nicht die weitere Schwierigkeit, die
auftaucht, wenn man die Heilsworte in dem Maße für jeremianisch hält, wie 2,5-37 und 3,19ff. wahrscheinlich jeremianisch sind. Man steht dann nämlich der berechtigten Frage
gegenüber, warum ausgerechnet zwischen den Unheilsworten
3,1-5 und V.19ff. Heilsworte wie V.12aβ-13ba eingeschaltet
werden mußten.[63] Um so schwieriger wird diese Frage, wenn

---

61 Duhm, S.36. Ihm folgt Hyatt.

62 Holladay, The Root ŠÛBH, S.134. Das nächste Zitat aus derselben
    Seite.

63 Schon Stade, Jer 3,6-16, S.151ff., hat erkannt, daß "die lange
    Rede", die in Kap. 2 beginnt, abrupt 3,5 abreißt, und daß dieser

man weiter erkennt, daß V.1-5 und 19ff. in einer früheren Traditionsschicht deswegen fester als sonst verbunden worden zu sein scheinen, weil beide Abschnitte ähnliche Formulierungen enthalten: קראתי לי אבי (V.4) und אבי תקראו־לי (V.19).[64] Man kann auch in diesem Zusammenhang fragen, warum die Heilsworte 3,12aβ-13bα nicht vor V.21ff., sondern vor V.19 eingeordnet wurden, denn dann würden sie die Reihenfolge der Unheilsworte von 2,5ff. an nicht stören und könnten sich besser in den Zusammenhang mit V.21ff. fügen.[65]

Vers in V.19ff. seine Fortsetzung findet. Er dachte, daß 3,17f. später dem Abschnitt V.6-16 hinzugefügt wurde. Obwohl Stade hier der Frage über die Unterschiede zwischen Unheils- und Heilsworten sowie Sprüchen und Prosarede noch gar nicht nachgegangen ist, kann seine Meinung grundsätzlich geteilt werden, nur daß er V.6-16 als eine Größe für sich annimmt. Rudolph sagt, "3,19ff ..... ist Fortsetzung von 3,1-5, wie heute die meisten Exegeten mit Recht annehmen." Anders bei katholischen Exegeten, z.B. Condamin wie Penna.

64   Der Vorschlag Duhms wie auch Rudolphs, אבי in 3,4 zu eliminieren, ist textkritisch nicht haltbar. Wenn אבי in V.19, wie sie vermuten, dazu veranlaßte, in V.4 auch אבי zu schreiben, so weist das darauf hin, daß man die Ähnlichkeit von קראתי לי (V.4) und אבי תקראו לי (V.19) nicht beachtete. Außerdem ist auch aus V.20 die Thematik des Ehebruches abzulesen, um die es in V.1-5 geht.

65   Allerdings sollte in diesem Zusammenhang noch die Ansicht Duhms berücksichtigt werden, "dass V.12[b] 13 19 20 zusammengehören und ein selbständiges Glied ..... bilden" (S.42). "Das Gedicht (sc. V.12aβ-13bα) bringt", so meint Duhm, "deutlich einen Fortschritt im Gedanken, wenn man auf V.1-5 zurückblickt" (S.38). Der Fortschritt soll nach Duhm darin bestehen, daß sich am Ende von V.1-5 Jahwe fragt: "soll ich dir ewig zürnen müssen?" und daß er dann in V.12 auf seine eigene Frage antwortet: "ich bin kein Freund des Zürnens, ... ich werde dich nicht zornig ansehen ....." (S.38). Diesen Gedankengang konnte Duhm zwischen 3,1-5 und V.12f. erst dadurch ablesen, daß er הינטר לעולם אם־ישמר לנצח " V.5[a] als Frage Jahwes an das Weib" versteht, indem er beide hebräischen Verba hauptsächlich aufgrund der Lesart in LXX ..... διαμνει ..... διαφζλαχθησεται als Niph'al יִנָּטֵר und יִשָּׁמֵר liest (z.St.). Diese Punktierung ist aber, wie Cornill gezeigt hat, unannehmbar. Liest man die Verba deshalb der masoretischen Tradition folgend als Qal und versteht demnach V.5a als Frage einer Frau an Jahwe, so bleibt die schwierige Frage nach dem Anlaß zur Einordnung des Spruches zwischen 3,1-5 und V.19ff. doch unlösbar.

Sind die Beobachtungen soweit sachgemäß, so ergibt sich daraus, daß sich einerseits die Annahme der jeremianischen Herkunft der Heilsworte 3,12aβ- 13bα keinesfalls bestätigt, daß sich andererseits neue schwierige Fragen stellen, die schwer zu beantworten sind. Somit hat jene Annahme an Bedeutung gewonnen, nämlich die, daß die Worte 3,12aβ-13bα zu den vor-dtr. Worten gehören.

Um diese Annahme zu beweisen, muß man wohl über die Heilsworte selbst urteilen, ob man sich überhaupt vorstellen kann, daß sie ursprünglich eine selbständige Einheit gewesen und als solche überliefert worden sein können, bevor sie zwischen 3,1-5 und V.19ff. eingeordnet wurden.[66] Dies ist die Grundfrage, der nun nachzugehen ist. Diese Frage kann sich ihrerseits in zwei Unterfragen gliedern, und zwar erstens in die Frage, welche Zusammenhänge zwischen den Abschnitten bestehen, und zweitens, wie diese Zusammenhänge aussehen, wenn sie sich überhaupt nahelegen. Um die Zusammenhänge festzustellen, in denen die Worte 3,12aβ-13bα mit V.1-5 wie auch mit 19ff. stehen, empfiehlt es sich, mit dem Vergleich von 3,12aβ-13bα mit V.1-5 anzufangen, denn man hat schon früher einen auffälligen sprachlichen Bogen bemerkt,[67] der von der Frage in V.5a zur Aussage in V.12b geschlagen worden ist:

<u>V.5a</u>   אם־ישמר לנצח   <u>הינטר לעולם</u>

<u>V.12</u>   שובה משבה ישראל נאם־יהוה   לוא אפיל פני בכם
       כי־חסיד אני   נאם־יהוה   לא אטור לעולם

Zwischen den Sätzen הינטר לעולם und לוא אטור לעולם sind zweierlei Entsprechungen zu beobachten. Die eine ergibt sich von selbst, nämlich die genaue Entsprechung im Wortschatz נטר לעולם . Die andere besteht insofern, als sich die zwei Sätze als Frage und Antwort ausschließlich aufeinander beziehen; in V.5a wird mit jener Wendung nach der Ge-

---

66   Herrmann, Heilserwartungen, S.209. A.12. So auch Thiel (1973), S.87, der sagt, daß "..... der Inhalt des Spruches 12aβ-13bα nur aus ihm selbst erhoben werden (kann)".

67   Schon Stade, Jer. 3,6-16, S.153.

sinnung Jahwes von einer Frau gefragt, die angesichts des
Kontextes von 2,31 an mit "Israel" (2,31) zu identifizieren ist,[68] während dann in V.12 die Frage gegenüber "Israel" als einer Frau mit der gleichen Wendung von Jahwe verneint ist.[69] Daraus ergeben sich im Hinblick auf den Zusammenhang beider Abschnitte zwei Möglichkeiten, und zwar
entweder die, daß 3,1-5 und V.12aβ-13bα wegen der soeben
umschriebenen unerwarteten Entsprechungen verbunden wurden,
nachdem sie voneinander unabhängig entstanden und isoliert
überliefert worden waren, oder die, daß V.12aβ-13bα auf
den schon entstandenen Spruch V.1-5 hin konzipiert wurde.
Selbstverständlich schließt jene Entsprechung in Form von
Frage und Antwort schon eine dritte Möglichkeit einer sinn-
losen oder willkürlichen Anordnung in jeder Richtung aus.[70]
Man sollte zunächst noch eine andere Möglichkeit kurz
erwähnen, die darin besteht, daß 3,1-5 auf die Heilsworte
3,12aβ-13bα hin konzipiert sein könnte. Diese Annahme
scheint aber schon deswegen unwahrscheinlich zu sein, weil
3,1-5 im Hinblick auf Stil, Inhalt und Anordnung 2,5-37
am nächsten steht und weil man daher nichts dagegen einwenden kann, daß 3,1-5 eng mit den Abschnitten in Kap. 2 ver-

---

68   Man darf das endgültige Urteil darüber dahinstellen, wen Jere-
      mia selbst ursprünglich meinte, als er in 3,1-5 die Sprüche
      Jahwes an eine feminine Person in der 2. Person Singular rich-
      tete. Vielmehr handelt es sich vorläufig darum,wen man unge-
      zwungen unter der angesprochenen Frau in V.1-5 verstehen konn-
      te, nachdem sich dieser Abschnitt mit Kap. 2 oder zumindest
      mit 2,31-37 vereinigt hatte. Selbstverständlich ist es bei
      dieser Frage gleichgültig, ob der Abschnitt mit den vorange-
      henden vom Propheten selbst verbunden wurde, denn auch er
      müßte dann damit gerechnet haben, daß die Leser infolge des
      vorhandenen Kontextes die Frau in 3,1-5 irrtümlicherweise mit
      'Israel' in 3,31-37 identifizieren, wenn man bedenkt, daß er
      eigentlich mit der Frau in 3,1-5 eine andere Person als 'Israel'
      gemeint hätte. Dann hätte er selbst die Reihenfolge von Kap. 2
      und 3,1-5 überhaupt nicht gewollt.

69   Neben Stade tat auch Hitzig, S.23, insofern recht, als er diesen
      Zusammenhang genau als den der Frage und Antwort anerkannte. Ähn-
      lich auch bei Rudolph.

70   Vgl. aber Herrmann, Heilserwartungen, S.209, A.12.

bunden ist.[71] Um so unwahrscheinlicher wird die obengenannte Möglichkeit, wenn man der Frage nachgeht, was eigentlich
dazu veranlaßt hätte, 3,1-5 auf V.12aβ-13bα hin zu konzipie-
ren. Ungezwungen läßt sich nicht vorstellen, daß man etwa
2,31-37 bzw. V.33ff. als Vorspann zu 3,12aβ-13bα für ungeeignet gehalten und daß man daher den Abschnitt 3,1-5 in
seinem ganzen Umfang auf V.12aβ-13bα hin geschaffen hätte,
denn es stünde doch zwischen 2,31ff. (bzw. V.33ff.) einerseits und 3,1-5 als Übergang zu 3,12aβ-13bα andererseits oh-
nehin kein beträchtlicher Unterschied,[72] nur daß der letztere Spruch den Ausdruck הינטר לעולם enthält. Vielmehr bereitet diese Annahme ernsthafte Schwierigkeiten: solange man
von dieser Annahme ausgeht, stößt man ohne weiteres auf die
Frage, warum z.B. die konkrete meteorologische Erscheinung
in 3,3a ausgerechnet in bezug auf V.12aβ-13bα erwähnt worden sein müßte. Diese Frage wird keine verständliche Antwort finden. Sind die Beobachtungen soweit richtig, so hat
sich diese Möglichkeit als unwahrscheinlich erwiesen.[73]

---

71 Schon z.B. Hitzig, S.7f., Keil, S.36 und v.Orelli. Beson-
    ders klar war Kuenen der Sachverhalt, als er, Historisch-critisch
    onderzoek II, S.171, sagte, "..... kann H.III: 1-5 als het ver-
    volg van H.II worden aangemerkt". So auch Cornill und Driver,
    S.15. Die neueren Kommentatoren wollen manchmal, wie es scheint,
    den Text von 2,5-3,5 in kürzere Einheiten als erforderlich wohl
    deswegen einteilen, weil sie übersehen, daß 2,5-3,5, möglicher-
    weise samt 3,19f., als Spruchsammlung in nicht geringem Maße
    schon früh abgeschlossen sind.

72 Wenn 3,1-5 einst vor denHeilsworten 3,12aβ-13bα gefehlt hätte,
    dann wären die Worte wahrscheinlich unmittelbar nach 2,33-37 an-
    geordnet worden. In dieser angenommenen Reihenfolge von 2,33-37
    und 3,12aβ-13bα könnten diese Heilsworte durch 2,33-37 so gut
    wie durch 3,1-5 eingeführt worden sein; die Erwähnung von Zorn
    - gleichviel, ob es der Zorn Jahwes oder eines anderen ist -
    wie auch der Tadel wegen des leichtfertigen Richtungswechsels,
    den der Abfall von Jahwe herbeiführt, in 2,36, könnten gute An-
    schlüsse für die Heilsworte gewesen sein. Angesichts dieser Be-
    obachtungen kann man kaum annehmen, daß 3,1-5 als Übergang von
    Kap. 2 zu 3,12aβ-13bα konzipiert worden wäre.

73 Volz äußerte die Ansicht, daß die Worte הינטר לעולם אם-ישמר
    לנצח 3,5a nach Form und Inhalt nicht in den Zusammenhang passen
    und daß sie statt der verlorenen Zeilen "(mit Anlehnung an 12)"
    hier eingeschoben wurden. Volz sagt, "sie wollten von Haus aus

Nun zeigen die Beobachtungen, daß es im Hinblick auf den Zusammenhang zwischen 3,1-5 und V.12aβ-13bα doch nur zwei Möglichkeiten gibt, wobei die eine jeweils die andere ausschließt: entweder waren 3,1-5 wie auch V.12aβ-13bα voneinander unabhängig entstanden, bevor sie im Lauf der Überlieferung miteinander verbunden wurden, oder V.12aβ-13bα wurden auf V.1-5 hin konzipiert. Da sich nun 3,1-5, wie oben erwähnt, unmittelbar an 2,5-37 anschließt, weist die zuletzt genannte Möglichkeit darauf hin, daß die Heilsworte 3,12aβ-13bα möglicherweise auf die ganze Spruchsammlung 2,5-3,5 hin konzipiert wurden. Diese Umstände berechtigen dazu, den schon oben angestellten Vergleich mit den Heilsworten über 3,1-5 hinaus bis in 2,5-37 auszudehnen. Dann sollte zuerst der Vergleich der Worte 3,12aβ-13bα mit den Texten vorgenommen werden, deren Stichworte auch in den Heilsworten vorkommen.

Um einen möglichen Zusammenhang der Heilsworte 3,12aβ-13bα mit 2,5-3,5 darzulegen, kann man zuerst die Stellen im Jeremiabuch in Betracht ziehen, in denen das Wort פשע vorkommt: 2,8.29; 33,8 neben 3,13a (als Verbum) und 5,6 (als Nomen). Man darf 33,8 ohne weiteres unberücksichtigt lassen, denn Kap. 33 muß im großen und ganzen einer der späteren Schich-

---

auch gar nicht in den Zusammenhang passen". Diese Meinung von Volz scheint Nötscher gewissermaßen geteilt zu haben, wenn er ohne weiteres andeutet, daß 3,5a möglicherweise aus V.12 ergänzt worden ist. Er weist aber auch hin auf die Beobachtung Drivers, Studies in the Vocabulary of the OT.III. JThSt 33, 1932, S.361f., die 3,5a, vor allem den Parallelismus von שמר und נטר ohne Objekt, unter Hinweis auf die entsprechenden Ausdrücke in den anderen semitischen Sprachen, als ungekürzte Wendungen erklärt und deshalb logischerweise die obengenannte Ergänzungsannahme von 3,5a aus V.12 eher unwahrscheinlich macht. Seither ist gegen die eigentliche Abgeschlossenheit von 3,1-5 mit V.5a kaum ein ernsthaftes Bedenken gehegt worden. Vielmehr wird manchmal auf das abgerundete Gefüge des Abschnittes 3,1-5 unter Berücksichtigung der Stilistik, etwa der sog. 'inclusio', hingewiesen, z.B. Lundbom, Jeremiah: A Study in Ancient Hebrew Rhetoric, 1975, S.37-39. An ihn schließt sich auch Holladay, Architecture, S.52. So früher auch Muilenburg, A Study in Hebrew Rhetoric: Repetition and Style, SVT 1, 1953, S.105. Es kann daher im folgenden die Abgeschlossenheit von 3,1-5 vorausgesetzt werden.

ten des Buches zugeschrieben werden.[74] Die übrigen drei
Stellen, in denen das Wort in Verbalform vorkommt, lauten
wie folgt:

2,8   והרעים פשעו בי

2,29   כלכם פשעתם בי

3,13a   ביהוה אלהיך פשעת

Augenscheinlich ist, daß 3,13a, wo es unbeschränkt dem
ganzen Volk zum Vorwurf gemacht ist, weniger mit 2,8 als
mit 2,29 in enger Beziehung steht, weil in 2,8 das Subjekt
("die Hirten", wohl die politischen Führer) spezieller als
in 2,29 ("ihr alle") ist, obwohl 2,8 wie auch 5,6 (כי רבו
פשעיהם) hinsichtlich ihres Grundgedankens von 3,13a nicht
zu unterscheiden sind. Es ist auch augenfällig, daß man in
der früheren Schicht des Buches dem Wort פשע außerhalb
3,13a nur in Kap. 2 und 5 begegnet. Vorläufig genügt es
hier festzustellen, daß 2,29 wörtlich und sinngemäß der Aussage "Du bist von deinem Gott Jahwe abgefallen" in 3,13a am
nächsten steht; es läßt sich einwandfrei daraus schließen,
daß auch in 2,29 mit בי Jahwe zu Wort kommt.[75]

---

74   Thiel (1973), aaO. S.280 und 282.

75   Die Untersuchung Wildbergers, Jahwewort, z.B. S.75f., zeigt, daß
man sich nicht ohne weiteres auf die sog. Botenformel oder
Botenspruchformel נאם־יהוה im Jeremiabuch berufen kann, um
die Sprüche nur deswegen als Jahwewort auszulegen, weil die
Sprüche durch die sog. Formel begrenzt worden sind. Es kommt
deshalb nur darauf an, ob 'ich' in 2,28-30 inhaltlich mit Jahwe
oder dem Propheten Jeremia zu identifizieren ist, während man
deswegen 'ich' in den Zitaten in V.27 (לעץ אבי אתה ולאבן את
ילדתני) nicht in Betracht zu ziehen braucht, weil 'ich' hier
nach dem jeweiligen Inhalt der Zitatworte weder Jahwe noch Jeremia meint. Entscheidend sind in diesem Zusammenhang die Aussagen
in V.30. "Umsonst schlug ich eure Söhne" (V.30a) kann nur als
die Tat Jahwes, nicht die des Jeremia, ausgelegt werden, denn
"die Propheten", zu denen auch Jeremia gehört, sollen nach V.30b
von den Zeitgenossen erschlagen worden sein. Daraus folgt, daß
auch in V.29 gleich wie in V.30 Jahwe in der 1. Person redet.
Dann hindert nichts daran, ביהוה אלהיך פשעת in 3,13b in Beziehung zu 2,29 zu bringen.

169

Eine ähnliche Beziehung zwischen den Heilsworten und der
Spruchsammlung 2,5-3,5 wird deutlich, wenn man den Ausdruck
ותפזרי את־דרכיך לזרים in 3,13b in Betracht zieht. Zuerst
sollte das letzte Wort לזרים behandelt werden. Das Nomen
kommt im Jeremiabuch noch sechsmal vor: 2,25; 5,19; 18,14;
30,8; 51,2 und V.51. Davon werden zunächst nur vier Stellen,
2,25; 5,19; 30,8 und 51,51, mit 3,13b in Zusammenhang gebracht, denn erstens begegnet זרים in 18,14 entweder im
Zusammenhang mit 'Wasser'[76] und steht deshalb auf einem anderen Wortfeld als in 3,13b, oder die masoretische Lesart
an der Stelle kann verderbt sein.[77] Zweitens ist זרים in
51,2 nach dem Kontext wohl nicht זָרִים , sondern זֹרִים
(von זרה I, worfeln) zu punktieren.[78] Da aber die beiden
weiteren in Betracht zu ziehenden Stellen, 5,19 und 30,8,
mit Sicherheit der deuteronomistischen Redaktion des Buches
zugeschrieben werden,[79] bleiben nur zwei Stellen, 2,25 und
51,51, übrig, die man in Zusammenhang mit זרים in 3,13b
berücksichtigen muß. In 51,51 ist die Klage der Exulanten
wiedergegeben:[80]

> Wir schämen uns, denn wir erfuhren Schimpf,
> Schmach bedeckt unser Angesicht, denn Fremde (זרים)
> sind eingedrungen in die heiligen Stätten des Tempels
> Jahwes.

Obwohl das Wort זרים hier in der Bedeutung "Fremde" der
Verwendung in 3,13b genau entspricht, kann man keinesfalls

---

76 Snijders, Art. זר / זור ThWAT II, Sp.556-564, bes. 558.

77 Über Vorschläge zur Konjektur von 18,14b siehe Rudolph.

78 So z.B. Rudolph, siehe auch KBL. Vgl. aber Snijders, The
    Meaning of זר in the OT, S.22, A.2., wie auch seinen Art.
    זר/זור aaO. Sp.559.

79 Über 5,19 siehe Thiel (1973), S.97-99 und über 30,8 Böhmer,
    S.59f.

80 Weiser. Die Übersetzung Rudolphs von 51,51 im Haupttext.

erwägen, daß sich beide Stellen,entweder überlieferungsgeschichtlich oder literarisch, einmal aufeinander bezogen
hätten; hier in 51,51 soll זרים die Babylonier[81] bezeichnen und deshalb nicht unmittelbar etwas zu tun haben mit
den Israeliten im Exilsland, die sich hier durch "wir" ausdrücken, während es sich in 3,13b allein um die ungezügel-
te Beziehung der "Israeliten" zu זרים handelt. Viel unge-
zwungener wird die letzte Belegstelle 2,25 in Zusammenhang
mit 3,13b gebracht, die den Heilsworten in der Reihenfolge
des MTs nahe steht. In V.25b hört man die Absage einer
Frau:

"Und du hast gesagt, 'Umsonst, nein! Denn ich habe

die Fremden (זרים) lieb und gehe ihnen nach'".

Aus dem Kontext, in dem dieser Satz steht, ist zu schließen, daß der Sprecher hier wahrscheinlich Jahwe ist, der
die Frau in der 2. Person anredet; um den gleichen Tatbestand handelt es sich auch bei 2,19.22.27.35; 3,1 und V.4f.
Ist dies richtig, so erklärt sich die Sache, die die Frau
begangen haben soll, wohl als Götzendienst (2,20b.23a.27a.
28b; 3,2a), dessen inneres Wesen sich auch in der damaligen
Außenpolitik Judas widerspiegelte. Man bemerke, daß die
Deuteronomisten, die im Jeremiabuch am Werke sind, für die
Bezeichnung der fremden Götter in 5,19 im Unterschied zu
זרים die Wendung אלהי נכר gewählt haben,[82] wo neben dieser Wendung auch זרים ausschließlich im Sinne der Ausländer vorkommt. Aus diesen Beobachtungen folgt, daß 3,13b im
Hinblick auf Wortwahl und Kontext 2,25 am nächsten steht,
obwohl über die mögliche direkte Beziehung noch nichts Sicheres zu sagen ist.

Auch die Wendung ותפזרי את־דרכיך , die in 3,13b לזרים
vorangeht, scheint die gleiche Richtung anzuzeigen. Seit

---

81 R.Martin-Achard, Art זר zār THAT I, Sp.521.

82 Die Deuteronomisten im Jeremiabuch ziehen oft für die fremden
    Götter der Wendung אלהי נכר die Bezeichnung אלהים אחרים
    vor: 1,16; 7,6.9.18; 11,10; 13,10; 16,11.13; 19,4.13; 22,9;
    25,6; 32,29; 35,15; 44,3.5.8.15. Siehe Thiel (1973), S.74f.

Duhm sind bei dieser Wendung zwei verschiedene Vorschläge
zur Emendation gemacht worden. Duhm beanstandete das Wort
דרכיך deswegen, weil es "zu der folgenden Ortsbestimmung
nicht passt" [83] und änderte es zu ברכיך ("deine Knie"),
so daß dieses Wort mit ותפזרי einen guten Sinn geben könnte, nämlich "deine Knie spreizen". Des weiteren wies er
nach Ez 16,25 auf die mögliche Lesart תפשקי statt תפזרי
hin. Diese Konjekturen Duhms konnte Cornill deswegen nicht
akzeptieren, weil erstens in Ez 16,25 ותפשקי את־רגליך,
nicht ותפשקי את־ברכיך begegnet und weil zweitens die letztere Verbindung von פשק mit ברך oder ähnliche Verbindungen im AT nicht belegt sind. [84] Da Cornill aber auch die
Verbindung von פזר דרך (im Sinne von "Wege zerstreuen
oder ausstreuen") für unbequem hielt, ändert auch er das Wort
zum im Konsonantenbestand differierenden Nomen דודיך
(von דוד , Liebe), so daß er hier lesen konnte: "und wahl-
los dich Fremden 'preisgaben'". [85] Man sollte Duhm recht geben, insofern er die Verbindung פזר mit דרך in 3,13b
an sich nicht als unmöglich empfunden hat. Sein Vorschlag
aber, דרכיך angesichts der im masoretischen Text folgenden
Ortsbestimmung "Unter jedem grünen Baum" zu ברכיך zu ändern, braucht deswegen nicht mehr berücksichtigt zu werden,
weil diese Bestimmung samt dem folgenden Satz, wie oben dargelegt, zu einer jüngeren Schicht des Buches als die Heilsworte gehört. [86] Als Cornill die Emendierung Duhms aus dem

---

83 Duhm.

84 Cornill.

85 Ihm folgen Rudolph und Weiser. Vgl. aber die systematische Un-
    tersuchung von F.Delitzsch, Die Lese- und Schreibfehler im AT,
    1920, S.103-114, wobei er unter der Verschreibung von Buchsta-
    ben infolge äußerer Ähnlichkeit kein Beispiel der Falschschrei-
    bung von ד statt ב nennt.

86 Über die Ortsbestimmung תחת כל־עץ רענן siehe Holladay, On
    Every High Hill and Under Every Green Tree, VT 11 1961, S.176.
    Man kann sich ungezwungen vorstellen, daß das Wort זרים
    die Deuteronomisten dazu veranlaßte, an das Wort ihre geliebte
    Wendung תחת כל־עץ רענן anzuschließen, um das an sich mehr-

Grunde zurückgewiesen hat, daß im AT der Ausdruck

תפשקי את ברכיך oder dergleichen nicht begegnet, hätte
er dieselbe Kritik an seiner eigenen Konjektur üben sollen, daß für דרכיך in V.13b דודיך zu lesen sei, denn
es finden sich im AT auch solche Ausdrücke nicht.[87] Soweit alle Vorschläge zur Emendation, die die seltsame Wendung ותפזרי את דרכיך hervorgerufen hat.

Man sollte die Meinung Ehrlichs mit der ihr würdigen Be-
achtung berücksichtigt haben, als er gegen die soeben erwähnten Konjekturen die Lesbarkeit von ותפזרי את־דרכיך
verteidigt hat. Dabei hat er unter Hinweis auf דרכך בגיא
in 2,23 die Kommentatoren darauf aufmerksam gemacht, daß
das Wort דרך auch "Tun und Treiben" bedeutet.[88] Obwohl
Ehrlich nur den Schlüssel zu einer möglichen Auslegung des
Wortes fand, hat er dazu beigetragen, daß man die masoretische Lesart ותפזרי את־דרכיך nicht mehr ändern sollte, damit die sachgerechte Bedeutung der Wendung festgestellt werden kann. Die Meinung Ehrlichs, die den Satz schließlich
mit "dass du mit deiner Liebe verschwenderisch warst gegen
die Fremden" übersetzt,[89] scheint durch die verschiedenen
Beobachtungen unterstützt worden zu sein, die sich in zwei
Gruppen gliedern lassen: die eine bilden die Beobachtungen,
die die Bedeutung des hebräischen דרך hauptsächlich
durch Analogie zum *drkt* im Ugaritischen feststellen wollen. Diese Versuche, zu denen offensichtlich W.F.Albright

---

deutige Wort זרים entscheidend in Zusammenhang mit dem Götzendienst zu bringen.

87 KBL zählt das Nomen דודים im Sinne von "Liebe" (nicht von "Ge-
    liebter") im AT nur achtmal: Ez 16,28; 23,17; Pr 7,18; Hl 1,2.4;
    4,10; 5,1; 7,13. Diese Stellen weisen auf die Möglichkeit des
    Ausdruckes תפזרי את־דודיך nicht hin.

88 Ehrlich, Randglossen, S.243, vgl. auch S.239. Seitdem sind of-
    fenbar keine ernsthaften Konjekturen mehr versucht worden, ab-
    gesehen von denen Rudolphs und Weisers, der ihm folgt.

89 Ehrlich, aaO. S.245. Hervorhebung im Zitat von mir.

ansetzte, gelangten nach Auseinandersetzungen zum Schluß,
daß דרך im Hebräischen "Herrschaft, Macht" bzw. "Würde
des Herrschers"[90] bedeuten kann. Die andere Gruppe besteht
aus den Beobachtungen, vor allem H.Zirkers,[91] die annehmen,
daß דרך im Hebräischen auch sexuelle Kräfte bezeichnet.
Wenn die letztere Auslegung von דרך auch zu weit gegangen sein mag, ist heute allgemein anerkannt, daß das Nomen
nicht nur 'Weg', sondern zumindest auch 'Wandel' oder 'Verhalten' des Menschen bedeutet.[92] Richtungsgebend ist auch

---

90   Wohl zuerst hat W.F.Albright, The Oracles of Balaam, JBL 63,
      1944, S.207-233, bes. S.219, A.82, vorgeschlagen, das Verbum
      דרך in Num 24,17 durch Analogieschluß von 'darkatu' (dominion)
      im ugaritischen als 'to sway, to control' zu übersetzen. Er
      wiederholt diese Ansicht auch in seinem Aufsatz, Some Canaanite-
      Phoenician Sources of Hebrew Wisdom, SVT 3, 1955, S.1-15, bes.
      S.7, A.6 wie auch in: The Refrain And God saw ki tob in Ge-
      nesis, in FS Robert, 1957, S.22-26, bes.S.23, A.4. Derselben
      Meinung ist auch M.J.Dahood, wenn er in seinem Aufsatz: Canaani-
      te-Phoenician Influence in Qoheleth, Bib 33, 1952, S.30-52.
      191-221, bes. S.33, A.4, דרכו in Pr 8,22 in Beziehung mit uga-
      ritischem 'drkt' bringt und als 'dominion, power' übersetzt.
      Siehe auch Dahood, Some North-West Semitic Words in Job, Bib 38,
      1957, S.306-320, bes. S.320, A.1 und weiterhin sein Buch, Pro-
      verbs and Northwest Semitic Philology, 1963, S.40, A.2. Diese
      Art der Erklärung hat wohl zuletzt Bauer, Encore une fois Pro-
      verbs VIII 22, VT 8, 1958, S.91 übernommen, indem er דרכו
      dort wiederum unter Hinweis auf 'drkt' im Ugaritischen als
      'puissance' auslegt, vgl. auch Aistleitner, Wörterbuch, der das
      Wort mit "Herrschergewalt" bzw. "Thron der Herrschaft" wieder-
      gibt.

91   Im Hinblick auf Jer 3,13 und Pr 31,3 hat wohl zuerst Dahood, Uga-
      ritic *drkt* and Biblical *derek*, ThSt 15, 1954, S.627-631, bes.
      S.629, auf die sexuelle Anspielung von דרך im Sinne von Körper-
      kraft hingewiesen. Auch Zirker, דרך = potentia? BZ NF 2, 1958,
      S.291-294, bes. S.293, verweist unter Vorbehalt darauf, daß
      "דרך = 'Weg' in übertragenem Sinn" "den Verkehr mit der Frau" be-
      zeichnen kann (siehe auch S.294).

92   Nötscher, Gotteswege und Menschenwege in der Bibel und in Qumran,
      1958, z.B. S.43, wie auch Sauer, Art. דרך, THAT.I. Sp.456-460,
      bes. 458. Vgl. auch A.Kuschke, Die Menschenwege und der Weg Got-
      tes im AT, StTh 5, 1951, S.106-118, bes. S.117 ("..... dies der
      Weg ....., ist aber zugleich im übertragenen Sinne zu verstehen
      als eine Verhaltensweise").

für die Bestimmung der Bedeutung von דרך in Jer 3,13b das Prinzip J.Bergmans. Danach "..... werden ..... die Begriffe 'wörtlich' und 'übertragen' vermieden und statt dessen vom vordergründigen Sinn als räumliche Erstreckung und einem hintergründigen im Sinne von Verhalten und Ergehen unterschieden. Dabei wird keineswegs behauptet, daß vordergründiger und hintergründiger Gebrauch der betreffenden Wörter für das Bewußtsein der Hebräer getrennt waren".[93] Es dürften angesichts der berücksichtigten Meinungen und Hinweise keine Gründe angeführt werden, die dazu zwingen, wegen der seltsamen Kollokation דרך in 3,13b zu verändern. Anschließend sollte man sich hier daran erinnern, daß in der Spruchsammlung, die unmittelbar den Heilsworten vorangeht, nämlich in 2,5-3,5, das Nomen דרך häufig vorkommt (2,18.18.23.23. 33.33.36; 3,2)[94] und daß es neben dem Wortstamm הלך (2.5.6. 8.23.25.29; 3,1) eines der Stichwörter dieser Spruchsammlung ist. Auch dieser Sachverhalt deutet darauf hin, daß das Objekt von תפזרי in den Heilsworten nicht ברכיך ist, das im Jeremiabuch in jeder möglichen Deklinationsform nicht vorkommt, sondern doch das masoretische דרכיך[95] sein muß, das in einer engen Beziehung mit demselben Nomen in der Spruchsammlung 2,5-3,5 steht, abgesehen von der Frage, entweder ob die Häufigkeit des Gebrauches des Nomens in der Spruchsammlung auch in den Heilsworten das Nomen דרכיך vorkommen ließ oder ob דרכיך eine Komponente der von Haus aus selbständigen Überlieferung 3,12aβ-13bα gewesen ist.

Wenn diese Frage noch offengelassen wird, so kann man auch das Anfangswort der Heilsworte, nämlich שובה ohne weiteres in Zusammenhang mit der שוב-Thematik in Sachen Ehescheidung

---

93   J.Bergman, Art. דרך, ThWAT, II, Sp.288-292, bes. 289.

94   בעת מוליכך בדרך in 2,17b ist wegen des vermutlich jüngeren Ursprungs (Dittographie?) hier nicht aufzuzählen, siehe Rudolph.

95   Auf die masoretische Lesart weist auch die LXX einstimmig hin, siehe LXX.

in 3,1 bringen:[96]

(la) 　　　　　　　　והיתה לאיש אחר　הישוב אליה עוד

(lb) 　　נאם־יהוה　　ואת זנית רעים רבים　ושוב אלי

Wichtig ist hier nur, zu berücksichtigen,[97] daß das Verbum שוב in dem Abschnitt 3,1-5 offensichtlich als Stichwort zweimal vorkommt, an das sich die Heilsworte, wie oben
erwähnt, einst wahrscheinlich unmittelbar anschlossen. Da
das Verbum auch in ihnen, wie in 3,1, im Hinblick auf irgendeine Beziehung Israels zu Jahwe benutzt worden ist,
läßt sich unbefangen annehmen, daß eine 'Sogwirkung' zwi-
3,1-5 und V.12aβ-13bα einst am Werke war. Wenn man weiter
דעי in 3,13a in Zusammenhang mit ודעי in 2,19a und דעי
in V.23a wie auch עונך in 3,13a mit עונך in 2,22b bringen
darf, so ist zu schließen, daß die konstitutiven Nomina und
Verba, die die Heilsworte 3,12aβ-13bα charakterisieren, zum
größten Teil in der vorangehenden Spruchsammlung 2,5-3,5
vorkommen: es sind שובה, משבה, אטור לעולם, דעי עונך, פשעת,
דרכיך und לזרים.[98] Ausgeschlossen sind die Wendungen
ותפזרי (את־דרכיך) und כי חסיד אני , לוא אפיל פני בכם

Bevor diese Beziehung, die zwischen 3,12aβ-13bα und 2,5-
3,5 auf der Wortebene beobachtet wurde, weiterhin nach Abhängigkeit und Unabhängigkeit untereinander befragt wird,
sollte der Zusammenhang der Heilsworte mit den darauffolgenden Sprüchen dargelegt werden. Da man, wie anfangs des jetzigen Abschnittes erörtert wurde, neuerdings allgemein aner-
kennt, daß sich zumindest die zwei Verse 3,19-20 wahrscheinlich an V.1-5 angeschlossen hatten, bevor dazwischen die
Heilsworte V.12aβ-13bα eingereiht wurden, könnte der Vergleich der Heilsworte mit den darauffolgenden Sprüchen in

---

96　שוב begegnet in Kap. 2 noch zweimal: in V.24 (Hi.) und in
　　V.35 (Qal).

97　Man braucht in diesem Zusammenhang nicht der Frage nachzugehen,
　　welchen formgeschichtlichen und traditionsgeschichtlichen Hinter-
　　grund die Formsprache von 3,1-5 oder 3,1-4 hat. Siehe darüber
　　Long, The Stylistic Components of Jeremiah 3,1-5. ZAW 88, 1976,
　　S.386-390 wie auch T.R.Hobbs, Jeremiah 3,1-5 and Deuteronomy
　　24,1-4. ZAW 86, 1974, S.23-29.

98　Vgl. auch den Naegelsbachs auf תזלי in 2,36a im Hinblick auf
　　תפזרי in 3,13b.

erster Linie auf V.19-20 eingeschränkt werden. Nun ist das
Ergebnis des Vergleiches auf den ersten Blick klar: zumindest auf der Wortebene besteht zwischen den Heilsworten
3,12aβ-13bα und V.19-20 mit Ausnahme der Wendung ומאחרי לא
תשובו [99] in 19b keine auffällige direkte Beziehung.[100]
Es läßt sich deshalb schließen, daß die Heilsworte nicht
so bestimmt nach 3,19f. wie nach den vorangehenden Sprüchen,
nämlich 2,5-3,5, orientiert sind.

Die bisherigen Beobachtungen legen nahe, daß erstens eine
jeremianische Herkunft der Heilsworte 3,12aβ-13bα keineswegs
zwingend ist, daß sie zweitens möglicherweise auf die ganze
Spruchsammlung 2,5-3,5 hin konzipiert wurden. Trotz des
ersteren Befundes könnte man zwar behaupten, die Heilsworte
3,12aβ-13bα seien jeremianischer Herkunft. Diese Behauptung
könnte sich darauf berufen, daß erstens die Worte poetisch
geformt sind, daß sie zweitens als Heilsworte ans Nordreich
Israel vielleicht den Worten des Propheten 31,1-6.15-20 nahestehen könnten.[101] Das erste Argument ist aber doch deswegen nicht schlagend, weil es im Jeremiabuch die poetisch
geformten Heilsworte des vor-dtr. Verfassers 30,10f. 16-21;
31,7-14.21f. gibt, die folglich dem Propheten Jeremia abgesprochen werden können. Ebensowenig ist die zweite Argumentation für die weitverbreitete Ansicht[102] zwingend, Jeremia

---

99 Das Vorkommen von שוב in 3,19b deutet darauf hin, daß die
Heilsworte wohl nicht wegen seiner Wendung von שובה משובה
ישראל V.12a an V.19f. vorangeschaltet wurden. Dieser Frage
wird unten nachgegangen.

100 Diese Feststellung schließt natürlich nicht aus, daß es zwischen
beiden doch gedanklich Beziehungen gibt, vgl. כי ביהוה אלהיך
פשעת in V.13a mit כן בגדתם בי בית ישראל in V.20b.

101 Ähnlich Herrmann, Heilserwartungen, S.227, wenn er schreibt:
"So gewiß wir also in Jer. 3,12.13 im Verein mit 31,15ff. vor
der urtümlichen Israel-Verheißung Jeremias zu stehen meinen,
....."

102 So von Ewald und Hitzig bis Condamin, van Ravesteijn, Steinmann, Aeschimann, Rudolph, Wambacq, Penna, Hertzberg, Nordreich
Israel, S.59, wie auch Böhmer; zweckmäßiger ist es, nur die Ausnahmen zu nennen: Duhm, Erbt, Skinner, Prophecy and Religion,

habe die Heilsworte ans Nordreich Israel gerichtet; diese
Annahme beruft sich meistens lediglich auf den Redebefehl
Jahwes an den Propheten Jeremia: "Geh und rufe diese Worte
nach Norden und sprich, ..." (3,12aα), der die Heilsworte einleitet. Weil diese Einleitung aber zusammen mit V.11,
wie Thiel erklären konnte,[103] einen Übergang bildet, den
das dtr. Prosastück benötigte, um sich selbst an die Heilsworte gut anzuschließen, kann man von diesem Übergangsteil
unmittelbar nichts Sicheres über die eigentlichen Adressaten der Heilsworte erfahren.

Mittelbar liefert aber dieser Prosakommentar V.6-10 für
die Frage einen Anhaltspunkt, warum die Heilsworte an sich
über ihre Adressaten nichts besagen.

Wichtig ist in diesem Zusammenhang, keine mögliche Willkür der Deuteronomisten zu veranschlagen, sondern danach zu
fragen, was die Deuteronomisten zur Kommentation zwang. Duhm
vermutete, die Heilsworte 3,12aβ-13bα seien von Haus aus unmittelbar an V.1-5 angeschlossen worden und es sollten deshalb dazwischen in jeder Hinsicht eigentlich keine Gegensätz-
lichkeiten bestanden haben. Indes scheinen die Deuteronomisten mit dem Kommentar beabsichtigt zu haben, verborgene
Gegensätzlichkeit zwischen 3,1-5 und V.12aβ-13bα ins Licht
zu bringen und damit die Leser darauf vorzubereiten, daß
sie ohne Bedenken von 3,1-5 zu den Heilsworten übergehen
können. Aufgrund dieses angenommenen Sachverhaltes behauptete Duhm ein "Mißverständnis" der Deuteronomisten in dem Sinne, daß sie die Heilsworte daraufhin auslegten, daß sie die
Worte an die exilierten Israeliten gerichtet haben, daß darin somit zur Heimkehr Nordisraels aus dem Exil aufgefordert

---

Hyatt, Welch, Jeremia. His Time and his Work, wohl auch Herrmann,
Heilserwartungen, S.238, und Thiel (1973). Die Meinung, die die
zuletzt genannten vertreten, ist unten zu besprechen.

103   Thiel (1973), S.85.

sei, während Jeremia nach Duhm "unter Israel das noch exi-
stierende Volk Juda und Benjamin und unter der Rückkehr
die Abkehrung vom Baalkult und Rückkehr zur reinen Jahwe-
religion" verstanden habe.[104] Diese "Mißverständnis"-Theo-
rie Duhms ist schon deswegen nicht zwingend, weil sie nicht
zu erklären vermag, was das "Mißverständnis" bei den Deuteronomisten verursacht hätte. Selbstverständlich ist aber
einer Vermutung über ein eventuelles "Mißverständnis" irgendeine Notwendigkeit des Kommentars vorzuziehen. Man muß
deshalb, wie oben vermerkt, fragen, welche Umstände es sind,
die die Deuteronomisten zum Kommentar 3,6-12aα gezwungen haben, unter der Voraussetzung, daß sie V.1-5 und V.12aβ-13bα
in der Reihenfolge sachgemäß verstanden haben.

Der Prosakommentar gliedert sich eindeutig in zwei Teile,
deren Begrenzung נאם־יהוה (Ende V.10) und ויאמר יהוה אלי
(Anfang V.11) zeigen. Es handelt sich im ersten Teil V.6-10
wesentlich um das Verhalten Judas. Dieser Teil beabsichtigt
das, was in 3,1-5 gesagt wird, als Götzendienst Judas zu
präzisieren[105] und seine fehlende Bereitschaft zur Rückkehr
zu Jahwe festzustellen. Diese Absicht zeigt sich nicht im
zweiten Teil V.11-12aα, sondern sie läßt sich erst nach den
Heilsworten wieder in V.13b in der folgenden Wendung erkennen: תחת כל־עץ רענן ובקולי לא שמעתם . Nun läßt sich fragen,
was der zweite Teil des Prosakommentars beabsichtigt. Man
kann diese Frage wohl so beantworten, daß jene Polarisierung, die im ersten Teil V.6-10 ausgesetzt ist, im zweiten
Teil durch die Aussage: "'die Abtrünnigkeit', Israel, steht
unschuldig da im Vergleich mit 'der Treulosen', Juda"[106]
zum Höhepunkt gebracht worden ist. Nun ist weiter zu fragen,

---

104 Duhm, S.36. Er hat mit dieser "Mißverständnis"-Theorie Erbt,
     Welch, Skinner und Hyatt beeinflußt.

105 Das zeigen schon על־כל־הר גבה ואל־תחת כל־עץ רענן (V.6b) wie
     auch ותנאף את־האבן ואת־העץ (V.9b). Zu dieser Zusammenfassung
     zwingt die Deuteronomisten wohl die Tatsache, daß das Eheglei-
     chnis (3,1a), die Erwähnung der Araber (V.2a) wie auch das Zitat
     menschlicher Beschwerden (V.4.5a) den Hinweis auf Götzendienst
     in V.2a in den Hintergrund zu drängen scheinen.

106 Rudolph. Das nächste Zitat ist auch von ihm.

warum denn die Deuteronomisten diese Polarisierung von Israel und Juda als Grundabsicht ihres Kommentars benötigten. Wenn man bedenkt, daß ihnen die Heilsworte $3,12a\beta-13b\alpha$ einst im unmittelbaren Anschluß an V.1-5 vorlagen, so scheint nahezuliegen, daß die Deuteronomisten an dieser Anordnung deswegen nicht vorbeigehen konnten, weil die Heilsworte die Leute ohne Bedenken zur Anerkennung ihres Abfalls auffordern und diejenige leichtfertige Lippenbuße der Leute durchaus nicht einrechnen, in deren Feststellung die ganze Spruchsammlung 2,5-3,5 ausmündet: "So redetest du und tatest du das Böse mit Meisterschaft." Die Deuteronomisten sahen sich deshalb wohl dazu gezwungen, diese wesentlichen Abweichungen der Heilsworte $3,12a\beta-13b\alpha$ von 2,5-3,5 dadurch aufzuheben, daß sie die Polarisierung von Israel und Juda in V.6-12a einbrachten, damit sich beide, 2,5-3,5 und $V.12a\beta-13b\alpha$, in diesem neu geschaffenen Kontext miteinander vertragen konnten. Dadurch konnten die Deuteronomisten nämlich rückwärts die Spruchsammlung 2,5-3,5 einschränkend mit den Bewohnern Judas verbinden und vorwärts $3,12a\beta-13b\alpha$ als Heilsworte für Nordisrael[107] erklären. Ist

---

107   Wohl zuletzt hat Thiel (1973), S.83-91, die Texte 3,6-13 unter
       der Voraussetzung ausführlich behandelt, daß $V.12a\beta-13b\alpha$ ein
       ursprünglich jeremianischer Heilsspruch für Nordisrael sei.
       Thiel hat die Texte insofern richtig beobachtet, als er V.6-
       $12a\alpha$ den Deuteronomisten zugeschrieben hat. Er konnte aber an-
       scheinend die Frage nicht befriedigend erklären, warum ausge-
       rechnet an dieser Stelle jene 'Israel-Juda-Problematik' (85)
       eingeschaltet werden mußte, als er folgerte: "Der Abschnitt
       wird beherrscht von der breiten Schilderung der Schuld Israels
       und Judas, die generell als Abfall von Jahwe zum Götzendienst
       bestimmt wird" (S.91. Hervorhebung von mir). Freilich geht
       auch Thiel weiter und sagt, daß die deuteronomistische Redak-
       tion des Buches den Spruch $V.12a\beta-13b\alpha$, den Thiel für jeremia-
       nisch hält, "vom judäischen Gesichtspunkt aus zu rechtfertigen
       versuchte" (S.91, oder: "Gerade im Lichte der Katastrophe Judas
       mußte der Heilsspruch an Nordisrael zum thematischen Durchre-
       flektieren sub specie Iudae veranlassen," S.90) und des weite-
       ren, daß ..... "die Theologen der Exilszeit die ihnen vorlie-
       genden Prophetensprüche, die anstößigen zumal,im Horizont der
       verlaufenen Geschichte zu interpretieren und damit zu recht-
       fertigen versuchten" (S.90). Eine angenommene Anstößigkeit von

das richtig, so bestätigt dieses deuteronomistische Prosastück unbeabsichtigt, daß die deuteronomistischen Redaktoren die Möglichkeit voraussahen, daß die Heilsworte V.12aβ-
13bα denselben Adressaten wie denen von V.1-5 gelten. Das
heißt, die Heilsworte dürften an sich wohl kein besonderes
Anzeichen dafür getragen haben, daß sie sich an Nordisrael
wenden. Wenn sich hingegen die Heilsworte von Haus aus an
Nordisrael gerichtet hätten, dann wäre der Prosakommentar
der Deuteronomisten eigens an dieser Stelle nicht entstanden. Es gibt übrigens keinen Grund dafür, das soeben besprochene Urteil der Deuteronomisten über den ursprünglichen Adressaten der Heilsworte zu bezweifeln. Sind die Beobachtungen soweit richtig, so läßt sich schließlich annneh-
men, daß die Heilsworte 3,12aβ-13bα wahrscheinlich nicht an
Nordisrael gerichtet wurden.

Das entzieht einem Analogieschluß den Grund, daß auch die
Heilsworte gleich wie die jeremianischen Heilssprüche ans
Nordreich 31,1-6.15-20 jeremianischer Herkunft seien. Überdies weisen die zuletzt genannten Heilssprüche Jeremias ans
Nordreich mit den Heilsworten 3,12aβ-13bα in der Tat keine
inhaltliche Affinität auf: die Worte, die den Inhalt der
Heilsworte 3,12aβ-13bα grundsätzlich bestimmen und sie weiter in festen Zusammenhang mit 2,5-3,5 bringen, begegnen
selten in den genannten jeremianischen Heilssprüchen für
Nordisrael[108]: von den acht Worten נטר, ידע, זרים, דרך,
לעולם, עון, פשע und שוב , begegnet nur שוב in 31,16-19

V.12aβ-13bα habe demnach das dtr. Interpretament an dieser Stelle hervorgerufen. Dann bleibt aber an seiner Erklärung unerklärt,
wie und warum ein Heilsspruch für Nordisrael wie 3,12aβ-13bα
ausgerechnet nun in der Exilszeit für die Judäer 'anstößig' wurde
und infolgedessen gerechtfertigt werden mußte.

108   Sonst sind in Kap. 30 die Abschnitte V.12-15 und V.23f. wahr-
       scheinlich jeremianisch, siehe oben die Fragestellung, bes. S.82.
       Da sich aber diese Abschnitte offensichtlich nicht als Heilssprü-
       che zeigen, werden sie außer acht gelassen. Obwohl in 30,12-15
       das Wort עון zweimal vorkommt, kann dieses Vorkommen die Be-
       urteilung über das Verhältnis von 3,12aβ-13bα zu den jeremiani-
       schen Heilssprüchen in Kap. 31 nicht verändern.

fünfmal. Diese Befunde sprechen offensichtlich gegen die
Ansicht, daß die Heilsworte 3,12aβ-13bα zu den jeremiani-
schen Heilssprüchen gehören. Dagegen spricht wohl auch der
Sachverhalt, daß in den Heilsworten 3,12aβ-13bα keine der
Eigennamen wie הרי שמרון (31,5), הר אפרים (V.6), רחל ,רמה
(V.15) אפרים (V.18.20) vorkommen, die die jeremianischen
Heilssprüche für Nordisrael auszeichnen.

Infolgedessen braucht man im Hinblick auf die Herkunft
der Heilsworte nur zwei Möglichkeiten zu berücksichtigen:
Wurden auch in den Heilsworten 3,12aβ-13bα trotz des schlechten Anschlusses an V.1-5 vielleicht die Judäer wie in der
Spruchsammlung 2,5-3,5 angeredet,[109] oder gehören die Heilsworte zu den vor-dtr. Sprüchen wie 2,2aγ-4, die wahrschein-

---

109   Allerdings kommt der Eigennahme "Israel" in der Spruchsamm-
       lung 2,5-3,5 dreimal vor, und zwar in 2,14.26 und 31. "Das Haus
       Israel" in V.26 kann deswegen nicht das ehemalige Nordreich Is-
       rael bedeuten, weil hier damit, wie die darauffolgenden Zeilen
       aussagen, Institutionen des Staats- und Kultwesens gemeint sind,
       die künftig zuschanden werden sollen. Bei V.14 und 31 dagegen be-
       steht die Möglichkeit, daß "Israel" doch das ehemalige Nord-
       reich heißen kann, da der Kontext in beiden offensichtlich dar-
       auf hinweist, daß "Israel" hier in Geschehnisse der Vergangen-
       heit einbezogen ist. Zugleich deutet aber der Ausdruck "mein
       Volk" in V.31b, der hier wahrscheinlich mit "Israel" parallel
       läuft, das Gesamtisrael als Gottesvolk an. Es scheint aussichts-
       los, im jetzigen Stand der Forschung - trotz der Untersuchung
       Rosts, Israel bei den Propheten - "Israel" jeweils in seinem Be-
       deutungsumfang eindeutig zu bestimmen. Es kommt eher deswegen auf
       die Frage an, wen man für den Adressaten der gesamten Mahn- und
       Gerichtsworte 2,5-3,5 gehalten hat, weil sie sich wohl in die
       Sammlung zusammengefügt hatten und sich demzufolge als gewisser-
       maßen Einheitliches dargestellt haben müssen. Wird die Frage
       derart gestellt, so ist nun zu erwägen, daß der Name Juda, der
       in 2,28 angerufen worden ist, territorial- wie auch begriffsge-
       schichtlich viel eindeutiger als "Israel" geblieben ist, daß des-
       halb das Vorkommen des Namens Juda als Angeredeten dafür wohl
       entscheidend war, die Meinung bzw. den Eindruck zu gestalten,
       daß all diese Sprüche 2,5-3,5 an Juda gerichtet sein sollen. Ne-
       benbei sei darauf hinzuweisen, daß die begriffsgeschichtliche
       Mehr- oder Zweideutigkeit des Namens "Israel" hingegen dem vor-
       dtr. Verfasser anscheinend ermöglicht hat, Israel mit Jakob, dem
       Kenntwort des Verfassers, zu identifizieren (z.B. 30,10; 31,11
       und 2,4).

lich auf die ganze Spruchsammlung 2,5-3,5 hin konzipiert
wurden?

Die erste Möglichkeit bleibt offen, solange man, wie
oben durchgeführt, bei dem Zusammenhang zwischen den Heilsworten 3,12aβ-13bα und der Spruchsammlung 2,5-3,5 lediglich danach fragt, welche und wie oft die Stichworte gemeinsam in beiden Komplexen vorkommen. Es läßt sich deshalb weiter fragen, wie die oben festgestellten gemeinsamen Worte nun in den jeweiligen Kontexten gebraucht worden
sind und was sie dort genau bezeichnen. Es empfiehlt sich,
mit der Beobachtung der דעי -Verwendung zu beginnen. Der
Ausdruck kommt in der Spruchsammlung und in den Heilsworten folgendermaßen vor:

2,19	וראי כי־רע ומר	ודעי
2,23	ראי דרכך בגיא דעי מה עשית	
3,13	אך דעי עונך	

Bemerkenswert ist an diesem Vergleich, daß der Ausdruck
in der Spruchsammlung nur in Verbindung mit ראי begegnet,
während er in den Heilsworten ohne ראי vorkommt. Abgesehen davon, ob es die Nebeneinanderstellung von דעי und
ראי auf Assonanzwirkung anlegt, kann die Verbindung von
דעי mit ראי wohl darauf hinweisen, daß der Prophet Jeremia mit dieser Wendung die Zuhörer dazu veranlaßte, die konkreten Tatbestände zu betrachten (ראה), um den Sachverhalt zu erkennen (ידע).[110] Diese Auffassung ist damit ver-
einbar, daß "Jeremia eine ganze Fülle buntester B i l d e r
ausstreut."[111] Im Unterschied dazu ist דעי in 3,13, nämlich in den Heilsworten, von dem konkreten Blickfeld getrennt
und mit עונך , einem Abstraktum mit וו -Endung,[112] verbunden. Bemerkenswert ist in diesem Zusammenhang die Meinung
R.Knierims, daß das zuletzt genannte Wort nicht die geson-

---

110   Vgl. 5,1aβ.

111   Volz, S.XXXVI.

112   Bauer/Leander, Historische Grammatik, § 61bδ.

derten und abgeschlossenen Untaten bezeichnet, sondern daß
die Untaten bei diesem Wort aus dem Blickwinkel des "dyna-
mischen Ganzheitsdenken(s)" in den "Tat-Folge-Zusammenhang"
einbezogen werden. Nach Knierim "werden das Verbum und Nomen allermeist zur fomalen Disqualifizierung bestimmter
Handlungen, Verhaltensweisen oder Zustände und ihrer Folgen - und dies in ausdrücklich theologischen Zusammenhängen - verwendet."[113] Daraus ist zu schließen, daß die דעי-
Verwendung in den Heilsworten im Gegensatz zu dem in der
Spruchsammlung 2,5-3,5 dadurch in eine abstrakte Gedankenwelt verlegt ist, daß דעי einerseits von ראי getrennt
und andererseits mit עונך verbunden worden ist.

Zu einer ähnlichen Feststellung führt wohl auch der Vergleich bei זרים (2,25 und 3,13) wie auch bei שוב (3,1 und
V.12). Obwohl es nicht genau feststeht, wen das Nomen זרים
in 2,25[114] meint, ist von folgendem Parallelismus der Zitate ohne weiteres zu schließen, daß die זרים nichts anderes als die Baalim in V.23a sind:

V.23   לא נטמאתי   אחרי הבעלים לא הלכתי

V.25 נואש לוא כי־אהבתי זרים   ואחריהם אלך

Insofern ist der Ausdruck konkret, wenn er auch bildhaft
ist. Im Unterschied dazu stand זרים in 3,13, wie oben erwähnt, so unbestimmt, daß das Wort die deuteronomistische
Interpretation תחת כל עץ רענן wohl hervorrief. Dieser Unterschied, der sich soweit zwischen der Spruchsammlung 2,5-
3,5 und den Heilsworten 3,12aβ-13bα im Hinblick auf den
Wortgebrauch bemerken läßt, gilt auch für das Verbum שוב .
Augenscheinlich handelt es sich bei שוב in 3,1a um die
Rückkehr eines Mannes zur ehemaligen Frau[115] wie auch bei
dem Nomen in V.1b um die Rückkehr zu Jahwe; in beiden ist

---

113   R.Knieriem, Art. עון THAT II, Sp.243-249, bes. 224.

114   Die Abgrenzungen des Abschnittes, der V.23 und 25 enthält, ist
      zwar nicht sicher. Es läßt sich doch deswegen annehmen, daß
      V.23-25 miteinander verbunden sind, weil dort der Stil und die
      Vorstellungen miteinander kongruieren.

115   Hier kann die Frage offenbleiben, welches ursprünglich ist,
      הישוב אליה wie im MT oder הַשׁוֹב אֵלָיו wie Rudolph, BHS, App.,
      vertritt.

die Richtung der Rückkehr durch das präpositionale Objekt
(אליה bzw. אלי) bestimmt. Wie unbestimmt das Verbum aber
in 3,12 gebraucht worden ist, beweist zur Genüge die lang
diskutierte Frage, ob es in 3,12 zur Rückkehr zum Heimatland oder zur Umkehr vom Baaldienst zu Jahwe auffordert.[116]

Diesen Unterschied, der zwischen der Spruchsammlung 2,5-
3,5 und den Heilsworten 3,12aβ-13bα anhand des gemeinsamen
Wortschatzes festgestellt worden ist, kann man wohl auch an
jener Entsprechung von Frage - Antwort הינטר לעולם - לא
אטור לעולם konstatieren; die Frage in 3,5, ob Jahwe ewig
zürnt, ist angesichts der voraussichtlichen Lebensgefahr
der Gemeinschaft gestellt, die, wie oft vermerkt,[117] der
versagte Regen (V.3a) zur Folge haben muß. Soweit ist in
3,5 der Zorn Jahwes konkret in die meteorologischen Besonderheiten einbezogen. Im Unterschied dazu ist in 3,12 unklar, an welchen Ereignissen bzw. Umständen man den Zorn
Jahwes erkennen kann oder soll. Diese Frage, die nach dem
Zusammenhang des Zornes Gottes mit den Realitäten im Lebens-
raum der Zuhörer gestellt wird, fehlt hier auffällig. In
diesem Sinne beschreiben diese Heilsworte den Zorn Gottes
im Vergleich mit der Spruchsammlung abstrakter.

Auf einen ähnlichen Sachverhalt weist wohl auch das Nomen
דרכיך in 3,13b hin. דרך kommt, wie oben erwähnt, in der
Spruchsammlung achtmal vor, und zwar in 2,18.18.23.23.33.
33.36; 3,2.[118] Zumindest fünf Belege (2,18a.18b.23b.36; 3,2)
davon bezeichnen den konkreten Weg. Die anderen (2,23a.33a.
33b) müssen wahrscheinlich in dem sog. übertragenen, oder
nach Bergman "hintergründigen", Sinn verstanden werden. Man
muß deshalb zugeben, daß das Nomen דרך sogar in der Spruchsammlung nicht immer im Hinblick auf die materielle Welt
verwendet ist. Diese Tatsache kommt wahrscheinlich daher,

---

116 Unten wird dieser Frage von einem neuen Gesichtspunkt aus nach-
     gegangen, siehe auch Böhmer, S.23.

117 So Volz und Rudolph.

118 Siehe oben auch A. 94.

daß das Nomen selbst vielschichtig ist.[119] Es scheint
zweckmäßig zu sein, hier auch die zwei Stellen 2,36a und
3,13b zu vergleichen, die nicht nur gemeinsam das Nomen
enthalten, sondern auch insgesamt einander formal wie inhaltlich ähnlich sind:

2,36   (..מאשור...ממצרים..) לשנות את־דרכך מה־תזלי מאד

3,13   (..לזרים) ותפזרי את־דרכיך

Eine eingehende Entsprechung zwischen diesen beiden Sätzen wird dann ersichtlicher, wenn man bedenkt, daß erstens
die Frage 2,36a unter Berücksichtigung von Ägypten und
Assyrien (V.36b), also Ausländern (=זרים), gestellt ist,
daß zweitens dem Aussagesatz 3,13 die Wendung לזרים folgt.
Somit ist zu schließen, daß das Nomen דרך in 2,36 in erster Linie den konkreten Weg, hier im Sinne eines Weges
nach Ägypten sowie Assyrien, bezeichnet und daß es deshalb
nicht grundsätzlich abstrakt ist, während es in 3,13 augenscheinlich in nicht geringem Maße unbestimmt ist, was die
oben erwähnten Auseinandersetzungen über דרכיך in 3,13
wohl bestätigen.

Aus den Beobachtungen, die gemacht wurden, kann man wohl
den Schluß ziehen, daß die Heilsworte 3,12aβ-13bα auf der
einen Seite im Hinblick auf ihre Wortwahl der Spruchsammlung grundsätzlich ähnlich sind, weil die konstitutiven Nomina und Verba, die die Heilsworte charakterisieren, zum
großen Teil auch in der Spruchsammlung vorkommen, und zwar
die Worte und Wendungen: פשע, עון, דעי, נטר לעולם, שוב,
דרך , und זרים . Auf der anderen Seite sind aber die meisten
von ihnen hinsichtlich ihrer kontextuellen Bedeutungen unbestimmter bzw. abstrakter als in der Spruchsammlung 2,5-
3,5. Diese Tendenz ist soeben an den Worten דעי, זרים,
שוב, דרך und der Wendung נטר לעולם in den Heilsworten
dargelegt worden. Angesichts dieses Sachverhaltes kann man
wohl in den Heilsworten 3,12aβ-13bα auch den Charakter eines

---

119   Bergman, Art. דרך, Sp.288.

Resümees der Spruchsammlung finden, die einst unmittelbar den Heilsworten voranging. Mit dieser Charakterisierung ist das ganze Verständnis der Heilsworte aber nicht erfaßt. Es wird dem Sachverhalt vielmehr gerecht, wenn man sie so versteht, daß diejenigen Entsprechungen zwischen Spruchsammlung und den Heilsworten, die an den bisher behandelten gemeinsamen Worten und Wendungen festgestellt sind, in dem Sinne nicht wechselseitig, sondern einseitig bestehen, daß die Spruchsammlung die Heilsworte gar nicht voraussetzt, daß sie hingegen die Spruchsammlung als vorgegeben ansehen. Gerade daraus ergibt sich wohl ihre Unbestimmtheit bzw. Abstraktheit wie auch ihr Charakter als Resümee.

Wie ist nun diese merkwürdig einseitige Beziehung der Heilsworte zu erklären, in der sie mit der Spruchsammlung 2,5-3,5 stehen? Man muß sich in diesem Zusammenhang daran erinnern, daß oben im Hinblick auf die Herkunft der Heilsworte lediglich zwei Möglichkeiten offen blieben: entweder sind die Heilsworte in dem Maße jeremianisch, wie die Sprüche in 2,5-3,5 jeremianisch sind, obwohl die Heilsworte doch im Unterschied zu ihnen aus irgendeinem Grunde isoliert überliefert worden waren, bevor sie zwischen 3,1-5 und V.19f. eingeordnet wurden, oder sie gehören zu den vor-dtr. Worten, die sich in Kap. 30-31 wie auch in 2,2aγ-4 befinden. Ausgeschlossen wurde oben die dritte Möglichkeit, daß die Heilsworte zu den jeremianischen Heilssprüchen für Nordisrael wie 30,2-6 und V.15-20 gehören. Nun kann und muß man sich für eine der beiden Möglichkeiten entscheiden, um die soeben gestellte Frage zu beantworten, bei der es auf die einseitige Beziehung der Heilsworte mit der Spruchsammlung ankommt. Aller Wahrscheinlichkeit nach kann diese merkwürdige Einseitigkeit durch die Annahme nicht erklärt werden, daß die Heilsworte 3,12aβ-13bα genau wie die Sprüche in der Spruchsammlung 2,5-3,5 jeremianisch sind. Folglich ist also die zweite Möglichkeit vorzuziehen, daß nämlich die Heilsworte wie 30,5-7.10f. 16-21; 31,7-14 und V.21f. vom vor-dtr. Verfas-

ser auf die Spruchsammlung 2,5-3,5 hin formuliert wurden.
Erst mit dieser Annahme kann man nicht nur den oben genannten resümierenden Charakter der Heilsworte erklären, sondern auch begründen, warum die Heilsworte, wie oben festgestellt, nach 3,19f. nicht so bestimmt wie nach der Spruchsammlung orientiert sind.

Diese Annahme kann wohl durch folgende Beobachtungen als
richtig erwiesen werden. Zunächst können die vor-dtr. Worte
30,10-11 in Betracht gezogen werden, damit man die formale
Ähnlichkeit zwischen 30,10-11 und 3,12aß-13ba feststellen
kann:

30,10-11 (V.10) וְאַתָּה אַל־תִּירָא עַבְדִּי יַעֲקֹב נְאֻם־יְהוָה

וְאַל־תֵּחַת יִשְׂרָאֵל

כִּי הִנְנִי מוֹשִׁיעֲךָ...

(V.11) כִּי־אִתְּךָ אֲנִי נְאֻם־יְהוָה

כִּי אֶעֱשֶׂה...

אַךְ אֹתְךָ...

3,12-13 (V.12) שׁוּבָה מְשֻׁבָה יִשְׂרָאֵל נְאֻם־יְהוָה

לוֹא־אַפִּיל פָּנַי בָּכֶם

כִּי־חָסִיד אֲנִי נְאֻם־יְהוָה

(V.13) אַךְ דְּעִי עֲוֹנֵךְ

Gemeinsam sind in beiden folgende Erscheinungen: zuerst
kommt der Imperativ (1) mit dem Eigennamen (2) als Objekt
des Imperativs vor. Der Eigenname trägt ein Epitheton ornans (3). Dann folgt die Spruchformel נְאֻם־יְהוָה (4). Nicht
zufällig wird der Eigenname mit einem anderen Namen oder
Pronomen (5) identifiziert. Danach wird der Grund für den
vorangehenden Imperativ durch כִּי -Satz (6) angeführt. Diese
Begründung stützt sich auf das betonte 'Ich' (7). Wen dieses 'Ich' bezeichnet, erklärt das wiederholte נְאֻם־יְהוָה (8).
Schließlich steht am Anfang der drittletzten Zeile des Abschnittes אַךְ (9), das in beiden gemeinsam wohl im ein-
schränkenden Sinn "nur"[120] verwendet ist.[121]

---

120 Vgl. in 30,11b אַךְ אֹתְךָ לֹא אֶעֱשֶׂה כָלָה (V.11bγ) mit כִּי
אֶעֱשֶׂה כָלָה בְּכָל הַגּוֹיִם (V.11b) und auch KBL.

121 Dieser strukturellen Gemeinsamkeiten ist sich Warmuth wohl

Es genüge hier, darauf kurz hinzuweisen, daß es zwischen
3,12 und V.13 einen stilistischen Bruch gibt, der dem der
vor-dtr. Worteinheit 2,2aγ-4[122] in dem Sinne genau entspricht, daß jeweils in der ersten Hälfte Jahwe in der 1.
Person Israel als ein Femininum anredet (2,2; 3,12)[123] und
dann in der zweiten Hälfte Jahwe in der 3. Person erwähnt
ist (2,3; 3,13). Diese Entsprechung in den beiden wird
wahrscheinlich am besten aus der Annahme erklärt, daß die
Heilsworte 3,12aβ-13bα genau wie 2,2aγ-4 zu den vor-dtr.
Worten gehören. Offensichtlich verursachte das Angleichungsverfahren des vor-dtr. Verfassers in beiden Worteinheiten
den stilistischen Bruch.

Unter dem Gesichtspunkt, daß die Heilsworte 3,12a -13b im
oben gesagten Sinne vor-dtr. sind, können wohl die Fragen erklärt werden, die an die Heilsworte manchmal geknüpft werden. Zuerst sollte man בכם in Betracht ziehen. Seit früher
ist die Meinung geäußert worden, בכם in V.12a müsse angesichts משבה ישראל in בך geändert werden.[124] Es empfiehlt
sich in diesem Zusammenhang, an jene Grundeinstellung zur
maskulinen Formulierung des Verfassers der vor-dtr. Worte zu
erinnern, die oben aus dem literarischen Verfahren des Verfassers erklärt wurde.[125] Der Verfasser wollte nämlich die
femininen Formulierungen, deren sich Jeremia gern bediente,
z.B. 'Israel' als eine feminine Person, wohl in seine eigenen Worte einmal einführen und dann die Formulierungen dadurch maskulinisieren, daß er den femininen Formulierungen,
im wesentlichen unter Benutzung der gewohnten Technik, nämlich des Parallelismus membrorum, maskuline Worte beifügt.

---

nicht bewußt, der die beiden Sprüche unter der "Vermittlung
der Heilszusage" nebeneinander behandelt (Mahnwort, S.137f.140f.).

122   Siehe oben S.147, A.28.

123   Siehe oben S.140f.

124   So z.B. Duhm .

125   Siehe oben EXKURS 3.

Diese literarische Methode, die oben als Angleichungsverfahren des Verfassers bezeichnet wurde, kann er auch hier in 3,12 angewandt haben, und zwar so, daß er die feminine Wendung משבה ישראל wohl durch בכם maskulinisieren wollte. Des weiteren ist es üblich, daß man die Verbindung von משבה ישראל mit der maskulinen Imperativform שובה in der Weise erklärt, daß hier die Assonanz שובה - משבה beabsichtigt ist.[126] Diese Erklärung, die an sich wohl richtig ist, schließt aber die Möglichkeit nicht aus, daß die maskuline Form von שובה auch die maskuline Stilform des Verfassers veranlaßt hat.

Als ein typisches Beispiel, dessen kontextuelle Bedeutung erst aus diesem Angleichungsverfahren befriedigend zu erklären ist, dient die Wendung לא אטור לעולם in 3,12. Nimmt man an, daß die Heilsworte 3,12aβ-13bα eine selbständige Überlieferungseinheit gewesen seien, dann bliebe es unverständlich, warum der Wendung לא אטור eigens das Wort לעולם beigefügt ist, das den gegenwärtigen Zorn Jahwes voraussetzt;[127] denn all die anderen Komponenten außer לעולם in 3,12aβ-13bα weisen nie darauf hin, daß Jahwe gegenwärtig zürnt. Darauf deutet auch die Wendung לוא אפיל פני בכם nicht hin, die in formaler Hinsicht לא אטור לעולם parallel geht. Unter der soeben dargelegten Annahme wäre es auch unverständlich, warum Heilsworte wie 3,12aβ-13bα lediglich mit solchen indirekten Andeutungen auf die brennende Frage des Zornes Gottes auskommen konnten. Der Verfasser dieser Heilsworte konnte damit wahrscheinlich deswegen auskommen, weil er in diesem Zusammenhang auf die Sprucheinheit 3,1-5 angewiesen sein konnte, in deren letztem Teil es sich direkt um die Frage handelt, wie lange der Zorn Gottes dauert. Anscheinend verlief sein literarisches Verfahren hier nämlich so, daß er den Begriff des Zornes Jahwes von der Frage הינטר לעולם in 3,5 aufnahm und dann in seinem eigenen Spruch in 3,12 die Antwort auf die

---

126 So z.B. Rudolph.
127 Siehe Jenni, Art. עולם, Sp.234, der dieses Wort mit לא als "nicht für immer" im Unterschied zu "für immer nicht=nie" überträgt.

Frage unter Benutzung des Wortstammes נטר formulierte,
und zwar לא אטור לעולם . Von diesen Beobachtungen her ergibt sich, warum der Verfasser ausgerechnet hier zwischen
3,1-5 und V.19f. die selbst gedichteten Heilsworte einschalten wollte und warum er dabei außer acht lassen konnte, daß
die Heilsworte dann den guten Abschluß von 3,19f. an V.1-5
unterbrechen. Wahrscheinlich war es so, daß der Verfasser,
der sich dazu berufen sah, Heilsworte auszusprechen, die
Frage "zürnt er für ewig?" nicht unbeantwortet lassen konnte und sich dazu veranlaßt sah, die Frage zu beantworten.
Übrigens scheint dem Verfasser gerade die Form der Frage,
und zwar die der Entscheidungsfrage im Unterschied zu der
Ergänzungsfrage, zu seinem Angleichungsverfahren in dem
Sinne geeignet zu sein, daß es bei derartigen Fragen gewöhnlich zu erwarten ist, mit demselben Wortschatz, aus dem die
Fragen bestehen, beantwortet zu werden; die Frage lautet
הינטור לעולם und לא אטור לעולם ist die Antwort des Verfassers.

Es ist keine Überraschung mehr, auch in den Heilsworten
3,12aβ-13bα das Wort חסיד zu finden, denn der Stamm kommt
noch einmal in den vor-dtr. Worten vor, und zwar in 2,2 in
der Form חסד .[128] Beachtenswert ist, daß die Wendung ותפזרי
את-דרכיך , deren Bedeutung wegen ihrer seltsamen Verbindung viel diskutiert worden ist,[129] ihre Entsprechung in
einer vor-dtr. Wendung findet, und zwar in עד-מתי
תתחמקין הבת השובבה in 31,22a. Man könnte zwar weder behaupten, daß diese zwei Sätze in dem Sinne miteinander verbunden sind, daß der eine im Hinblick auf die Bedeutung den
anderen voraussetzt, noch daß der Verfasser schon bei dem
Satz in 3,13 beabsichtigt, die Leser auf den Satz in 31,22

---

128   Sonst begegnet der Stamm im Jeremiabuch in 9,23; 16,15; 31,2
      und 32,18.

129   Siehe oben S. 171ff.

zu verweisen. Wahrscheinlich ist aber doch, daß diese zwei
Sätze beide von der gleichen Vorstellung des Verfassers
herkommen. Um diesen Sachverhalt darzulegen, empfiehlt es
sich, diese Sätze zusammen mit ihren Kontexten zu vergleichen:

(V.12)   שובה משבה ישראל נאם־יהוה לוא־אפיל פני בכם <u>3,12-13</u>
          כי־חסיד אני נאם־יהוה לא אטור לעולם

(V.13)   אך דעי עונך כי־ביהוה אלהיך פשעת
          ותפזרי את דרכיך לזרים

<u>31,21-22</u>   (V.21)   הציבי לך צינים שמי לך תמרורים
          שתי לבך למסלה דרך הלכתי
          שובי בתולת ישראל שבי אל־עריך אלה

(V.22)   עד־מתי תתחמקין הבת השובבה
          כי־ברא יהוה חדשה בארץ נקבה תסובב גבר

Es läßt sich nicht bestreiten, daß im Abschnitt 31,21-22
die Vorstellung des konkreten Weges dem Verfasser vorschwebt.
Darauf weisen die Parallelismen דרך // מסלה wie auch
תתחמקין צינים // תמרורים (beide in V.21a) hin. Bezieht man
auf diesen Kontext, dann wird ersichtlich, daß dieses seltene Verbum[130] das Verhalten derer bezeichnet, die sich auf
dem Weg hin und her wenden.[131] Der Verfasser beabsichtigt,
wie es scheint, durch diese rhetorische Frage: "Bis wann
wendest du dich hin und her?" die Jungfrau Israels aufzufordern, zu ihren Städten zurückzukehren (שובי בתולת ישראל
שבי אל־עריך אלה V.21b). Was dann in den Städten passieren
soll, gibt der Verfasser am Ende des Abschnittes folgendermaßen an: נקבה תסובב גבר (V.21b). Man dürfte sich hier
an die Implikation erinnern, die aus diesem rätselhaften
Satz oben im entsprechenden Exkurs[132] erschlossen wurde.

---

130 Der Wortstamm kommt im AT sonst nur in Form von Qal in
     Hl 5,6 und als Nomen in Hl 7,2 vor.
131 Siehe KBL.
132 Siehe oben bes. S. 136f.

Der Verfasser erwartet nämlich, daß die zurückgekehrten
Israelitinnen, die inzwischen mit Ausländern zusammenwohn-
ten,bei kräftigen einheimischen Männern Anschluß finden,
damit sich die Heimgekehrten auf ihre Nachkommenschaft im
Lande freuen können. Dieser kurze Spruch kann deshalb die
betreffenden Israelitinnen, sofern er gehört wurde, auf ein
neues Leben im Heimatland hoffen lassen haben. Ist diese
Auslegung zutreffend, ersieht man, daß der Spruch in der
ganzen Aufforderung zur Heimkehr V.21-22 als ein Anziehungs-
punkt unentbehrlich ist. Wichtig ist dann die soeben ange-
deutete sexuelle Konnotation des Spruches, denn selbst jener
Satz ותפזרי את דרכיך לזרים in 3,13b kann wegen des Wortes
דרך auch eine sexuelle Nuance haben.[133] Neben dieser Konnotation kann man zwischen den Abschnitten, wo sich diese zwei
Sätze jeweils finden,   folgende Entsprechungen, sei es
wörtlich oder andeutungsweise, feststellen: erstens ist
beiden die Vorstellung des konkreten Weges gemeinsam. Zweitens stehen die jeweiligen Bedeutungen der Sätze einander
nahe: ותפזרי את דרכיך (3,13b) und תתחמקין (selbstverständlich : "auf dem Weg", 31,22a). Drittens ist das Objekt
der Aufforderung in beiden ähnlich, und zwar in zwei Punkten: es kommt auf 'Israel' als feminine Person an und sie
ist als משבה ישראל (3,12a) und als בתולת ישראל (31,21b)
bzw.[134] הבת השובבה (V.22a) bezeichnet. Schließlich ist der
Imperativ שובה (3,12a) oder שובי bzw. שבי (31,21b) gemeinsam, der beide Abschnitte grundsätzlich als Aufforderung kennzeichnet, wobei die maskuline Form שׁוּבָה im Vergleich mit שׁוּבִי , wie oben kurz gestreift, im Hinblick auf
den Sinngehalt der Worte 3,12aβ-13bα wohl keinen besonderen
Unterschied darstellen kann. Sind die Beobachtungen soweit
richtig,so ist zu folgern, daß der Verfasser in diesen zwei
Abschnitten 3,12aβ-13bαund 31,21-22 dieselben Umstände ins

---

133   Siehe oben S.174, A.91.

134   Siehe oben S.137, A.90.

Auge faßt. Diese Schlußfolgerung bestätigt wiederum, daß
man am besten bedenkt, daß die Heilsworte 3,12aβ-13bα vor-
dtr. sind.

Diese Schlußfolgerung kann auch die oft diskutierte Frage beantworten, ob שובה in 3,12a die Rückkehr zum Heimatland
oder die Umkehr zu Jahwe bedeutet. Angesichts des soeben er-
zielten Ergebnisses bedeutet die Aufforderung שובה in erster Linie die Heimkehr, weil die Heilsworte 3,12aβ-13bα,
in denen sich שובה findet, in ihrer Vorstellung den Heilsworten 31,21-22 nahestehen und weil in den letzteren das
entsprechende Wort שובי bzw. שבי in V.21b im wesentlichen
zur Heimkehr auffordert. Die Frage, wo sich משבה ישראל
(3,12a) bzw. הבת השובבה (31,22a) aufhält, wenn sie der
Verfasser zur Heimkehr auffordert, ist auch viel diskutiert
worden.[135] Diese Frage ist wohl am besten erst dann zu beantworten, wenn man mehrere vor-dtr. Worte zusammen in Betracht zieht.

Daß die Deuteronomisten den Anschluß der vor-dtr. Heilsworte 3,12aβ-13bα an den Spruch Jeremias 3,1-5 beanstande-
ten, daß sie infolgedessen zwischen beiden das Prosastück
3,6-12aα als Ausgleich einschoben, läßt fragen, ob der vor-
dtr. Verfasser den schlechten Anschluß mit in Kauf nahm
oder ob er den Abschluß nicht für schlecht hielt, als er
seine eigenen Heilsworte als Resümee der Spruchsammlung
2,5-3,5 schrieb und sie deshalb unmittelbar an die Spruchsammlung anschließen mußte. Diese Frage sollte erst beantwortet werden, wenn genügend Erkenntnisse über das Verfahren des Verfassers vorliegen.[136]

---

135   So zuletzt auch bei Böhmer, S.24.
136   Siehe unten S. 217f.

1. Es ist anzunehmen, daß die Heilsworte 3,12aβ-13bα unmittelbar auf die Spruchsammlung 2,5-3,5 folgten, bis die
Deuteronomisten dazwischen den Prosaabschnitt 3,6-12aα
einschalteten.

2. Daß die konstitutiven Nomina und Verba der Heilsworte,
פשע, זרים, דרך, שוב, ידע, עון, נטר, לעולם , auch in der
Spruchsammlung vorkommen, weist auf irgendeine Beziehung
zwischen beiden hin, der weiter nachzugehen ist.

3. Die Heilsworte haben in sich selbst in keiner Hinsicht
ein Kennzeichen, das darauf hinweisen könnte, sie seien an
das ehemalige Nordreich Israel gerichtet. Daher ist es möglich, daß sie einst eine Erweiterung der Spruchsammlung
2,5-3,5 darstellten, daß in ihnen insofern auch die Judäer
wie in der Spruchsammlung angeredet waren.

4. Diese Möglichkeit wird aber durch den Befund ausgeschlossen, daß die Worte und Wendungen in den Heilsworten
wie דעי, זרים, שובה לעולם אטור לא   und דרכך   im Unterschied zu denjenigen in der Spruchsammlung jeweils in ihren
Bedeutungen unbestimmt bzw. abstrakt sind. Dieser Sachverhalt konnte wohl nur dadurch entstehen, daß die Heilsworte
die Spruchsammlung voraussetzten und im engen Anschluß an
sie gestaltet wurden. Diese Einseitigkeit in den terminologischen Entsprechungen weist darauf hin, daß die Heilsworte
3,12aβ-13bα vom vor-dtr. Verfasser durch Angleichung der
Spruchsammlung gestaltet wurden.

5. Diese Wahrscheinlichkeit wird durch einen Vergleich
der Heilsworte mit den vor-dtr. Worten 30,10-11 als sachgerecht bestätigt; beide Einheiten weisen eine gleichartige
Struktur auf, die an keinen Zufall denken, sondern auf eine
gemeinsame Verfasserschaft schließen läßt.

6. Durch diese vor-dtr. Verfasserschaft der Heilsworte
3,12aβ-13bα können einige schwierige Fragen Antworten finden,
es können aber auch neue kontextuelle Beziehungslinien
sichtbar gemacht werden: die Verbindung der maskulinen Form

שובה mit משבה ישראל wie das plötzliche Vorkommen von
בכם in V.12 können aus jener Grundeinstellung zur maskulinen Formulierung erklärt werden, die den vor-dtr. Verfasser
kennzeichnet. Des weiteren sind חסיד in V.12 und ותפזרי
את דרכיך in V.13 jeweils mit חסיד in 2,2 und עד מתי
תתחמקין הבת השובבה in 31,22 in Zusammenhang zu sehen.

7. Die Bedeutung von שוב ist anhand anderer vor-dtr.
Worte nicht als Umkehr zu Jahwe, sondern eher als Rückkehr
zum Heimatland zu verstehen. Noch bleibt die Frage offen,
wo sich die Zurückgebliebenen derzeit aufhielten.

3.   3,21-25

Es kann niemanden mehr überraschen, wenn in Kap. 3 den
vor-dtr. Heilsworten V.12aβ-13ba noch ein Textabschnitt
folgt, in dessen Mitte eine Heilszusage hervortritt. Das
sind die Worte 3,21-25, die man der Einfachheit halber als
Einheit der "Heilsworte" bezeichnen kann.[137] Merkwürdig ist
das ungewöhnliche Gefüge dieser Worte als einer Einheit;
man begegnet in ihnen bald klagenden, bald auffordernden,
bald bekennenden Worten. Obwohl seit jeher ihre jeremianische Herkunft kaum bezweifelt wurde, ist solche unmittelbare Herleitung nun angesichts der oben festgestellten vor-dtr.
Herkunft der Heilsworte 2,2aγ-4 und 3,12aβ-13ba fragwürdig
geworden. Außerdem ist es keineswegs so gewesen, daß die
Exegeten bis jetzt gar nicht gezögert hätten, trotz unleug-
barer inhaltlicher Inkongruenz zwischen den Worten 3,21-25
einerseits und der vorangehenden Sammlung der Gerichtsworte Jeremias 2,5-3,5 bzw. ihrem Schlußteil, 3,1-5 und 19-20
andererseits, beide promiscue zu behandeln. Um aus diesen
Schwierigkeiten herauszukommen, wurden den Heilsworten 3,21-
25 nicht selten besondere Entstehungsumstände beigemessen.

---

137   Siehe oben S. 161, A.54.

So sagt z.B. Duhm: "Es ist ein Hören mit dem geistigen Ohr
(sc. des Propheten)."[138] Obwohl diese Annahme einer besonderen Entstehung von V.21-25 nicht unbedingt auszuschließen
ist, wird aber dadurch ihre inhaltliche Inkongruenz mit anderen Worten Jeremias doch nicht ausgeglichen. Diese Unterschiede im Inhalt können freilich auch auf eine andere Möglichkeit der Entstehung dieser Heilsworte als auf die soeben
besprochene übliche Annahme hindeuten. Im Hinblick auf solche Entstehungsverhältnisse kann angesichts der Heilszusage
V.22a vorerst wohl die vor-dtr. Bearbeitung angegeben werden.

In formaler Hinsicht spricht wohl gegen eine mögliche jeremianische Herkunft der Heilsworte V.21-25, daß sie als
Gesamtheit keine der deutlichen Formen aufweisen, die sonst
in sich geschlossene Sprucheinheiten irgendwie prägen. Als
Sprecher zu unterscheiden sind in diesen Worten Jahwe (V.22a),
das Volk Israel (V.22b-25) und eine dritte Person, wohl der
Prophet (V.21). Selbst solcher Wechsel der Sprecher weist
nicht unbedingt auf nachträgliche literarische Eingriffe
in Originaleinheit(-en) hin, sondern resultiert in vielen
Fällen aus kultischen Gattungen.[139] Dementsprechend haben
die Ausleger mehr oder weniger versucht, die Form, die diese Heilsworte als Gesamtheit kennzeichnen soll, dadurch
herauszufinden, daß sie sie mit der einen oder anderen kultischen Gattung verglichen. Diesen Versuch hat zuletzt Weiser unternommen, indem er sich in 3,21-4,2 die "Form einer
Bußliturgie" festzustellen bemühte, "in der das Volk mit

---

138   Duhm, S.42. Ebenso bereits auch Keil, neuerlich van Ravesteijn
       und Rudolph. Eine Variation findet man in "im Geist zu sehen"
       (Hitzig) oder "im Geist zu schauen" (Volz). Gelegentlich ver-
       leiht man dem Propheten ein "feine(s) Ohr" (Rudolph) oder ein
       für die feinsten inneren Regungen empfindliche(s) Ohr" (Wei-
       ser). Es kommt wohl auf das gleiche heraus, wenn Nötscher
       sagt: "Der Dichter nimmt diese zukünftige Zeit als gegenwärtig
       voraus."

139   Siehe H.Gunkel, Einleitung in die Psalmen, 1966, §11, III
       12 und 13.

Klage, Sünden- und Treuebekenntnis zu Wort kommt, und Gott mit der Heilszusage und Bußmahnung ihm antwortet".[140] Sein Versuch geht aber nicht über den Hinweis hinaus, daß הננו אתנו לך (V.22bα) eine "Sprachform des Kultus" sei und כי אתה יהוה אלינו (V.22bβ) zu einer "liturgischen 'Buß-formel'" gehören kann.[141] Wenn Weiser 3,21-25 mit 4,1-2 ohne literarkritische Analyse verbindet, um auf die so entstandene Spruheinheit die bekannte Form des Flehens des klagenden Volkes und der Antwort des angerufenen Gottes anwenden zu können, dann handelt es sich auch bei Gunkel deswegen doch um eine ähnlich willkürliche Bestimmung des Umfangs des Abschnittes, wenn er 3,<u>22</u>-25 zusammen mit 31,19; Hos 6,1-3; 14,3f. einer Sonderart von Bußliedern der Propheten, nämlich dem "Bußgebet für die Z u k u n f t", [142] zuordnet, weil er dabei offensichtlich V.21 isoliert hat. Daß es niemandem insoweit gelungen ist, 3,21-25 in ih-

---

140   So H.Schmidt, S.236: "Buß- und Bettag" und Bright, S.25: "a
      liturgy of penitence." Vgl. auch zu 3,21-25 Cornill: "die
      Schilderung ..... einer Culthandlung, eines Bussgottesdienstes",
      Volz: "Bußlied" wie auch Hyatt: "the tempel liturgy". Ferner
      Erbt zu 3,11-13 + 22-25 + 4,1: "die F o r m d e r L i -
      t u r g i e ". Von diesen Kommentatoren unterscheidet sich Duhm
      darin, daß er die Gestalt von 3,21-25 nicht unmittelbar auf
      eine Liturgie zurückführen will, da er allein im Hinblick auf
      V.25 andeutungsweise sagt: "Das Bild weist auf den Brauch an
      Buss- und Fastentagen hin." Wichtig ist in diesem Zusammenhang
      nur zu überprüfen, inwieweit sich der Abschnitt, sei es 3,21-
      25 oder 3,21-4,2, in die wirkliche Abfolge der Bußliturgie hin-
      sichtlich seiner Terminologie und Struktur einpassen läßt;
      wenn man die von Joel 1 und 2 erschlossenen einzelnen Bestand-
      teile der Bußliturgie, ihre bestimmte Reihenfolge wie auch die
      verschiedenen Dienstarten der daran Beteiligten (siehe darüber
      Graf Reventlow, Liturgie, S.118, und A.Baumann, Urrolle und
      Fasttag, S.360f.) einmal konkret ins Auge faßt und sie zum Ver-
      gleich mit den Bestandteilen des Abschnittes heranzieht, so
      ist der Schluß wohl zwingend, daß man im Hinblick auf die Ge-
      stalt von 3,21-25 bzw. 4,2 keineswegs von einer unmittelbaren
      kultischen Prägung reden sollte.

141   Dabei kann Weiser auf הננו אתנו לך lediglich (אז אמרתי)
      הנה-באתי in Ps 40,8a beziehen.

142   Gunkel/Begrich, Einleitung, S.132.

rer genauen Ausdehnung sogar im weitesten Sinne gattungsgeschichtlich zu bestimmen,[143] erweckt die Vermutung, daß
die Heilsworte keine selbständige Überlieferungseinheit
darstellen, sondern daß sie in den Textzusammenhängen, in
denen sie sich jetzt finden, literarisch erarbeitet wurden. Wahrscheinlich wäre nichts aufschlußreicher als ein
Vergleich dieser Worte mit dem Heilsspruch Jeremias 31,18-
20, den der vor-dtr. Verfasser bei der Gestaltung seines
Büchleins 30,5-31,22 sicher benutzte:[144]

---

143 Als sonstige Merkmale, die möglicherweise auf die Gattung der
   Klagelieder der Einzelnen bzw. des Volkes zurückzuführen sind,
   könnte man sowohl die Wortstämme wie בוש, כסה und כלם (vgl.
   z.B. Ps 69,7f.) als auch das Bekenntnis der Zuversicht אכן
   ביהוה אלהינו תשועת ישראל   V.23b (siehe Westermann, Lob und
   Klage, S.42ff.) angeben. Die Erwähnung von "Vätern" kommt
   manchmal in Klagepsalmen wie in Ps 22,5 (vgl. aber auch Kraus,
   Psalmen, BK XV/1, S.52) vor: In Jer 3,24 könnte die Wendung
   יגיע אבותינו   somit vielleicht das gegenwärtige Unglück in
   einen scharfen Kontrast zur glücklichen Vergangenheit bringen,
   um es zu unterstreichen.
       Unleugbar ist, daß auch in   נשכבה בבשתנו ותכסנו כלמתנו
   in V.25a unbefangen ein klagender Ton gehört wird. Man müßte
   deshalb damit rechnen, daß diese Wendungen, die den letzten
   Teil von 3,21-25 bilden, einer abschließenden Phase eines Kla-
   geliedes des Volkes entsprechen. Da sie ferner für sich durch
   den Kohortativ נשכבה die spontane Entscheidung und Stellungnahme der "Söhne Israels", nämlich ihre Willensäußerung ("Wir
   wollen .....!"), beschreiben (siehe über die kohortative Bedeutung von נשכבה unten EXKURS 5, A.180), wäre zu berücksichtigen, daß Westermann, Lob und Klage, S.125ff.136, auf eine
   Form der Klagepsalmen des Volkes gestoßen ist, die sich mit Lob-
   gelübden abrundet, wie es in Ps 79,13 und 80,19, möglicherweise auch in 115,18 der Fall ist (siehe die Übersetzungen dieser
   Verse durch Kraus, BK XV/2, der sie jeweils in der Wendung
   "Wir wollen ....." wiedergibt). Wenn man somit diese Gelübde
   als eine Art von Willensäußerungen kennzeichnen möchte, so
   nähert sich die oben besprochene Wendung mit נשכבה formal
   den gelegentlich die Klagepsalmen abschließenden Gelübden.
   Westermann gibt aber zugleich zu bedenken, daß jene Form im
   Fall der Klagepsalmen des Volkes selten begegnet (aaO. S.44),
   daß man folglich "nicht in der Weise vom Lobgelübde als einen
   festen Psalmschluß reden kann wie bei den KE (sc. Klagelieder
   des Einzelnen)" (S.45). Nun liegt der Schluß nahe, daß man in
   3,21-25 auf der einen Seite Andeutungen an Klagelieder nicht
   übersehen kann, daß sich dort auf der anderen Seite trotz all
   solcher Elemente doch keine konstruierbare kultische Gattung
   vorstellen läßt.

144 Weiser, S.280, sagt: "Sie (sc. die Klage von 31,18f.) ist mit
   der Klage von 3,21-25 aufs engste verwandt ..... ."

	21		18a
בכי תחנוני בני ישראל	קול על-שפים נשמע	שמוע שמעתי אפרים מתנודד	
שכחו את-יהוה אלהיהם	כי העוו את-דרכם	יסרתני ואוסר כעגל לא למד	
ארפה משובתיכם	שובו בנים שובבים 22		18b
כי אתה יהוה אלהינו	הננו אתנו לך	השיבני ואשובה	
חשועת ישראל	145 24a	כי אתה יהוה אלהי	
	והבשת אכלה		
ותכסנו כלמתנו	25a		19b
	נשכבה בבשתנו	בשתי וגם-נכלמתי	
	כי ליהוה אלהינו חטאנו	כי נשאתי חרפת נעורי	

Den beiden Abschnitten ist erstens gemeinsam, daß sie beide mit dem Hören des Weinens der Söhne Israels, des Bedauerns Ephraims (3,21a; 31,18aα-β) beginnen. Darauf folgt zweitens in den beiden Abschnitten gleichermaßen die Feststellung des Benehmens in der Vergangenheit: die Vorstellung כעגל לא למד (31,18aδ)[146], die auf eine Zügellosigkeit anspielt, kann -durch בכרה קלה משרכת דרכיה (2,23b), einen jeremianischen Vergleich einer "Kamelin, die hin und her rennt ihre Wege" (Duhm), vermittelt- in העוו את-דרכם (3,21bα) wiedergefunden werden. Dann folgt wieder in beiden Abschnitten übereinstimmend die Äußerung des bereitwilligen Kommens/Zurückkommens[147] zu Jahwe (3,22bα; 31,18bα), das durch die darauffolgende Formel "Du bist Jahwe, unser/

---

145 Siehe unten S.223, A.181.

146 Nach der Emendation Zieglers ist LXX (Kap. 38) hier in 31,18a wie folgt zu lesen: ..... και επαιδευσην εγω· ωσπερ μοσχος ουκ εδιδαχθην v.Cornill verbindet εγω aber mit ωσπερ μοσχος, so daß er diese Sätze folgendermaßen übersetzt: "..... und ich verdiente Züchtigung; ich war wie ein Rind, das sich nicht fügt." Ihm folgt Condamin: "J'étais comme un jeune taureau indocile." Offenbar erlaubt allein εδιδαχθην wegen der Konjugationsendung -ν ohne εγω jene Übersetzung. Abgesehen von der Frage, ob LXX an dieser Stelle eine frühere Überlieferung als MT wiedergebe, ist LXX als Interpretation dieser Stelle wohl zutreffend.

147 Den Grund dafür, daß Ephraim mit eigener Kraft nicht zu Jahwe zurückkehren kann, daß er deshalb Jahwe השיבני anruft, müßte man nicht, etwa wie Keil oder Giesebrecht, für einen allzu psychologisch-innerlichen, sondern eher für einen sozio-politischen Grund halten. Ephraim erhofft hier im Wort Jahwes also wohl eine Umwandlung seines Milieus, die ihm sogleich die Rückkehr ermöglichen wird.

mein Gott" mit כי begründet ist (3,22bβ; 31,18b). Die

erste Person, die selbstverständlich bereits in אלהינו

/אלהי , dem Urtyp des Bekenntnisses, erscheint, wird nun

gleichermaßen in beiden Abschnitten weiter wegen der Akku-

mulation des pronominalen Suffixes bzw. Präfixes in unge-

wöhnlichem Maße herausgestellt.[148] Somit ist den beiden Ab-

schnitten die Form gleich, nur daß in 3,21-25a die Heilszu-

sage früher (3,22a) als im anderen Abschnitt (erst am Ende

31,20)[149] begegnet. Die Entsprechungen zwischen 3,21-25

und 31,18-20, die soweit hauptsächlich unter dem Aspekt der

Form beobachtet wurden, bestätigt auch eine entsprechende

Terminologie: einmal verdient wohl Aufmerksamkeit, daß die

oben besprochene Formel כי אתה יהוה אלינו /אלהי   in

dieser Form im AT sonst nicht vorkommt,[150] wenn auch Weiser

sie unter Hinweis auf Dtn 6,4, Jos 24,17 und Ps 105,7 als

"Bekenntnis zu Jahwe in Gestalt der liturgischen 'Bundes-

---

148   Die Kommentatoren sind sich darüber annähernd einig, daß in
      3,24b-25 stark eingegriffen wurde, obwohl ihre einzelnen Urtei-
      le nicht miteinander übereinstimmen. Als vereinzelte Zusätze
      kann man wahrscheinlich V.24b wie auch אנחנו אבותינו מנעורינו
      ועד היום הזה   in 25a auslassen (siehe unten EXKURS 5).
      Wird von diesen Worten abgesehen, sind in 3,23-25 nach MT noch
      außer נשכבה die Worte mit נו -Endung zehnmal genannt. In 31,19
      sind, vom oft beanstandeten Wort שובי abgesehen, die Worte
      mit י-Endung siebenmal angeführt. Daß in 31,18-20 Verba in
      der ersten Person wie י-Suffixe bei Verba sogar vor jener Be-
      kenntnisformel jeweils zweimal begegnen, spricht nicht gegen
      die soweit beobachtete Entsprechung der beiden Abschnitte.

149   Das Vorkommen der Aufforderung zur Rückkehr als Heilszusage
      Gottes an dieser Stelle ist wohl weniger dadurch zu erklären,
      daß 3,21-25 als ganzes, wie manchmal vermutet, in Anlehnung an
      Hos 14,2-9 gestaltet worden wäre (so z.B. Giesebrecht), wo un-
      terstrichen ist, daß die Heilszusage als "die eigentliche Mit-
      te des Stückes" im Mittelpunkt des Abschnittes (V.5) steht
      (so Wolff, BK zu Hosea), als eher dadurch, daß das doppelte
      Vorkommen des Stammes שוב in 31,18-20 vielleicht in 3,21-25
      die Aufforderung zur Rückkehr שובו (בנים) שובבים (ארפה
      (משובתיכם   gerade an der entsprechenden Stelle, nämlich in
      der dritten Zeile, verursacht haben kann.

150   Am nächsten steht הלא אתה הוא יהוה אלהינו   Jer 14,22b.

formel'" bezeichnet. Zum anderen liegt es auf der Hand,
daß die folgenden Wörter in beiden Abschnitten einander
entsprechen: נשמע / שמוע שמעתי ,בני ישראל / אפרים (als
Personenname) (3,21a / 31,18aα-β); שובו שובבים /
נכלמתי / כלמתני , בשתי / בבשתנו[151],השיבני אשיבה
(3,25aα-β / 31,19bβ) und נעורי - מנעורינו (3,24aβ / 31,
19bβ). Viel wichtiger als die einzelnen Entsprechungen ist
in diesem Zusammenhang, daß alle angeführten Wörter in
einem Abschnitt genau in der gleichen Reihenfolge vorkommen, in der ihre Gegenstücke im anderen Abschnitt stehen.
Ferner kann man nicht übersehen, daß in den beiden Abschnitten gemeinsam von Gebärdehandlungen die Rede ist: einmal
erklärt sich das Volk in 3,25a bereit, sich in Schande nie-
derzulegen, die es auf sich lud. Duhm hat recht, indem er
die Wendungen נשכבה בבשתנו infolge der Grundbedeutung
von שכב darauf hin auslegt, daß die Leute, die hier zur
Sprache kommen "sich auf die Erde legen" wollen. Zum anderen appelliert in 31,19a Ephraim an Jahwe, daß er sich auf
die Hüfte geschlagen hat (ספקתי על-ירך).[152] Zudem ist auch
gemeinsam, daß die beiden Handlungen gleichfalls zu nach-
drücklichen Ausdrücken[153] der inneren Reue dienen, die die

---

151   Siehe oben A.149.

152   Man pflegt hier neben Ez 21,17 auf Homer, Ilias 16,125;
      Odyssee 13,198 usw. zu verweisen, siehe ferner Hitzig.

153   Bei נשכבה בבשתנו ותכסנו כלמתנו in 3,25a scheint es wohl
      nicht auf ein wirkliches, körperliches Verhalten, sondern le-
      diglich auf eine Beschreibung der Gebärde als Bildersprache
      anzukommen; denn die Wendungen lassen sich, seien sie allein
      oder zusammen mit den sonstigen im Abschnitt, nicht in eine
      bestimmte Stufe der Abfolge einer Bußliturgie bzw. eines Kla-
      geliedes einordnen, wenn ihnen auch unleugbar die einzelnen,
      dem einen oder anderen kultischen Brauch zugehörigen Vorstel-
      lungen zugrunde liegen (siehe oben A.143). Freilich unterliegt
      keinem Zweifel, daß man damals im Alltagsleben Gebärdehandlun-
      gen anzuwenden pflegte, die sich phänomenologisch von Kulthand-
      lungen unterscheiden lassen, obwohl die Unterschiede des öfte-
      ren fließend waren (vgl. auch die kompendiöse Arbeit H.Vor-
      wahls, Die Gebärdensprache im AT, 1932, S.10). Was die Wendung
      ספקתי על ירך in 31,19 betrifft, besteht kein Zweifel, daß

Einsicht in eigene Schuld (3,25aγ; 31,19bγ) zur Folge
hatte. Nun kann man mit Sicherheit folgern, daß man zwischen 3,21-25 und 31,18-20 keine oberflächliche Ähnlichkeit entdeckt, sondern daß sich die Abschnitte 3,21-25 und
31,18-20 sowohl in terminologischer als auch in formaler
Hinsicht miteinander decken, daß sie also nachweisbar einander entsprechen.

Dieser Schluß wirft die Frage auf, wie diese Entsprechung
entstand. Da keine bestimmte Gattung bekannt ist, die die
beiden Abschnitte gleichermaßen geprägt haben könnte, bleiben im Grunde nur noch zwei Möglichkeiten zu erwägen: Ob
3,21-25 im gleichen Maße und Sinne auch jeremianisch wie
31,18-25 sei oder ob der erstere Abschnitt in irgendeiner
Anlehnung an den letzteren erarbeitet wurde. Gegen die erste Möglichkeit, nämlich eventuelle Herleitung des Abschnittes 3,21-25 von Jeremia, spricht der tiefgreifende Unterschied, der zwischen beiden Abschnitten trotz jener Entsprechung dennoch zu erkennen ist: in 31,18-20 setzt sich
Jahwe als Sprecher völlig konsequent durch; das Ich Ephraims, das den größeren Mittelteil des Spruches V.18b-19 be-
herrscht, kommt aber nicht über seinen eigentlichen Platz
hinaus, der - formgeschichtlich beobachtet - ab und zu dem
"Zitat im Prophetenspruch"[154] eingeräumt wird. Das Ich Jahwes, das auf Ephraims Bedauern horchte (V.18a), tritt wieder am Ende in den Vordergrund, um Ephraim ein zukünftiges
Heil zuzusagen (V.20). Hier in 31,18-20 hört man deshalb
nichts anderes als die Worte Jahwes, der mittlerweile das

---

es sich bei ihr um Bildersprache handelt, da hier Ephraim
wahrscheinlich nicht ein Mann ist, der sich auf die Hüfte geschlagen haben könnte, sondern eine kollektive Persönlichkeit
im Sinne einer unbestimmten Menschenmenge im ehemaligen Nordreich, die kaum allesamt einen solchen Akt vollzogen haben
werden.

154   Vgl. die gleichnamige Abhandlung Wolffs in: ThB 22,1964,S.79.

Bedauern Ephraim zitiert. Der Abschnitt ist also hinreichend deutlich gegliedert. Offensichtlich ist in 3,21-
25 der Sachverhalt grundsätzlich anders. Hier seien zwei
Umstände in Betracht gezogen: Einmal behauptet sich in diesem Abschnitt niemand als Hauptfigur; in V.21b kommt wahrscheinlich der Prophet zu Wort, da in diesen Worten die
Leute mit "sie" und Jahwe mit "Ihr Gott" in der dritten
Person genannt werden. Da die diese Worte einleitende Partikel כִּי (am Anfang von V.21b) auch deiktisch sein kann,
ist der Zusammenhang dieser Worte (V.21b) zu dem Vorangehenden (V.21a) nicht allein aufgrund der Partikel eindeutig
zu beurteilen. Wohl aber werden die Leute, die in V.21b
unbestimmt stehen, doch ungezwungen mit den Söhnen Israels
in V.21a zu identifizieren sind. Der Sprechende ist folglich auch in 21a wohl der Prophet. In V.22a kommt als Sprecher keiner außer Jahwe in Frage, da kein anderer solche Heilszusage so offen und direkt aussagen kann. Der
restliche Teil besteht aus den Worten der Söhne Israels
V.22b-25, die wohl das flehentliche Weinen veranschaulichen, das der Prophet angeblich gehört hat (V.21aβ). Insoweit melden sich in 3,21-25a die drei Personen in merkwürdiger Weise nacheinander. Auffälliger sind zum anderen die
Zusammenhänge der Worte Israels V.21b-25a miteinander: auf
der einen Seite haben sich die "Söhne Israels" in V.22b-24
- in Form eines Glaubensbekenntnisses - bereit erklärt, zu
Jahwe zurückzukehren, der ihnen als ihr Gott sicher hilft
(V.23b). Auf der anderen Seite geht aber hervor, daß sie
sich zugleich, oder genauer betrachtet, sogar nach dem Bekenntnis noch dazu gezwungen sehen, sich in Schande hinzu-
legen, so daß sie ihre Schmach decken wird (V.25a). Diese
Zweiseitigkeit der Stellungnahme der "Söhne Israels", die
sich inhaltlich sehr schwer miteinander vereinbaren läßt,
deutet wiederum darauf hin, daß der Abschnitt nicht von
Haus aus für sich gestaltet wurde. Sind die Auslegungen
des Abschnittes soweit sachgemäß, so kann man feststellen,

daß zwischen dem jeremianischen Abschnitt 31,18-20 und den
Heilsworten 3,21-25 sowohl die formalen und terminologischen Entsprechungen in weitem Umfang als auch die inhaltlichen Unterschiede vorhanden sind. Dieser Sachverhalt
läßt die Vermutung nicht mehr zu, der Abschnitt 3,21-25
sei jeremianischer Herkunft, sondern nur die Annahme wird
dem Sachverhalt wohl gerecht, daß der Abschnitt in Anlehnung an 31,18-20 nachträglich an seiner Stelle literarisch
erarbeitet wurde. Man stelle sich in diesem Zusammenhang
nur den Fall vor, daß der Prophet Jeremia, durch Umstände
und Bedürfnisse bedingt, Heilsworte nicht nach irgendeiner
Gattung, sondern in seiner eigenen Autorität gestaltete.
Das Ergebnis wird dann so sein, daß zwischen den so gestalteten Worten und anderen Heilsworten, seien diese früher
formuliert oder nicht, Unterschiede in der Form hervortreten, die durch unterschiedliche Motive und Intentionen not-
wendigerweise verursacht waren. Diese anzunehmende Folge
beweist offensichtlich der Vergleich des Abschnittes 31,18-
20 mit dem vorangehenden V.15-17: die beiden Heilsworte
Jeremias sind, einmal an Rachel, zum anderen an Ephraim gerichtet, zwar einander ähnlich, weisen teilweise sogar
terminologische Entsprechungen (שמע in V.18 und 15 wie
auch שוב in V.18f. und 16f.) auf. Der erste Abschnitt
deckt sich aber mit dem letzten nicht so sehr wie etwa mit
3,21-25. Dieser Sachverhalt ist vielmehr bei einer von bestimmten Gattungen unabhängigen Gestaltung der Sprüche durch
die Propheten im allgemeinen zu beobachten. Melden sich hingegen zwischen Abschnitten, ebenso wie zwischen 31,18-20
und 3,21-25, zugleich die Identität in Form und Wendungen
einerseits und der Unterschied in Inhalt und Implikationen
andererseits, so handelt es sich bei dem einen oder anderen
Abschnitt aller Wahrscheinlichkeit nach nicht mehr um
freie, selbständige Gestaltung, sondern anscheinend um Angleichung. Die hier gemeinte Angleichung erfolgt wohl nur
daraus, daß jemand seine eigenen Gedanken in eine vorgege-

bene Form zwingt. Dies müßte deshalb gerade bei 3,21-25 der Fall gewesen sein, wenn sich dieser Abschnitt, wie oben dargestellt, mit dem Spruch Jeremias 31,18-20 in formaler wie auch in terminologischer Hinsicht im wesentlichen deckt, hingegen sich die beiden in ihren Aussagegehalten im einzelnen beträchtlich unterscheiden.

Diese Annahme macht vieles begreiflich; wollte man 3,21-25 für eine ursprünglich selbständige Einheit halten, müßte man sich angesichts des Tatbestandes, daß innerhalb der Einheit die Sprecher ohne klare Zuordnung zu Wort kommen, mit der nicht zu beantwortenden Frage belasten, welchem Sprecher man schließlich zuhören soll, um von der Einheit das aufzunehmen, was sie als Ganzes aussagen will. Nicht wenige Schwierigkeiten würde des weiteren jene Zweiseitigkeit hervorrufen, die dadurch gekennzeichnet ist, daß in der Einheit die Worte der Söhne Israels zugleich sowohl die Ursache als auch die Folge der Heilszusage Jahwes darstellen. Klar ist, daß all diese Schwierigkeiten für die Leser daraus erfolgt sind, daß diese Einheit in dem Sinne eigentlich zweiseitig gestaltet ist, daß sie einerseits die Elemente der Texte, die sie umgeben, in sich aufnehmen, daß sie sich aber andererseits unabhängig davon ausdrücken mußte. Näheres wird unten in Betracht gezogen.

Man sollte hier Indizien angeben, die darauf schließen lassen, daß die Einheit 3,21-25 vom vor-dtr. Verfasser gestaltet wurde. Nicht wenige Worte bzw. Diktionen dieser Einheit finden ihre Äquivalenz bzw. Variationen in den übrigen vor-dtr. Worten bzw. in den Sprüchen Jeremias in Kap. 30-31 außerhalb von 31,18-20, die dem vor-dtr. Verfasser unbestritten zur Verfügung standen:

3,21-25	jeremianische bzw. vor-dtr. Worte
(V.21aα)קול על-שפיים נשמע	קול חרדה שמענו (30,5aβ, vor-dtr.)
(V.21a)קול על-שפיים נשמע	קול ברמה נשמע (31,15aβ-γ, jer.)
בכי תחנוני בני ישראל	נהי בכי תמרורים
(V.22aα)שובו בנים שובבים	שובה משבה ישראל (3,12aβ, vor-dtr.)
(V.22aα)שובו בנים שובבים	שובי בתולת ישראל (31,21b, vor-dtr.)
	שובי אל עריך אלה
(V.22aα)שובו בנים שובבים	הבת השובבה ... (31,22a, vor-dtr.)
(V.22aβ)ארפה משובתיכם	וממכותיך ארפאך (30,17aβ, vor-dtr.)
(V.23b)אכן ביהוה אלהינו	כי הנני מושיעך (30,10aγ, vor-dtr.)
תשועת ישראל	
(V.23b)אכן ביהוה אלהינו	כי אתך אני... (30,11a, vor-dtr.)
תשועת ישראל	להושיעך
(V.24aα)והבשת אכלה	כל-אכליו יאשמו (2,3bα, vor-dtr.)
(V.24aα)והבשת אכלה	לכן כל-אכליך **יאכלו** (30,16aα, vor-dtr.)

Fügt man zu diesen terminologischen Entsprechungen diejenigen
hinzu, die oben betrachtet wurden, nämlich כי אתה יהוה אלהינו
נשכבה בבשתנו (3,22bβ) // ותכסנו כי אתה יהוה אלהי (31,18bβ),
מנעורינו , בשתי וגם-נכלמתי (31,19bβ) // כלמתנו (3,25aα-β)
(3,24aβ) // מעורי (31,19bβ) wie auch המון הרים (3,23a)// המון
מעי לו (31,20b)[155], so wird ersichtlich, daß auf der einen
Seite der größte Teil von 3,21-25 mit den übrigen vor-dtr.
Worten und denjenigen Jeremias, über welche der vor-dtr. Verfasser verfügte, eine gemeinsame Terminologie aufweist. Auf
der anderen Seite kann niemandem entgehen, daß der Rest des
Abschnittes seinerseits keinesfalls eine eigenständige Komponente sein kann: שכחו את יהוה und כי העוו את דרכם
אלהיהם (beides 3,21b) sind jeweils auf מה תזלי מאד לשנות
את דרכך (2,36a, jer.) und auf עמי שכחני (2,32bα, jer.)

---

155   Zur Bedeutung des Nomens המון vgl. G.Gerleman, Die lärmende
      Menge. Der Sinn des hebräischen Wortes *hamon*, FS K.Elliger,
      1973, S.71-75, der das "ursprüngliche und eigentliche Sinnfeld"
      des Wortes in dem "Meer" findet (S.72) und daraus den Sinnkom-
      plex erklärt, "der die Vorstellung des Geräusches und der Bewe-
      gung in sich vereint" (S.74). In המון הרים in Jer 3,23a liest
      man demnach "Geräusch" der Menschenmenge, während in המו מעי
      in 31,20b Gemüts-"Bewegung" wie in Jes 16,11 und Jer 48,36 zum
      Ausdruck gebracht ist.

zurückzuführen. Der Satz אכן לשקר הגבעות והמון הרים [156]
(3,23a) kann teilweise auf כי על־כל־גבעה ..... את צעה זנה
גבהה (2,20b, jer.) bezogen werden.[157] Das Sündenbekenntnis   כי ליהוה אלהינו חטאנו   (3,25bγ) kann wohl durch
על־אמרך .....לא חטאתי   (2,35bβ, jer.) verursacht worden
sein. Schließlich könnte das Selbsturteil ולא שמענו בקול [158]
יהוה אלהינו   (3,25b) seinen Grund im Wortwechsel zwischen
Jahwe und Israel in Form von Wahrung und Mißachtung im
Spruch Jeremias 2,25 finden. Die Vermutung, daß diese zuletzt angeführten Anspielungen im Abschnitt 3,21-25 auf
die Sprüche Jeremias in 2,5ff. vielleicht auf jeremianische
Herkunft des Abschnittes hinweisen könnten, wird selbstverständlich deswegen gar nicht in Frage kommen, weil diese
Anspielungen, wie oben festgestellt, lediglich an begrenz-
ten Stellen innerhalb des Abschnittes beobachtet werden
können, weil sein größter Bestandteil dagegen die unleugbare Gemeinsamkeit mit den übrigen Worten des vor-dtr. Verfassers sowie mit den ihm vorgegebenen Sprüchen Jeremias in
Kap. 30-31 aufweist.

Um die soweit erörterte Annahme, 3,21-25 sei vor-dtr.,
als stichhaltig zu beweisen, bleibt nur noch übrig, die Absicht und den Zweck des Verfassers aufzuklären. Sie haben
dazu geführt, dem Abschnitt die gegenwärtige Gestalt zu verschaffen und ihn in die jetzigen Textzusammenhänge einzuschalten. Um dieser Frage nachgehen zu können, sollten zu-

---

156   Die masoretische Lesart מגבעות המון   ist "unverständlich"
       (Rudolph).

157   Die Kombination גבעה גבהה   kommt außerhalb ihrer Wiedergabe
       in deuteronomistischer Phraseologie in 1 Kön 14,23 und 2 Kön
       17,10 sonst nicht vor. Die darauffolgende Phrase צעה זנה
       läßt annehmen, daß die auffällige Verbindung גבעה גבהה
       wahrscheinlich erst aus metrischem Grund versucht wurde. Folg-
       lich ist anzunehmen, daß der Verfasser von 3,21-25 diese merk-
       würdige Wendung umdeutete und in 23a auf den wohl weiter ver-
       breiteten Parallelismus von גבעה   mit הר (Jes 30,17; Dtn
       12,2) hin umformulierte.

158   Siehe oben S.81, A.297

nächst die Textzusammenhänge von 2,5ff. bis 4,5ff. veran-
schaulicht werden, die der vor-dtr. Verfasser wohl vorgefunden hatte und in die er eingreifen mußte. Vorauszusetzen sind die Sachverhalte, soweit sie als sicher bzw. einwandfrei gelten:

1. Das Gerichtswort 3,19-20 schloß sich der Spruchsammlung der Gerichtsworte 2,5-3,5 an, so daß beide wahrscheinlich zur frühesten Textschicht des Buches gehören. Allerdings ist der Umfang des Gerichtswortes 3,19-20 umstritten,[159]
aber die zwei Verse bilden anscheinend eine Einheit. Ihr
Umfang wird dann festgestellt, wenn sich die darauffolgenden Texte als in ihrer jeweiligen Weise geschlossene Grö-
ßen bestätigen. Dazu rechnen Thiel und andere noch V.21-25,
was jedoch nicht ausreichend nachgewiesen worden ist.[160]
4,5ff. bilden aller Wahrscheinlichkeit nach die Fortsetzung
der Sammlung der Gerichtsworte 2,5-3,5 samt 3,19-20. Für
diese Kapitel hat somit die Reihenfolge von 2,5-3,5, V.19-
20 und 4,5ff. augenscheinlich die Grundlage geschaffen.

2. Mit dieser Basis beschäftigte sich der vor-dtr. Verfasser in der Weise, daß er die selbst erarbeiteten Heilsworte 3,12aβ-13bα wohl hauptsächlich deswegen nach dem Abschnitt 3,1-5 eingeschaltet hat, weil er die Frage Israels
הינטר לעולם אם־ישמר לנצח in V.5 nicht überhören und an
ihr vorbeigehen wollte.[161] Anzunehmen ist nun, daß 3,21-25
wohl das zweite Eingreifen desselben Verfassers in die
Grundlage des Kap. 3 markieren, da die Heilsworte, wie oben
wahrscheinlich gemacht, nicht zur Grundlage des Kap. 3 gehört haben.

---

159   Siehe die Kommentare.

160   Thiel hat z.B., entsprechend dem über seine methodischen Ein-
      sichten oben in der Fragestellung Gesagten, nur indirekt dar-
      auf hingewiesen, daß 3,21-25 zu einer früheren Schicht als
      der deuteronomistischen gehören, dadurch aber keinesfalls
      nachgewiesen, daß sie zur frühesten Schicht gehören können;
      Thiel behandelt 3,21-25 seiner Methode entsprechend nirgends
      in seiner Untersuchung als geschlossenen Abschnitt.

161   Siehe oben S. 165f.

3. Es unterliegt wohl keinem Zweifel, daß die übrig gebliebenen Texte ihre Entstehung den dtr. bzw. nach-dtr.
Verfassern verdanken: 3,6-12aα zusammen mit wenigen Zusätzen in V.13, dtr.:[162]; V.14-18, nach-dtr.[163] und 4,3f.,
dtr.[164]

4. Über 4,1-2 sollte man sich eines entscheidenden Urteils
enthalten. Es kann sein, daß der Abschnitt weder jeremianisch noch vor-dtr. ist, sondern daß er zu einem noch jüngeren Gestaltungsprozeß des Buches gehört.

Thiel hält den Teil 4,1f., der sich durch die Botenformel
V.3a von V.3-4 unterscheidet (aaO. S.93), deswegen für einen
Spruch Jeremias, weil der Spruch den letzten Teil der "um
das Stichwort שוב gruppierte(n) Komposition 3,1-4,2"[165]
bildet. Weiter setzt er sich für ursprüngliche Herkunft
dieses Spruches im wesentlichen nicht ein. Als Gegenargument gegen diese Herkunft kann man die folgenden Beobachtungen vorbringen:

1. Das Vorkommen von שוב kann an dieser Stelle in dem
gleichen Maße auf ein Angleichungsverfahren an ein anderes
Vorkommen desselben Wortes - etwa in 3,1 - hinweisen wie
auf die von Thiel angenommene Komposition.

2. Kaum denkbar ist eine eigenständige Sprucheinheit, die
wie diese mit אם תשוב ישראל נאם-יהוה אלי תשוב beginnt, da
dieser bedingte Fragesatz sehr merkwürdig wäre, wenn er ohne
Voraussetzung dastände. Fast unvorstellbar ist im Kontext
der alttestamentlichen Prophetie, daß lediglich von einer
Rück- bzw. Umkehr die Rede sein könnte. Dieser für sich un-
bestimmte Einsatz dieses Spruches deutet wohl eine Bearbeitung an, die die Erwähnungen der Bereitschaft zur Umkehr ir-
gendwo in vorangehenden Texten, am ehesten in 3,22b, zur

---

162   Thiel (1973), S.83-91.

163   Thiel (1973), S.91f.

164   Thiel (1973), S.93ff.

165   Thiel (1973), S.93.

210

Voraussetzung hat. Zudem handelt es sich bei diesem Spruch offenbar nicht um die שוב -Problematik wie in 3,1, sondern wahrscheinlich um Reform des Kultes und des Benehmens (V.1b-2). Der Stamm שוב dient hier dazu, diesen Spruch an die vorangehenden Texte, in denen der Stamm vorkommt, glatt anzuknüpfen.

3. Thiel sollte nicht vorgeworfen werden, daß er übersehen hätte, wie schlecht sich dieser Spruch an die vorangehenden anschloß, da Thiel als Vorspann dieses Spruches die Worte 3,21-25 vor sich sah. Die These Thiels, 4,1f. sei von jeremianischer Herkunft, kann deshalb konsequent sein, wenn 3,21-25, wo die שוב -Aufforderung begegnet, Worte Jeremias gewesen und als solche 4,1f. vorangegangen wären. Sieht man aber von den Worten 3,21-25 wegen ihrer immerhin angenommenen jüngeren Herkunft, wie sie in 3,12aβ-13bα vorliegt, in diesem Zusammenhang ab, so hätte sich nun 4,1f. nach der These Thiels einst an 3,1-5 angeschlossen. Solche Anordnung von 4,1f. an 3,1-5[166] wäre die vorstellbar schlechteste: in 3,1-5 ist die Person, die von Jahwe angesprochen und deren Rückkehr zurückgewiesen wird, als Femininum dargestellt, während in 4,1f. Israel als Maskulinum zur Rückkehr von Jahwe von ihm selbst aufgefordert wird. Solch eine unmittelbare Anordnung von 3,1-5 und 4,1f. sollte deshalb ausgeschlossen werden.

4. Wird folglich solche Anordnung nicht berücksichtigt, so findet der Spruch 4,1f. in inhaltlicher wie in terminologischer Hinsicht in den übrigen unbestrittenen Worten des Propheten keine gute Parallele. Nicht nur 2,22; 3,1-5, son-

---

166 Es liegt wohl nahe, daß Thiel selbst nicht unbedingt an solche Anordnung denken würde, wenn er auch die jeremianische Herkunft von 3,12-13 und V.21-25 leugnen müßte. Er scheint es nicht für unmöglich zu halten, daß kleine Überlieferungen, seien es mündliche oder schriftliche, isoliert vorhanden gewesen und tradiert worden sein könnten. Siehe auch seine unten zu zitierenden Äußerungen bei A.168. Gerade hier aber liegt wohl sein methodischer Mangel.

dern auch 13,22 bilden gedanklich zu 4,1f. offenbar das genaue Gegenteil.[167]

Weiter hält Thiel es für wahrscheinlich,"daß 4,3f. eine
von D aus einem mutmaßlich echten Jeremia-Spruch(3aγ-b)
und einer Kombination von Dtn 10,16a und Jer 21,12b mit
eigenen Elementen (4) zusammengesetzte Komposition darstellt,
eine selbständige Einheit also, die von D an dieser Stelle
eingeschoben wurde, um die Umkehrforderung von 4,1f. durch
zwei Bildworte zu unterstreichen und als deren Adressaten
ausdrücklich Jerusalemer und Judäer zu bezeichnen."[168]

Wenn die Beobachtungen Thiels zu 4,3f. richtig sind, soll
der Spruch 4,3f. erstens V.1f. zur Voraussetzung haben.
Daraus ergibt sich, daß V.1f. in der Zeitfolge früher als
die dtr. Redaktionstätigkeit des Buches entstanden sind.
Wenn zweitens V.1f. nicht, wie Thiel meinte, zur Spruchsammlung Jeremias, sondern zu einer jüngeren Textschicht gehören,besteht hier die Möglichkeit, daß V.1f. in dem oben
bestimmten Sinne vor-dtr. sein dürften.Da dieser Spruch
aber in keiner Hinsicht die vor-dtr. Merkmale aufweist,
scheint es doch angebracht zu sein, die Herkunft von 4,1f.
offenzulassen.

Es läßt sich nun schließen, daß man nur die Anordnung
der Texte 2,5-3,5; 3,12aβ-13bα, V.19-20.21-25, 4,5ff. zu
berücksichtigen braucht, um der oben aufgestellten Frage
nach der Absicht und dem Zweck des vor-dtr. Verfassers bei
der Gestaltung von 3,21-25 nachzugehen.

Die Absicht und der Zweck des Verfassers lassen sich bei
flüchtigem Hinsehen auf den Abschnitt nicht offenlegen. Da
der Abschnitt von Hause aus die Textzusammenhänge vorausgesetzt hatte, in die ihn der Verfasser einschalten wollte,

---

167   Vgl. auch Duhm (über 4,2), Stade, Streiflichter auf die Ent-
      stehung der jetzigen Gestalt der altt. Prophetenschriften, ZAW
      23 (1903), S.157 (über 4,1-4), Cornill (über 4,1-4) und Herr-
      mann, Heilserwartungen, S.205 (über 4,1-4).

168   Thiel (1973), S.97.

verheißen Beobachtungen des Abschnittes für sich kaum ein
sinnvolles Ergebnis. Vielmehr müßte man zugleich nach zwei
Richtungen fragen, und zwar sowohl danach, was der Abschnitt
für sich aussagen will, als auch danach, wie die Textzusammenhänge durch Einschaltung des Abschnittes verändert wurden. Erst wenn beide Ergebnisse konvergieren, ist eine sichere Schlußfolgerung zu erwarten.

Was der Abschnitt zum Ausdruck bringen will, leuchtet
nicht ein, solange man sich etwa in die Fragen verstrickt,
wer die Sprecher und die Adressaten in dem Abschnitt sind.
Diese Sachlage ruft eher einen Versuch hervor, den Abschnitt
mit den Heilsworten 3,12aβ-13bα zu vergleichen, die, wie im
letzten Abschnitt der laufenden Untersuchung festgestellt
wurde, wahrscheinlich von demselben Verfasser gestaltet
wurden. Aus dem Vergleich ergeben sich folgende Befunde:
3,21-22a deckt sich formal wie auch inhaltlich annäherungs-
weise mit den Heilsworten. In beiden spricht neben Jahwe,
der die Abtrünnigen (בנים שובבים 3,22; משבה ישראל 3,12)
zur Rückkehr auffordert und ihnen Barmherzigkeit kundgibt,
noch eine Person, der wohl der Prophet den Schuldspruch gegen die Angerufenen in den Mund legt. Daraus folgt, daß
3,21-22a die gleiche Funktion wie den Heilsworten 3,12aβ-
13bα übertragen ist. Dafür spricht auch der Schuldspruch
כי העוו את־דרכם שכחו את־יהוה אלהיהם 3,21b. Man erinnere
sich in diesem Zusammenhang an den in dem Sinne "resümierenden" Charakter der Heilsworte 3,12aβ-13bα ,[169] daß ihre
konstitutiven Worte aus der Spruchsammlung 2,5-3,5 ausgewählt und in ihnen aufgenommen wurden, so daß diese nach-
gebildeten Worte in unbestimmter und abstrakter Weise diejenigen Teile der Sammlung in diesen Heilsworten wiedergeben sollen, für welche sich der Verfasser interessierte. Die
gleiche Rolle scheint der soeben zitierte Schuldspruch innerhalb von 3,21-25 zu spielen: es fällt sofort auf, daß er

---

169   Siehe oben S. 186f.

isoliert und ungeordnet dasteht, wenn man auch schließlich
am Ende des ganzen Abschnittes (in V.25) einigermaßen begreift, worauf er hindeuten will. Die Bedeutung von העוו את‎
דרכם‎ für sich läßt sich kaum aufklären. Daraus kann
man folgern, daß diese Phrase ihren literarischen Hintergrund in 2,36f. hat, weil hier die Wendung לשנות את־דרכך‎
V.36aβ begegnet. Aufschlußreich ist im jetzigen Zusammenhang nur, daß das Urteil von "deinen Weg zu wechseln" hier
durch Hinweis auf die damaligen konkreten Verhältnisse in
der Außenpolitik begründet ist. Offensichtlich sind in diesem Zusammenhang auch 2,23-25 einzubeziehen, wo durch
einen Vergleich einer Kamelstute, die ihre Wege kreuzt
(V.25bα), bildhaft auf derzeitigen wirklichen Götzendienst
in Juda hingewiesen wird. Wenn dieses Einbeziehen der Phrase העוו את־דרכם‎ (3,21bα) in 2,36f. wie auch in V.23-25
sachgerecht ist - wie könnte es anders sein! -, so dürfte
wohl auf einen "resümierenden" Charakter der Phrase העוו‎
את דרכם‎ geschlossen werden. Der Rest des Schuldspruches
שכחו את־יהוה אלהיהם‎ (3,21bβ) kann wohl in dem gleichen Sinne wie bei העוו את־דרכם‎ mit 2,31f., besonders im Gleich-
nis einer Jungfrau, die ihren Schmuck vergißt, in Verbindung gebracht werden. Diese Verbindungslinie scheint um so
wahrscheinlicher, wenn in 2,31f. gerade die zwei Themen
vorkommen, um die es sich bei dem Schuldspruch 3,21b zugleich handelt, nämlich das Thema von "Nicht zu Jahwe gehen" und das von "Jahwe vergessen". Auch bei Erwähnung von
שפיים‎ , das am Anfang des Abschnittes 3,21-25 steht,[170]
kann sich wohl auf 3,2 beziehen, wo geschildert ist, daß
שפיים‎ beliebte Stätten des Götzendienstes sind. Somit liegt
der Schluß nahe, daß sich die erste Hälfte des Abschnittes
3,21-25 nach ihrem Inhalt, ihrer Form und Funktion mit den
Heilsworten V.12aβ-13bα deckt.[171]

---

170 Vgl. Duhm: "..... ohne 3,2 wüßte man gar nicht, was die Nennung
der Berglichtungen hier will". Siehe unten auch A.224.

171 Diese bewußt oder unbewußt erzielte Parallelität zwischen 3,21-
22a und V.12aβ-13bα kann eine möglichke Erklärung dafür geben,

Dieser Schluß impliziert, daß der Verfasser im ersten
Teil des Abschnittes hauptsächlich nur darauf bedacht war,
die Kontinuität mit den Heilsworten V.12aβ-13bα hier nach
dem Spruch Jeremias V.19f. wieder aufzunehmen, während er
erst im zweiten Teil zu den Worten übergeht, um deretwil-
len er den Abschnitt überhaupt schuf. Wenn dieses Urteil
zutreffend ist, kann und sollte man sich weniger auf die
Inhalte des ersten Teiles als auf die des zweiten, nämlich
V.22b-25, berufen, um herauszufinden, was der Verfasser
im Unterschied zu seinen übrigen Worten   gerade in diesem
Abschnitt 3,21-25a eigentlich ausdrücken wollte. Überprüft
man dann den Abschnitt von diesem Gesichtspunkt her, so
kann es wenig überraschen, daß die Sprecher im zweiten Teil,
im Gegensatz zu denen im ersten, durch den ganzen Teil hindurch immer dieselben bleiben; hier spricht unwandelbar
ein "Wir", das zweifellos mit "Israel" zu identifizieren
ist. Diese durchgehende Einheitlichkeit der sprechenden Personen in V.22b-25a erleichtert den Versuch, potentielle logische Beziehungen innerhalb von V.22b-25a herauszustellen.
Man könnte wohl am besten mit dem Ende des Teilabschnittes
anfangen: in V.24f. kommt es eindeutig auf Darlegung des
gegenwärtigen schlechten Zustandes (V.24-25aβ) und die Feststellung seiner Ursache an, die schließlich auf כי ליהוה
חטאנו (und לא שמענו בקול יהוה V.25b ?) zurückzuführen sein
wird. Das Mißliche der Gegenwart beweist nämlich weder Ohn-
macht Jahwes noch die endgültige Verwerfung seines Volkes,
sondern bestätigt sich als Folge des Götzendienstes (הבשת
אכלה ..... am Anfang von V.24). Das impliziert die Erwartung, daß Jahwe Israel gegebenenfalls wiederherstellen wird.
Offensichtlich   stehen gerade diese Auffassung der Ge-

---

warum in 3,21-25 die Heilszusage Jahwes im Unterschied zu 31,18-
20 nicht am Ende der Einheit, sondern bereits in der ersten Hälfte der Einheit, also in V.22a, vorkommt, während bei beiden zuletzt genannten Einheiten sonst die Form gleich ist; der Grund
kann nämlich darin liegen, daß in 3,12aβ-13bα die Heilszusage
Jahwes in der ersten Hälfte der Einheit, in V.12aγ-bβ, begegnet,
vgl. auch oben S.201, A.149.

genwart und die daraus folgende Erwartung der Zukunft bereits hinter dem zweiteiligen Bekenntnis in V.23, das sich
seinerseits durch einen schreienden Kontrast zwischen Jahwe
und Baal prägt (... אכן לשקר / ... תשועה ...ביהוה אכן).[172]
Daraus läßt sich wohl folgern, daß der Verfasser bei der
Gestaltung des Abschnittes vor allen Dingen darauf zielte,
die Bereitschaft Israels zur Rückkehr zu seinem Gott in den
Vordergrund zu stellen. Deshalb erklärte er, daß Israel fest
entschlossen sei, zu Jahwe zurückzukehren (V.22b). Denn davon hing sein Heil ab, und dies war der wesentliche Punkt in
3,22b-25, und also des gesamten Abschnittes von V.21 bis 25
als <u>Heilsworte</u>.

Nun sollte man schließlich danach fragen, was für Veränderungen in den Textzusammenhängen dadurch entstanden, daß
der Abschnitt 3,21-25 eingeschaltet wurde, und inwieweit die
angenommenen Veränderungen dann der Grundkonzeption des vor-
dtr. Verfassers dienen können. Herausgestellt wurde oben,
daß man bei der Frage nach 3,21-25 zunächst nur die Reihen-

---

172 Auf diesen Gedankengang könnte nur die Beschreibung der Gebär-
     dehandlung נשכבה בבשתנו ותכסנו כלמתנו in V.25a stoßen, die
     der gerade geäußerten Zukunftserwartung deswegen scheinbar
     widerspricht, weil Jahwe, der den "Söhnen Israels" seinen
     Hilfswillen bereits kundgetan hat (V.22a), von ihnen weiter-
     hin nichts mehr zu verlangen scheint. Man kann das plötzli-
     che Vorkommen der Erwähnung reumütiger Gebärdehandlung im
     Abschnitt wohl nicht anders erklären, als daß es von der ent-
     sprechenden Erwähnung der Gebärdehandlung gleicher Art
     ספקתי על-ירך in 31,19 schließlich veranlaßt wurde. Diese An-
     nahme erklärt auch, warum nicht נשכבה בבשתנו ותכסנו כלמתנו
     wegen ihres klagenden Tones in irgendeiner Weise im ersten
     Teilabschnitt vor der Zusage Jahwes in V.22a begegnen, son-
     dern sogar danach an der jetzigen Stelle vorkommen: Der Ver-
     fasser hat für die Wendungen deswegen in 3,21-25 den jetzigen
     Platz gewählt, damit die Reihenfolge, in der jeweils die Er-
     wähnungen der Gebärdehandlungen neben sonstigen Elementen
     stehen, in beiden Abschnitten einander entsprechen. (Siehe oben
     die Tabelle auf S.188.). Unbestritten ist, daß sich die Wen-
     dung נשכבה בבשתנו inhaltlich mit V.21a deckt. Man dürfte des-
     halb von der genannten Wendung absehen, wenn gefragt wird, was
     der Verfasser im letzten Teilabschnitt sagen will.

folge der Texte von 2,2aγ-4 (vor-dtr.), 2,5-3,5 (jer.),
3,12aβ-13bα (vor-dtr.), 3,19f.(jer.), 3,21-25 (vor-dtr.)
und 4,5ff. zu berücksichtigen braucht. Es fällt sogleich
auf, daß der Abschnitt in diesen Texten eine Ausnahme bildet, indem er - wie oben festgestellt - die Bereitschaft
Israels, zu Jahwe zurückzukehren, unterstreicht oder zumindest erwähnt. Das heißt, daß ohne 3,21-25 trotz der Aufforderung Jahwes zur Rückkehr 3,12a (vor-dtr.) vor dem Beginn der Gedichte vom Feind aus dem Norden, des Eingrei-
fens Jahwes, 4,5ff. eine Angabe oder zumindest ein Vorzeichen des Willens Israels zur Rückkehr ausbleiben würde,
während Israel die Worte in den Mund gelegt wurden, die die
Wiederkehr zu Jahwe buchstäblich ablehnen: לוא־נבוא
עוד אליך (2,31b) oder -ein wenig indirekt- כי אהבתי
זרים ואחריהם אלך (3,25bβ-γ). Es ist anzunehmen, daß dieser Sachverhalt in den Textzusammenhängen dem vor-dtr. Verfasser recht ungeeignet erschienen war, um in den folgenden
Texten, nämlich in Kap. 30f., Israel die Heilszusage Jahwes mit-
zuteilen. Daraus ergibt sich, daß es für die Konzeption des
vor-dtr. Verfassers wohl ein Desiderat war, die Bereitwilligkeit Israels zur Rückkehr zu Jahwe neben den Aufforderungen
dazu (3,12a,22a) an der entsprechenden Stelle einmal kundzutun.

Die weitere Frage, warum der Verfasser diese Erklärung
nicht an die Heilsworte 3,12aβ-13bα angeschlossen hat, kann
man wohl derart beantworten, daß sich der Verfasser gezwungen sah, nach dem letzten Teil der Sammlung der Gerichtsworte, nämlich nach 3,19f. -und wahrscheinlich vor der Ankündigung des feindlichen Angriffs 4,5ff.- , die Erklärung zur
Rückkehr einzuschalten, so daß diese durch weitere Anklagen
gegen Israel nicht an Deutlichkeit verliert. Die Frage, warum der Verfasser den Abschnitt 3,21-25 vor dem Gesamtgedicht vom Feind aus dem Norden eingeschoben hat, wird wohl
durch die Annahme beantwortet, daß der Verfasser in den Gedichten keine so geeignete Stelle für jenes Manifest Israels wie in Kap. 3 finden konnte, um die שוב-Thematik (3,1)

oder den damit wesentlich verbundenen Vergleich des Ehe-
paares (3,20) entsprechend der literarischen Bearbeitung
des vor-dtr. Verfassers unterzubringen. Der Grund dafür,
daß man in diesem Abschnitt keine markanten Ausdrücke jener Grundeinstellung zur maskulinen Formulierung des vor-
dtr. Verfassers findet, liegt darin, daß bereits die vorangehenden Heilsworte die in der Spruchsammlung 2,5-3,5 von
Jahwe angesprochene Person "maskulinisiert" hat.[173] Schließlich dürfte man dennoch fragen, ob nicht der Abschnitt
3,21-25 vielleicht ein jeremianischer Spruch sein könnte,
der ursprünglich zusammen mit 31,15-17.18-20 überliefert
worden wäre, den aber der vor-dtr. Verfasser deswegen erst
nachträglich an die jetzige Stelle versetzt hat, weil er
den Abschnitt in formaler Hinsicht ganz verträglich mit
seinem Kontext fand. Diese Möglichkeit wird aufgrund des
oben herausgestellten Befundes ausgeschlossen, daß die
Wendungen העוו את־דרכם שכחו את־יהוה אלהיהם (3,21b),
oder שפיים (3,21a) auf der einen Seite wohl jeweils Wendungen in 2,5-3,5 entsprechen, daß sie aber auf der anderen Seite die Teilabschnitte, in denen sich die letzteren
Wendungen befinden, anscheinend immer zu resümieren versuchen. Derartigen einseitigen Beziehungen begegnet man
selbstverständlich nicht unter der Sammlung der Sprucheinheiten des Propheten, die wegen wechselseitiger Gemeinsamkeiten zusammen tradiert worden sind. Somit ist der Ring
des Beweises geschlossen, daß 3,21-25 vom vor-dtr. Verfasser gestaltet wurde.

---

173   Siehe oben S.189f. Wenn בכי תחנוני בני ישראל   (3,21aβ) neben
      31,15 auch auf 3,4f. (die Klage Israels als einer femininen
      Person) anspielt, so kann man in בני ישראל   in V.21 ver-
      gleichsweise wohl wiederum jene Einstellung zur maskulinen
      Formulierung erkennen.

Zusammenfassung

1. Daß die Heilsworte 3,21-25 inhaltlich nicht mit den
Gerichtsworten Jeremias in 2,5-3,5 kongruent sind, weist
auf eine andere Herkunft der Worte als die jeremianische
hin. Die Heilszusage 3,22 klingt vor-dtr.
2. Die Worte stellen, formgeschichtlich betrachtet, keine
selbständige Form dar. Das läßt annehmen, daß sie literarisch
erarbeitet wurden.
3. Der Vergleich der Worte mit dem Spruch Jeremias 31,18-
20, mit dem der vor-dtr. Verfasser sicherlich umging, bestätigt die eingehenden Gemeinsamkeiten zwischen beiden in
Form und Terminologie sowie Reihenfolge der Bestandteile.
4. Trotz dieser Gemeinsamkeiten können die Heilsworte 3,21-
25 nicht jeremianischer Herkunft sein, weil sich in 31,18-
20 das Ich Jahwes durchsetzt, während dagegen in 3,21-25
der Prophet, Jahwe und die "Söhne Israels" nacheinander zu
Wort kommen. Hinzu kommt auch innerhalb der Worte der Söhne
Israels logische Inkongruenz.
5. Die merkwürdige Erscheinung der Identität in Form und
Wendungen einerseits und des Unterschiedes in Inhalt und
Implikation andererseits, die zwischen den beiden Wort-Ein-
heiten 3,21-25 und 31,18-20 festgestellt wurde, entspricht
nicht sprachlichen Verhältnissen zwischen jeremianischen
Sprüchen, etwa 31,18-20 und einem ihm ähnlichen Spruch V.
15-17. Auch dies läßt annehmen, daß 3,21-25 durch Angleichung an 31,18-20 gestaltet wurde.
6. Für eine vor-dtr. Herkunft von 3,21-25 sprechen viele
Entsprechungen in Worten und Wendungen zwischen der Einheit einerseits und den übrigen vor-dtr. Einheiten wie
auch den Sprüchen in Kap. 30-31 außerhalb von 31,18-20 andererseits, die dem vor-dtr. Verfasser zur Verfügung standen (siehe darüber die Tabelle oben auf der Seite 207).
7. Um die Annahme der vor-dtr. Herkunft von 3,21-25 als
sachgemäß zu erweisen, muß man die Absicht und den Zweck

bei Gestaltung der Einheit und ihrer Einschaltung an der
jetzigen Stelle aufklären. Dafür muß zuvor die Reihenfolge der Überlieferungen wiederhergestellt werden, die dem
Verfasser vorlagen: nämlich 2,5-3,5 (jer.), V.12aβ-13bα
(vor-dtr.), V.19f. (jer.), 4,1f. (?) und 4,5ff. (jer.)
8. Der Aussagegehalt der Worteinheit wird im Vergleich mit
den vor-dtr. Heilsworten 3,12aβ-13bα klargemacht: V.21-22a
stimmen inhaltlich einander annähernd und mit dem genannten Spruch überein. Daraus folgt, daß der vor-dtr. Verfasser in V.21-22a den Inhalt der Heilsworte V.12aβ-13bα nun
nach dem Schuldaufweis Jeremias V.19f. wiederaufnehmen möchte, daß er erst danach in V.22b-25 zur eigentlichen Aussage
kommt; in diesem zweiten Teilabschnitt ist der Sprecher beständig das Volk.
9. In V.22b-25 geht es um Darlegung des gegenwärtigen Unglücks (V.24-25aβ) und um die Feststellung des Götzendienstes als seiner Ursache (V.25a bis zum Ende des Verses ?).
Diese Auffassung findet man auch im zweiteiligen Bekenntnis
Israels, das den trügerischen Baalskult mit der Heilstat
Jahwes kontrastiert (V.23). Daraus ergibt sich, daß die Erklärung der Entscheidung des Volkes, zu Jahwe zurückzukehren (V.22b), als bedingte Voraussetzung zum Heil den
Kernpunkt dieser Heilsworte bildet.
10. Es hat den Anschein, als glaubte der Verfasser einerseits, daß solche Bereitschaft des Volkes erst durch die
Heilszusage Jahwes 2,2aγ-4 (vor-dtr.) und 3,12aβ-13bα (vor-
dtr.) ermöglicht und veranlaßt werden konnte. Der Verfasser
fühlte sich andererseits wahrscheinlich berufen, nach dem
letzten Teil der Spruchsammlung der Gerichtsworte, 3,19f.,
die Bereitwilligkeit des Volkes, zu Jahwe zurückzukehren,
noch einmal kundzutun, damit die Heilszusage Jahwes und die
Antwort des Volkes darauf angesichts der Gedichte vom Feind
aus dem Norden, 4,5ff, deutlich hervortraten.

EXKURS 5. Literarkritische Beobachtungen zu Jer 3,24-25

Seit langem sind sich die Kommentatoren darüber einig gewesen, daß in den Abschnitt 3,21-25, insbesondere V.24f.,
mehr oder weniger nachträglich eingegriffen wurde. Abgesehen von möglicher Mehrschichtigkeit der Erweiterungen werden die Beobachtungen folgendermaßen durchgeführt, um den
früheren Textbestand von V.24f. literarkritisch zu erschließen.
Der MT von V.24f. lautet:

(24a)　　　　והבשת אכלה　　את־יגיע אבותינו מנעורינו

(b)　　　　את־צאנם ואת־בקרם את־בניהם ואת־בנותיהם:

(25a)　נשכבה בבשתנו　ותכסנו כלמתנו　כי ליהוה אלהינו חטאנו

אנחנו ואבותינו מנעורינו　ועד־היום הזה

(b)　　　　ולא שמענו בקול יהוה אלהינו:

Einen Anhaltspunkt kann ואבותינו in V.25a bieten: Die
"Väter" scheinen in diesem Abschnitt keine konstitutive Rolle
zu spielen; es handelt sich hier wesentlich um <u>Klage</u> von
בני ישראל durch den Mund des <u>Propheten</u> (V.21a), <u>Heilszusage</u>
Jahwes (V.22a) und schließlich des <u>Volkes</u> <u>Manifest</u> zur Umkehr (V.22b-25). Folglich fällt es auf, daß in V.25a plötzlich und wieder von den "Vätern" als den gegen Jahwe Gesün-
digten die Rede ist! Dieses אבותינו scheint weiter angesichts des ihm vorangehenden Verbum חטאנו - und vielleicht
auch des darauf folgenden שמענו - fragwürdig. Man sollte
deshalb ואבותינו in V.25a auf eine Interpolation zurückführen,[174] die die sog. "Gesinnungsgemeinschaft in der Sünde
mit den Vätern" unterstreichen wollte; dieser Gedanke, dessen Urform bereits beim Propheten Jeremia zu finden ist,
breitete sich bekanntlich in der exilischen und nachexilischen Zeit aus (vgl. z.B. Jer 9,13; 2 Kön 22,13; Lev 26,40;

174　So Duhm, gegen Cornill und Volz.

Ps 106,6).[175] Das Wort אבותינו in V. 24a hat im Hinblick auf die Jahwe-Beziehung, um die es sich im ganzen Abschnitt schließlich handelt, weder pejorative Bedeutung noch negative Schattierung. Dies weist wiederum auf nachträgliche Herkunft von ואבותינו in V.25a hin. Ist ואבותינו in V. 25a ein Zusatz, so erweist sich erstens das vorangehende אנחנו auch als Zusatz, da allein die Einschaltung von ואבותינו das benötigte, erweist sich zweitens das auf das ואבותינו folgende מנעורינו in V.25a als ursprünglich,[176] da es unvorstellbar ist, daß sich der Interpolator von ואבותינו, der gerade die Sünde der "Väter" betonen wollte, auch מנעורינו "von unsrer Jugendzeit an" absichtlich eingeschaltet haben könnte.

Was den Text von V.25 anbelangt, ist wahrscheinlich, daß כי ליהוה אלהינו חטאנו ursprünglich ist,[177] da das Vorhandensein dieses Satzes wohl den Satz ולא שמענו בקול יהוה אלהינו sinnvoll macht, der zwar am Ende des Verses steht, der aber doch durch כי eingeleitet erst in Anlehnung an den ersten Satz mit כי seine vermeintliche Rolle als Begründung des am Anfang des Verses geschilderten gegenwärtigen Unglücks erfüllen kann. Über die Herkunft der Satzteile ולא שמענו בקול יהוה אלהינו und ועד־היום הזה [178] dürfte man wohl kein endgültiges Urteil fällen.

Weitere Schwierigkeiten bereitet nun V.24a: והבשת אכלה את־יגיע אבותינו מנעורינו. Es ist mit Sicherheit zu schließen, daß יגיע ursprünglich ist, da allein dieses Wort die Erweiterung von V.24b[179] veranlassen konnte. Weil an der Ur-

---

175   Siehe H.Ringgren, Art. אב , III.3.h) und i), ThWAT I, Sp. 1-19.

176   Gegen Duhm und Rudolph.

177   Gegen Duhm.

178   Giesebrecht, Duhm, Rothstein, Volz halten dieses Schuldbekenntnis für Zusatz.

179   So z.B. Rudolph.

sprünglichkeit von אבותינו in V.24a, das sich seinerseits mit יגיע fest verbindet, nicht zu zweifeln ist, läßt sich nun nach der kontextuellen Relevanz von מנעורינו fragen. Sieht man von V.24b als Zusatz ab, ragen V.22b-24a[180] deutlich dadurch aus den übrigen hervor, daß es sich bei ihnen wesentlich um vergleichende Charakterisierung des Jahwevertrauens und des Götzendienstes (הבשת)[181] handelt. Dieser

---

180 Um eine kontextuelle Trennung zwischen V.22b-24a zu begründen, kann man auch darauf hinweisen, daß נשכבה am Anfang von V.25 ein Kohortativ ist (so Joüon, Grammaire, §45a). Hingegen ist König, Syntax, § 199, unsicher, ob es "Juqtul gravatum" (=Kohortativ) sei, wobei allerdings kein Grund für seine Unsicherheit angeführt wird. Gesenius-Kautzsch, Grammatik, § 108 g, nimmt an, daß in ihm wie in anderen Beispielen "die Kohortativform nach gänzlichem Verblassen ihrer Bedeutung lediglich um ihres volleren Klanges willen für das gewöhnliche Imperfekt eingetreten ist." Da נשכבה morphologisch einwandfrei ein Kohortativ ist, soll man selbstverständlich nur syntaktisch und möglichenfalls kontextuell beurteilen, ob die kohortative Bedeutung von נשכבה "verblaßt" sei oder nicht. Syntaktisch kann man am besten נשכבה בבשתנו ותכסנו כלמתנו als einen Satz verstehen, in dem ein Kohortativ (נשכבה) durch einen Jussiv mit Waw (ותכסנו) gefolgt wird (so Bergsträsser, Grammatik, II. Teil, § 10 c, vgl. auch Gesenius-Kautzsch, Grammatik, § 109 b und a, A.1). Folglich soll im Satz wohl weniger eine Feststellung der dort besagten Verhältnisse als eher die spontane Willensäußerung des Volkes, nämlich die zu einer Gebärdehandlung, abgelesen werden. Der Satz kann deshalb heißen: "Wir wollen uns in unserer Schande hinlegen, damit uns unsre Schmach decke." Daß נשכבה בבשתנו in diesem Sinne ein Kohortativ ist, stimmt auch damit gut überein, daß das Vorkommen des Satzes an dieser Stelle wahrscheinlich von der jeremianischen Wendung ספקתי על-ירך in 31,19 verursacht wurde (siehe darüber oben S.202).

181 Die Umsetzung der masoretischen Lesart והבשת אכלה in הבעל אכל wird zwar im allgemeinen unterstützt (so z.B. Duhm, Cornill, Rothstein, Volz), während früher Condamin, neuerlich z.B. auch Holladay, The Architecture, S.47, A.12 wie auch H.Seebaß, Art. בוש , in ThWAT I, Sp.706-727, bes. 718, sich im Hinblick auf Jer 3,24 ein endgültiges Urteil vorzubehalten scheinen. Wenn auch z.B. Rudolph, der eine sekundäre Übertragung von ursprünglichem בעל in masoretisches בש annimmt, auf 11,13 verweist, sollte man doch eher beachten, daß in 11,13 בש und בעל nebeneinander vorkommen. Es kann weiterhin so sein, daß die Formulierung von 11,11-14 auf den Deuteronomisten zurückzuführen ist (siehe Thiel (1973), S.153-157). Die Argumentation Duhms für die Annahme der sekundären Änderung in בעל besteht erstens darin daß "es zweifelhaft ist, ob schon Jeremia den Ausdruck בש

für Baal gebraucht hat ......," zweitens darin, daß die Verbindung von בשת mit אכל "nicht besonders motiviert ist, weil doch die Schande nicht 'frisst'", und schließlich darin, daß der Ausdruck הבשת אכלה "auch keinen scharfen Gegensatz zu Jahwe ..... ausspricht ....." Dagegen ist jeweils folgendes beizubringen: man dürfte erstens nicht ohne weiteres von einer jeremianischen Herkunft des Verses ausgehen, sondern sollte eher auch mit einer späteren Provenienz rechnen, wie es bei den "jüngeren Zeugnissen" (Mulder, aaO. Sp. 719) von בשת der Fall ist. Zweitens kann man auf nicht wenige Beispiele hinweisen, in denen אכל in Verbindung mit unbelebten Substantiven als Subjekt vorkommt: nach Gerleman, Art. אכל, in THAT I, Sp.139-142, bes. 139, sind dies z.B. Feuer, Schwert, Land, Wald, Hitze und Kälte, Fluch, Zornglut, Hunger und Pest sowie Krankheit. Wenn auch בשת im Vergleich mit diesen Nomina an Abstraktheit verstärkt ist, scheint der Unterschied nicht so groß zu sein, daß man die Verbindung von בשת mit אכל für unvorstellbar halten müßte. Schließlich wäre das dritte Argument Duhms nur dann treffend, wenn es in V.24f. auf einen Gegensatz Jahwes zu Baal par excellence ankäme. Das ist aber keineswegs sicher. Möglich ist, daß der Satz V.24a ursprünglich von einer späteren Zeit und Gedankenwelt herrührt, in der das monotheistische Wesen Jahwes die Götzen ihrer Gottheit allmählich beraubte, so daß die derart Herabgesetzten nicht mehr mit ihren eigentlichen Namen ausgedrückt wurden. Dies weist darauf hin, daß בשת hier von Haus aus nicht, wie Duhm vermutete, etwa als Epitheton ornans von Baal in Gegenüberstellung dargelegt wird, der chiastischen Struktur von V.22b-24a entsprechend eher den Begriff von שקר in V.23a ergänzen will. Solange keine entscheidenden Argumente für eine Änderung in unbelegtes ובעל in V.24a sprechen, sollte man die masoretische Lesart והבשת אכלה beibehalten wie sie ist und בשת, folgend Bauer-Leander, Historische Grammatik, § 61 u, als Nomen abstractum im Sinne von "Schändlichem" verstehen.

Möglich ist erstens, daß בעל im Bereich der Namengebung gelegentlich in בשת übertragen wurde (vgl. אשבעל 1 Chr 8,33 mit אש בשת 2 Sam 2,10, siehe weitere Beispiele bei Mulder, aaO. Sp. 718), daß zweitens der Parallelismus von בעל und בשת in Hos 9,10 solche Übertragung veranlaßte (so Wolff, BK XIV/1). Es könnte deshalb zwar so sein, daß auch הבשת in Jer 3,24a den Baalismus implizieren würde. Das ist aber doch keineswegs sicher, daß das Nomen ausschließlich den Baal meinte. Vielmehr scheint wahrscheinlich, daß es wegen seiner Abstraktheit absichtlich vorgezogen wurde, damit es zusammen mit dem vorangehenden שקר in V.23a dazu dienen kann, das Wesen der einst verehrten Götzen im allgemeinen zu kennzeichnen. Die soweit versuchte Argumentation für die masoretische Lesart והבשת אכלה befindet sich auch mit der Auslegung von V.24f. durch Seebaß im wesentlichen im Einklang: "Die entsetzlichen Verluste, die der Staat Israel bei seinem Untergang erlitt, zeigten nicht den Heroismus eines bis zum letzten um seine Selbständigkeit kämpfenden Volkes, sondern die bedrückende Schande des Volkes, das seinen Gott vergaß und mit all seinen Anstrengungen für ein Nichts gefochten hat" (aaO. Sp.574).

Teilabschnitt gestaltet sich in dem Sinne chiastisch, daß
einerseits in den ersten und dritten Zeilen (V.22b und 23b)
von Jahwe, andererseits in den zweiten und vierten Zeilen
(V.23a und 24a) vom Götzendienst die Rede ist. Zweckmäßig
ist deshalb, V.23a in Erwägung zu ziehen, um herauszustellen, worauf es bei V.24a ankommt. Obwohl der MT von V.23a
offensichtlich verwickelte Überlieferungen wiedergibt, ist
doch unbestritten, daß dieser Versteil den Götzendienst
auf den Höhen als שקר , nämlich Trug und Unnützlichkeit,
erweisen will (vgl. auch V.21aα-β). M.A.Klopfenstein[182]
übersetzt diesen Satz im Blick auf den Vergleich mit dem
folgenden wie folgt: " ⟩Fürwahr, zum Betrug (laššœqœr)
(führen) die Höhen .....; fürwahr, bei Jahwe ..... (steht)
Israels Hilfe (tešu^{f}ā)!⟨." Daraus ergibt sich wohl, daß
es in V.22b-24a schließlich um eine Wesensbestimmung des
Jahweglaubens und Götzendienstes geht, auch wenn die prak-
tische Hinsicht dabei, entsprechend israelitischer Mentali-
tät, in den Vordergrund rückt. Geht man nun von diesem
Grundverständnis aus, so läßt sich ו von והבשת in V.24a
als "aber" im Sinne eines Gegensatzes verstehen, so daß
man hier folgende Implikationen ablesen darf: bei Jahwe
steht Israels Hilfe; (im Gegensatz zu Jahwe) verzehrt das
"Schändliche" aber (tatsächlich)[183] unsrer Väter Erwerb
seit unsrer Jugendzeit. Dann fällt es sogleich auf, daß

---

182 M.A.Klopfenstein, Art. שקר , in THAT I, Sp.1010-1019, bes.
     1015.

183 Wichtig ist in diesem Zusammenhang die Arbeit D.Michels, Tem-
     pora und Satzstellung in den Psalmen, 1960, in der er vor
     allem die Funktion des hebräischen Perfektum konstatierte,
     die "nicht zum Ausdruck einer Zeitstufe (dient)" (aaO. S.98),
     sondern wichtige Fakta feststellt, vgl. auch seine Äußerun-
     gen über das sogenannte perfectum explicativum: "Als typisch
     für das perf. haben wir gefunden,daß es selbstgewichtige
     Fakten anführt, die ohne innere Beziehung zu ihrer Umgebung
     sind. Häufig wird nun das perf. in einer Konstruktion gebraucht,
     die zu etwa vorher Geschildertem ein erklärendes Faktum hinzu-
     fügt, also expliziert. Gewöhnlich wird das perf. dann durch
     ein ו angereiht, es kann aber auch asyndetisch gebraucht wer-
     den" (aaO. S.95).

dieser Satz am Ende von V.22b-24a eine temporale Bestimmung, מנעורינו   mit sich bringt; da diese Einschrän-
kung, wenn auch nicht unbedingt unmöglich oder völlig
"sinnlos"[184] sein mag, sich immerhin aber im Hinblick auf
die soeben besprochene grundsätzliche Aussagerichtung des
Satzes inkongruent und überflüssig zeigt, dürfte man wohl
annehmen, daß מנעורינו   am Ende von V.24a eine Interpolation ist,[185] die möglicherweise durch den Interpolator, der
in V.25a ואבותינו   herstellte, nachträglich in Anlehnung an
מנעורינו   in V.25a ungeschickt eingeschoben wurde.[186] Diese
Annahme der nachträglichen Herkunft von מנעורינו   am Ende
von V.24a scheint ferner durch syntaktische Beobachtungen
als sachgemäß nachgewiesen zu werden, daß nämlich die
Schlußstellung von מנעורינו als Adverbiale in V.24a ungewöhnlich ist.[187]

Sind die Beobachtungen soweit richtig, so erweisen sich
in V.24f. die folgenden Textabschnitte als ursprünglich
(die Texte in Klammern sind die, deren Nachträglichkeit man
rein literarkritisch nicht beweisen kann.):

(24a) והבשת אכלה את־יגיע אבותינו

(25a) נשכבה בבשתנו ותכסנו כלמתנו

כי ליהוה אלהינו   חטאנו מנעורינו (ועד־היום הזה

(b)   (ולא שמענו בקול יהוה אלהינו

---

184   Schmidt, S.236.

185   So auch Cornill.

186   Ähnlich z.B. Erbt, Volz, S.34, A.2 und Schmidt.

187   Siehe Gesenius/Kautzsch, Grammatik, § 142, bes. g, vgl. auch
       Brockelmann, Syntax, § 269. Wenn Joüon, Grammaire, S.475f.,
       עשו לקח את־נשיו מבנות כנען   Gen 36,2, nämlich die Wortstellung:
       S. -V. - Obj. - Adv., als einen "ordre normale" anführt, hat
       er wohl nicht unbedingt recht, auch wenn er wie folgt einräumt:
       "En fait diverses raisons, notamment l'emphase et la longueur
       relative des membres, font qu'on s'écarte de cet ordre." Man
       könnte in Jer 3,24a מנעורינו   eher unmittelbar nach dem
       Verbum erwarten, so auch Duhm.

4.   6,16a + 17a

In der Abfolge von Mahnungen, Drohungen und Klagen in
Kap. 4 - 6 schimmert plötzlich an einer Stelle ein helles
Licht, das dem Gottesvolk den Heilsweg weist: Das sind die
Worte Gottes 6,16a und V.17a. Der Text, in dem diese Worte
enthalten sind, lautet folgendermaßen:

16a So spricht Jahwe:

> Stellt euch an die Wege und sehet,
> > fragt nach den Pfaden der Vorzeit,
> welcher Weg der beste sei, und geht auf ihm,
> > so werdet ihr den Ausruhplatz finden für eure Seele.

16b   Sie sagten: Wir wollen nicht gehen.
17a Und ich will für euch Wächter aufstellen,[188]

> höret auf den Schall der Trompete.

> Sie sagten: Wir wollen nicht hören.

EXKURS 6.   Zur grammatischen Erläuterung von
וַהֲקִמֹתִי ("Aufstellen") in Jer 6,17a

והקמתי ist offenbar als Perfektum mit Waw consectivum
zu verstehen, weil der Ton nach dem masoretischen Akzent-
zeichen (Mehuppach) auf die Ultima fällt.[189] Es bereitet
aber Schwierigkeiten, den Sinn dieser Konsektivform eindeutig zu bestimmen, denn er hängt im wesentlichen von der
Interpretation des Kontextes ab, in dem die Form vorkommt.
Fast alle Kommentatoren übertragen das Wort entweder in die
Zeitsphäre des Präteritum oder des Perfektum. Volz z.B. beruft sich auf Gesenius § 112 e, dd und bezieht den Sinn von
והקמתי auf die "wiederholten Handlungen in der Vergangen-

---

188   Über die Übersetzung des Wortes "aufstellen" siehe den folgen-
      den Exkurs.

189   Gesenius / Kautzsch, Grammatik, § 49, h.

heit"; er übersetzt das Wort demnach folgendermaßen: "ich
habe (ihnen Wächter) aufgestellt" (dieser Interpretation
folgt auch Rudolph). Im Hinblick auf das Verständnis des
Wortes kann man sich aber nicht ohne weiteres auf Gesenius
berufen, denn seine Äußerungen dazu sind undurchsichtig.

Nachdem bei Gesenius in § 112, *a* die Grundbedeutung des
Perfektum mit Waw consecutivum erläutert wurde, wird zwischen drei Gebrauchsweisen der Form unterschieden,[190]
nämlich "zwischen a) dem Perf. consec. in *unmittelbarer*
Anlehnung (s. *litt. e* [bis *w*] und b) in loser Anknüpfung
(s. *litt. x*) [bis *ee*] an das Vorhergehende; endlich c)
dem Perf. consec. an der Spitze des Nachsatzes zu anderen
Sätzen oder Satzäquivalenten (s. *litt. ff*)." Es ist bemerkenswert, daß Gesenius das Wort והקמתי in Jer 6,17a <u>nicht</u>
unter *f* erörtert, wobei es sich um Beispiele des Perfektum
consecutivum "nach Imperf. cons." handelt; denn auch das Perfektum consecutivum steht dort ebenso nach dem Imperfektum consecutivum... ויאמרו V.16b wie z.B. in dem von Gesenius angegebenen Beispiel Ex 39,3 וְקִצֵּץ nach ... וַיְרַקְּעוּ . Der
Grund dafür, daß Gesenius das Wort והקמתי <u>nicht</u> dort behandelt, ist vermutlich darin zu suchen, daß er das Wort
sinngemäß nicht unmittelbar auf ... ויאמרו bezieht, sondern dem Wort einen mehr oder weniger selbständigen Charakter beimißt. Dementsprechend ordnet er ...והקמתי in Jer
6,17a nicht in Gruppe a), zu der *f* gehört, sondern in Gruppe
b) ein, und zwar erst in den Schlußteil von *dd*, wo Beispiele des Perfektum consecutivum angeführt sind, die "zur Einführung oft wiederholter Handlungen" dienen.

Insofern scheint es sicher, daß Gesenius dem Wort והקמתי
eine einführende Funktion beimißt. Anderenfalls könnte man
nicht begreifen, warum das Wort nicht in *f*, sondern in *dd* ein-
gegliedert ist. Es bleibt aber unklar, warum ihm Gesenius eine
<u>frequentative</u> Bedeutung zuschreibt. Diese Frage läßt sich

---

190   Gesenius, aaO, § 112, *d*.

228

deswegen stellen, weil ihm keine weiteren Worte folgen, die
darauf unmißverständlich hinweisen. Noch eine andere Unklar-
heit herrscht, wenn er folgendermaßen schreibt: "Jer 6,17
ist ein solches Perf. durch die Betonung der Endsilbe ...
ausdrücklich den eigentlichen Perfectis consec. gleichge-
stellt."[191] Man kann nicht sicher sein, was Gesenius mit dem
Ausdruck "den eigentlichen Perfectis consec." meint. Zum
Verständnis dieses Satzes scheint es angemessen, sich auf die
oben zitierte Teilung der Verwendungsweisen des Perfektum
consectivum in drei Gruppen zu berufen und die "eigentlichen
Perfectis consec." mit denen von Gruppe a) zu identifizieren.
Wenn somit der Kontext richtig rekonstruiert ist, liegt es
nahe, daß Gesenius bei der Eingliederung des Wortes schwankt,
wenn es um den Zusammenhang des Wortes mit den vorhergehenden
geht. Gesenius als Grammatiker fühlte sich vielleicht verpflichtet, auf die Betonung der Endsilbe des Wortes aufmerksam zu machen, während er aber zugleich von der lockeren Anknüpfung des Wortes an die vorhergehenden nicht absehen konnte. Soweit handelt es sich nur um die modale Bedeutung des
Wortes. Nun stellt sich die Frage, welcher Zeitsphäre das
Wort angehören soll. Gesenius selbst schreibt darüber nichts
Konkretes. Es wäre das Präteritum, wenn das Wort in festen
Zusammenhang mit dem vorhergehenden ...ויאמרו gesetzt werden
soll, was aber, wie erwähnt, für ihn selbst keinesfalls sicher ist. Wenn er auch aus dem Wort eine frequentative Bedeutung erschließen mag, läßt sich die Möglichkeit nicht ausschließen, das Wort im zukünftigen Sinne zu verstehen, da er
selbst im Zusammenhang mit dem Perfektum consecutivum den Modus von Frequentativ nicht auf die Zeitsphäre des Präteritum
und/oder des Perfektum beschränkt.[192] Angesichts der bisherigen Erörterungen sollte man im Hinblick auf das Wort והקמתי
weder dem Verständnis von Gesenius noch dem von Volz oder
dem von Rudolph voreilig zustimmen. Soviel zu den Erläute-

---

191   Gesenius, aaO, § 112, *dd*.

192   Gesenius, aaO . § 112, *m-o*.

rungsversuchen von Gesenius und den Versuchen, die Auffassung von Volz hinsichtlich dieser Interpretation zu überprüfen.

In diesem Zusammenhang ist die umsichtige Stellungnahme Joüons zu der oben erwähnten Deutung des Perfektum consecutivum als Frequentativ suggestiv: "Wayyiqtol pour un *imparfait* (action fréquentative dans le passé) est assez rare. Cet emploi est weqatalti..."[193] Er gibt für diesen Gebrauch zehn Beispiele an, in denen morphologisch nur das Wort והקמתי in Jer 6,17a 'la forme normale' annehmen soll. Ungeachtet, ob man seinen Vorschlag der Emendation von והקמתי in הקמתי folgt, ist die nachstehende Auffassung Joüons zu beachten: "Dans tous ces cas on peut dire que la nuance fréquentative n'est pas formellment exprimée: elle ressort plutôt du contexte."

Anzunehmen ist, daß der Satz, der mit dem Wort והקמתי beginnt, in genauerem Sinne für sich keinen bloßen Anfang eines selbständigen Abschnittes darstellt, sondern der Satz sinngemäß auf V.16a zurückgreift.[194] Diese Beobachtung führt zu der weiteren Annahme, daß das dazwischenliegende Sätzchen ויאמרו לא נלך ein nachträglicher Zusatz ist. Die Übersetzung von ...והקמתי im obigen Haupttext "Und ich will für euch Wächter aufstellen" beruht auf dieser Annahme, die im folgenden nachgewiesen werden soll. Wenn demnach das Wort unmittelbar auf die Imperative ...וראו, עמדו..., ...שאלו, ...ולכו und ...ומצאו in V.16a folgt, ist das Perfektum consectivum והקמתי eher "Ausdruck *künftiger* Handlungen ... als zeitliche oder logische Folge von Tempora oder Tempusäquivalenten, welche künftige Handlungen ... fordern"[195] (Ende des Exkurses).

---

193 Joüon, aaO, §118, *n*. Die Unterstreichung weist auf Blockschrift im Originaltext hin. Das nächste Zitat auch dorther.

194 Siehe unten S.231.

195 Gesenius, Grammatik, § 112, *p.* und *r*. Das Urteil wird dadurch gestützt, daß der vor-dtr. Verfasser auch sonst das Perfektum consecutivum häufig gebraucht, um die künftigen Handlungen,

Bei flüchtiger Betrachtung entsteht der Eindruck, daß in
6,16-17 wesensfremde Elemente V.16b und 17b enthalten sind.
Abgesehen von den beiden Halbversen,[196] verhalten sich die
übrigen Textteile V.16a und 17a folgendermaßen zueinander:
V.16a und 17a sind offenbar Aufforderungen Gottes, die an
die Leute in der 2. Person gerichtet sind. Innerhalb von
V.16a folgen fünf Aufforderungen: עמדו..., ושאלו...,
ולכו בה und ומצאו. Anzunehmen ist, daß auf die jeweilige
Aufforderung keine einzelne selbständige Reaktion vorgese-
hen ist; vielmehr wird vom Adressaten ein zwar mehrteiliger,
aber doch zusammenhängender Vorgang geistigen Verhaltens
erwartet, der eine innere Ruhe (כם-) מרגוע לנפש zur Folge
haben soll. Diesen Aufforderungen in V.16a folgt eine weitere in V.17a הקשיבו... (V.17aβ), die ihren Grund darin hat,
daß Gott Wächter aufstellen und sie auf den Trompeten bla-
sen lassen wird. Eindeutig ist, daß dieselbe Weg-Metapho-
rik, die die fünf ersten Aufforderungen prägt, sich auch
auf die letzte in V.17a erstreckt. Dem Inhalt nach verhalten
sich V.16a und 17a folgendermaßen zueinander: Beim ersteren
handelt es sich um Versuche seitens der Menschen, die "Pfaden der Vorzeit", nämlich "den besten Weg" herauszufinden.
Im letzteren verspricht Gott seinen Beistand, den sein Volk
benötigt, um seinen Versuch zum Ziel zu führen. V.16a und
17a ergänzen sich also auch sinngemäß. Daher unterliegt der
Sachverhalt keinem Zweifel, daß die beiden Halbverse V.16a
und 17a formal wie inhaltlich zueinander gehören.

Begebenheiten oder Zustände auszudrücken: ונבנתה... (30,18),
והרבתים..., והכבדתים... (V.19), ...ופקדתי (V.20),
והקרבתיו... (V.21), והייתם... (V.22), וקבצתים... (31,8),
והיתה..., ונחמתים ושמחתים... (V.13), ורויתי... (V.14).

196   Die folgenden Beobachtungen beruhen auf der Erkenntnis, daß
      V.16b und 17b auf denselben deuteronomistischen Kreis zurück-
      zuführen sind, der auch V.18-19 formulierte und sie an dieser
      Stelle einschob. Die Belege für diese deuteronomistische Her-
      kunft von V.16b, 17b und 18-19 sollen in der letzten Hälfte
      dieses Großabschnittes angeführt werden, um eine kontinuirliche
      Erörterung von V.16a und 17a zu gewährleisten, siehe unten
      EXKURS 8.

Diese Erkenntnis schafft die Grundlage für ein neues
Verständnis von den beiden Halbversen. Die Zusammenfügung
der sechs Aufforderungen Gottes (וראו ושאלו..., עמדו...,
לכו־בה, ומצאו V.16a und הקשיבו V.17aβ) mit seinen Bei-
standserklärungen in der 1. Person (והקמתי... V.17aα)
erinnert an die Redeweise, die den vor-dtr. Verfasser kennzeichnet; den gleichen Aufbau weisen z.B. die folgenden
vor-dtr. Stellen auf:

    30,10a   die Aufforderungen ואל־תחת..., אל־תירא...
               mit der Beistandserklärung הנני מושיעך

    31,7-8 die Aufforderungen השמיעו..., וצהלו..., רנו...,
                  ואמרו..., הללו...
             mit den Beistandserklärungen הנני מביא..., וקבצתים...

Freilich kann die Gleichheit des Aufbaus eine zufällige
Ähnlichkeit sein. Wichtig ist daher, die Affinität in der
Aussagerichtung von 6,16a und V.17a; 30,10a sowie auch
31,7-8 herauszustellen: Gemeinsam ist allen drei genannten
Stellen, daß sie jeweils auf eine zukünftige Heilszeit verweisen. Bei diesem Vergleich kommt es also auf eine Korrelation inhaltlicher und formaler Ähnlichkeit an. Auch dieser
Sachverhalt läßt die Annahme zu, daß 6,16a und V.17a von
demselben vor-dtr. Bearbeiter stammen wie 30,10a und
31,7-8.
   Aus der Annahme einer gleichen Verfasserschaft ergibt
sich die Notwendigkeit, zu überprüfen, ob nicht die genannten worte denjenigen Heilssprüchen angehören, die dem
vor-dtr. Verfasser vorlagen, ihn dann zu ihrer Bearbeitung
motivierten und insofern als "jeremianisch" bezeichnet
werden. Als derartige Heilssprüche kommen in der laufenden
Untersuchung lediglich 31,2-6. 15-17 und 18-20 in Betracht;
der jer. Abschnitt 30,12-15 ist hingegen kein Heilsspruch.
Aus dem Vergleich wird deutlich, daß die genannten jer. Sprüche gegenüber den Worten 6,16a und V.17a keine eingehende
Affinität haben. Die jer. Abschnitte sind folgendermaßen
aufgebaut: Zunächst werden Rückblicke auf die vernichten-

den Ereignisse in der Geschichte des Volkes (31,2 שרידי
) ‏וארמון על משפטו... ,עיל על תלה V.18b ;איננו V.15bγ ;חרב
gegeben. Dabei ist jeweils implizit oder explizit auch von
dem negativen, seelischen Zustand des Volkes die Rede, der
aus den Geschehnissen resultierte (31,2 הלוך להרגיעו;[197]
V.15 נהי ,בכי תמרורים usw.; V.18 מתנודד). Auf die historischen Retrospektiven folgt jeweils in der zweiten Hälfte
die Zusage Jahwes, die dem Volk im Elend des Exils die
Rückkehr in das Heimatland verspricht(31,5a עוד תטעי כרמים
ושבו מארץ V.16a, :ציון V.6b, בהר אפרים בהר V.6a, בהרי שמרון
אויב, V.17b ושבו בנים לגבולם; V.20b רחם ארחמנו - als Entsprechung zu der Bitte V.18b השיבני-). Diesem Aufbau entspricht, daß in den Abschnitten Gottes Aufforderungen an das
Volk nur geringen Raum finden (eine Ausnahme bildet V.16a,
in dem eine negative Aufforderung im Sinne von "Weine nicht"
enthalten ist.). Die zwei besprochenen Konstituenten,die den
Aufbau der jer. Sprüche prägen, finden sich auch in den
vor-dtr. Worten 30,10-11 (V.10 מארץ שבים + ...הנני מושיעך
ואת-זרער). Jedoch liegt zunächst darin ein Unterschied, daß
30,10-11 sowie auch 6,16a + 17a und 31,7-9 zwar historische
Rückblicke ansatzweise enthalten, diese aber nicht das eigentliche Thema bilden wie in den jer. Sprüchen. Ein anderer Unterschied besteht darin, daß diese jer. Einheiten nie mit
Aufforderungen beginnen wie 6,16a + 17a; 30,10-11 und 31,7-9.
Als weitere Charakteristika, die die jer. Sprüche im Unterschied zu den genannten Worten prägen, sind noch zu erwähnen,
daß ihnen erstens das Seelisch-Gefühlsmäßige gemeinsam zu-
grundeliegt (31,3b אהב; V.15 בכי תמרורים ,להנחם; V.20b
לו המו מעי ,רחם ארחמנו) und zweitens, daß dort die Hauptfigur immer im Singular angeführt ist, während in 6,16a und
V.17a die Leute im Plural genannt sind (Ausnahme: Jakob //

---

197 Rudolph übersetzt diese Phrase mit "zu seinem Ausruhplatz gehen".
Bezieht sich das Wort להרגיעו auf מַרְגּוֹעַ (Jer 6,16) bzw. מַרְגֵּעָה
(Jes. 28.12), so setzt es ein Vorhandensein eines negativen,
seelischen Zustandes voraus.

Israel in 30,10-11, der aber schon in 31,7-9 pluralisiert
ist). Die besprochenen Merkmale reichen hin, um zwischen
den jer. Heilssprüchen einerseits und 6,16a und V.17a sowie
auch 30,10-11 und 31,7-9 andererseits zu unterscheiden.

Die Annahme der vor-dtr. Verfasserschaft von 6,16a und
V.17a dürfte selbstverständlich Gegenargumente erwecken. So
könnte z.B. behauptet werden, daß eine Zusammenfügung der
Aufforderungen Gottes mit seiner Beistandserklärung, wie sie
oben als Strukturbestimmung von Jer 6,16a und V.17a; 30,10a
und 31,7f. angegeben wurde, auch auf einige Heilsworte Deuterojesajas zutrifft; den gleichen Aufbau scheinen die
deuterojesajanischen "Heilszusagen" (C.Westermann) in ihren
zwei Hauptelementen aufzuweisen (Jes 41,8-13. 14-16; 43,1-4.
5-7; 44,1-5 und 54,4-6). Diese beiden Elemente sind"Heilszuspruch" mit der Anrede "Fürchte dich nicht" und seine "Begründung".[198] Insofern steht Jer 30,10a sowohl mit der gleichen Anrede an Jakob-Israel (V.10aα-β) als auch mit der Begründung durch ׳כ-Satz (V.10aγ-δ) den angegebenen Heilszusagen Deuterojesajas scheinbar nahe. Bei genauerer Betrachtung
tritt dennoch ein anderer Gesichtspunkt auf, durch den sich
nicht nur Jer 30,10a, sondern auch 6,16a. 17a und 31,7f. von
den genannten "Heilszusagen" Deuterojesajas unterscheidet;
der Unterschied liegt darin, daß Deuterojesaja die göttliche
Heilshandlung - als Begründung des "Heilsspruches" - im wesentlichen im Perfektum verkündigt (41,10b. 14bα; 43,1b;
44,1bβ. Ausnahmen bilden die Abschnitte 43,5-7 und 54,4-6).
Folglich bilden "diese perfektischen Verben zusammen mit
dem Ruf 'Fürchte dich nicht' ... das für den Heilszuspruch
[Deuterojesajas] Charakteristische",[199] während an den drei
genannten Stellen des Jeremiabuches der Beistand Gottes
nicht als bereits eingetroffen, sondern als versprochen und

---

198   Westermann, Sprache und Struktur der Prophetie Deuterojesajas,
       S.34f.
199   Westermann, aaO., S.36.

zu erwarten angekündigt wird (6,17a וַהֲקִמֹתִי, 30,10aδ
הִנְנִי מוֹשִׁיעֲךָ 31,8aα הִנְנִי מֵבִיא).[200] Man kann daher im Hinblick auf die Frage nach dem Verfasser des Abschnittes
6,16-21 die deuterojesajanischen Sprüche außer acht lassen.

EXKURS 7   Überprüfung der Emendation der masoretischen
            Lesart הוֹשַׁע יהוה אֶת־עַמְּךָ in Jer 31,7b in einen
            perfektischen Satz

Aus dem gestellten Vergleich zwischen den deuterojesajanischen Heilssprüchen einerseits und den Heilsworten aus dem
Jeremiabuch andererseits ergibt sich die Notwendigkeit, den
gemeinsamen Aufbau von Jer 6,16a. 17a; 30,10a und 31,7f.
auf die "Zusammenfügung der Aufforderungen Gottes und der
Erklärung seines zukünftigen Beistandes" zu präzisieren. Im
Zusammenhang mit dieser Präzisierung empfiehlt es sich, den
Nebensatz in Jer 31,7b הוֹשַׁע יהוה אֶת־עַמְּךָ ("Rette, Jahwe,
dein Volk") zu erörtern, denn die meisten Kommentatoren dieses Jahrhunderts emendieren diese masoretische Überlieferung
in einen perfektischen Satz: הוֹשַׁע יהוה אֶת־עַמּוֹ ("Jahwe
hat sein Volk gerettet.") Wenn diese Emendierung tatsächlich
eine frühere Überlieferung darstellen sollte, müßte auf den
oben gestellten Vergleich verzichtet werden.
    Diese Kommentatoren begründen ihre Emendation damit, daß
erstens der Kontext, in dem sich 31,7 befindet, ein Perfektum fordere und infolgedessen die Partikel עַמּוֹ einer Verwendung von עַמְּךָ vorzuziehen ist; zweitens, daß eine solche
Emendation auch von LXX und Targum unterstützt wird. Die
Belege der beiden genannten Übersetzungen sprechen aber an
sich nicht entscheidend für die Emendation. Es ist keinesfalls ausgeschlossen, daß die beiden Übersetzungen ihrerseits

---

200   Das trifft auch auf die Perfektumform von פדה in Jer 30,11a
      und ברא in V.22b zu, siehe Gesenius-Kautzsch, Grammatik, § 106,
      m und die Übersetzung der Worte bei Rudolph.

auf der ähnlichen Interpretation des Kontextes beruhen, auf
der auch die Interpretationen der neueren Kommentatoren ba-
sieren. Dagegen stützen Vulgata und Peschittha die masoretische Lesart.

Diese unterschiedlichen Überlieferungen resultieren wohl aus
dem Umstand, daß der Imperativ הוֹשַׁע eine Nebenform הוֹשִׁיעָה
hat, die ihrerseits morphologisch auch das Perfektum sein
kann. Graf wies in Anlehnung an Ps 20,10(הוֹשִׁיעָה   ); 28,9
(הוֹשִׁיעָה   ); 118,25(נָּא הוֹשִׁיעָה) und Matthäus 21,9 darauf
hin, daß der Imperativ, sei es הוֹשַׁע oder הוֹשִׁיעָה,"mehr Ausdruck
des *Glückwunsches* als des Wunsches" sei und nur als solcher
dem Kontext entspricht. Darum setzt Graf sich schließlich für
die masoretische Imperativform הוֹשַׁע ein. Die Tradition, den
Satz nach LXX und Targum zu emendieren, beginnt mit Giesebrecht (in der 1. Auflage). Seine Argumentation ist so wort-
karg, daß sie nicht eindeutig genug ist. Er scheint sich im
wesentlichen auf den Sachverhalt zu berufen, daß im AT die
Form הוֹשַׁע nur in Jer 31,7 und Ps 86,2 vorkommt und nimmt
demzufolge vermutlich an, daß der Imperativ in Jer 31,7 durch
den "liturgisch mehrfach auftretenden ≫Hosianna≪-Ruf" entstanden sein könnte. Damit will er anscheinend die von Graf
vorgeschlagene Erklärung widerlegen, nämlich, daß man die
Imperativform הוֹשַׁע beibehalten und dann die Bedeutung der
Form aus der Analogie mit dem anderen Imperativ נָּא הוֹשִׁיעָה
als "Glückwunsch" (Graf) oder "Freudenruf" hin interpretieren
kann. Dagegen geht Giesebrecht davon aus, daß die Interpretation der betreffenden Stelle als Perfektform, wie durch LXX
und Targum indirekt bezeugt wird, "als Jubelruf der Ausziehen-
den [dem Kontext] gut passen würde" und verbindet damit wohl
seine Annahme, daß die liturgische Formel נָּא הוֹשִׁיעָה   im Imperativ von der ursprünglichen Perfektform הוֹשִׁיעָה sekundär
verursacht wurde. Ist dieses Verständnis der Argumentation
Giesebrechts richtig, so wird klar, daß die Annahme, der Satz
müsse als Jubelruf perfektisch sei, im wesentlichen durch
sein Vorurteil hinsichtlich des Kontextes bestimmt ist. Duhm

ist noch weitergegangen, indem er die masoretische Lesart
dezidiert ins Perfektum änderte. Seine Begründung lautet:
"...das Gedicht [sc. V.7-14] handelt von der schon beschlos-
senen Rettung, eine Aufforderung dazu passt nicht mehr." Abgesehen von Autoren wie z.B. Orelli, Aeschimann und Freedman,
folgen die meisten Kommentatoren sowie auch Böhmer der Ansicht Duhms, offensichtlich ohne daß sie Duhms Verständnis
des betreffenden Kontextes überprüfen.

Aus den bisherigen Erörterungen ergibt sich, daß der Vorschlag, die masoretische Lesart הושע יהוה את־אמך in 31,7b in
einen perfektischen Satz zu emendieren, textkritisch keinesfalls begründet ist. Diese Emendation wurde durch die falsche Annahme verursacht, daß der Abschnitt, in dem der Satz
vorliegt, eine bereits verwirklichte Heilszeit schildern würde.

Da dies jedoch nicht der Fall ist, liegt einem Vergleich von
31,7b mit 6,16a. 17a und 30,10a nichts im Wege, um zwischen
ihnen den engen Zusammenhang zu sehen (Ende des Exkurses).

Für den Beweis der vor-dtr. Verfasserschaft von 6,16a und
V.17a bildet der Nachweis einer andersartigen, nicht vor-dtr.
Herkunft von V.16b und 17b, wie oben erwähnt, eine unentbehr-
liche Begründung. Jedoch soll die Erbringung dieses Nachwei-
ses den Untersuchungen der vor-dtr. Verfasserschaft von 16a
und 17a nachgestellt werden;[201] der Grund hierfür liegt darin,
daß sich die Behandlung dieser Frage als sehr komplex und um-
fangreich erweisen wird.

Im folgenden soll der Frage nach der Verfasserschaft von
V.16a und 17a nachgegangen werden. Um festzustellen, daß
Jer 6,16a und V.17a unter den jeremianischen Gerichtsworten
keine entsprechenden bzw. vergleichbaren Einheiten finden, er-
übrigen sich eingehende Beobachtungen; 6,16a und V.17a lassen

---

201   Siehe unten den Exkurs 8.

sich, wie oben dargelegt, als "Gottes Aufforderungen mit
der Erklärung seines zukünftigen Beistandes" kennzeichnen
und sind als solche unter dem Aspekt, etwas Näheres über
die Verfasserschaft von 6,16a und V. 17a zu erfahren, nicht
mit den Gerichtsworten des Propheten zu vergleichen.

Die bisherigen Beobachtungen lassen sich also dahin zusammenfassen, daß zwecks Feststellung der Verfasserschaft von
6,16a und V.17a weder jer. Gerichts- und Heilsworte noch
deuterojesajanische Heilssprüche in Betracht kommen. Dieser
Sachverhalt bedeutet, daß soweit nichts gegen die angenommene vor-dtr. Verfasserschaft spricht.

Nun ergibt sich die Aufgabe, Jer 6,16a und V.17a einerseits und die bisher als vor-dtr. charakterisierten Heilsworte andererseits auf eventuelle Affinitäten hin zu vergleichen; denn bei der Feststellung einer solchen Affinität ist
es schließlich aufgrund der Analogie nachzuweisen, daß auch
6,16a und V.17a vor-dtr. sind.

Die folgende Wortstatistik zeigt, daß von den 17 verschiedenen Verba und Nomina, aus denen der Grundteil von 6,16a und V.17a besteht, 6 Stämme sich auch in den vor-dtr. Heilsworten finden:
דרך - 6,16a(zweimal)/ 3,12b; 31,9a; 31,12a. שאל וראה - 6,16a/30,
6a(in umgekehrter Ordnung). נפש - 6,16a/31,12b.14a. הלך - 6,16a/
31,21a[202] und קול - 6,17a/3,21a; 30,5a.19a. Diese Häufigkeit
der Entsprechungen ist im Verhältnid dazu, daß 6,16a und V.17a
aus wenigen Worten bestehen, nicht zu übersehen.

Als weiterer Typ der Entsprechung ist die grammatische
Form "Perfektum mit Waw consecutivum heranzuziehen: Die Form,
die in 6,17a in וַהֲקִמֹתִי vorkommt, tritt in den vor-dtr.
Heilsworten elfmal auf. Im Verhältnis zu der Gesamtanzahl der
vor-dtr. Heilsworte ist die Häufigkeit der Form zwar nicht
sehr hoch, bestätigt aber doch eine markante Neigung zur Benutzung dieser Form durch den vor-dtr. Bearbeiter, denn die
betreffenden Stellen finden sich intensiv nur in drei Abschnitten 30,18-21 (sechsmal); 31,7-9 (einmal) und V.10-14

---

202 Vgl. sonst auch הטוב (דכך) in 6,16a mit טוב in
     31,12a und V. 14a.

238

(viermal)[203]. Der Abschnitt 30,18-21 weist insbesondere auf
diese Zuneigung hin. Daß die genannte Form in den sonstigen
vor-dtr. Abschnitten fehlt, bringt kein Argument gegen sie
an, sondern läßt sich einfach daraus erklären, daß die grammatische Form nur in dem Sinnzusammenhang gebraucht werden
kann, in den sie paßt.

Geht man in den Bereich der Redeform und des ihr zugrundeliegenden Gedankens über, so stellt sich heraus, daß der
Grundaufbau, den die Abschnitte 6,16a + 17a; 30,10-11 und
31,7-9 als "Aufforderungen Gottes mit seiner Beistandserklärung" aufweisen, auch in einem anderen vor-dtr. Abschnitt
3,21-25 auftritt:

3,22 a   ... שובו mit ... ארפה

Vom soeben genannten Grundaufbau unterscheidet sich der Aufbau dieser Worte lediglich darin, daß der letztere nur eine
Aufforderung enthält. Bezeichnet man diese Form mit einer
einzigen Aufforderung als eine Sonderform, so läßt sich der
Abschnitt 3,12aβ-13bα als Doppelung der Sonderform verstehen:

...שובה und... לא אפיל, ...כי-חסיד, ...לא אטור (V.12)

...דעי und..ארפה (V.13)

Als ganzes gesehen enthält dieser kleine Abschnitt doch zwei
Aufforderungen. Ein modifizierter Typ befindet sich in 31,
10-14 und V.21-22, in denen statt der "Beistandserklärung" jeweils ein Verweis auf die Heilstat Gottes enthalten ist, in
der die 3. Person Singular verwendet wird:

...שמעו, ...והגידו, ...ואמרו[204]

und כי פדה יהוה (V.10-11)

...הציבי, ...שמו, ...שתי, ...שובי, ...שבי

und כי ברא יהוה (V.21b-22a)

Weitere Abweichungen vom Grundaufbau finden sich nur darin,
daß in 31,10 die Aufforderungen inhaltlich nicht an das Gottesvolk, sondern an die anderen Völker gerichtet sind.

---

203   Siehe Stellenangaben der Form oben in A.195.

204   Die zweite Zeile von V.10 (von מזרה bis עדרו) bildet den Objekt-
       satz der Aufforderung ואמרו. Auf ihn folgt direkt der Verweis
       auf die Heilstat Gottes (V.11).

Bisher wurden im Hinblick auf 3,12aβ-13bα, 3,21-25; 31,
10-14 und 31,21-22 die Abweichungen in Form und Gehalt vom
Grundaufbau detailliert dargestellt.[205] Daraus ergibt sich,
daß die Abfolge der Gottesaufforderungen für den Aufbau der
vor-dtr. Heilsworte einen der beiden Grundteile bildet. Das
trifft auf all die in Betracht gezogenen Abschnitte mit
einer Ausnahme 3,21-25 zu. Der Inhalt des zweiten Grundteils
variiert: er ist bald "Beistandserklärung" Gottes, bald "Verweis auf die Heilstat" Gottes aus dem Gesichtspunkt der 3.
Person (31,11a und V.22a). Beidem liegt aber gemeinsam die
Funktion zugrunde, die vorangehenden Aufforderungen Gottes
zu begründen, wobei nur unterschieden wird, ob die Aufforderungen auf Gottes-"Worte" oder -"Taten" beruhen. Aus den bisherigen Erwägungen folgt, daß eine Aufbaubestimmung "Aufforderungen mit der Begründung" unter Ausschluß von 2,2aγ-4;
30,5-7. V.16-17 und V.18-21 all die anderen vor-dtr. Heilsworte umfaßt, wobei der Abschnitt 3,21-25 in dem Sinne eine
kleine Ausnahme bildet, daß er nur eine Aufforderung enthält.
Eindeutig ist, daß nach diesem Aufbau auch 6,16a und V.17a
gestaltet sind.

Ein intensiver Vergleich von 6,16a und V.17a mit dem vor-dtr.
Abschnitt 31,21-22 ist aufschlußreich:
Die "Weg"-Metaphorik, die 6,16a und V.17a prägt, kennzeichnet auch diesen Abschnitt. Die folgenden Worte aus den beiden
Abschnitten beziehen sich auf die "Weg"-Vorstellungen: דרכים
(דרך) und נתבות   (6,16a) einmal und מסלה und דרך (31,21a)
zum anderen.[206] Außerdem enthalten die beiden Abschnitte je
zwei andere Wörter, die in engerem Sinne nicht Wege an sich,
sondern Hilfsmittel bedeuten, die das Volk gut zum Zielort
führen: "Wächter" und "(Schall der) Trompete" (6,17a) zum
einen, "Wegweiser" und "Merkzeichen" (31,21a) zum anderen.

---

205   Die vier vor-dtr. Abschnitte 2,2aγ-4; 30,5-7. 16-17 und V.18-21
      kommen nicht in Betracht.

206   Der Frage, inwieweit es bei diesen Worten um Metaphorik geht,
      wird unten auf S. 308f. nachgegangen.

Hinzukommt auch die Gemeinsamkeit, daß in den beiden Abschnitten die soeben besprochenen Wortpaare im Parallelismus vorkommen:

(6,16aβ) עמדו על דרכים וראו

(γ) ושאלו לנתבות עולם

(17aα) והקמתי עליכם צפים

(β) הקשיבו לקול שופר

(31,21aα) הציבי לך צֻיָּנִים

(β) שמי לך תמרורים

(γ) שתי לבך למסלה

(δ) דרך הלכתי

Der Überblick zeugt von der Absicht der Parallelismen
in den Ordnungen und den Bedeutungen der Worte [207], wobei nur in 31,21aδ die Reihenfolge der zwei Worte דרך
הלכתי ("Weg, den du gegangen bist") eine Ausnahme bildet.[208]

Den beiden Abschnitten liegt eine weitere Gemeinsamkeit
zugrunde; das ist der Gedanke, daß es dem Volk auf einen
bestimmten Weg ankommt. Demzufolge lauten die Aufforderungen Gottes jeweils wie folgt: "Stellt euch an die Wege ...,

---

207 Driver, JQR 28 1937 - 38, S.103, schlägt vor,
     דרכים וראו in V.16a zu דרכי מראש zu emendieren und
     findet dort den Parallelismus mit נתבות עולם . Volz zieht
     die Lesart דרכי הראשנים vor. Rudolph folgt der Emendation
     Drivers. Der Grundanlaß zu der jeweiligen Emendation scheint
     in dem Urteil zu liegen, daß das Wort דרכים dort im MT auffal-
     lenderweise ohne Artikel steht und "zu undeutlich" (Rudolph)
     sein soll. Die angebliche Undeutlichkeit ist wahrscheinlich
     darauf zurückzuführen, daß es sich hier nicht einfach um reale
     Wege, sondern zu einem gewissen Grad um Metaphorik handelt.

208 Der Aussagegehalt, der hier ausgedrückt werden soll, und dem-
     zufolge die Syntax, hat das Wort דרך an die jetzige Stelle
     vor הלכתי anscheinend gezwungen.

fraget ..., welcher Weg der beste sei, und geht auf ihm ...
(6,16a); "Stelle dir Wegweiser auf, mache dir Merkzeichen,
gib acht auf die Straße, den Weg, den du gegangen bist"
(31,21a). Bei 6,16a handelt es sich scheinbar im Unterschied zu 31,21a um die Auswahl eines Weges aus mehreren.
Das ist aber immerhin keine freie Wahl, sondern von dem
Zweck bedingt, denjenigen Weg herauszufinden, der das Volk
zur "seelischen Ruhe" führen muß. In diesem Sinne geht es
hier in 6,16a zunächst um einen Erkenntnisvorgang, was auch
die Imperative "sehet" und "fragt ..." andeuten. Zum zweiten
ist das aber kein Wissen um etwas Neues, sondern es muß die
Erkenntnis um die "Pfade der <u>Vorzeit</u>" נתבות עולם sein. Diese Erkenntnis ist daher wesentlich auf Erinnerungen an die
Vergangenheit angewiesen; wahrscheinlich sind hier die Erinnerungen vorausgesetzt, die die ältere Generation bewahrt hat
und das Volk sich jetzt durch "Fragen" aneignen muß, um für
sich den "besten Weg" zu finden. Die "Wegweiser und Merkzeichen" sollen nicht zur richtigen Wegauswahl, sondern wohl
dazu dienen, daß das Volk vom gefundenen Weg nicht mehr ab-
weicht; nur diese Interpretation entspricht der Gliederung,
daß die Erwähnungen der genannten Hilfsmittel (V.16a) erst
den Aufforderungen zum Wegfinden (V.17a) nachgestellt sind.
In 6,16a und V. 17a handelt es sich also um das Herausfinden eines besonderen Weges aufgrund der Retrospektive eigener
Geschichte.

Ähnliche Zurückbesinnung auf die Vergangenheit ist beim
Gottesverweis in 31,21a das Hauptanliegen: "gib acht auf die
Straße, den Weg, <u>den du gegangen bist</u>". Bei den vorangehenden Aufforderungen "Stelle dir Wegweiser auf, mache dir Merkzeichen" geht es gleichsam wie in 6,16a und V. 17a nicht um
die Auswahl eines Weges aus mehreren; die beiden besagten
Hilfsmittel braucht die "Jungfrau Israel" nicht dazu, einen
bestimmten Weg im Unterschied zu den anderen zu markieren.[209]

209 Für diese Interpretation spricht das Wort מסלה "Straße", das
     "einen aufgeschütteten Straßendamm" (Noth, Die Welt des Alten
     Testaments, S.77) bedeutet. Die Wegweiser und Merkzeichen die-
     nen beim realen Weggang wohl dazu, auf die Ausdehnungen der

Gott rät ihr hier zu, sich den Weggang schon im Geist aus-
zumalen, damit in ihr dem Gedanken zur Rückkehr Gestalt
verliehen wird. Die Aufforderungen in V. 21a haben also insgesamt die Absicht, die "abtrünnige Tochter" vom "Zaudern"
(V. 22a) zur Heimkehr (V. 21b) endgültig zu lenken.

Es stellt sich zwar die Frage nach dem Unterschied, daß
in 31,21a die eigenen Erinnerungen des Volks an den einst
gegangenen Weg vorausgesetzt sind, während aber in 6,16a das
Gedächtnis der älteren Generation zu fragen ist. Dieser Unterschied ist aber doch auf keine gedanklichen Abweichungen
zurückzuführen, sondern entspricht den sprachlichen Ausdrucks-
möglichkeiten in den beiden Abschnitten: Die Wendung וראו
ושאלו in 6,16a erinnert zunächst an den Ausdruck שאלו־נא
וראו im vor-dtr. Abschnitt 30,5-6. Zum zweiten kommt der
Stamm שאל im Jeremiabuch verhältnismäßig selten, nämlich
sonst nur achtmal, vor und liegt davon lediglich zweimal in
Form eines Imperativs in 18,13 und 48,19 vor, genauso wie in
6,16a und 30,6.[210] Das Vorkommen von שאלו־ in 18,13 ist an-
deutungsvoll; denn der Abschnitt 18,13-17 ist neben dem Abschnitt 6,16a und V. 17a die einzige Stelle im Jeremiabuch,
an der der Wortparallelismus נתבות // דרך begegnet.[211]
Hinzukommt, daß in 18,15b die Wortverbindung שבילי עולם[212]
vorliegt, die dem Ausdruck נתבות עולם in 6,16a sowohl in

Straße zu verweisen, wenn sie den Leuten, die darauf gehen,
eventuell unklar scheinen.

210 Der Stamm begegnet in den anderen Formen sonst in 15,5; 23,33;
     36,17; 37,17; 38,27 und 50,5.

211 Sonst kommt der Parallelismus im AT mit Ausnahme von Hos 2,8
     nur an den exilisch - nachexilischen Stellen vor: Jes 42,16;
     43,16; 59,8; Hi 24,13; Spr 1,15; 3,17; 7,25; 8,2.20; 12,28
     und Thr 3,9.

212 Siehe im Hinblick auf die Erläuterungen von 18,15 bei den Kom-
     mentatoren . McKane übersetzt 18,15 folgendermaßen: "My
     people have forgotten me; they have offered sacrifices to idols
     - idols which make them stumble while they tread the old paths;
     so they venture on to (new) tracks and unmade roads ...".

der Wortwahl als auch in der Bedeutung am nächsten steht.[213]
Zwischen 6,16a und 18,13-17 steht also wegen der folgenden
Verhältnisse eine ausschließliche Wahlverwandtschaft: die
Imperativform vom Stamm שאל , der Wortparallelismus von
נתבות mit דרך und die Verbindung des Wortes עולם mit einem
Nomen, das einen Weg und dgl. bedeutet. Da der Abschnitt
18,13-17 den früheren Überlieferungen der jer. Sprüche wahrscheinlich angehört, ist es möglich, daß der Ausdruck
וראו) ושאלו) in 6,16a durch eine Anlehnung an 18,13a entstanden ist.

Aus den Vergleichen von 6,16a und V. 17a mit dem vor-dtr.
Abschnitt 31,21-22 ergibt sich, daß zwischen den beiden Abschnitten einmal in der Wortwahl, die durch die "Weg"-Meta-
phorik bedingt ist, zum zweiten im Stil des Parallelismus
und schließlich im zugrundeliegenden Motiv der Rückbesinnung
auf die Vergangenheit unleugbare Ähnlichkeit herausgestellt
wurde und die bisher erörterte, vor-dtr. Verfasserschaft von
6,16a und V. 17a sich dadurch als sehr wahrscheinlich zeigt.

6,16a und V.17a werden erst dann endgültig als vor-dtr.
erwiesen, wenn man gut erklären kann, was der vor-dtr.
Verfasser beabsichtigte, indem er diese Worte gestaltete und
sie an der jetzigen Stelle einschaltete. Um diese Frage zu
beantworten, müssen zunächst die Textzusammenhänge im Auge
behalten werden, die der Verfasser vorgefunden hatte und in
die er eingreifen wollte. Es hat den Anschein, daß sich die
jer. Sprucheinheiten 6,9-15 V.20-21 und V.22-26 in dieser
Abfolge aneinandergereiht hatten,[214] bevor der Verfasser in
sie eingriff; denn sammlungsgeschichtlich gesehen wurden zunächst V.9-15 und V. 20-21 wohl wegen der Gemeinsamkeiten zu-

---

213   Die Verbindung des Wortes עולם mit einem anderen Nomen im Sta-
      tus constructus, das einen Weg u. dgl. überhaupt bezeichnet,
      kommt im AT sonst nur noch in Ps 139,24 דרך עולם vor.

214   6,16b.V.17b und 18-19 sind höchstwahrscheinlich dtr., siehe
      darüber unten den EXKURS 8.

sammengefügt, so daß sich die beiden Abschnitte jeweils
durch den Stil der Aufzählung hinsichtlich der Bestandteile
des Volkes (V.11 עולל , בחורים , איש , אישה , זקן ; V.13
מקטנם , גדולם , מנביא , כהן / V. 21 אבות , בנים , שכן ורעו)
kennzeichnen lassen. Einen entscheidenden Anlaß zu dieser
Zusammenfügung aber gibt wohl der Umstand, daß die beiden
Abschnitte jeweils mit der Ankündigung des Gerichts enden,
das besagt, Jahwe lasse das Volk straucheln: V. 15 b δ
בעת־פקדתים יכשלו ' / V. 21 aβ-bα
הנני נתן אל־העם הזה מכשלים וכשלו בם . Um so wahrscheinlicher ist diese Annahme, als der Stamm כשל im Jeremiabuch
so selten ist, daß er, abgesehen von zwei anderen Stellen
in den sog. "Konfessionen", 18,23 und 20,11, sonst in den
früheren Überlieferungen des Jeremiabuches gar nicht vorkommt.[215] Zum zweiten wurden V. 20-21 wahrscheinlich deswegen dem Abschnitt V. 22ff. vorangestellt, weil sich die
ersten Zeilen der beiden Abschnitte in formaler Hinsicht
folgendermaßen einander ähneln:

מארץ מרחק ...משבא תבוא (V. 20a)

מירכתי־ארץ ... בא מארץ צפון (V. 22aβ-γ)

Wenn somit die Textzusammenhänge richtig rekonstruiert sind,
die dem vor-dtr. Bearbeiter vorlagen, ist anzunehmen, daß
er mit Rücksicht sowohl auf V. 9-15 als auch auf V. 22ff.
arbeitete.

Bemerkenswert ist für die Frage nach möglichen Zusammenhängen von V. 16a und 17a mit V. 9-15 der Sachverhalt, daß der
oben besprochene Stamm כשל auch in einem vor-dtr. Abschnitt,
nämlich in 31,9a, begegnet. Das Vorkommen des Wortes fällt
hier in dem Sinne auf, daß erstens der Stamm, wie erwähnt,
im Buch überhaupt selten vorkommt,[216] zweitens daß ihn der
vor-dtr. Verfasser hier mit dem Ergebnis gebraucht hat, daß

---

215   8,12, wo das Wort vorliegt, gibt eine sekundäre Überlieferung
      von 6,15 wieder.

216   Sonst nur in 46,6. 12.16 und 50,32.

er einen diametral anderen Sinnzusammenhang schuf
als den, der in dem jer. Spruch dem Stamm (6,15a) gegeben
ist: "Ich (sc. Jahwe) werde sie führen, ... auf ebenem Weg,
wo sie <u>nicht straucheln</u>." Berücksichtigt man wiederum die
Rarität des Stammes im Buch, so läßt sich annehmen, daß
sich der vor-dtr. Verfasser für 6,15a, also für den letzten
Teil des jer. Abschnittes 6,9-15, interessiert. Dazu ist
weiter zu folgern, daß er sich für den ganzen Abschnitt interessiert. Dieses Interesse läßt sich mit Sicherheit erschließen, wenn man erkennt, daß die Wendung שארית ישראל
im Jeremiabuch ausschließlich in 6,9 und 31,7 vorkommt.[217]
Solange man es nicht für einen reinen Zufall hält, daß die
Worte שארית ישראל einmal und יכשלו zum zweiten in 6,9-15
und 31,7-9 jeweils am Anfang und am Ende des Abschnittes vorkommen, steht fest, daß der jer. Abschnitt 6,9-15 das besondere Interesse des vor-dtr. Verfassers erregte. Diese Beobachtungen erhärten den oben gezogenen Schluß, daß die Texte
V. 16a und 17a, die auf diesen jer. Abschnitt direkt folgen,
höchstwahrscheinlich vom vor-dtr. Verfasser stammen, und sie
weisen weiter auf die Möglichkeit hin, daß er die Worte
V.16a und 17a zu einem gewissen Grad einerseits auf die jer.
Sprüche V.9-15 hin, andererseits im engen Zusammenhang mit
den Vorstellungen gestaltete, die er selbst in 31,7-9 zum
Ausdruck gebracht hat.

---

217   Sonst in Ez 9,8; 12,13; Micha 2,12; Zeph 3,13; 1 Chr 12,39 und
       2 Chr 34.9. Bei Cornill bleibt es offen, ob die Wendung in Jer
       31,7 eine Glosse ist, während sie Rudolph aus metrischer Hin-
       sicht als Zusatz erscheint. Die metrische Analyse ist aber für die
       vor-dtr. Worte nicht entscheidend. Außerdem würde es niemandem ge-
       lingen, mögliche Absichten eines solchen Zusatzes gut zu erklä-
       ren. Man beachte eher die Inclusio-Struktur dieses Abschnittes,
       der mit dem Parallelismus von "Jakob//Israel" (V. 7) beginnt
       und mit dem von "Israel//Ephraim" (V. 9) endet. Die Wendung
       "den Rest Israels" ist deshalb viel weniger ein Zusatz als Ergeb-
       nis des literarischen Verfahrens des vor-dtr. Verfassers, das
       darauf zielt, am Anfang von Abschnitt 31,7-9 einen direkten Zu-
       sammenhang mit dem vorangehenden jer. Abschnitt zu schaffen, in-
       dem er mit der Wendung auf die Phrase "das Volk, das vom Schwert
       verschont blieb" (Schreiner) Bezug nehmen kann.

Anzunehmen ist, daß der vor-dtr. Verfasser mit der Gestaltung von 6,16a und V. 17a beabsichtigte, sich zwar an die Gerichtsworte des Propheten V. 9-15 anzulehnen, aber doch die Heilsworte an das Volk derart zu schaffen, daß er die Gerichtsvorstellung vom "Straucheln" des Volkes (6,15b) zu dem Heilsgedanken vom "Nicht Straucheln" (31,9a) umformulierte. Als Ergebnis einer gleichen Absicht des vor-dtr. Verfassers gilt dann auch, daß die negative Bestätigung des Propheten in 6,10aδ ולא יוכלו להקשיב in V. 17a in die positive Aufforderung הקשיבו umformuliert ist. Die Wortstatistik ist wiederum aufschlußreich: Das Wort קשב kommt im Jeremiabuch achtmal und, abgesehen von den zwei soeben genannten Stellen, in den früheren Überlieferungen des Buches nur dreimal vor: 8,6 (das Subjekt: Jahwe oder der Prophet); 18,19 (Jahwe) und 23,18 (die sog. falschen Propheten).[218] Das Vorkommen dieses Wortes hier in 6,10a und 17a läßt sich in dem Sinne aussondern, daß lediglich an diesen zwei Stellen sein Subjekt das Volk im allgemeinen ist. Daraus folgt, daß auf das "Aufmerksam hören" in V. 10a wahrscheinlich nachträglich in V. 17a Bezug genommen wurde, weil einmal V. 17a mit Einschluß von V. 16a, wie oben festgestellt, nicht von jer. Herkunft sein kann, zum anderen weil es kaum möglich ist, zu vermuten, daß das verhältnismäßig seltene Wort הקשיב mit demselben Subjekt zufällig an zwei benachbarten Stellen steht. Diese Bezugnahme vom "Aufmerksam hören" in V. 17a auf das in V. 10a läßt das literarische Verfahren erkennen, dem man bei den vor-dtr. Bearbeitungen der jer. Überlieferungen des öfteren begegnet; die Sachlagen, die in Verbindung mit dem Wort הקשיב im jeweiligen Kontext zum Ausdruck gebracht werden, sind unterschiedlich: "Sie <u>können nicht</u> aufmerksam <u>hören</u>" (V. 10a) einerseits und "<u>Höret</u> aufmerksam" (V. 17a) andererseits. Daraus ergeben sich die folgenden Verhältnisse: Von

---

218   Sonst begegnet das Wort nur an den dtr. Stellen: 6,17b.19b und 18,18b (Thiel 1973, S.218).

seiten des Wortes in V. 10a auf das entsprechende in V. 17a
hin sind keine kontextuellen Zusammenhänge und/oder Ähnlich-
keiten ersichtlich, denn in V. 10 ist hinsichtlich des Volkes (eine) "Gehörlosigkeit"als sein gegenwärtiger Zustand bestätigt, was auch der vorangehende Satz "ihre Ohren sind
taub" bildhaft bekräftigt, und das gerät insofern mit der
gegenwärtigen Aufforderung "Höret" in V. 17a zu einem gewissen Grade in Widerspruch. Das heißt, daß V. 10a die Aufforderung zum Hören in V. 17a nicht vorsieht. Diese Aufforderung
ihrerseits bezieht sich zum einen, wie oben herausgestellt,
terminologisch auf das Entsprechende in V. 10a und scheint
sich zum anderen aber inhaltlich mit der Feststellung der
Gehörlosigkeit des Volkes dort nicht konfrontiert zu sehen,
sondern auf der eigenen impliziten Umdeutung zu beruhen,
daß die dem Volke verurteilte "Taubheit" als sein ehemaliger
Zustand bereits aufgehoben wurde und das Volk jetzt imstande
ist, zu hören.[219] Somit besteht zwischen dem jer. Spruch
V. 10a einerseits und V. 17a andererseits eine der Bearbeitung der jer. Überlieferungen durch den vor-dtr. Verfasser
typische "einseitige" Entsprechung.[220] Die Einseitigkeit der
Entsprechung ist auch in dem Unterschied ersichtlich, daß in
V. 10 als Objekt des "Hörens" "das Wort Jahwes" (V.10bα) gemeint ist, während in V. 17a das Objekt des Verbs der "Schall
der Trompete" ist,[221] was der "Weg"-Metaphorik entspricht.
Die besprochene Umdeutung und -formulierung betreffs des
Wortes "aufmerksam hören" erweist sich endgültig als vor-dtr.,
wenn sie mit den folgenden Beispielen verglichen wird, die
auf das Angleichungsverfahren mittels eines Schlüsselwortes
beim vor-dtr. Verfasser zurückzuführen sind:

---

219 Dieser Gedanke ist für die dtr. Bearbeiter unvertretbar, und sie
verneinen ihn zweifach, nämlich in V. 17b und 19b.

220 Siehe oben S. 94 f.

221 Man beachte die Urteile der dtr. Bearbeiter in V. 19bα, daß das
Objekt des Verbs die Worte Jahwes sein mußten, daß außerdem das
Volk sie in der Vergangenheit nicht hören konnte.

<table>
<tr><td align="center">jer.</td><td align="center">vor-dtr.</td></tr>
</table>

jer.	vor-dtr.
(6,10a) ולא יוכלו להקשיב	(V. 17a) הקשיבו
(6,15b) יכשלו	(31,9a) לא יכשלו [222]
(3,5a) הינטר	(V.12b) לא אטור [223]
(3,19b) לא תשובו	(V.22a) שובו [224]

Aus diesem Vergleich ist ersichtlich, daß sich 6,17a aus dem Angleichungsverfahren des vor-dtr. Bearbeiters ergab. Der Schluß, daß der Abschnitt 6,16a und V.17a vom vor-dtr. Verfasser stammt, ist daher zwingend, es sei denn, daß man im Jeremiabuch eine andere als vor-dtr. literarische Schicht der Heilsworte annähme, die zeitlich einerseits gleich mit den vor-dtr. und andererseits früher als die dtr. Bearbeitungen entstanden wäre, was aber unwahrscheinlich ist.

Es bleibt übrig, zu erklären, welche Gedanken und Vorstellungen den vor-dtr. Verfasser bei der Gestaltung und Formulierung von 6,16a und V. 17a bestimmt haben können. Die bisherigen Beobachtungen lassen seine Grundabsicht erkennen, daß er das Negative in den Sprüchen des Propheten ins Positive umwandeln wollte. Als etwas Positives fallen die zwei Wendungen "der beste Weg" und "Ausruhplatz für eure Seele" in V. 16a auf. Manchmal setzt man דרך הטוב in Gegensatz zu וקנה הטוב in V. 20a, [225] so daß man auch im Ausdruck "der beste Weg" eine indirekte kultpolemische Äußerung lesen könnte. Das scheint aber nicht der Fall zu sein, da sich in den vor-dtr. Worten überhaupt keine Kritik gegen den Tempelkult,

---

222 Siehe oben S. 245f.

223 Siehe oben S. 165.

224 Dazu, daß 3,22a vor-dtr. ist, siehe oben III.3. Dort war der Zusammenhang von "שובו " in 3,22a mit "לא תשובו " in V. 19b noch nicht ersichtlich. Er läßt sich aber aus dieser Nebeneinanderstellung analogisch folgern.

225 So zuletzt auch Schreiner, der 6,16a für jer. hält.

sondern besonders in 31,14 eine positive Einstellung erkennen läßt. Die Wendung מרגוע לנפשכם kann das Ergebnis
der positiven Umformulierung von der negativen Bestätigung
ואין שלום in V. 14b sein.[226] Dafür spricht auch der Tatbestand, daß die Phrase ואין שלום außerdem in 30,5b
(vor-dtr.) begegnet.

Einige Worte von V. 16a kommen im jer. Spruch 31,2-3 vor,
den der vor-dtr. Verfasser kennt: עולם - (לנתבות) עולם
מצא - ומצאו (31,2b), הלוך - ולכו (לאהבת , 31,3b),
(31,2a), מרגוע - להרגיעו (31,2b). Abgesehen vom Wort נפשכם[227]
sind die anderen Bestandteile, wie oben beim Vergleich mit
31,21-22 dargestellt, auf die Vorstellungen des Verfassers
zurückzuführen, die sich auf die "Weg"-Metaphorik beziehen.
Der Halbvers V. 17a, "Und ich will für euch Wächter aufstellen, höret auf den Schall der Trompete", kann sich wegen des
Wortes צפים "Wächter" auf die rhetorische Frage 6,10aα-β
beziehen, wo die Verzweiflung des Propheten über die "Gehörlosigkeit" des Volkes geäußert ist; denn das genannte Wort
deutet, wie oft besprochen, auf die Propheten hin.[228] Wenn
das auch hier der Fall ist, kann in V. 17a die Bereitschaft
Jahwes unterstrichen worden sein, jetzt alle Methoden aufzu-
wenden, damit das Volk hören kann, wobei aber der Gegenstand
des "Hörens", der "Weg"-Metaphorik des Verfassers entsprechend, in den "Schall der Trompete" umgewandelt worden ist.
Sind soweit die Beobachtungen richtig, so kann der Schluß gezogen werden, daß der vor-dtr. Abschnitt 6,16a und V. 17a
im wesentlichen in Anlehnung an den vorangehenden Spruch des
Propheten V. 9-15 gestaltet wurde.

Zum Schluß läßt sich fragen, warum sich der vor-dtr. Verfasser ausgerechnet hier engagierte. Der Abschnitt 6,16a

---

226 Vgl. Duhm wie auch Volz. Der Stamm רגע II steht im AT sonst nur
     in Dtn 28,65 mit נפש in Verbindung.

227 Das Wort נפש kommt in den vor-dtr. Abschnitten nur zweimal, in
     31,12b und V.13b, vor.

228 Siehe Volz.

und V. 17a, der unter den vor-dtr. Texten den kürzesten darstellt, weist den zweiteiligen Aufbau nicht auf, der an eini-
gen anderen vor-dtr. Abschnitten ersichtlich ist,[229] sondern
er läßt sich, wie oben festgestellt, im wesentlichen als eine
Reihe von Aufforderungen charakterisieren.

Es ist oben in II.2. herausgestellt worden, daß der vor-dtr.
Verfasser seinen Anfangsabschnitt in Kap. 30-31, nämlich 30,
5-7, auf 6,22-26 hin gestaltete, wobei er den zuletzt genannten Abschnitt aus den jer. Sprüchen deswegen ausgewählt hat,
weil dieser das letzte der "Gedichte vom Feind aus dem Norden"
in Kap. 4 und 6 bildet.[230] Dieser Sachverhalt trifft wahrscheinlich auch auf die Gestaltung von 6,16a und V.17a zu:
Das Gedicht V.22-26 tritt aus den früheren Überlieferungsschichten des Jeremiabuches in dem Sinne hervor, daß es einmal hinsichtlich seiner Stellung in der Abfolge der Überlieferungen die letzte und daher endgültige Gerichtsankündigung
Gottes bildet, zum andern, daß sich das Gericht als Einsatz
Jahwes dort beispiellos grausam und konkret darstellt. Daher versteht es sich von selbst, daß sich der Verfasser wohl
dazu veranlaßt fühlte, den Heilswillen Gottes dem Volke gegenüber herauszustellen, dabei durfte er die Gerichtsankündigung selbst nicht korrigieren bzw. mildern. Aus dieser Absicht und Bedingung ergibt sich wohl, daß sich der Verfasser
der Form von "Aufforderungen Gottes selbst" bediente und
sie vor die Gerichtsankündigung einschaltete.
Die letzte Frage heißt demzufolge, warum der Verfasser die
Aufforderungen Gottes unmittelbar vor das Gedicht als Gerichtsankündigung, nämlich zwischen 6,20-21 und V.22ff., nicht einschaltete. Dem Verfasser konnten, wie oben erörtert, die
zwei Wendungen im Spruch des Propheten V.9-15 nicht entgehen,
nämlich לא יוכלו להקשיב   in V. 10a und יכשלו   in V. 15b,
und er mußte die beiden derart bearbeiten, wie oben ermittelt

---

229   Siehe oben z.B. S.215 und unten S.289f.
230   Siehe oben bes. S. 121.

wurde, und demzufolge sich mit ihnen unmittelbar nach dem
Abschnitt V. 9-15 beschäftigen. Daß die Kultpolemik des Propheten V. 20-21, die den Abschnitt von dem Gedicht V. 22ff.
trennt, verhältnismäßig kurz ist, begünstigte die Arbeit des
Verfassers; denn er konnte glauben, daß der beabsichtigte
Zusammenhang der Aufforderungen mit dem Gedicht vom genannten Kurzspruch nicht gefährdet wird. Mit diesen angenommenen
Verhältnissen steht es nicht im Widerspruch, wenn die Vorstellung "sie straucheln" (V. 21b), für die sich der vor-dtr.
Verfasser, wie oben festgestellt, in 31,9a interessiert
zeigt, ihm auch hier im Spruch mit dem Ergebnis in die Augen
sprang, daß er motiviert wurde, dem Spruch die Aufforderungen Gottes zum "besten Weg" voranzustellen.

EXKURS 8   Über die dtr. Herkunft von Jer 6,16b. 17b
             und 18-19

   Die bisherigen Erörterungen der vor-dtr. Verfasserschaft
von 6,16a und V.17a haben die Annahme einer andersartigen,
nicht vor-dtr. Herkunft von V.16b und 17b vorausgesetzt, ohne
deren Akzeptierung die vor-dtr. Verfasserschaft von 16a und
17a eine Schwäche enthalten würde. Diese liegt darin, daß
die beiden vor-dtr. Heilsworte im Unterschied zu den übrigen
vor-dtr. Heilsworten Kap.2-3 und 30-31 für sich keine Sprucheinheit darstellen, sondern daß sie, nämlich V.16a und 17a,
innerhalb des Abschnittes V.16-21 voneinander getrennt auf-
treten. Daß die beiden Halbverse nicht direkt aufeinander
folgen, muß man jedoch nicht ohne weiteres für ursprünglich
halten, denn der Abschnitt V.16 - 21 scheint nur insofern
abgeschlossen und abgerundet zu sein, als er durch die Botenformel כה אמר יהוה am Anfang und Ende von den umgebenden
Textteilen abgegrenzt ist. Bei flüchtiger Betrachtung des In-
haltes fällt auf, daß der Abschnitt in sich zwei Gerichtsankündigungen V.19 und 21 enthält, die zueinander nicht gut
passen und eine gewisse Inkongruenz darstellen. Hinzu kommt,

wie in der Ausgabe von BHS deutlich zu sehen ist, daß das
Sätzchen V.16b, das V.17a von 16a abtrennt, sowie V. 17b
unter dem Gesichtspunkt der Stichometrie äußerst kurz sind.
Diese inhaltliche und formale Eigenart des Abschnittes deutet auf einen komplizierten Vorgang hin, durch den der Abschnitt entstand. Daher ist vorstellbar, daß V.16a und 17a
nachträglich voneinander getrennt wurden. Die folgenden Betrachtungen von 6,16b.17b und V.18-19 beabsichtigen, zu beweisen, daß diese Texte die dtr. Einschübe aufweisen und
folglich V.16a und 17a einst aneinanderreihten.

1. V.16b und 17b

Die Annahme der vor-dtr. Verfasserschaft von 6,16a und
V.17a würde ihrer Grundlage beraubt, wenn es erwiesen sein
würde, daß V.16a und 17a jeweils mit dem Sätzchen V.16b
und 17b ursprünglich miteinander verbunden gewesen wären.
Daher empfiehlt es sich, zunächst V.16b und 17b auf ihre
Herkunft hin eingehend zu untersuchen.

Bei der Betrachtung der betreffenden Textstelle wird deutlich, daß sich die beiden Sätzchen V.16b und 17b gegenüber
den umgebenden Teilen merkwürdig verhalten. Zwischen V.16a+
17a und V.16b+17b sind die folgenden Sachverhalte festzustellen.

Erstens sind V.16a+17a im Grunde genommen Aufforderungen,
die für die Gegenwart gelten und an den Adressaten in der
2. Person ergehen. Auffällig ist, daß nur das Imperfektum
konsekutivum ויאמרו in V.16b alle Aufforderungen in V.16a
und 17a auf die Zeitsphäre der Vergangenheit verschiebt und
zugleich die Aufforderungen, die an den Adressaten in der
2. Person gerichtet sind, in solche an die 3. Person ge-
richteten umsetzt. Zweitens werden die Aufforderungen wegen
der auf ויאמרו folgenden Zitatworte לא נלך nun als abgelehnt herausgestellt und somit in die negativen Grunddaten
umgewandelt, die bereits entstanden sind. Aus diesen Beobachtungen folgt, daß der Grundsinn von V.16a im jetzigen
Kontext völlig vom Sätzchen V.16b abhängig ist. Daraus er-

gibt sich, daß die Aufforderungen in V.16a wesentlich auf
dieses Sätzchen hin konzipiert worden sein müßten, wenn die
beiden ursprünglich als untrennbare Teile eines Ganzen bestanden haben sollen.

Jedoch scheint es höchst unwahrscheinlich, daß die Aufforderungen ihrerseits V.16b vorausgesetzt hätten, als sie
konzipiert wurden: Offenbar verlangen die Aufforderungen
keine einzelne, selbständige Entgegnung, sondern eine Reihe
aufeinanderfolgender, miteinander verbundener Handlungen,
die allesamt das Volk Gottes zur seelischen Ruhe führen sollen. Insofern stellen alle Aufforderungen in V.16a einen
Zusammenhang dar. Das Zitat לא נלך dagegen, das als Weiche
die Aussagerichtung der ganzen Aufforderungen bestimmt,
greift dezidiert auf לכו־בה "geht darauf" zurück. Das Sätzchen V.16b bezieht sich also auf diese eine bestimmte Aufforderung und nicht auf die anderen; die Beziehung von לא נלך
auf לכו־בה läßt sich einfach als einseitige Stichwort-Be-
zugnahme charakterisieren. Aus diesen Verhältnissen kann man
mit Sicherheit schließen, daß die Aufforderungen in V.16a
das darauffolgende Sätzchen nicht vorsahen, als sie konzipiert wurden. Andernfalls hätte die Ablehnung der Aufforderungen Gottes anders zum Ausdruck gebracht werden müssen, z.B.
dadurch, daß alle Aufforderungen im Hinblick auf ihr Wesen
irgendwie zusammengefaßt und dann von Grund auf hätten abgelehnt werden müssen.

Thiel hält dagegen V.16-17 als Ganzes für "Anklage"(=Be-
gründung) und versteht die Verse so, daß sie "- offenbar wegen der Zitatform, die die Ablehnung des Volkes in wörtlicher
Rede wiedergibt, zwischen der Anrede in 2.P.Pl. und der 3.P.Pl.
schwankt".[231] Genauer gesagt ist die genannte Schwankung
aber nicht unbedingt durch die "Zitatform" verursacht, denn
die Zitatworte müssen hier nicht zwingend durch "sie sagten",
sondern sie können auch durch "Ihr sagtet" eingeleitet worden

---

231   Thiel, S.98f.

254

sein. Die Dissonanz in V.16-17 kommt gerade in der Einleitung durch die 3. Person ויאמרו zum Ausdruck. Daher stellt sich die Frage, warum hier die ablehnenden Worte nicht ebenso in der 2. Person formuliert werden, wie es etwa in 2,20a. 23a.25b.35a;8,8a;13,22 und 22,21a der Fall ist. Darüber hinaus gibt es im Jeremiabuch sonst keine Stelle, wo ein derartiger Widerspruch feststellbar ist. Daher erweckt die soeben gestellte Frage eine weitere, nämlich die, ob das Sätzchen mit ויאמרו in besonderem Zusammenhang mit V.18-19 steht, in denen Adressat der Worte Gottes die 3. Person Plural ist.

Es ergeben sich zweifellos keine Bedenken dagegen, daß das Sätzchen ויאמרו לא נקשיב V.17b in demselben Verhältnis zu V.17a steht wie das Sätzchen V.16b zu V.16a. Aufgrund der bisherigen Beobachtungen kann man daraus schließen, daß V. 16b + 17b wahrscheinlich Nachträge zu V.16a + 17a darstellen.

Diese Schlußfolgerung läßt sich erhärten, wenn ein weiteres mögliches Bedenken entkräftet wird. Man könnte nämlich vermuten, daß es sich bei der oben erörterten, abrupten Verwandlung der Aussagerichtung von V.16a durch V.16b etwa um einen "Szenenwechsel" handelt: die Adressaten, an die in der vorigen Szene V.16a die Aufforderungen Gottes gerichtet sind, seien nun in der neu entstandenen Szene (V.16b) verschwunden, und es würden nur ihre Worte zitiert. Die Pointe dieser Deutung läge darin, daß der Szenenwechsel den ursprünglichen Stilelementen des betreffenden Abschnittes angehören würde. Als Ziel eines solchen möglichen Szenenwechsels könnte man mit irgendwelchen Handlungsentwicklungen rechnen. Es fällt aber schwer, den Übergang von V.16a zu V.16b für eine solche innere Entwicklung zu halten, da als neue Szene, die sich aus einer derartigen Entwicklung ergeben würde, und die sich als eine zweite, selbständige behaupten würde, V.16b zu kurz ist; denn dieses Sätzchen läßt sich von dem darauffolgenden Textteil V.17a isolieren. Und gerade an diesem Halbvers V.17a scheitert schließlich die genannte Deutung, weil

hier in V.17a bereits eine andere Szene, wenn man sie überhaupt als eine solche bezeichnen kann, auf den Plan tritt.
Diese stellt szenisch wie sinngemäß keine neuen aus V.16b
entwickelten Verhältnisse dar, sondern bildet vielmehr den
zweiten Teil der Szene von V.16a und kann daher als Fortsetzung der Szene bezeichnet werden, die nach dieser Deutung
einmal aufgetreten ist und bereits verschwunden sein soll.
Die beiden Szenen von V.16a und V.17a stehen sicherlich
deswegen zeitlich und inhaltlich im Zusammenhang, weil die
beiden erstens Aufforderungen Gottes darstellen, die gleichermaßen unmittelbar an die Adressaten in der 2. Person gerichtet sind, und weil zweitens zwischen ihnen keine inhaltliche Entwicklung feststellbar ist. Ein Eindruck solcher Entwicklung könnte nur durch das dazwischenliegende Sätzchen
V.16b entstehen. Daraus folgt, daß es sich bei V.16a und
17a um ein und dieselbe Szene handelt, die durch den Einschub eines späteren, fremden Elementes, nämlich V.16b, unterbrochen ist. Daher kann man als gesichert annehmen, daß
es sich weder zwischen den Aufforderungen Gottes in V.16a
und dem darauffolgenden Sätzchen V.16b noch zwischen diesem
Sätzchen und den darauffolgenden Aufforderungen in V.17a um
einen Szenenwechsel als ursprüngliches Stilelement handelt.

Die oben gezogene Schlußfolgerung, daß es sich bei V.16b
um einen nachträglichen Einschub handelt, bekräftigt die
Feststellung, daß die totale und abrupte Umleitung der Aussagerichtung von V.16a auf V.17a auf keine der aus dem AT bekannten literarischen oder anderen Gattungen, in denen ein
Szenenwechsel stattfindet, zurückzuführen ist.[232] Auch der

---

232 Als Beispiel eines solchen Szenenwechsels, der zur Darstellung
     innerer Handlungsentwicklungen dient, ist Jer 6,4f. anzugeben:
     dort ist ein Klagelied (V.4b) mitten in den zweimaligen Aufruf
     des Feindes (V.4a und 5) fest eingebettet. Abzulesen ist in ihnen die Reihenfolge der fortschreitenden Tageszeiten Mittag
     (V.4a.b), Abend (V.4bβ) und Nacht (V.5a). Es scheint daher nahezuliegen, daß in V.4f. eine Klimax beabsichtigt ist, die eine

Übergang von den Aufforderungen Gottes in V.17a zu V.17b
kann nicht als ursprünglicher Szenenwechsel betrachtet
werden; der Grund dafür liegt weniger darin, daß das Sätzchen zu den vorangehenden Aufforderungen, sei es szenisch
oder sinngemäß, schlecht paßt, als eher darin, daß V.17b
mit V.16b im Zusammenhang steht; denn zwischen den beiden
Sätzchen läßt sich keine Handlungsentwicklung beobachten,
sondern die beiden stellen im wesentlichen dieselbe Sachlage, nämlich die Ablehnung der Aufforderungen Gottes, dar.
Daraus ergibt sich weiter, daß sich V.17b zu V.16b genauso
verhält wie V.17a zu V.16a. Dieser Sachverhalt deutet darauf hin, daß auch V.17b, der in seiner Konstruktion V.16b
sehr ähnlich ist, im Hinblick auf V.17a nachträglich hinzugefügt wurde.

Aus den bisherigen Beobachtungen wird deutlich, daß in
6,16-21 nicht nur das Sätzchen V.16b, sondern auch V.17b
wahrscheinlich Nachträge darstellen. Es stellt sich nun die
Aufgabe, diesen Schluß durch Beobachtungen der Redeform des
Sätzchens zu erhärten.

Es ist S.Herrmann gelungen, aus den poetischen Texten des
Jeremiabuches eine Nacharbeit an den Überlieferungen herauszustellen, die ihren Niederschlag in prosaischen Interpreta-
menten findet: Er hat als Beispiel für seine Untersuchungen
2,20-28 genommen und darin fünf Prosatexte, nämlich V.20aγ-
bγ, 23aα-β, 25b, 27aα-β und 28, gefunden. Diese hat er nach
umsichtigen Überlegungen auf "die Nähe deuteronomistischer
Aktivitäten"[233] zurückgeführt. Abgesehen von V.28 beginnen

Steigerung der Gefahr und Furcht ausdrücken und damit zur Entwicklung der Handlung dienen soll. Von diesem Beispiel eines
Szenenwechsels unterscheidet sich der Fall von 6,16f.

233 Herrmann, Jeremia - der Prophet und die Verfasser, S.211.

diese Prosatexte mit einer finiten Form des Verbes
אמרים ...   (V.23) איך תאמרי ...   (V.20.25), ... ותאמרי ... אמר:
(V.27). Herrmann deutet die Verwendung dieser finiten Verb-
form als den Versuch, interpretierende Texte in die überlieferten Sprüche einlegen zu wollen.

Diese Erkenntnisse sind für das Verständnis von 6,16b und
V.17b entscheidend, denn vor allem vier der angeführten Passagen, 2,20aα. 23aα, 23aβ und 25bα, zeigen in formaler Hinsicht eine markante Affinität zu 6,16b und V.17b. Fügt man
zu diesen sechs Stellen eine weitere, wahrscheinlich dtr.
Stelle, Jer 18,12[234] hinzu, die den oben genannten Passagen
formal ähnlich ist, so entsteht folgende Gegenüberstellung:

	Wortzitat		"אמר"
6,16b	נלך	לא	ויאמרו
6,17b	נקשיב	לא	ויאמרו
2,20aγ	אעבד	לא	ותאמרי
2,23aα	נטמאתי	לא	איך תאמרי
2,23aβ	הלכתי	אחרי הבעלים לא	
2,25b	כי־אהבתי זרים אחריהם אלך	לוא	ותאמרי נואש
18,12a-bα	נלך	כי־אחרי מחשבותינו	ואמרו נואש
18,12bβ	ואיש שררות לבו־הרע נעשה		

Es bedarf keiner eingehenden Erklärung, daß 6,16b und V.17b
die gleiche Redeform aufweisen, durch die auch die anderen
Sätze in der Tabelle formal bestimmt sind: Den beiden Sätzchen V.16b und 17b steht am nächsten 2,20aγ. Der Unterschied
zwischen ויאמרו (6,16b und V.17b) und ותאמרי (2,20aγ) läßt
sich aus dem Versuch erklären, neu formuliertes Sprachgut
möglichst reibungslos in den Kontext der vorliegenden Spruchüberlieferungen einzufügen. Daher handelt es sich bei den
drei genannten Sätzchen 6,16b. 17b und 2,20aγ trotz der in-

---

234   Thiel, S.122.

haltlichen Unterschiede doch um ein und dieselbe Redeform.
Die Gemeinsamkeit im Aufbau der drei Sätzchen liegt darin,
daß sie mit einem Imperfektum vom Verb אמר mit Waw con-
secutivumbeginnen, dem ein Zitatsatz folgt, und daß das Zitat selbst nun aus einer Kombination von לא mit einem Imperfektum in der 1. Person besteht. Diese Aufbaubeschrei-
bung trifft im wesentlichen auch auf die übrigen Sätze in
der Tabelle zu; geringe Abweichungen finden sich nur darin,
daß erstens am Ende von 2,23aα und V.23aβ keine Imperfektum-,
sondern eine Perfektumform נטמאתי und הלכתי vorkommt und
zweitens im Zitatsatz von 18,12 kein לא, sondern nur נואש
auftritt. Das Auffinden der Perfektumformen נטמאתי und
הלכתי deutet darauf hin, daß die Verwendung einer Imperfek-
tum- oder Perfektumform beim Verb des Zitatsatzes von dem
Kontext der dem Bearbeiter vorliegenden Sprüche abhängt. Daher bestehen die konstanten Strukturmerkmale aller hier angeführten Stellen darin, daß erstens der Hauptsatz, abgesehen
von אין in 2,23aα,[235] nur aus einer finiten Form des Verbes
אמר besteht, zweitens der Nebensatz, der auf das אמר Verb
folgt, immer eine Zitation ist, und schließlich drittens der
Zitatsatz jeweils eine Negation durch לא und/oder נואש enthält und ausnahmslos mit einem Verb in der 1. Person endet.
    Das Vorkommen von לוא in 2,25b ist aufschlußreich, denn
ein Vergleich mit 18,12a-b bestätigt, daß in 2,25b לוא
syntaktisch nicht notwendig ist; denn לוא bezieht sich eindeutig nicht auf den darauffolgenden כי-Satz, sondern auf
den vorangehenden, wobei die Negation des letzteren genauso
mit נואש zum Ausdruck gebracht ist wie in 18,25b. Diese
Partikel wurde also wohl mit dem Ziel hinzugefügt, an dieser
Stelle die gleiche Redeform zu gestalten wie in 2,20aα und
2,23aα. Auf diese Absicht deutet auch die Tatsache hin, daß
das genannte לוא einerseits genau an der gleichen Stelle
innerhalb des Satzes vorkommt wie das לא in 2,20aγ, 2,23aα,
2,23aβ, daß anderersetits aber der syntaktische Zusammenhang

---

235   Vgl. 2,21b.

von לוא in 2,25b und der von לא in den drei zuletzt genannten völlig unterschiedlich ist: In diesen letzteren verbindet sich לא nämlich mit אעבד , נטמאתי bzw. הלכתי ,
während sich im ersteren לוא nicht auf den Zitatsatz, sondern auf das ihm vorangehende Wort in 2,25a bezieht.

Aus diesen strukturellen Vergleichen ergibt sich die Erkenntnis, daß die beiden genannten Stellen 6,16b und V.17b
dtr. Herkunft sind. Man begegnet zwar auch sonst im Jeremiabuch mehreren Zitationen von Menschenworten, die den früheren Überlieferungsschichten angehören.[236] Diese Zitate weisen aber keine solche Gleichförmigkeit auf, der die oben in
der Tabelle gegenübergestellten Worte unterliegen. Auch dieser Sachverhalt stützt den soeben gezogenen Schluß.

2. V.18-19: Eine Zwischenbetrachtung

Nach diesen Betrachtungen formaler Merkmale von 6,16b und
17b im Hinblick auf ihre dtr. Herkunft ist es nun ratsam,
die Beobachtungen von V.16b und 17b kurz zu unterbrechen und
einige Aspekte des Textteils V.18-19, an den V.17b grenzt,
zu erörtern. Durch die Erörterungen dieser Verse, über deren
Charakter und Herkunft man ein verhältnismäßig sicheres Urteil fällen kann, läßt sich für weitere Beobachtungen von
V.16b und 17b eine solide Basis schaffen.

Bei V.18-19 hat es den Anschein, daß sie zwischen V.16-17
und V.20-21 sekundär eingeschoben wurden. Auf diesen Tatbestand wiesen bereits Duhm und Cornill hin.[237] Zuletzt hat
auch Thiel darauf hingewiesen, daß V.18-19 höchstwahrscheinlich dtr. Herkunft sind. Er beobachtete zuerst das Gefüge
des ganzen Abschnittes von V.16-21 und erhielt daraus im Hinblick auf die Gliederung des Abschnittes den Eindruck "eines
Mosaiks".[238] Daraufhin nahm er eine statistische Untersu-

---

236   2,31.35; 3,4.5; 4,31; 5,12.13; 6,4.5.14 (=8,11); 8,8.19; 9,19.

237   Vgl. auch Weinfeld, Deuteronomic School, S.350.

238   Thiel, S.100.

chung der in V.18-19 verwendeten Schlüsselworte vor mit
dem Ergebnis, daß die beiden Verse eine von dem dtr. Redaktor "selbstformulierte Ankündigung mit erneuter Anklage"[239]
darstellen. Obwohl sich Thiel selbst mit einem endgültigen
Urteil zurückhält, fällt es schwer, seine Argumente zu widerlegen. Seine Beobachtungen haben einen so großen Wahrschein-
lichkeitsgrad, daß man auf ihnen weitere Beobachtungen stützen kann.[240]

3. V.16b und 17b: Fortsetzung

Vor der Zwischenbetrachtung wurde darauf hingewiesen, daß
V.16b und 17b in formaler Hinsicht wahrscheinlich dtr. Herkunft sind. Das Ergebnis der Zwischenbetrachtung war es, daß
V.18-19 mit hoher Wahrscheinlichkeit ebenfalls dtr. Ursprungs
sind. Bemerkenswert ist hierbei neben der Feststellung einer
gemeinsamen dtr. Herkunft die Tatsache, daß V.17b und V.18-
19 unmittelbar aneinandergrenzen. Freilich muß man sich davor hüten, die beiden Textstellen kurzschlüssig in unmittelbaren Zusammenhang zu setzen, denn die Charakterisierung als
dtr. ist nicht immer eindeutig und daher an sich nichts
mehr als ein Indiz. Jedoch fehlen zwischen V.16b und 17b
einerseits und V.18-19 andererseits direkte Beziehungen nicht
völlig, die aus dem Text ersichtlich sind: Unbestritten ist
zunächst, daß V.18-19 als Gerichtsankündigungen, die mit
לכן beginnen, das Sätzchen V.17b und wahrscheinlich auch

---

239   Thiel, S.101.

240   Ihm folgt auch Schreiner. Alles, was McKane gegen Thiel richtet,
      ist schließlich folgendes: "The argument [sc. von Thiel] is a
      curious one, because the so-called Deuteronomic ´composition´
      (vv.16-21) is acknowledged to lack organic unity and its effect
      (ex hypothesi) is to disturb an original continuity between
      VV.16f and V.21 which existed prior to the moment of Deuterono-
      mistic interference" (S.149). Damit erklärt McKane vielleicht
      den englischen Wortgebrauch von seiner Übersetzung "composition",
      aber er bringt keine überzeugenden Argumente gegen Thiel vor.

V.16b voraussetzen; sonst können die genannten Gerichtsankündigungen weder in V.16a noch in V.17a eine richtige
Begründung finden, auf die sich das Bindewort לכן beziehen könnte.[241]

Diese Bezugnahme allein schließt aber natürlich nicht
die Möglichkeit aus, daß der Verfasser der Gerichtsankündigungen in V.18-19 die Sätzchen V.16b und 17b in der ihm
vorliegenden Überlieferung vorgefunden und auf sie hin seinen eigenen Text formuliert haben könnte. Um diese Möglichkeit auszuschließen und dieselbe Verfasserschaft der beiden
Textteile zu ermitteln, bleibt nur übrig, nachzuweisen, daß
auch V.16b und 17b ihrerseits die darauffolgenden Gerichtsankündigungen in V.18-19 vorsehen.

V.16b und 17b wurden oben vorläufig als ein selbständiger
Teil innerhalb eines Ganzen herausgestellt, genauer gesagt,
als Begründungen gegenüber Gerichtsankündigungen. Nun soll
nachgewiesen werden, daß die beiden Sätzchen gegen die anderen Teile des Ganzen als Begründungen tatsächlich abgeschlossen und abgerundet sein müssen. Dieser Nachweis kann
durch eine Untersuchung der Aussageinhalte allein nicht endgültig erbracht werden, denn die Sätzchen sind jeweils allzu kurz; setzt man sie jedoch wieder mit den oben erörterten
dtr. Textstücken in 2,20-28[242] in Zusammenhang, so werden
die Sachverhalte deutlich: Herrmann konstatiert in Bezug auf
die Wendungen mit אמר in V.20a, 23a, 25b und 27a wie folgt:"Da
diese Wendungen jeweils an einem Zeilenanfang stehen, markie-

---

241 Wenn man von V.16b und 17b absehen würde, kommen als mögliche
    Begründungen für die Gerichtsankündigungen in V.18-19 nur
    V.13-15bβ in Frage. Diese Begründungen verbinden sich aber fest
    mit den darauffolgenden Gerichtsankündigungen V.15bγ-δ. Unvor-
    stellbar ist, daß die Gerichtsankündigungen V.18-19 die zuletzt
    genannten Ankündigungen modifizieren und/oder ergänzen sollten.

242 Siehe oben die Tabelle auf S. 258.

ren sie das Einsetzen eines neuen Sinnzusammenhanges".[243]
Anhand der formalen Merkmale der Wendungen wurden oben die
genauen Entsprechungen zwischen den אמר - Wendungen in 6,16b
sowie 17b einerseits und denen in 2,20.23 und V.25 andererseits festgestellt.[244] Aufgrund dieser formalen Entsprechungen kann man ohne Bedenken den Analogieschluß ziehen, daß
auch den אמר - Wendungen von 6,16b und V.17b dem Inhalt nach
ein einleitender Charakter beizumessen ist. Daß selbst der Abschnitt 6,16-21 nicht mit der gleichen Wendung beginnt, macht
diesen Analogieschluß nicht zunichte, weil auch die Wendungen in 2,20-28 im MT nicht am Anfang eines klar abgesonder-
ten Abschnittes stehen, sondern Einschiebungen in den Text
bilden. Aus diesem analogen Schluß ergibt sich, daß weder
6,16b noch V.17b inhaltlich die vorangehenden Teilabschnitte
abschließen,sondern daß sie sich, genauso wie die Wendungen
in 2,20-28, auf den darauffolgenden beziehen.

Die bisherigen Beobachtungen lassen sich folgendermaßen zusammenfassen:

    1. 6,16b und V.17b scheinen der Form nach dtr.
    2. V.18-19 sind wahrscheinlich dtr.
    3. V.18-19 setzen dem Inhalt nach V.17b als Gerichtsan-
       kündigung und insofern auch V.16b voraus, und
    4. V.16b und V.17b beziehen sich dem Inhalt nach auf
       etwas Folgendes.

Aus diesen Sachverhalten ergibt sich die Frage, ob nicht V.16b
und V.17b einerseits und V.18-19 andererseits aus ein und derselben Tätigkeit eines betreffenden dtr. Kreises resultieren.
Um diese Frage beantworten zu können, gilt es vorerst nachzuweisen, daß V.16b und 17b als Begründungen eines Gerichts
nicht V.20-21, sondern zunächst V.18-19 voraussetzten; denn

243   Herrmann, Jeremia, der Prophet und die Verfasser, S.206. Herr-
      mann charakterisiert die Funktion der Wendungen auch als die
      "einer einleitenden ´mr-Form", aaSt. S.207, Hervorhebung von
      mir.

244   Siehe oben S. 258ff.

es ist nicht ausgeschlossen, daß V.16b und 17b sich auf
V.21 beziehen könnten, weil sich auch dieser Vers eindeutig als Gerichtsankündigung zeigt; vor allem V.16b
ויאמרו לא נלך   und V.21aβ-ba (bis בם) scheinen gut zueinander zu passen, und es ist möglich, daß V.21aβ-ba
(bis בם) erst im Zusammenhang mit V.16b formuliert worden sind. Jedoch zeigten sich V.20 und 21 schon in einem
früheren Stadium der Überlieferung als miteinander verbunden,[245] und deshalb scheint die mögliche Bezugnahme von
V.21aβ-ba auf 16b wenig wahrscheinlich. Daher scheint eine
enge Beziehung zwischen V.16b.17b und 18-19, vor allem
zwischen V.17b und 19b zu bestehen, die durch spätere Beobachtung verdeutlicht werden soll.

Gegen die Annahme, daß V.20 und 21 eine ursprüngliche
Überlieferungseinheit bilden, hält Thiel V.20 für "einen
isolierten, wohl originalen Spruch, der die Ablehnung der
Opfer aussprach"[246]. Er scheint zu diesem Urteil dadurch gekommen zu sein, daß er, hier wie auch sonst überall, von

---

245 Zu diesem Schluß kommt man, wenn gefragt wird, warum V.21
     ausgerechnet unmittelbar vor V.22ff. (dem Gedicht vom Feind
     aus dem Norden) gestellt wurde. Die Zusammenstellung von V.21
     mit diesem Gedicht ist wahrscheinlich sekundär; V.22-26 schei-
     nen einst direkt auf V.1-5 gefolgt zu sein (siehe Odashima,
     Diss.S.168-237). Sammlungsgeschichtlich gesehen verdankt V.21
     seine jetzige Stelle im MT der Verbindung mit V.20 : wegen
     der Phrase מארץ מרחק   (V.20aβ) wurden V.20-21 unmittelbar vor
     das Gedicht gestellt, das seinerseits in seiner ersten Zeile
     die ähnlichen Phrasen מארץ צפון und מירכתי־ארץ enthält. Ne-
     benbei soll hier auf die Möglichkeit hingewiesen werden, daß
     V.20-21 wegen der Redewendung מכשלים וכשלו בם unmittelbar
     nach V.15 gestellt wurde, der mit יכשלו (בעת־פקדתים) en-
     det. Diese Möglichkeit deutet an, daß V.16-19 insgesamt erst
     sekundär zu V.20-21 hinzugefügt wurden. Die beiden Verse
     V.20-21 scheinen daher der Grundstein für den ganzen Abschnitt
     gewesen zu sein, dem die sonstigen Teile des Abschnittes nach-
     träglich und vermutlich staffelweise zugefügt worden sind.

246 Thiel, S.101.

264

seiner Dichotomie entweder des redaktionellen Spruchgutes
oder der älteren, insofern echten Überlieferung ausgeht,
und demzufolge den Abschnitt V.16-21 in diese zwei Kategorien teilt, nämlich einerseits in die älteren Überlieferungen V.16-17 sowie V.20-21 und andererseits in den dazwischenliegenden dtr. Teil V.18-19. Thiels Argumentation im Hinblick auf V.20 ist folgende: Einmal weist er auf den schlechten Zusammenhang des Verses mit V.18-19 hin: "Darauf [sc.
auf V.18-19] folgt <u>recht unvermittelt</u> eine ... Ablehnung
der Opfer durch Jahwe".[247] Zum anderen schreibt er: "Die
Opferpolemik ... wirkt im Zusammenhang <u>unvorbereitet</u> und
fremd".[248] Thiel bemerkt daher lediglich den unpassenden Zusammenhang von V.20 mit den <u>vorangehenden</u> Teilen, nämlich
mit V.18-19, die er der dtr. Redaktion zuschreibt. Aus seiner Beobachtung ergibt sich, daß dieser Zusammenhang wahrscheinlich sekundär ist. Man kann aber daraus nicht den
Schluß ziehen, daß V.20 ein isolierter Spruch gewesen wäre.
Eine solche Folgerung würde Schwierigkeiten auch in seiner
eigenen Annahme finden, daß der dtr. Redaktor V.18-19 formulierte, sie einschob und den "isolierten ... Spruch anschloß"; Thiel scheint damit anzunehmen, daß der Redaktor
V.20 unmittelbar nach dem von ihm selbst formulierten Teil
V.18-19 einlegte, aber es läßt sich damit nicht erklären, warum der Redaktor V.20 eigens an diese Stelle, wie Thiel formuliert, "recht unvermittelt" und "unvorbereitet" eingesetzt
haben sollte. Aus diesen Erwägungen ergibt sich, daß die
Annahme, V.20 sei ein isolierter Spruch gewesen, nicht begründet ist, obwohl seine Beobachtungen vom schlechten Zusammenhang zwischen V.18-19 und V.20 richtig sind.

Nun läßt sich fragen, ob V.17b ויאמרו לא נלך an seiner
jetzigen Stelle in den Kontext passen würde, wenn man von

---

247   Thiel, S.100. Hervorhebung von mir.
248   Thiel, S.100. Hervorhebung von mir.

V.18-19 einmal absieht; denn der Halbvers würde dann unmittelbar vor V.20-21 stehen, und das bedeutet, daß die zwei unterschiedlich orientierten Begründungen V.17b und V.20 sich ebenfalls auf ein und dieselbe Gerichtsankündigung, nämlich die in V.21, beziehen würden. Es ist unvorstellbar, daß solche schlechten Zusammenhänge ursprünglich sind, und noch unwahrscheinlicher ist, daß sie mit Absicht hergestellt wurden. Angesichts dieser Erwägungen scheint es offenbar so zu sein, daß V.17b die Gerichtsankündigungen V.18-19 voraussetzt, die ihrerseits den Inhalt von V.17b ויאמרו לא נקשיב in der Formulierung von כי על דברי לא החקשיבו in sich aufnehmen. Damit ist die Kette des Beweises geschlossen: Setzt man nun die soeben erlangten Erkenntnisse in Beziehung zu den Ergebnissen der Beobachtungen, die oben in den vier Punkten zusammengefaßt wurden, so ist der Schluß fast zwingend, daß V.17b und auch V.16b einerseits und V.18-19 andererseits als notwendige Teilabschnitte sich gegenseitig voraussetzen und daß V.16b und 17b demzufolge aus der Feder desselben dtr. Kreises stammen, dem auch V.18-19 zuzuschreiben sind.

Dieser Schluß beruht außerdem auf einer weiteren Annahme, die noch nicht thematisch behandelt worden ist, nämlich, daß V.16b auf ein und denselben Ursprung zurückzuführen ist wie V.17b. Die beiden Sätzchen sind gleichförmig und stehen bedeutungsmäßig jeweils in den gleichen Verhältnissen zu den vorangehenden Aufforderungen. Diese Annahme bedarf daher nur deswegen einer Argumentation, weil V.16b von V.17b getrennt ist. Aus der bereits zitierten Studie Herrmanns geht hervor, daß die Erweiterungen, die er in 2,20-28 als "Text B" aussondert, Einfügungen in die älteren Überlieferungen darstellen. Daraus folgt, daß selbst die אמר -Redeformel, die abgesehen von V.28 immer am Anfang der Einfügungen steht, den Charakter eines Einschubs hat.[249] Bisher wurden 6,16b und

---

249   An dieser Stelle sei auf folgende Worte Herrmanns hingewiesen:
       "... Einfügung von Wendungen unter Benutzung des Verbs ´mr ..."
       (Jeremia - der Prophet und die Verfasser, S.206).

V.17b als in der Analogie zu den אמר -Redeformen in 2,20-28
stehend charakterisiert. Demzufolge ist auch beim Sätzchen
6,16b mit dem gleichen Einschubcharakter zu rechnen, wie
er den entsprechenden Wendungen in 2,20-28 beigemessen wurde.
Hält man demnach 6,16b für einen Einschub in V.16a+17a, so
steht dem Schluß nichts im Wege, V.16b im Hinblick auf seine
Herkunft mit V.17b in Verbindung zu setzen. Somit erhält der
oben gezogene Schluß, daß V.17b und auch V.16b beide aus
demselben dtr. Kreis stammen, dem auch der Teilabschnitt V.18-
19 zuzuschreiben ist, eine weitere Bestätigung.

Aus den bisherigen Beobachtungen wird die Absicht des einschlägigen dtr. Kreises ersichtlich: Ihm lag   V.16a.17a und
20-21 vor. Für seine theologische Grundeinsicht schienen
V.16a und 17a in dem Sinne zu positiv zu sein, daß sie als
reine Aufforderungen scheinbar keine Gerichtsgedanken in
sich trugen. Er fühlte sich daher, durch seine Geschichtstheo-
logie geleitet, wahrscheinlich dazu verpflichtet, die Widerspenstigkeit des Volkes gegen Gott zum Ausdruck zu bringen,
um damit die darauffolgenden Gerichtsankündigungen zu begründen. Diese Absicht ist bis zu einem gewissen Grad auch
in anderen dtr. Erweiterungen im Jeremiabuch ersichtlich.
Das zeigt die folgende Nebeneinanderstellung von 6,16-19
mit 2,25-26 und 18,11b-17:

	6,16-19	2,25-26	18,11b-17
Aufforderung	V.16a.17a	V.25a	V.11b
Begründung	V.16b,17b	V.25a	V.12
	(dtr. ויאמרו)	(dtr. ותמארי)	(dtr. ואמרו)
Gerichtsan-kündigung	V.18-19	V.26	V.(13-)17

Aus dieser Nebeneinanderstellung wird folgender Gedankenver-
lauf deutlich: Gottes Aufforderungen gehen voran und deren
Ablehnung durch das Volk wird dann anhand der Zitation ihrer Worte mit den אמר -Redeformeln unter Beweis gestellt.
Aufgrund dieses Beweises wird dem Volk schließlich ein Gericht angekündigt.

Allerdings folgen innerhalb des Abschnittes 18,11b-17
die Begründung der Gerichtsankündigung in V.12 und die Ankündigung selbst in V.17 nicht so unmittelbar aufeinander,
wie man eigentlich erwarten könnte.

Dieser Sachverhalt ist aber nicht als ursprünglich anzusehen, da an diesem Text eine Bearbeitung der originalen
Überlieferung vorgenommen wurde. Wahrscheinlich lag dem Bearbeiter 18,13-17 als überlieferter Spruch vor, in dem in
V.13-16 Begründungen gegeben sind und der durch die Gerichtsankündigung in V.17 abgerundet ist. Der Bearbeiter fühlte
sich genötigt, das Gericht aus einer eigenen Sicht zusätz-
lich zu begründen, wobei er diese eigene Begründung nicht
in den ihm vorliegenden Spruch, etwa vor V.17, einbaute,
sondern dies in V.11b vornahm. Das Ergebnis war, daß die
neue Begründung von der Gerichtsankündigung verhältnismäßig weit entfernt liegt.[250] Diese Entfernung zwischen
V.11b und 17 spricht aber nicht gegen die angenommene Bezugnahme von der dtr. Beweisführung auf die ursprüngliche
Gerichtsankündigung. Es scheint, daß dem Bearbeiter, der
hier am Werk war, nicht der Gedanke kam, der ihm vorliegende Spruch könne in dem Sinne zweiteilig sein, wie man ihn
heutzutage formkritisch in Begründung mit ansetzenden Fragen V.13-16 und Gerichtsankündigung V.17 zu gliedern pflegt.
Der Bearbeiter hielt den Spruch in seiner Gesamtheit für
ein einteiliges, prophetisches Unheilswort, das sich in der
geschehenen Katastrophe verwirklichte. Er vermied es vermutlich wohl nicht aus Ehrfurcht vor der prophetischen Herkunft des Spruches, seine selbst formulierte Beweisführung
in die Überlieferung einzufügen, sondern einfach deswegen,
weil er es gar nicht für nötig hielt, seine eigenen Worte,
etwa zwischen V.16 und V.17, einzusetzen. Wahrscheinlich ist

---

250   Es ist nicht auszuschließen, aber unwahrscheinlich, daß שעררת
      in V.13b den dtr. Bearbeiter wegen der Assonanz mit שרירות
      dazu verleitet haben könnte, auch hier in V.12 sein Klischee
      (לבו) שררות לב zu legen. Zu diesem Ausdruck vgl. Wein-
      feld, Deuteronomic School, S.340

auszuschließen, daß sich der Textabschnitt, in dem sich
V.12 befindet, mit diesem Vers sinngemäß abrunden könnte
oder daß er sich über den Spruch hinweg auf V.18 beziehen
würde (Ende des Exkurses).

Zusammenfassung

1. Die zwei Halbverse 6,16a und V.17a stechen in den gesamten Texten von Kap. 4 bis 6 in dem Sinne hervor, daß sie allein einen kommenden Heilszustand des Gottesvolkes vorsehen.
2. (=EXKURS 6). Dieses Verständnis der Halbverse könnte sich
mit dem Wort והקמתי in V.17aα stoßen, weil es öfters perfektisch interpretiert und wie folgt übersetzt wird: "Ich
habe (für euch die Wächter) aufgestellt". Diese Interpretation wäre aber erst dann möglich, wenn das Wort in einem originalen Zusammenhang mit dem Verb ויאמרו in V.16b stünde,
was unwahrscheinlich ist.
3. Die unverhältnismäßig kurzen Halbverse 6,16b und V.17b
scheinen genauso dtr. wie V.18 und 19 zu sein. Die weiteren
Beobachtungen von V.16a und 17a beruhen auf der Annahme, daß
V.16b und 17b dtr. Zusätze zu V.16a und 17a sind. Die Belege für diese Annahme werden aus arbeitstechnischen Gründen
oben im EXKURS 8 aufgeführt.
4. V.16a und 17a lassen sich formal als Aufforderungen Gottes
an das Volk mit seiner Beistandserklärung in der 1. Person
kennzeichnen. Inhaltlich betrachtet dehnt sich die "Weg"-Me-
taphorik, die V.16a prägt, über V.17aα bis zu V.17aβ. V.16a
und 17a ergänzen sich also einander. Die besprochene formale
Kennzeichnung von 6,16a und V.17a erinnert an die vor-dtr.
Redeweise, nach der Jer 30,10a sowie 31,7-8 formuliert sind.
Diese drei Stellen haben auch inhaltlich darin ihre Gemeinsamkeit, daß sie alle auf eine zukünftige Heilszeit verweisen. Diese Korrelation inhaltlicher und formaler Ähnlichkei-
ten läßt annehmen, daß 6,16a und V.17a vor-dtr. sind.
5. Es läßt sich fragen, ob diese beiden Halbverse den jer.

Heilssprüchen angehören könnten, die dem vor-dtr. Verfasser vorlagen. Die jer. Sprüche 31,2-6. 15-17 und V.18-20 weisen einen gemeinsamen Aufbau auf: eine Zusammenfügung von den Rückblicken auf die vernichtenden Ereignisse in der Geschichte des Volkes mit der Zusage Jahwes, die dem Volk im Elend des Exils die Rückkehr in das Heimatland verspricht. Die historischen Rückblicke bilden dagegen in den vor-dtr. Worten 30,10-11; 31,7-9 sowie in 6,16a und V.17a kein eigentliches Thema. Die jer. Heilssprüche haben noch weitere Besonderheiten: Erstens liegt ihnen das Seelisch-Gefühlsmäßige zugrunde und zweitens ist die Hauptfigur immer im Singular angeführt, während in 6,16a und V.17a sowie in 31,7-9 die Leute im Plural genannt werden. Diese Abweichungen lassen zwischen den genannten jer. Heilssprüchen einerseits und 6,16a und V.17a; 30,10-11 und 31,7-9 andererseits unterscheiden.

6. Kennzeichnet man aufgrund ihres Aufbaus die Verse 6,16a und 17a; 30,10a und 31,7-8 als Aufforderungen Gottes mit seiner Beistandserklärung, so dürfte der gleiche Aufbau auch auf einige deuterojesajanische "Heilszusagen" (Westermann) zutreffen, da z.B. jeder der Heilssprüche von Jes 41, 8-13.14-16; 43,1-4.5-7; 44,1-5 und 54,4-6 auch aus einem "Heilszuspruch" mit der Anrede "Fürchte dich nicht" und seiner "Begründung" (Westermann) besteht. Zwischen den beiden Gruppen gibt es aber einen grundlegenden Unterschied: In den deuterojesajanischen Sprüchen werden die göttlichen Heilshandlungen im wesentlichen im Perfektum verkündigt (Ausnahme: 43,5-7 und 54,4-6), während an den drei Stellen des Jeremiabuches der Beistand Gottes als zu erwarten angekündigt wird. Hinsichtlich der Frage nach der Herkunft von Jer 6,16a und V.17a kommen daher die deuterojesajanischen Sprüche als Parallele nicht in Betracht.

7 (=EXKURS 7). Aus dem Vergleich mit den Heilsworten Deuterojesajas wird die weitere Besonderheit von Jer 6,16a und V.17a; 30,10a und 31,7-9 ersichtlich, die darin besteht,

daß diese Stellen den Beistand Gottes <u>in der Zukunft</u> versprechen. Folglich ist es nötig, den Satz הוֹשַׁע יהוה אֶת־עַמְּךְ Jer 31,7b daraufhin zu überprüfen, ob er mit der LXX und nach Auffassung von Duhm und Giesebrecht הוֹשִׁיעַ יהוה אֶת־עַמּוֹ, also als perfektischer Satz, gelesen werden sollte. Dazu gibt aber der Kontext keinen Anlaß, weil keine bereits verwirklichte Heilszeit geschildert ist. Daher hat die vorgeschlagene Emendation keinen zwingenden Grund.

8. Für den Beweis der vor-dtr. Verfasserschaft von 6,16a und V.17a ist es notwendig nachzuweisen, daß V.16b und 17b nicht vor-dtr. sind. Dieser Nachweis wird, wie oben erwähnt, oben im EXKURS 8 geführt.

9. 6,16a und V.17a sind eindeutig anders als die jer. Gerichtsworte formuliert. Die bisherigen Beobachtungen lassen sich demzufolge dahin zusammenfassen, daß weder jer. Gerichts- und Heilsworte noch deuterojesajanische Heilssprüche gegen die angenommene vor-dtr. Verfasserschaft von 6,16a und V.17a sprechen.

10. Diese Halbverse sollen nun mit all den vor-dtr. Heilsworten verglichen werden, um dazwischen Affinitäten herauszustellen und aufgrund der Analogie darauf zu schließen, daß die beiden Halbverse vor-dtr. sind.

11. Die folgenden Worte sind gemeinsam: נפש, שאל וראה, דרך, הלך, טוב und קול.

12. Die Form Perfektum mit Waw cons., die das Wort והקמתי hat, findet sich häufig in den vor-dtr. Worten 30,18- 21 (sechsmal); 31,10-14(viermal) und noch einmal in 31,7-9.

13. Der Grundaufbau, den 6,16a.17a; 30,10-11 und 31,7-9 als Aufforderungen Gottes mit seiner Beistandserklärung aufweisen, findet seine Variationen in den vor-dtr. Worten 3,22a.12aβ-13bα; 31,10-14 und V.21-22.

14. Aus diesen Nebeneinanderstellungen folgt, daß die Aufbaubestimmung "<u>Abfolge der Aufforderungen Gottes mit ihrer Begründung</u>" auf all die in Betracht gezogenen vor-dtr. Abschnitte zutrifft.

15. Der vor-dtr. Abschnitt 31,21-22 ist zu einem inten-
siven Vergleich mit 6,16a und V.17a heranzuziehen. 31,21a
und 6,16a + 17a entsprechen einander durch ihren Wortparallelismus, der jeweils aus vier, sich auf die "Weg"-Metapho-
rik beziehenden Worten besteht. Gemeinsam ist beiden, daß
es jeweils auf einen besonderen "Weg" ankommt, des weiteren,
daß es sich um ein Herausfinden eines bestimmten Weges aufgrund der Rückbesinnung auf die Vergangenheit handelt. Aus
diesen Entsprechungen ist der Schluß zu ziehen, daß 6,16a
und V.17a sehr wahrscheinlich vor-dtr. sind.

16. Zu dem endgültigen Nachweis der besprochenen Verfasserschaft ist notwendig, gut erklären zu können, was der Verfasser mit der Formulierung von 6,16a sowie V.17a und ihrer
Einfügung in die jer. Überlieferungen beabsichtigte. Die
Textzusammenhänge, in die der Verfasser mit seinem Sprachgut eingriff, sind sammlungsgeschichtlich beobachtet wie
folgt zu rekonstruieren: 6,9-15. V.20-21 und V.22-26. Daß
V.16b.17b und 18-19 höchstwahrscheinlich dtr. sind, wird
oben im EXKURS 8 erklärt.

17. Das Interesse des vor-dtr. Verfassers für 6,9-15 läßt
sich daraus erschließen, daß sich das Wortpaar שארית ישראל
—— יכשלו im AT nur in 6,9-15 und dem vor-dtr. Abschnitt 31,
7-9 befindet, und zwar jeweils am Anfang und am Ende des
betreffenden Abschnittes. Daraus folgt die Möglichkeit, daß
der vor-dtr. Verfasser 31,7-9 bis zu einem gewissen Grad in
Anlehnung an den jer. Spruch 6,9-15 formulierte. Anzunehmen ist, daß der Verfasser damit beabsichtigte, sich seinerseits an die Gerichtsworte des Propheten anzugleichen, andererseits aber die Heilsworte zu gestalten. Aus dieser Absicht lassen sich die Entsprechungen der Worte in den beiden Abschnitten erklären: "Straucheln" des Volkes (6,15b).
— "Nicht Straucheln" (31,9a).

18. Die gleiche Absicht läßt sich in der Entsprechung zwischen der negativen Bestätigung "sie konnten nicht aufmerksam hören" (6,10aδ) und der positiven Aufforderung "höret

aufmerksam" (6,17a) erkennen. Diese Entsprechung ist deswegen als beabsichtigt anzunehmen, weil erstens die Form
הקשיב im AT selten vorkommt, und weil zweitens nur in
6,10 und V.17a das Subjekt des Zeitwortes das Volk im allgemeinen ist. Die angenommene Bezugnahme war erst durch
die Interpretation möglich, daß die negative Bestätigung
der"Gehörlosigkeit"des Volkes auf seinen ehemaligen, bereits aufgehobenen Zustand zutreffen sollte, was aber 6,10aδ
selber nicht meint. Das ist die einseitige Entsprechung,
die der vor-dtr. Bearbeitung typisch ist. Die gleiche Einseitigkeit der Entsprechung ist auch darin ersichtlich, daß
das Objekt vom "Aufmerksam hören" von dem "Wort Jahwes"
(V.10b) zu dem "Schall der Trompete" (V.17a) verändert ist.
Die Umdeutung und Umformulierung, die gleichsam zwischen
ולא יוכלו להקשיב und הקשיבו zum einen und zwischen יכשלו
und לא יכשלו zum anderen beobachtet wurde, hat in den anderen vor-dtr. Bearbeitungen Beispiele: הינטר (3,5a, jer.)
und לא אטור (V.12b, vor-dtr.) sowie auch לא תשובו (3,19b,
jer.) und שובו (V.22a, vor-dtr.).
19. Die Grundkonzeption der vor-dtr. Bearbeitung liegt darin, das Negative in den Sprüchen des Propheten ins Positive umzuwandeln. Dieser Absicht entspricht die mögliche Bezugnahme מרגוע לנפשכם (V.16a) auf אין שלום (V.14b) gut;
die Wendung אין שלום kommt auch in 30,5b (vor-dtr.) vor.
20. 6,16a und V.17a bestehen teilweise aus den Wortstämmen,
die sich in 31,2-3 (jer.) befinden: עולם)אהבת, V.3b), הלוך
(V.2b), מצא (V.2a) und להרגיעו (V.2b). V.17a kann sich wegen des Wortes צפים ("Wächter") auf die rhetorische Frage
des "Propheten" in V.10aα-β beziehen, die seine Verzweiflung über die "Taubheit" gegenüber dem Worte Gottes beim Volk
äußert, wobei das Motiv in den Bereich der "Weg"-Metaphorik
umgesetzt ist. Aus diesen Verhältnissen ergibt sich, daß
die vor-dtr. Heilsworte 6,16a und V.17a hauptsächlich in Anlehnung an V.9-15 gestaltet wurden.
21. Der Grund dafür, daß der Verfasser seine Worte ausgerechnet an dieser Stelle einschob, ist darin zu finden, daß

er vor dem letzten "Gedicht vom Feind aus dem Norden" Gottes Aufforderungen zum Heil des Volkes erklingen lassen wollte, besonders weil im Gedicht das göttliche Gericht grausam und konkret dargestellt ist.

22. Es läßt sich dann fragen, warum der Verfasser seine Worte nicht unmittelbar dem Gedicht 6,22ff. voranstellte, sondern sie zwischen V.9-15 und 20-21 einschaltete. Er wollte sie wahrscheinlich in den direkten Zusammenhang mit V.9-15 setzen. Da der Spruch V.20-21 sehr kurz ist, kann der Verfasser gedacht haben, daß der Spruch seinen beabsichtigten Zusammenhang von V.16a und V.17a mit dem Gedicht V.22ff. nicht stört.

23 (bis 33 = EXKURS 8). Die bisherigen Erörterungen der vor-dtr. Verfasserschaft von 6,16a und V.17a setzen voraus, daß V.16b und 17b dtr. Nachträge sind. Dieser Sachverhalt soll nun nachgewiesen werden. Der Abschnitt 6,16-21 enthält zwei Gerichtsankündigungen V.19 und 21. Stichometrisch betrachtet sind V.16b und 17b gleichermaßen unverhältnismäßig kurz. Diese Umstände deuten darauf hin, daß der Abschnitt wohl keine ursprüngliche Sprucheinheit darstellt. Es ist daher möglich, daß V.16a von V.17a durch Einschub von V.16b nachträglich abgetrennt wurde. Es bedarf eingehender Beobachtungen von V.16b und 17b.

24 (bis 26: 1. V.16b und 17b). V.16a und 17a sind Aufforderungen Gottes, die für die Gegenwart gelten und an den Adressaten in der 1. Person ergehen. Das Wort ויאמרו in V. 16b wandelt die Aufforderungen von V.16a und 17a in solche um, die in der Vergangenheit gegeben wurden. Das auf dieses Verb folgende Zitatwort לא נלך in V.16b läßt die Aufforderungen als diejenigen verstehen, die vom Volk bereits abgelehnt sind. Der Sinn der Aufforderungen ist daher einerseits von V.16b völlig abhängig, wenn die beiden ursprünglich sind. Andererseits hängt V.16b aber mit den Aufforderungen merkwürdigerweise insoweit zusammen, als sich das Zeitwort נלך (לא) nur auf einen einzigen Teil der Aufforderungen,

nämlich auf (בה‾)ולכו, zurückbezieht. Diese völlige Abhängigkeit der Bedeutung des V.16a von V.16b zum einen und die
eingeschränkte, partielle Bezugnahme seitens V.16b auf V.
16a zum anderen stellen die typische, <u>einseitige Entspre-
chung</u> dar. Daraus läßt sich die Nachträglichkeit von V.16b
erschließen. Das gleiche trifft auf den Zusammenhang zwischen V.17a und 17b zu. V.16b und 17b sind wahrscheinlich
die Nachträge zu V.16a und 17a.

25. Die abrupten Verwandlungen der Inhalte von V.16a zu
V.16b sowie von V.17a zu 17b lassen sich auch nicht auf
einen "Szenenwechsel" als ursprünglichem Stilelement zurückführen: V.16b ist als eine erneute selbständige Szene zu
kurz und V.17a stellt sinngemäß die unmittelbare Fortsetzung
von V.16a dar. Auch die inhaltlichen und formalen Entsprechungen zwischen V.16b und 17b weisen die Annahme eines
Szenenwechsels zurück.

26. Auch die Beobachtungen der Redeform von V.16b und 17b
führen zu dem Schluß, daß die beiden Halbverse dtr. sind.
S. Herrmann hat gezeigt, daß in Jer 2,20-28 fünf Prosatexte,
V.20aγ-bγ, 23aα-β, 25b, 27aα-β und 28, auf die "Nähe deuteronomistischer Aktivitäten" zurückzuführen sind. Zwischen
2,20aα, 23aα, 23aβ, 25bα; 6,16b. 17b sowie auch 18,12 (dtr.)
lassen sich die strukturellen Gemeinsamkeiten beobachten:
Erstens besteht der Hauptsatz -mit Abschluß von איך in
2,23aα- nur aus einer finiten Form des Verbs אמר, zweitens
ist der Nebensatz, der auf das genannte Verb folgt, immer
eine Zitation, drittens enthält der Zitatsatz eine Negation
durch לא und/oder נואש und endet schließlich mit einem Verb
in der 1. Person. Die Abweichungen sind aus möglichen Bemühungen der dtr. Bearbeiter zu erklären, sich dem Kontext der
ihnen vorliegenden Spruchüberlieferungen jeweils anzupassen.
Die genannten strukturellen Entsprechungen beweisen, daß
auch 6,16b und V.17b dtr. sind.

27 (<u>2. V.18-19: Eine Zwischenbetrachtung</u>). Das Urteil, daß
V.18-19 dtr. sind (z.B. Duhm und Cornill) wurde neuerdings

durch Thiel gut begründet und ist unwiderruflich.

28 (bis 33: <u>3. V.16b und 17b: Fortsetzung</u>). V.18 und 19 bilden eine Gerichtsankündigung, die mit לכן beginnt, und setzen insofern V.17b voraus.

29. Nachzuweisen ist auch, daß V.16b und 17b ihrerseits die Gerichtsankündigung in V.18-19 vorsehen. Herrmann hat herausgestellt, daß den oben besprochenen אמר-Wendungen ein einleitender Charakter beizumessen ist. Daraus folgt, daß V.16b und 17b, die jeweils mit der Wendung beginnen, sich nicht auf die vorangehenden, sondern auf die darauffolgenden Texte beziehen sollen.

30. Die bisherigen Beobachtungen lassen sich so in den vier Punkten zusammenfassen, wie sie oben auf S.263 formuliert sind.

31. Daraus folgt, daß V.16b und 17b einerseits und V.18-19 andererseits möglicherweise auf die Tätigkeit ein und desselben dtr. Kreises zurückzuführen sind. Da V.20-21 -im Unterschied zur Meinung Thiels- als die Begründung und die Gerichtsankündigung eine ursprüngliche Sprucheinheit aufweisen, wird ausgeschlossen, daß V.21aβ-ba (bis כם) auf V.16b hin formuliert wurden. Auffällig ist die folgende Entsprechung zwischen V.17b und 19b: <u>ויאמרו לא נקשיב</u> דברי על und <u>לא הקשיבו</u>. Der Schluß ist nun zwingend, daß V.16b und 17b einerseits und V.18-19 andererseits als notwendige Bestandteile sich gegenseitig voraussetzen und allesamt von ein und demselben dtr. Kreis stammen.

32. Bisher wurde ohne weiteres vorausgesetzt, daß V.16b und 17b des gleichen Ursprungs sind. Die beiden Halbverse sind in formaler sowie auch in kontextueller Hinsicht einander ähnlich. Es gilt daher nur den Umstand zu erklären, daß sie voneinander getrennt vorliegen. Nach Herrmann stellen sich die אמר-Wendungen in 2,20-28 als Einfügungen in die Überlieferung dar. Demzufolge läßt sich auch 6,16b, das mit der gleichen Wendung beginnt, als Einschub in V.16a + 17a verstehen, so daß V.16b von Haus aus von V.17b getrennt vorliegt.

33. Die Absicht des dtr. Kreises, der in den ihm vorliegenden Überlieferungen 6,16a. 17a und 20-21 nachträglich V.16b
und 17b einschob, ist folgendermaßen zu beschreiben: V.16a
und 17a schienen dem dtr. Kreis als reine Aufforderungen
allzu positiv zu sein. Er fühlte sich deshalb dazu verpflichtet, die Widerspenstigkeit des Volkes gegen Gott zum Ausdruck zu bringen und die Gerichtsankündigungen in den Spruchüberlieferungen nach den Aufforderungen aufs neue zu begründen. Die gleiche Absicht ist auch in den anderen dtr. Bearbeitungen, z.B. in 2,25-26 und 18,11b-17, festzustellen.

5.   10,19-20 (und 24-25?)

   Aus den provisorischen Betrachtungen in II. 1. ergab sich,
daß zwischen den vor-dtr. Heilsworten in Kap. 30-31 einerseits und den Texten 10,17-25* andererseits die unüberseh-
baren Zusammenhänge in Wort und Gedanken bestehen.[251] Von
dem genannten Schlußteil von Kap. 10 fallen V.19-20 aus mehreren Gründen auf. Die beiden Verse stehen zum einen in keinem direkten Zusammenhang mit dem vorangehenden Spruch V.17-
18, denn dieser Spruch kündigt wohl eine bevorstehende Ver-
treibung des Volkes aus seinem Heimatland zum Exil an, während hier in V.19-20 intensiv von den "Wunden" und dem "ver-
nichteten Zelt" die Rede ist.[252] Gerade deswegen passen V.
19-20 dem Kontext nach auch zu dem Spruch V.22 nicht,[253] der

---

251   Siehe oben S.98ff.

252   V.17-18 ist anscheinend kein selbständiger Spruch; sammlungsge-
      schichtlich beobachtet reihte sich dieser Spruch, der mit dem
      Wort אסֹפי beginnt, einst wahrscheinlich an den Vers 9,21, der
      mit dem מאסֵף endet, so z.B. Rudolph. Nach Duhm war V.17 wahr-
      scheinlich ein "Randcitat" zu 9,20f. und V.18 soll die Fort-
      setzung von 9,19-21 gebildet haben.

253   10,21 ist wahrscheinlich ein erläuternder Zusatz zu V.20. Zu
      diesem Urteil neigte zuletzt auch McKane. V.22, ein vereinzelter

das Volk auf "ein großes Getöse vom Nordland" aufmerksam
macht. 10,19-20 stechen also in dem Sinne hervor, daß sie
mit den umgebenden Texten in keinem festen Zusammenhang
stehen. Dieser Sachverhalt führt zu der Alternative, daß
sie entweder, wie V.22, einen selbständigen Spruch des Propheten darstellen oder daß man hier einer Nacharbeit an
den Überlieferungen begegnet. Es besteht außerdem kein Grund
dafür, die Verse 19 und 20 voneinander zu trennen, denn
grammatisch gesehen setzt sich in den beiden Versen -im Unterschied zu den umgebenden Texten- die 1. Person Singular
durch , und der klagende Ton zieht sich durch die beiden Verse hindurch.

Dem Abschnitt 10,19-20 steht der jer. Spruch mit klagendem Ton 30,12-15 terminologisch am nächsten, der zweifellos
dem vor-dtr. Verfasser vorlag:

10,19-20

(19a) אוי לי‎[1]על־שברי‎[2]נחלה‎[3]מכתי

(19b) ואני אמרתי אך זה חלי ואשאנו

(20a) אהלי שדד וכל־מיתרי נתקו

(20b) בני יצאני‎[4]ואינם

(20b) אין‎[5]־נטה עוד אהלי ומקים יריעותי

30,12-15

(12) אנוש‎[1]לשברך‎[2]נחלה‎[3]מכתך

(13) אין‎[4]־דן דינך למזור רפאות תעלה‎[5]אין לך

(14b) כל‎[3a]מכת אויב הכיתיך מוסר אכזרי ...

(15a) מה־תזעק‎[1a]על־שברך אנוש מכאבך

Der Ausdruck נחלה מכת־‎ ... (2 und 3) "Unheilbar ist die Wunde
von ... (jemandem)" kommt im Jeremiabuch sonst nicht vor, obwohl er nur noch einmal in 14,17 in der umgekehrten Reihenfolge der Worte und ohne pronomen suffixum, also als מכה נחלה‎ ,
begegnet.[254]Dieser Sachverhalt deutet auf einen möglichen Zusam-

---

Spruch, ähnelt übrigens der Weissagung 8,16, die einen Teil der
"Fragmente 8,13-17" (Volz) bildet. Es fällt schwer, die jer.Her-
kunft von 10,22 zu bezweifeln wie Duhm, obwohl es unklar bleibt,
warum sich der Spruch an der jetzigen Stelle vereinzelt befindet.

254   Der Ausdruck נחלה מכת־‎ liegt im AT sonst nur in Nah 3,19 vor.

menhang zwischen den beiden verglichenen Texten hin. Erwei-
tert man diesen Vergleich bis zum Anfang der beiden Textabschnitte, so wird der Zusammenhang kaum zu leugnen sein:

10,19a	נחלה מכתי	אוי לי על שברי
30,12	נחלה מכתך	אנוש לשברך

Das Nomen שבר (l) oder der Stamm שבר überhaupt, kommt im Jeremiabuch nur hier an diesen beiden Stellen mit dem Wort מכה
im Parallelismus vor. Daß diese Entsprechung nicht zufällig
entstanden ist, erhellt daraus, daß an den beiden Stellen dem genannten Parallelismus wiederum jeweils eine zweimalige Wiederholung der Partikel אין (4 und 5) folgt,[255]
wenn auch in 10,19-20 der Parallelismus sinngemäß nicht in
einem genauso festen Zusammenhang mit der Wiederkehr der Partikel stehen mag wie in 30,12-13. Diese zweifachen Entsprechungen im Wort und in der Diktion zwischen 10,19-20 und 30,
12-13 sind nicht auf einen Zufall zurückzuführen, weil sich
besonders zwischen den vor-dtr. Worten in Kap. 30-31 und 10,
17-25* , wie oben erwähnt, neben den soeben genannten Entsprechungen noch mehrere Parallelen befinden.

Aus der herausgestellten Verbindung von 10,19-20 mit dem
jer. Spruch 30,12-15 kann man aber nicht ohne weiteres folgern, daß auch 10,19-20 jer. sein sollten; denn der vor-dtr.
Verfasser interessierte sich für den jer. Spruch so sehr, daß
er in Anlehnung an den Spruch seine Heilsworte 30,16-17 gestaltete[256], und daher läßt sich auch annehmen, daß der vor-
dtr. Verfasser auch 10,19-20 auf denselben jer. Spruch hin
formulierte.

---

255   Volz liest בני יצאני in 10,20b in נבזו יעעי "meine Lager sind
      geplündert" um und streicht ואינם als Dittographie. Auf diesen
      Vorschlag drängte ihn seine Meinung, daß "die 'Söhne' ... nicht
      zwischen den 'Zelten' [sc. in V.20a und b] stehen (können)".
      Dieses Urteil ist aber, wie unten ermittelt wird, nicht richtig.
      Die masoretische Lesart ist außerdem grammatisch nicht zu bean-
      standen und ואינם muß, wie auch Rudolph meint, bleiben.

256   Siehe oben S. 84f.

Für diese Annahme sprechen die folgenden Vergleiche von
10,19-20 mit den anderen jer. Sprüchen. 10,19-20 stellen
dem Inhalt nach eine Klage in der 1. Person dar und finden
zwar in dieser Hinsicht in den jer. Spruchüberlieferungen
einige Pendants. Die Klage 4,20 lautet:

(a) שבר על־שבר נקרא כי שדדה כל־הארץ

(b) פתאם שדדו אהלי רגע יריעתי

Gemeinsam sind den beiden Klagen die Worte שבר, אהל שדד
und יריעות. Zugleich sind aber doch die Unterschiede im
Wortgebrauch auch augenfällig: Das Nomen שבר zum einen bedeutet in 4,20a den "Zusammenbruch des Landes", während es
in 10,19a mit מכה im Parallelismus steht und daher auf
einen "Schlag" hindeutet, der eine betreffende Person, wahrscheinlich eine Frau,[257] getroffen hat. -In dieser Hinsicht
stimmt der Wortgebrauch in 10,19a eher mit dem in 30,12 überein.- Das Verb שדד Pu. "verwüstet werden" zum zweiten kommt
in den früheren Überlieferungen Jeremias zwar sonst nur
zweimal, nämlich in 7,13 und 9,18, vor.[258] Da das Verb aber an
diesen Stellen jeweils in der Form שֻׁדַּדְנוּ, also mit dem
menschlichen Subjekt, vorliegt, ist es im jetzigen Zusammenhang ohne Bedeutung. Um so enger scheint hinsichtlich des
Verbes die Beziehung von 10,20a mit 4,20 wahrscheinlich zu
sein: In 4,20 ist das Verb zweimal in Gebrauch, einmal in
Verbindung mit dem Ausdruck "das ganze Land" (4.20a), zum
andern mit "meine Zelte" אֹהָלַי (4.20b). Diese zweite Verbindung erinnert an den Satz "mein Zelt ist verwüstet" in
10,20a, obwohl hier von einem einzelnen Zelt die Rede ist.
Bemerkenswert ist, daß das Verb in 30,12-15 nicht vorliegt.
Aus den erörterten Verhältnissen ist eine zu einem gewissen
Grad enge Beziehung von 10,20a mit 4,20 zu folgern, wobei
aber keine deutlichen Hinweise auf die Richtung der Bezug-

---

257   Siehe Odashima, Diss. S.180-191.
258   Sonst im Buch in 48,1.15.20; 49,3.10.

nahme von dem einen auf den anderen gegeben sind. Auch bei dem Wort יריעות ist das der Fall: Dem Wort begegnet man in den früheren Überlieferungen des Propheten nur hier in 4,20 und 10,20.[259] Hinzukommt als Gemeinsamkeit dazwischen auch der Parallelismus von "Zelt" und "Zeltdecken".[260]

Die jer. Klage 8,21-23 hat mit 10,19-20 das Nomen שבר und die zweimalige Wiederholung der Partikel אין gemeinsam. Außerdem findet man in 8,22b das Nomen ארכה, das "d. neue Fleischschicht" bedeutet, "die sich über einer heilenden Wunde bildet"[261] und in diesem Sinne mit dem Wort מכה in 10,19a sachverwandt ist. Die inhaltlichen Vergleiche der beiden Klagen sind instruktiv: In 8,21-22 bedeutet das No- men שבר einen Zusammenbruch/Schlag "der Tochter meines Vol- kes", und das darauffolgende Verb הָשְׁבָּרְתִּי ("ich bin zer- schlagen") besagt nur den seelischen Zustand der Person, die den Zusammenbruch beklagt.[262] Dementsprechend wird in V.22 beklagt, daß sich die Wunde (ארכה) "der Tochter meines Vol- kes" nicht schließt. Deshalb fällt auf, daß in 10,19a so- wohl der "Zusammenbruch" als auch die "Wunde" (מכה) die 1. Person betreffen. Das ist gerade das Charakteristikum, das, wie oben ermittelt, 10,19-20 auch gegenüber 30,12-15 heraus- stellt. Zu dem gleichen Schluß führt wiederum der Vergleich von 10,19-20 mit der jer. Klage 14,17aβ-γ, die lautet:

כי שבר גדול נשברה בתולת בת־עמי מכה נחלה מאד

Hier spricht eine Person über den Zusammenbruch "der Jung- frau, der Tochter" des Volkes. Aus den bisherigen Ver- gleichen ergibt sich, daß sich 10,19-20 gegenüber allen ähn- lichen Sprüchen des Propheten dadurch kennzeichnen, daß hier

---

259   Sonst im Buch lediglich in 49,29.

260   Siehe im Hinblick auf diesen Parallelismus Odashima, Diss. S.186, A.78.

261   GBHW, z.St.

262   Volz führt V.21 zu Unrecht auf einen "mitfühlende(n) Leser" zurück. Hier klagt wahrscheinlich der Prophet selbst.

sowohl von dem "Zusammenbruch" als auch von der "Wunde"
nur im unmittelbaren Zusammenhang des "Ich" der sprechenden Person die Rede ist.

Die angestellten Vergleiche bringen noch eine andere,
eigentümliche Beschaffenheit von 10,19-20 ans Licht: In
keiner der Klagen, die mit 10,19-20 verglichen wurden,
steht das Wort "Zelt" genauso in Verbindung mit dem "Zusammenbruch" und/oder der "Wunde" der klagenden Person wie in
10,19-20; bei 4,20a, wo zwar von "meinem Zelt" die Rede
ist, handelt es sich aber doch um den Zusammenbruch, den
wohl "das ganze Land" erleidet. Weder 8,21-22 noch 14,17
oder 30,12-15 kennen das Wort "Zelt", während es in 10,20
in der Form אהלי zweimal aufeinander vorkommt. Der Sinnzusammenhang hier in 10,19-20 ist so, daß der Schlag (שבר),
der die klagende Person betraf -und nicht der Zusammenbruch des ganzen Landes-, ihre "Wunde" und das Umstoßen
ihres Zeltes (Singular) zur Folge hat. Darauf folgt die Klage, daß "die Söhne" der betreffenden Person nicht mehr da
sind, so daß niemand für sie das Zelt wieder aufstellt. Zu-
sammenfassend stellt man daher fest, daß es in 10,19-20
-im Unterschied zu den anderen Klagen, die oben zum Vergleich herangezogen wurden- auf das "Ich" der leidenden
Person, den "Schlag", der sie traf, ihre "Wunde", das Umstoßen ihres "Zeltes"[263] und das Verschwinden ihrer "Söhne"
ankommt. Das klagende "Ich" der betreffenden Person kommt
am klarsten in dem Ausdruck אוי לי am Anfang zu Wort.
Daß hier im Unterschied zu 4,20b von einem einzigen Zelt
die Rede ist, entspricht dem "Ich" der klagenden Person.
Aus den bisherigen Beobachtungen folgt der Schluß, daß 10,
19-20 einerseits mit den vier Klagen des Propheten, vor allem mit der Klage 30,12-15, die der vor-dtr. Verfasser kannte, im Wortschatz vieles gemeinsam haben, andererseits aber

---

263   Duhm schreibt anscheinend mit Recht: "Dass Jer zweimal in einer
      Strophe vom Zelt spräche, ist nicht wahrscheinlich ...".

erhebliche Abweichungen von ihnen aufweisen. Diese Umstände deuten auf die vor-dtr. Verfasserschaft von 10,19-20
hin, obwohl sie keine Heilsworte sind.

Einen entscheidenden Beweisgrund für diese Verfasserschaft
findet man in den vor-dtr. Heilsworten 30,16-17 und V.18- 21
in dem Sinne, daß in diesen zwei aufeinanderfolgenden Abschnitten die Worte "Wunde" (ממכותיך im Parallelismus mit
ארכה, V.17a), "Zelt" (אהלי יעקוב , V.18a) und "Söhne" (בניו,
V.20a) vorkommen. Daß diese Stichworte hier eindeutig in
einem engen Zusammenhang stehen, ist einerseits am Kontext
eindeutig, andererseits gibt es im Jeremiabuch sonst keine
Stellen, an denen die Worte "Wunde" und "Zelt" genauso miteinander verbunden sind wie hier. Daß der jer. Abschnitt
30,12-15 dem vor-dtr. Verfasser vorlag, wurde oben erwähnt.
Aus der Kenntnis vom jer. Abschnitt 30,12-15 beim vor-dtr.
Verfasser ergibt sich eine wichtige Konsequenz. Der Ausdruck
in 10,19a klingt seltsam; die Redeform אוי (נא-) ל-
kommt im AT sonst neunzehnmal[264] vor, und zwar entweder mit
einem darauffolgenden כִּי-Satz oder mit einem formal selbständigen Satz, der jeweils den Grund für den Ausruf angibt,
aber die Verbindung vom Ausruf mit der Präposition על findet sich nicht. Daher ist anzunehmen, daß der genannte Ausdruck das Ergebnis der Bearbeitung des vor-dtr. Verfassers
darstellt, der sich 30,12(jer.)... אנוש לשברך aneignete und
damit beabsichtigte, der rhetorischen Frage V.15a(jer.)
"Weswegen schreist du?", einen passenden Anlaß und Grund im
voraus geben zu können, damit seine eigenen Worte 10,19-20
mit dem jer. Abschnitt 30,12-15 inhaltlich glatt verbunden
werden:

10,19a	נחלה מכתי	על-שברי	אוי לי
30,12	נחלה מכתך	לשברך	אנוש
30,15a	אנוש מכאבך	על-שברך	מה-תזעק

---

264   König, Syntax, § 321c.

283

Anders kann man den Sinn und Hintergrund der im AT bei-
spiellosen Konstruktion ‏אוי לי על־‎ in 10,19a wohl nicht
erklären.

Als Indiz für die vor-dtr. Verfasserschaft von 10,19-20
kommt V.19 in Betracht, der mit einem vor-dtr. Abschnitt
zu vergleichen ist:

10,19   ‏אוי לי על־שברי‎[1] ...[2]

                ‏ואשאנו‎[4] ‏אך זה חלי‎[3]...

30,7   ‏הוי כי גדול היום הוא‎[2][1]

              ‏וממנו יושע‎[4] ‏ועת־צרה היא ליעקב‎[3]

Die beiden Stellen weisen in dem Sinne eine ähnliche Struktur auf, daß auf die Interjektion (1) die Angabe des Grundes
für den vorangestellten Ausruf (2) folgt, des weiteren, daß
das Vorkommnis als Verhängnis unterstrichen wird (3). Plötzlich tritt aber dann unvorbereitet der Wendepunkt zum Heil
ein (4). Aus diesen terminologischen und strukturellen Entsprechungen kann man folgern, daß 10,19-20 vor-dtr. sind.

Auch an diesem vor-dtr. Abschnitt ist die Neigung des Verfassers ersichtlich, daß er sich am Anfang eines betreffenden Abschnittes die jer. Worte und Wendungen aneignet und
erst dann selbst zu Wort kommt;[265] V.20b stellt in dem ganzen Umfang die Dichtung des vor-dtr. Verfassers dar.

Auf die Frage, wozu der vor-dtr. Verfasser die Klage 10,
19-20 formulierte, gibt der soeben angestellte Vergleich zwischen 10,19 und 30,7 die Antwort: Der vor-dtr. Verfasser
konnte wahrscheinlich in den jer. Überlieferungen, die ihm
vorlagen, keine Sprüche finden, die eindeutig bezeugen, daß
die Katastrophe bereits hereingebrochen ist; diese Ereignisse haben den Verfasser zur Bearbeitung der prophetischen
Sprüche mit dem Zweck gedrängt, die Sprüche zu aktualisie-
ren. Er mußte diese Grundlage zu seiner literarischen Beschäftigung auch in seinem Schriftwerk klar zum Ausdruck bringen,
und das Ergebnis hat in 10,19-20[266] Gestalt angenommen.

---

265   Siehe oben S. 146f.
266   Siehe über die Zusammenhänge dieses Abschnittes mit 4,19-21 Oda-
      shima, Diss., S.185f.

Es ist oben festgestellt,[267] daß 10,24a אך־במשפט יהוה יסרני
und 30,11bδ (vor-dtr.) ויסרתיך למשפט einander ähnlich sind.
Ebenso ist 10,24b אל באפך פן תמעטני mit 30,19bα (vor-dtr.)
והרבתים ולא ימעטו zu vergleichen. Diese terminologischen
und inhaltlichen Entsprechungen könnte man wohl jeweils
vielleicht auf den vor-dtr. Verfasser zurückführen. Da aber
V.24 allein sehr kurz ist, scheint es schwer, darüber ein
ein endgültiges Urteil zu fällen. Das trifft auch auf 10,25
zu.

Zusammenfassung

1. Bereits in II. 1. wurden die Beziehungen zwischen den
vor-dtr. Heilsworten in Kap. 30-31 und den Texten 10,17-25*
vorläufig erörtert. Innerhalb der letzteren unterscheiden
sich dem Inhalt nach V.19-20 von den angrenzenden Texten
und zeigen sich als ein kleiner Abschnitt.
2. Diesem Abschnitt steht terminologisch am nächsten der
jer. Spruch mit klagendem Ton 30,12-15. Zwischen den beiden
Texten sind die zwei folgenden Entsprechungen zu beobachten:
נחלה מכתי על־שברי ...(10,19a) -- נחלה מכתך לשברך...(30,12
aβ-γ) -der Parallelismus von שבר mit מכת befindet sich im
AT nur an diesen Stellen- zum einen, und אין ... אין ...
(10,20bα-β) -- אינם ... אין ... (30,13a-b) zum anderen. Die
Formulierung in der 1. Person in 10,19-20 weist den Hauptun-
terschied vom jer. Spruch auf. Da der vor-dtr. Verfasser den
jer. Spruch 30,12-15 kannte, ist es möglich, daß sich der
Verfasser den Spruch aneignete, um 10,19-20 zu gestalten.
3. Als Klage in der 1. Person ist dieser Abschnitt mit der
jer. Klage 4,20 zu vergleichen. Gemeinsam sind die Worte שבר,
שדד, אהל, und יריעות. Obwohl die Kontexte, in denen sie vorkommen, teilweise unterschiedlich sind, ist deutlich, daß

---

267   Siehe die Tabelle auf S.100.

sich die beiden Texte aufeinander beziehen. Auch der Parallelismus von אהל und יריעות ist in den beiden gemeinsam.
Soweit bleibt aber die Richtung der Beziehungen dazwischen
noch unerklärt.

4. Die jer. Klage 8,21-22 hat mit 10,19-20 das Nomen שבר
und die Wiederholung von אין gemeinsam. Auch das Nomen ארכה
(8,22b) ist sinngemäß mit מכה (10,19a) verwandt. Der Haupt-
unterschied des Abschnittes 10,19-20 von der jer. Klage
liegt darin, daß es bei ihm auf die Klage in der 1. Person
ankommt -dagegen ist in 8,21-22 der Ausdruck eines seelischen Zustandes השברתי (8,21) kein Hauptgegenstand der ganzen Klage-. Dieses klagende "Ich" erinnert an die 1. Person,
die 10,19-20 gegenüber dem jer. Spruch 30,12-15 kennzeichnet.

5. Der Vergleich mit der jer. Klage 14,17aβ-γ stellt wiederum die gleiche Eigenschaft von 10,19-20 fest. All diesen
jer. Klagen gegenüber hat der Abschnitt 10,19-20 darin die
Besonderheit, daß nur in ihm das Wort "Zelt" vorkommt, und
zwar zweimal im Singular, des weiteren, daß das Wort mit dem
"Zusammenbruch" und der "Wunde" der klagenden Person in Verbindung gebracht ist -bei 4,20a (jer.), wo von "meinen Zel-
ten" im Plural die Rede ist, handelt es sich aber um einen
Zusammenbruch, den wohl das ganze Land erleidet-. Das klagende "Ich" der betreffenden Person spricht sich auch im Ge-
schrei אוי לי am Anfang des Abschnittes aus. Hinzukommt als
Besonderheit auch die Erwähnung der verschwundenen "Söhne".

6. Die bisherigen Beobachtungen zeigen, daß 10,19-20 mit
den verglichenen Sprüchen, vor allem mit 30,12-15, einerseits Affinitäten im Wortschatz und in der Diktion, andererseits aber auch Abweichungen aufweisen, die sich ihrerseits
zueinander sinngemäß fügen. Diese Sachverhalte lassen die
vor-dtr. Verfasserschaft von 10,19-20 annehmen, weil sich
der Verfasser für 30,12-15 zweifellos interessierte.

7. Der entscheidende Beweisgrund für die Annahme ist darin
zu finden, daß in 30,16-17 + 18-22 (vor-dtr.) die Worte

"Wunde" (מכות) im Parallelismus mit ארכה (beide V.17a),
"Zelt" (V.18a) und "Söhne" (V.20a) in einem engen Sinnzusammenhang vorliegen.

8. Der Ausdruck אוי לי על־שברי (10,19a), der syntaktisch
im AT kein Nebenbeispiel hat, kann erst als das Ergebnis
der Bearbeitung des Verfassers erklärt werden, der beabsichtigte, mit der rhetorischen Frage "Weswegen schreist du?"
(30,15a, jer.) einen passenden Anlaß und Grund vorzubereiten.

9. 10,19 und 30,7 (vor-dtr.) entsprechen im Gedankenvor-
gang einander genau (siehe oben S. 284). Das indiziert die
vor-dtr. Verfasserschaft von 10,19-20.

10. Der Abschnitt zeigt die Neigung des vor-dtr. Verfassers,
erst in der letzten Hälfte seiner Abschnitte ausführlicher
das Wort zu nehmen: V.20b besteht nur aus seiner eigenen
Dichtung.

11. Der Anlaß der Gestaltung von 10,19-20 ist darin zu suchen, daß der Verfasser in den jer. Überlieferungen keine
Worte finden konnte, die auf die bereits eingetroffene Katastrophe ebenso hinweisen, wie es in 10,19-20 der Fall ist.

12. Oben in II. 1. wurde auch auf die Entsprechungen zwischen 10,24b und 30,11bδ (vor-dtr.) zum einen und zwischen
10,24b und 30,19bα (vor-dtr.) zum anderen hingewiesen. 10,24
ist aber zu kurz, um daraus über die Provenienz des Verses
etwas Sicheres folgern zu können. Das gilt auch für V.25.

SCHLUSSTEIL

IV. Zusammenfassung und Auswertung

  1. Zusammenfassungen

  a. Die vor-dtr. Worte in Kap. 2, 3, 6, 10 und 30-31

Die Beobachtungen, die oben gemacht wurden, haben ihre Ansätze in der Untersuchung S.Böhmers. Er hat in den Kap. 30-31
eine Reihe von Worten gefunden, die sich einerseits von den
Sprüchen Jeremias und andererseits von den deuteronomistischen und den übrigen Worten in diesen Kapiteln unterscheiden. Er nannte sie somit "nachjeremianische" Worte. Die
"vor-dtr." Worte, die in der vorliegenden Untersuchung in
Kap. 2, 3, 6 und 10 gefunden wurden, schließen sich eng an
Kap. 30-31 an, so daß sie von ein und demselben Verfasser
gestaltet wurden. Die nachjeremianischen Worte im Sinne Böhmers sind in dieser Untersuchung aus dem oben dargelegten
Grund[1] als "vor-dtr." bezeichnet worden. Es sind:

2,2aγ	–	4
3,12aβ	–	13bα
3,21	–	25
6,16a	und	17a
10,19	–	20
30,5	–	7
30,10	–	11
30,16	–	17
30,18	–	21
31,7	–	9
31,10	–	14
31,21	–	22.

Es ist oben in II. 1. dargelegt worden, daß zwischen den
vor-dtr. Worten und dem Textstück 10,24-25 terminologische

---

1   Siehe oben S.88f.

288

wie auch inhaltliche Beziehungen bestehen. Möglich ist deshalb, daß auch 10,24-25 dem vor-dtr. Verfasser seine Entstehung und jetzige Stelle verdankt. Da aber die literarischen Beziehungen der Abschnitte mit anderen Teilen in Kap. 10 gleich verwickelt wie in Kap. 3 sind, sollte man sich zurückhalten, über die Provenienz von 10,24-25 ohne sichere Erkenntnis der Textzusammenhänge dieses ganzen Kapitels ein endgültiges Urteil zu fällen; der Personenname "Jakob" kommt nicht nur in 10,25b, sondern auch in V.16 wie in 5,20 vor.

b. Das literarische Verfahren

Unverkennbar wird die Arbeitsweise des vor-dtr. Verfassers durch die Angleichung an die ihm vorliegenden Texte geprägt. Er gestaltet seine eigenen Textabschnitte im Grunde genommen derart, daß er jeweils ihre Hälfte terminologisch wie gedanklich an die gegebenen Sprüche Jeremias stark angleicht, die andere Hälfte aber doch frei formuliert. Dadurch versucht er seinen eigenen Worten die Kontinuität mit den Sprüchen des Propheten zu verschaffen. Ein markantes Beispiel dieses Versuches findet man im Namenparallelismus: der Personenname "Israel", der wohl der eigentliche Adressat der jeremianischen Sprüche (2,14.26? 31; 3,20 usw.) war, wird nun vom vor-dtr. Verfasser in seinen Abschnitten in einen Parallelismus mit "Jakob" (2,5; 30,10;[2] 31,10f.) gebracht, um die beiden mit dem Zweck zu identifizieren, daß der Verfasser auf der einen Seite seine eigenen Worte an Jakob richten kann, auf der anderen Seite jedoch die Kontinuität mit den Sprüchen des Propheten nicht verlieren möchte. Der Parallelismus "Israel-Ephraim" am Ende des vor-dtr. Abschnittes 31,7-9, der seinerseits mit einem Anruf an Jakob einsetzt, zielt offenbar wiederum darauf, zuerst diese Personen zu identifizieren, dann die Kontinuität mit dem jeremianischen

---

2   Siehe oben S.155ff.

Abschnitt 31,2-6 zu schaffen, wo der Prophet Ephraim mit seinem Namen anredet. In diesen Beispielen bedient sich der Verfasser zweckmäßig der Mehrdeutigkeit des Namens "Israel".

Dieses Verfahren verlangt zugleich, den femininen Adressaten zu "maskulinisieren", den der vor-dtr. Verfasser aus den Sprüchen des Propheten, implizit oder explizit, in seine eigenen Worte aufnehmen wollte (2,2-3; 3,12; 31,13).[3] Abgesehen von den Einzelheiten ist eine schwache Tendenz zu erkennen, daß sich der vor-dtr. Verfasser an die Sprüche des Propheten lieber in der ersten als in der letzten Hälfte seiner eigenen Worte angleicht:

die vor-dtr. Abschnitte	die angeglichenen Teile	an die Sprüche Jeremias
2,2aγ - 4	V. 2	31,2 - 6[4]
6,16a + 17a	V.16a	V. 9 - 15[5]
30, 5 - 7	V. 5 - 6	6,22 - 26[6]
30,16 - 21	V.17	V.12 - 15[7]

Es fällt auf, daß der Verfasser seine Worte in Kap. 31 im Unterschied zu Kap. 2, 3, 6, 10 und 30 in dem Maße frei gestaltete, daß von seinem Angleichungsverfahren kaum mehr die Rede sein kann; der Verfasser hat in Kap. 31 nur einzelne Worte aus den jeremianischen Überlieferungen ab und zu in die eigenen Abschnitte aufgenommen, so daß in den vor-dtr. Worten dieses Kapitels das Sprachgut des Verfassers dominiert.

---

3   Siehe auch oben EXKURS 3.

4   Siehe oben S.146f.

5   Siehe die Wortstatistik oben auf S.238.

6   Siehe oben II. 2., bes. S.103-116.

7   Siehe oben S.122f.

c. Die Grundkonzeption

Das Hauptziel des vor-dtr. Verfassers ist es, an die Leute, die kollektiv "Jakob" (30,7) genannt werden, die Heilszusagen Jahwes, ihres Gottes, zu richten. Die Worte, die
dieser Verfasser gestaltete, weisen je nach ihrem Kontext
unterschiedliches Gepräge auf, zielen aber allesamt auf die
Heilsverkündigung an Jakob. Für den Verfasser kam ein Entwurf nicht in Frage, solche Heilsworte selbständig zu gestalten und umlaufen zu lassen. Vielmehr mußten seine Heilsworte nach der Meinung des vor-dtr. Verfassers durch die
Sprüche Jeremias irgendwie begründet werden. Folglich griff
der Verfasser in die Sammlungen der jeremianischen Sprüche
ein:
1. gestaltete er den Abschnitt 2,2aγ-4 und stellte ihn
vor den Anfang aller jeremianischen Überlieferungen 2,5ff.,
damit er alle darauffolgenden Gerichtsworte grundsätzlich
in den Grundton der Hoffnung umsetzen konnte.
2. griff der Verfasser durch die Gestaltung von 3,12aβ-
13bα und V.21-25 in den Übergangspunkt von der Sammlung der
Gerichtsworte 2,5-3,5 + 3,19-20 zum Gesamtgedicht vom
"Feind aus dem Norden" 4,5ff. ein, um klarzumachen, daß
sich Jahwe zeitlich vor dem feindlichen Angriff bereit erklärte, die Abtrünnigkeit Israels zu heilen und das Volk
zur Rückkehr aufzufordern mit dem Ergebnis, daß das Volk
bereit war, der Aufforderung nachzukommen. Damit wollte der
Verfasser unterstreichen, daß der Angriff des Feindes keinesfalls zum endgültigen Verwerfen Israels durch Jahwe führen könnte.
3. schien dem Verfasser der beabsichtigte Eindruck
von dem letzten Gedicht vom Feind aus dem Norden 6,23-26
trotzdem gefährdet, da hier das bevorstehende Gericht Jahwes als beispiellos grausam und konkret vorgestellt ist.[8]

---

8   Daß der Verfasser auf das Gedicht achtgibt, ist aus seinen
     Worten 30,5-7 zu entnehmen, siehe oben S.103ff.

Er fand es daher notwendig, vor dem Gedicht den Heilswillen Jahwes durch den Einschub von 6,16a und V.17a nochmals kundzugeben.

4. konnte der vor-dtr. Verfasser in den ihm vorliegenden Überlieferungen Jeremias keine Sprüche finden, die bestätigen, daß die angekündigte Katastrophe bereits eingetroffen ist. Das war ein Desiderat, das er nicht außer acht lassen konnte. Dem Verfasser, der literarisch arbeitete, schien es daher unerläßlich, die Verhängnisse, die eingetroffen waren, in der Weise wortwörtlich zum Ausdruck zu bringen, indem er es durch die Gestaltung von 10,19-20 versuchte.

5. formulierte der Verfasser den Anfang seines "Trostbüchleins" Kap. 30-31 in fester Anlehnung an das Ende des Gedichtes 6,22-26. Durch dieses Verfahren wollte er darauf hinweisen, daß der feindliche Angriff und die daraus resultierende Niederlage genauso erfolgten, wie es Jahwe durch den Propheten ankündigte. Hier entsteht der Eindruck, als ließe der vor-dtr. Verfasser die selbst formulierten Worte 10,19-20 unberücksichtigt, die unter all seinen eigenen Worten dem Anfang des "Trostbüchleins" am nächsten stehen. Daß der Verfasser in 30,5-7 auf 6,22-26 Bezug nimmt, entspricht aber genau dem Prinzip seiner Arbeitsweise, daß er nämlich nicht immer eigenständig formulierte, sondern jeremianische Überlieferungen aufnahm, als er die eigenen Worte gestaltete. Mit den Anfangsabschnitten 30,5-7 und V.10-11 erinnert der Verfasser an die Ursache der Notzeit und deklariert dann den Anbeginn der Heilszeit. Danach kam er in Kap. 31 schließlich dazu, einerseits aufgrund von drei Heilssprüchen Jeremias (V.2-6. 15-17. 18-20) die unveränderte Zuneigung Jahwes (V.2.20) sowie seinen Heilswillen (V. 16f.) zu Jakob (-Israel-Ephraim) zu versichern, andererseits mit seiner eigenen Feder die Freude und die Sicherheit der Rückkehr (V.7-9) wie auch die Wohlfahrt im Heimatland (V.10 -14) zu schildern. Mit all diesen Worten ist darauf abge-

zielt, die Landsleute, nicht zuletzt die Israelitinnen[9]
im Ausland, zur Rückkehr nach Juda aufzufordern (V.21).

Wie sollte man diese literarische Nacharbeit an den prophetischen Überlieferungen kennzeichnen? Betrachtet man die
vor-dtr. Worte in Kap. 2-10 jeweils für sich, so scheinen
sie einfache Zusätze bzw. Interpolationen zu sein. Aus dem
richtigen Verständnis der Konzeption des Verfassers ergibt
sich aber, daß diese Worte, wie entfernt sie auch immer
voneinander sein mögen, doch mit den übrigen vor-dtr. Worten in Kap. 30-31 fest verbunden sind und sich daher keinesfalls als Glosse bezeichnen lassen. Sie sollten besser
als Bestandteile einer literarischen "Schicht" gekennzeichnet werden. Gegen diese Kennzeichnung könnten deswegen Einwände aufkommen, weil einmal die angegebene Schicht mit allzu langen Unterbrechungen zuweilen stagnierte und zum
anderen die Konzeption, die dieser Schicht zugrunde liegen
sollte, sich nicht überzeugend deutlich darstellen lasse.
Man braucht gegen diese Einwände nur darauf hinzuweisen,
daß sich erstens der vor-dtr. Verfasser mit den vorliegenden Überlieferungen ernsthaft konfrontiert sehen mußte und
sich mit ihnen auseinandersetzen wollte, und daß zweitens
Kap. 30-31 einst den ersten Kapiteln des Buches viel näher
gestanden haben können.[10]

Angesichts dieser Erwägungen ist es erforderlich, den Sinn
und Gebrauch der Bezeichnung "Trostbüchlein" zu modifizieren:
Sie kann einerseits nicht mehr in dem Sinne gebraucht werden,
daß Jer 30-31 ebenso ein selbständiges Büchlein bilden würden wie einst z.B. Mowinckel mit der Kennzeichnung "Quelle D"
meinte. Andererseits stellen die vor-dtr. Worte in den beiden Kapiteln im Vergleich mit denjenigen in den anderen Ka-

---

9   Siehe oben EXKURS 4, bes. S.136f.
10   Siehe unten IV. 2. e.

piteln des Buches doch für sich eine einheitliche Größe
dar; der vor-dtr. Verfasser selbst gestaltete die meisten
Worte der beiden Kapitel und schuf somit auch das Gefüge
der Kapitel. Die wichtige Erkenntnis ist, daß gerade hier
in diesen Kapiteln der Heilsgedanke des vor-dtr. Verfassers
seinen Höhepunkt erreicht. Daher kann die Bezeichnung
"Trostbüchlein" o.ä., die ihren Ursprung im hebräischen
Wort ספר in 30,2 hat, nur in einem eingeschränkten Sinne
des Wortes weiter gebraucht werden.

Es läßt sich schließlich fragen, wie man das literarische
Verfahren des vor-dtr. Verfassers nennen sollte. Berücksichtigt man seine soeben genannte Grundabsicht, so würde die
Bezeichnung "Angleichung" selbstverständlich nur einen
Aspekt des Verfahrens betreffen, denn der Verfasser läßt
sich nicht nur mit denjenigen Sprüchen konfrontieren, an
welche er seine eigenen Worte angleichen wollte. Zugleich
stellt er sich latent aber auch den übrigen Sprüchen gegenüber, sofern sie in sein Blickfeld kommen. Nach der oben am
Ende des forschungsgeschichtlichen Überblickes versuchten
Schematisierung der methodischen Terminologie[11] dürfte man
die Arbeitsweise des vor-dtr. Verfassers im Unterschied zur
Redaktion und Komposition wohl Bearbeitung nennen. Auf der
einen Seite unterscheidet sich der vor-dtr. Verfasser vom
Redaktor darin, daß er in den ihm vorliegenden Überlieferungen keine solche Disparität zu finden scheint, die ihn in
Verwirrung bringen könnte, obwohl es solche Uneinheitlich-
keiten in der Tat gibt. Auf der anderen Seite unterscheidet
sich die Arbeitsweise des vor-dtr. Verfassers von einer Komposition, da sein Verfahren im wesentlichen nicht darauf
zielte, die Aussagegehalte der ihm vorliegenden Überlieferungen zu verändern. Vielmehr versuchte er, wie oben darge-

---

11   Siehe oben S.70ff.

294

legt, sein eigenes Zukunftsbild im Hinblick auf Jakob gerade durch diese Überlieferungen, nämlich durch die Sprüche Jeremias, zu begründen. Am wichtigsten ist in diesen
Zusammenhängen, daß sich der vor-dtr. Verfasser überhaupt
deswegen befugt sah, die Heilssprüche zu schaffen, weil
der Prophet selbst einst eine zukünftige Heilszeit angekündigt hatte (31,2-6.15-17.18-20). Diese drei Abschnitte
der jeremianischen Heilssprüche bildeten daher den Grund
und zugleich den Höhepunkt der literarischen Bearbeitung
des vor-dtr. Verfassers.

2. Auswertungen

a. Die Zeit und der Ort der vor-dtr. Bearbeitung

Der Verfasser und seine Zeitgenossen haben mit großer
Wahrscheinlichkeit eine bittere Niederlage erlebt und über-
lebt (3,24-25). Da in 30,17-18 von der Wiederherstellung
des Tempels auf dem Berg Zion die Rede ist, kann die Niederlage, die der Verfasser voraussetzt, wohl nicht die kurz-
fristige Kapitulation Jerusalems unter Jojachin im Jahre 597
v.Chr., sondern muß der Fall der Hauptstadt und der endgültige Zusammenbruch des Staates Juda im Jahre 587 sein, der
in der Entweihung des Tempels durch das babylonische Mili-
tär seinen Nullpunkt erreichte (2 Kön 25,9.13ff., vgl. auch
Jer 39,8). Diese Ereignisse bilden deshalb einen terminus a
quo für die vor-dtr. Bearbeitung der Sprüche Jeremias.
Einen terminus ad quem liefert die deuteronomistische Redaktion des Jeremiabuches im Sinne Thiels, die er "in den
Jahren um 550" ansetzt.[12] Für die Datierung der vor-dtr. Bearbeitung kommt somit wahrscheinlich die frühere Phase des
ersten Drittels des 6. Jh. in Frage.

---

12   Thiel (1981), S.114.

Unbekannt sind bestimmte Ereignisse innerhalb dieser soeb-
en genannten Jahrzehnte, die den vor-dtr. Verfasser möglicherweise erneut auf die Heilssprüche des Propheten verwiesen haben könnten, die ihn dann zur oben herausgestellten
Bearbeitung veranlaßten. Anzudeuten ist in diesem Zusammenhang, daß in den vor-dtr. Worten einmal keine düstere Ahnung von sich fortsetzenden bzw. wieder aufkommenden Schwierigkeiten begegnet, daß zum zweiten Jakob-Israel die Heilszeit und Wiederherstellung nahezu unbedingt zugesagt ist.
Daß der Enthusiasmus des vor-dtr. Verfassers deshalb noch
keine Enttäuschung erlebt hat, könnte vielleicht auf eine
ziemlich frühe Phase der exilischen Zeit hinweisen.

Der vor-dtr. Verfasser hat kein eindeutiges Zeichen dafür
hinterlassen, an welchem Ort er sich mit den Sprüchen Jeremias beschäftigte. Böhmer konnte deshalb aufgrund der "ge-
legentlichen Berührungen mit deuterojesajanischen Worten"
nur die Möglichkeit andeuten, daß die "nachjeremianischen",
nämlich vor-dtr. Worte, im Exilsland entstanden sind.[13] Gegen diese Möglichkeit kann wohl auch nicht die Annahme
sprechen, daß sowohl das deuteronomistische Geschichtswerk[14]
als auch das Jeremiabuch in seinem Grundbestand im Land Juda entstanden sein sollen. Man wird aber als Ort der vor-
dtr. Bearbeitung der Sprüche Jeremias auf das Land Juda hinweisen, weil es kaum vorstellbar ist, die Spruchsammlung
des Propheten habe bereits im obengenannten Zeitraum unter
den Exulanten zirkuliert. Ein unmittelbares sprachliches
Indiz, das auf das Land Juda als den Ort des Verfassers
schließen läßt, wäre wohl nur der Satz קהל גדול ישובו הֵנָּה

---

13 Böhmer, S.85.
14 M.Noth, Überlieferungsgeschichtliche Studien 1957, S.110, A.1
und z.B. auch Herrmann, Heilserwartungen, S.191.

(31,8b),[15] es sei denn, daß das letzte Wort הנה, wie oft angenommen, הִנֵּה "siehe" lauten und an den Anfang von V.9 angeschlossen werden sollte.[16]

   b. Die Verfasserschaft der vor-dtr. Worte

   Die soeben geäußerte Annahme von Zeit und Ort der vor-dtr.
Bearbeitung ließe vermuten, daß selbst der Prophet Jeremia
seine früheren Sprüche nachträglich so bearbeitet haben
könnte, wie oben dargestellt. Diese Möglichkeit wird aber
dann unwahrscheinlich, wenn man sich an den "resümierenden"
Charakter erinnert, den die vor-dtr. Heilsworte 3,12aβ-
13bα und V.21-25 beweisen; beim besagten Charakter der vor-
dtr. Worte handelte es sich oben um die Aufnahme der Worte
und Wendungen aus den Mahnungen in den jer. Unheilssprüchen
in 2,5-3,5.[17] Damit beabsichtigte der Verfasser z.B. in 3,
21-25 die jer. Mahnungen in seiner Weise zusammenzufassen
und sie in seine selbst zu formulierenden Heilsworte mit dem
Ziel zu integrieren, daß die Mahnungen die Leute zu denjenigen Sünden- und Rückkehrerklärungen führen, welche ihrerseits einen der Anlässe zur Heilszusage Jahwes bilden. Der
vor-dtr. Verfasser konnte also erst aufgrund der Autorität
jer. Sprüche und in Anlehnung an sie zu Wort kommen. Diese
abhängige Arbeitsweise spricht gegen die Vermutung, daß der
vor-dtr. Verfasser der Prophet Jeremia sei. Wenn Jeremia
der Verfasser gewesen wäre, könnte er die Heilsworte und somit auch das "Trostbüchlein" aufgrund seiner als Gottesge-

---

15   So bereits Hitzig wie auch Giesebrecht.

16   So z.B. Duhm. Rothstein, Volz und Nötscher, neuerdings auch
      Rudolph, Wambacq und Bright, ausnahmslos allerdings ohne Be-
      gründung. Die masoretische Lesart הנה ist aber durch ωδε in
      allen wichtigen griechischen Überlieferungen gesichert,
      siehe LXX.

17   Siehe oben S.186f. und 213f.

sandten eigenen Autorität viel freier gestaltet haben, so
daß er die Gerichtsworte 30,23-24, die mit kleinen Abweichungen in 23,19-20 vorkommen und deshalb ursprünglich anscheinend an die sog. "falschen Propheten" in Juda gerichtet wurden, nicht, wie es jetzt der Fall ist, in der Weise
aufgenommen hat, daß die Gerichtsworte an die auswärtigen
Feinde des Gottesvolkes gerichtet sind. Aus der Abhängigkeit von den jeremianischen Sprüchen einerseits und aus
dem Zitat seiner Sprüche in entgegengesetztem Sinne andererseits,[18] die beim vor-dtr. Verfasser beobachtet wurden,
läßt sich folgern, daß der Verfasser nicht der Prophet Jeremia ist.

  c. Der Adressat der vor-dtr. Worte

  Es läßt sich kaum erkennen, wo sich die Leute befinden,
die der vor-dtr. Verfasser anspricht, nur daß sie im Exil
sind (שבים 30,10aδ). Die Frage, ob der Verfasser durch den
Satz שם הפצותיך אשר בכל־הגוים (30,11bα-β) hier wirklich
mehrere Völker im Auge hat, die die Israeliten jeweils zer-
streut haben sollen, wäre deswegen nicht mit eindeutiger
Sicherheit zu beantworten, weil der zitierte Satz seine Vorlage in על־הגוים אשר לא־ידעוך .... (10,25aα-β) gehabt haben
kann. Da sich aber die beiden Sätze nicht vollständig miteinander decken, ist es doch wahrscheinlich, daß der Verfasser nicht unbedingt ein bestimmtes Exilsland meint, wo
sich sein Adressat aufhält. Auch 30,16-17a deutet wohl
nicht die Lebensverhältnisse der Golajuden in bestimmten Be-

---

18 Vielleicht würde man beanstanden, daß ein und derselbe Verfasser
    einmal in Abhängigkeit von den Sprüchen Jeremias arbeitete, daß
    er aber zum anderen eines seiner Sprüche in verkehrten Sinnzu-
    sammenhang einbeziehen konnte. Man braucht nur daran zu denken,
    daß die positive Zitierung jeremianischer Sprüche gerade die Ab-
    hängigkeit von Jeremia besagt. Für Änderungen in Aussagegehalt
    bzw. -richtung der Sprüche durch den vor-dtr. Verfasser findet
    man ein typisches Beispiel in jener "Maskulinisierung" der Worte
    des Propheten.

zirken in Babylon[19] an, die mehr oder weniger unter dem ge-
setzlichen Schutz der zuständigen Oberhoheit gewohnt haben
sollen,[20] sondern schildern eher die allgemeine Notlage und
Bedrängnis, die wiederholte Feldzüge hinterließen. Man sollte es deshalb nicht wagen, den Adressaten der vor-dtr. Worte
auf bestimmte Ortschaften zu beschränken. Vielmehr dürfte
man in diesem Zusammenhang im weitesten Sinne des Wortes an
das gesamte Israel denken, das also sowohl die Nachkommenschaft der Einwohner des ehemaligen Nordreiches Israel als
auch die ehemaligen Einwohner des Staates Juda sowie ihre
Nachkommenschaft einschließt, die sich unter Umständen in
der Zeit des Verfassers außerhalb des Landes Juda aufhielten. Es wird der Wahrscheinlichkeit gerecht, wenn man annimmt, daß sich Diffusionen der nominellen Angehörigen
des Jahweglaubens unter Fremdvölkern nicht nur anläßlich
der wiederholten Deportationen, sondern auch aus sozio-politischen wie ökologischen Gründen dauernd ereignen.[21] Man
kann wohl erst aufgrund dieser Annahme begreifen, warum der
vor-dtr. Verfasser in 31,10 wie folgt sagen konnte und mußte: "Höret das Wort Jahwes, ihr Völker, verkündet's den Ge-
staden in der Ferne ..., der Israel zerstreute, sammelt es
...".[22]

---

19   Vgl. auch Herrmann, Geschichte Israels, S.358f.

20   Vgl. Ez 17,13bβ hinsichtlich des Status der Deportierten des
      Jahres 598 wie Auslegung dazu durch Zimmerli, Ezechiel 1-24,
      BK XIII/1, zSt.

21   Vgl. Janssen, Juda in der Exilszeit, S.56.

22   Dieser Satz kann die jeremianischen Sprüche 2,10ff. spiegeln.
      Eine ähnliche Möglichkeit verstärkt sich bei 31,8, da der Paral-
      lelismus von צפון ארץ - מירכתי־ארץ auch in 6,22 vorkommt.
      Wenn auch 31,10 und V.8 jeweils durch Angleichung an die Sprü-
      che Jeremias formuliert wurden, ist es immerhin wichtig, daß sie
      der vor-dtr. Verfasser umgestaltet und in seinen eigenen litera-
      rischen Kontext einbezogen hat.

Nun läßt sich annehmen, daß dieses zerstreute und jetzt angerufene Gesamtisrael wohl durch den Namen 'Jakob' repräsentiert wird. Es kann sein, daß der vor-dtr. Verfasser den Namen 'Israel' nicht mehr gebrauchen wollte, weil er in der Katastrophe, in deren Schatten er sich zusammen mit seinen Zeitgenossen befand, das totale Auslöschen des alten Israel und somit den Anbruch einer neuen Ära sah. Möglich ist daher, daß der Verfasser für die sich nun aufs neue zu gestaltende Gemeinde den Namen 'Jakob' anwenden wollte, damit er auf die Diskontinuität, zugleich aber auch auf die Kontinuität der neuen Gemeinde mit dem aufgelösten Gottesvolk Israel hinweisen konnte. Selbstverständlich würde man nicht umsonst nach dem Sinn und der Bedeutung des Namens 'Jakob' traditionsgeschichtlich fragen. Es wäre aber hier viel wichtiger, die Gründe zu erwägen, warum der Name in der Exilszeit ausgerechnet in den Heilsworten Deuterojesajas und des vor-dtr. Verfassers wieder neu belebt wird. Man geht wohl nicht fehl in der Annahme, daß der Name Jakob es mit dem Ausblick in eine Neuordnung der Welt zu tun haben kann, die nach der Katastrophe und dem Zusammenbruch des Staatswesens Juda irgendwie zu erwarten war.

   d. Geschichtstheologische Aspekte der vor-dtr. Bearbei-
      tung

Die literarischen Engagements des vor-dtr. Verfassers sind durch zwei Grunddaten bestimmt, einmal durch die ihm vorliegenden Überlieferungen Jeremias, zum anderen durch den gerade erfolgten Zusammenbruch des Staates Juda und durch die damit entstandenen politisch-sozialen Neuordnungen des Landes. Lediglich diese facta und dicta konnten freilich die vor-dtr. Bearbeitungen nicht hervorrufen. Vielmehr müßte sich der Verfasser dafür verantwortlich gefühlt haben, die beiden Grunddaten von seinem eigenen Gesichtspunkt her zu interpretieren. Es versteht sich, daß man solche Interpreta-

mente, auf die unten eingegangen wird, von den vor-dtr.
Worten deswegen nicht ohne weiteres ablesen kann, weil sich
diese Worte, wie oben festgestellt, an die jer. Worte und
Wendungen, wenn auch nur teilweise, so doch entschieden angeglichen haben und sie folglich nicht in all ihren Be-
standteilen ihre Gedanken unmittelbar wiedergeben. Hinzukommt
auch die Schwierigkeit, die Probleme des Zeitalters genau
aufzufassen, die dem Verfasser gegenübergestanden haben,
da die politischen, sozialen und religiösen Verhältnisse
der Exilszeit wie diejenigen von gleich bewegten Perioden, je nach der Sicht sehr unterschiedlich dargestellt
werden können. Auch dies erschwert ein Vorverständnis des
vor-dtr. Verfassers.

Trotz dieser Schwierigkeiten ist doch mit Sicherheit zu
folgern, daß sich der Verfasser im Hinblick auf die Jahwe-
Israel-Beziehung für die שוב-Thematik interessiert (3,12.22;
31,8.21f.), die der Prophet Jeremia bereits aufgegriffen
hat (z.B. in 3,1.19; 5,3.6; 8,4-6; 31,16-18).[23] Es stellt
sich die Frage, inwieweit sich der Verfasser diese Thematik
angeeignet hat. Man kann zunächst folgendes konstatieren:
Bei Jeremia bedeutet der Stamm שוב räumliche Rückkehr als
solche lediglich im Fall von Heimkehr der "Söhne Rahels" aus
dem Feindesland (31,15f.). An den übrigen Stellen, wo der
Stamm vorkommt, steht aber seine räumliche Implikation mehr
oder weniger hinter der übertragenen Implikation von geisti-
ger Umkehr bzw. Abkehr zurück: In 3,1 und 8,4f. ist jeweils
zuerst von räumlicher Rückkehr (3,1a; das zweite שוב in 8,
4b) die Rede, um damit aber nur die geistige Implikation
des darauffolgenden שוב bildhaft auszudrücken (3,1b; 8,5b).
Sonst handelt es sich um die übertragene Implikation (Abkehr: 3,19; 5,6; 8,5a; Umkehr: 5,3; 31,18). Daraus ergibt
sich, daß שוב bei Jeremia in erster Linie in übertragenem
Sinne gebraucht worden ist, daß deshalb sein Gebrauch in

---

23   שוב   in 15,7 und 31,19a sind literarkritisch fragwürdig, siehe
      Kommentare.

ausschließlich räumlichem Sinne in 31,16f. in dem Maße
eine geringe Ausnahme bildet, daß der Abschnitt 31,15-17
als unbedingte Heilsankündigung in den gesamten jeremianischen Überlieferungen neben V.2-6 eine Ausnahme macht. Beim
vor-dtr. Verfasser sind aber die Implikationen des Stammes
שוב polarisiert: Einerseits kommt der Stamm als Verbalform
in 3,12 und 22 jeweils in fester Verbindung mit seinen De-
rivativa (משבה V.12; שובבים , משבה V.22) vor, die Abtrünnigkeit bedeuten. Andererseits tritt die räumliche Implikation
des Wortes in den Vordergrund, wenn es der Verfasser in
31,8 und V.21[24] gebraucht. Obwohl השובבה (הבת) in 31,22 wie
in 3,22 eine Abtrünnigkeit impliziert, ist diese Implikation nicht nur hier völlig isoliert, sondern auch durch das
unmittelbar vorangehende Verbum תתחמקין ("sich auf dem Weg
hin und herwenden")[25] unbestritten mehr oder weniger in den
Sinnbereich der Räumlichkeit zurückgeschoben.[26] Es scheint
deshalb nahezuliegen, daß sich der vor-dtr. Verfasser im
Hinblick auf die שוב-Thematik einerseits in Kap. 3 dem Propheten Jeremia näherte, daß er aber andererseits im "Trostbüchlein" in Kap. 30-31, in dessen Gestaltung seine ganze
Arbeit kulminiert, die Thematik nach seinem Anliegen hin mit
dem Ergebnis umgestaltete, daß שוב nun Grundwort für die
Rückkehr ins ehemalige Land und Wiederherstellung des Gottesvolkes auf dem Land (30,18) geworden ist.

---

24   Siehe oben S.194.

25   Siehe oben S.192, A.131.

26   Möglich ist, daß sich der Verfasser hier bemüht, die Wortverbin-
      dung הבת השובבה , die ans jeremianische Sprachgut erinnert, zu-
      erst in seiner eigenen Sprucheinheit aufzunehmen oder sie selber
      zu gestalten, ihre Implikation erst dann durch תתחמקין in den räum-
      lichen Bereich umzusetzen, damit der Verfasser auch im letzten Teil
      seines "Trostbüchleins" die Kontinuität zum Sprachgut des Prophe-
      ten bewahren kann.

Aus dieser Verschiebung der Implikation des Wortes
durch den vor-dtr. Verfasser läßt sich schließen, daß er
sich die שוב-Thematik wohl als eine ernsthafte Problematik
für das Gottesvolk angeeignet hat. Berücksichtigt man nun
zum einen, daß dem Propheten Jeremia das שוב, also die Umkehr des Volkes zu Jahwe in 3,1-5[27] unmöglich scheint, zum
zweiten, daß sich der Verfasser bei Gestaltung von 3,12aβ-
13bα besonders für diesen Spruch Jeremias 3,1-5 interessiert zeigt,[28] so fällt auf, daß der Verfasser in 3,22b-25
jedoch dem Volk ohne weiteres das Sündenbekenntnis und Um-
kehrmanifest in den Mund legte. Diese Stellungnahme des
Verfassers zur שוב-Problematik des Propheten könnte darauf
zurückgeführt werden, daß die erwarteten Adressaten des
"Trostbüchleins" von der Katastrophe von 587 getroffen wurden; der Verfasser erblickte dann nämlich in diesem Ereignis den Sinn der gesetzmäßigen Züchtigung Israels durch
Jahwe (ויסרתיך למשפט 30,11b), die die Vorbedingung zur
Rückkehr und Wiederherstellung des Volkes erfüllt haben
soll. Wenn man sich aber in diesem Zusammenhang weiterhin
an die Feststellung Jeremias erinnert, daß Israel die Züchtigung nicht hinnehmen wollte, obwohl Jahwe seine Söhne
schlug (2,30), so läßt sich fragen, inwieweit oder ob überhaupt der vor-dtr. Verfasser sicher war, daß seine Adressaten durch die Katastrophe endgültig gezüchtigt seien.
Ferner läßt sich fragen, ob der Verfasser überzeugt war,
daß es sich auch diesmal nicht um das Lippenbekenntnis hand-
le, wie es früher üblich gewesen war (2,27b und vielleicht
auch 3,4f.). Freilich wäre anzunehmen, daß das Ereignis unerhört einschneidend und schwerwiegend war, so daß man in
ihm einen Sinn des totalen Ausgleichs der gehäuften Schuld
des Volkes ablesen konnte. Solche Herleitung des annähernd
unbedingten Gehorsams des Volkes und der uneingeschränkten

---

27   Vgl. auch 13,24; 22,21.
28   Siehe oben S.165ff.

Heilszusage Jahwes in den vor-dtr. Worten ist aber nicht
ohne weiteres sachgemäß, wenn man als Nebenbeispiel den
Gedanken der Deuteronomisten angibt, die zwar das schwere
Schicksal vom Jahre 587 sicherlich mit dem vor-dtr. Verfasser teilten, die aber doch zu einer sozusagen "bedingten
Soteriologie" gelangten.[29] Dieser Unterschied zwischen den
Deuteronomisten und dem vor-dtr. Verfasser scheint wohl
nicht einfach dadurch erklärt werden zu können, daß der
letztere gegenüber dem ersten nach der Katastrophe früher
wirkte, so daß für ihn der Eindruck des vernichtenden Ereig-
nisses viel bleibender gewesen wäre.

Man müßte hier nach möglichen Denkbemühungen des Verfassers fragen, die seine literarische Arbeit wesentlich bestimmt haben dürften. Ist doch herausgestellt, daß der Verfasser in Kap. 31 einseitig die räumliche Implikation des
Stammes שוב entfaltete, daß er ihn dadurch zu einem Stichwort für seine Heilsbotschaft gemacht hat, so läßt sich nun
fragen, warum er derart arbeiten konnte und mußte. Nimmt man,
wie oben angedeutet, an, daß der Verfasser seine eigenen
Heilsworte wesentlich deswegen gestalten konnte, weil selbst
der Prophet zumindest drei Abschnitte der Heilssprüche hin-
terließ (31,2-6.15-17 und V.18-22), so muß man die Antwort auf
die Frage in diesen Abschnitten gesucht werden. Der Verfasser konnte in der Katastrophe eine aufgenommene, somit bewirk-
te Züchtigung (יסר) durch Jahwe, zum anderen in den nun veränderten innen- und weltpolitischen Lagen eine erfüllte Grund-
bedingung zur Rückkehr (שוב) der auswärts zerstreuten Israeliten deswegen ablesen, weil der Prophet in den drei oben
genannten Heilssprüchen das genau Entsprechende vorhersag-
te: Die Leute, die durch den Propheten mit "Söhnen Rahels"
verglichen werden (31,15), sollen sich zur Zeit im Feindesland aufhalten (V.15), in der Zukunft aber in ihr eigenes
Gebiet zurückkehren (שוב V.17, auch in V.16); Ephraim, der

---

29   Vgl. die dtr. Vorliebe für "Alternativen" im Sinne von Thiel
      (1973), S.301 und auch Jer 4,4 (dtr.).

hier die Söhne Rahels repräsentiert,[30] fleht zu Jahwe, be-
kehrt zu werden (V.18), nachdem Ephraim die Züchtigung
(יסר) Jahwes annahm (V.19). Jahwe verheißt den Leuten die
Wiederherstellung in ihrem eigenen Land (V.4-6).[31] Eine
Schwierigkeit, die der vor-dtr. Verfasser bei Anwendung
dieser Sprüche Jeremias auf die seinerzeitige Sachlage gefunden haben könnte, würde nur darin liegen, daß die Sprüche nicht an die Bewohner Judas, die anscheind den Hauptteil der Adressaten der vor-dtr. Worte bildeten, sondern, wie
aus den Eigennamen "Samaria" (31,5), "Ephraim"(V.6. 18.20) geschlossen wird,[32] ursprünglich wohl ausschließlich an die
-seien es derzeitige oder ehemalige- Bewohner des Nordreiches Israel gerichtet wurden.[33] Es hat aber den Anschein,
als ob dem vor-dtr. Verfasser im Hinblick auf die Adressaten seines "Trostbüchleins" weniger ein Unterschied zwischen
Judäern und Israeliten, als vielmehr das fiktive gemeinsame
Schicksal maßgebend war: sowohl die Adressaten jener Heilssprüche Jeremias als auch die erwarteten Empfänger des
"Trostbüchleins" haben gleichermaßen die Katastrophe über-
lebt (31,2 jer.; 31,16 jer.; 31,10 vor-dtr.).[34]

Ist die soeben bedachte Unterschiedlichkeit hinsichtlich
der Adressaten aber in der Tat in 31,7-9 durch die beabsichtigte Gleichsetzung Ephraims mit Jakob-Israel[35] aufgehoben,
so handelte es sich beim Verfasser allerdings allem Anschein
nach nicht einfach darum, in seinem "Trostbüchlein" äußer-

---

30   Vgl. M.Noth, Das System der zwölf Stämme Israels, 1966, S.15

31   Vgl. auch Janssen, Exilszeit, S.116.

32   Hertzberg, Nordreich Israel, S.93f.

33   Vgl. auch oben S.130, A.71.

34   Vgl. oben IV.2.c., bes. S.298, wo davon die Rede ist, daß der
     vor-dtr. Verfasser in 30,11 wahrscheinlich mehrere feindliche
     Völker unterschiedslos im Auge hält, die das Gottesvolk zer-
     streut haben.

35   Siehe oben S.155ff.

lich einheitliche Textzusammenhänge zu schaffen. Man sollte diese Identifikation durch den Verfasser eher von einer
seiner geschichtstheologischen Konsequenzen herleiten, die
er aus der Wirklichkeit gezogen hat, wie er sie betrachte-
te: Es liegt anscheinend nahe, daß der vor-dtr. Verfasser
die vermutlich herkömmliche Thematik der Wiedervereinigung
des Volkes Israel mit Juda[36] nicht aufgegriffen hat. Angesichts dessen, daß an den mittel- bzw. spätexilischen Stellen wie Ez 37,15-23[37] oder Jer 50f.[38] Israel und Juda als
zwei geschichtlich selbständige Volkswesen[39] betrachtet
werden, daß jedoch dort eine Wiedervereinigung von Israel
und Juda verheißen wird, fällt es auf, daß der vor-dtr.
Verfasser nicht diesem Thema der Wiedervereinigung des ge-
teilten Volkes, sondern ausschließlich der Erwartung der
Wiederherstellung des auswärts zerstreuten Volkes um den Zion herum und seiner dafür vorausgesetzten Heimkehr seine
Aufmerksamkeit schenkt. Dies ist der Kontext, in dem es auf
die שוב -Thematik in räumlicher Implikatiom ankommt. Man
sollte daher nach dem möglichen Hintergrund dieser eigenartigen Denkrichtung des Verfassers fragen.

---

36   Vgl. z.B. Hos 2,1-3. Wolff, BK XIV/1, zSt., setzt sich für die
     hoseanische Herkunft dieses Abschnittes ein.

37   Darüber, daß Joseph in V.16.19 das Nordreich Israel bedeutet,
     siehe Zimmerli, BK XIII, zSt. Die Zeichenhandlungen mit den zwei
     Stäben erweckt bei Zimmerli (aaO. S.908) den Eindruck, "daß die
     Handlung, die reflektierend auf einen in Palästina nach 587 so
     nicht mehr aktuellen Stand der Dinge zurückgreift,ihren Entste-
     hungsort in einem gewissen zeitlichen und räumlichen Abstand vor
     der Zerstörung Jerusalems hat."

38   50,33; 51,5, vgl. auch BHS, App. zu 50,4. Nach Rudolph sind die
     beiden Kapitel zwischen 550 und 538 v.Chr. entstanden.

39   In Ez 37,22 (שתי ממלכות//לשני גוים , לגוי אחד) sind Israel
     (hier Joseph) und Juda als politisch-geschichtlich geteilte Völ-
     ker vorausgesetzt, vgl. auch Zimmerli, BK XIII zSt. und D.Vetter,
     Art עם / גוי , in ThAT I,Sp.316f. Es liegt auf der Hand, daß auch
     in Jer 3,6-11 Israel und Juda miteinander kontrastiert sind.

Wichtig ist in dieser Hinsicht die Geschichtsbetrachtung
des vor-dtr. Verfassers, die sich in seinen Worten zeigt:
Er scheint sich bemüht zu haben, die Geschichte, die seine
Volksgenossen erlebt haben, möglichst grundsätzlich zu
betrachten und zu deuten. Diese Stellungnahme zur eigenen
Geschichte spiegelt sich wohl darin wider, daß er vor der
Spruchsammlung des Propheten Jeremia 2,5ff. seine eigenen
Worte V.2aγ-4 vorangestellt hat, in denen er mittels נעוריך
in V.2 auf den Anfang und somit den Grund der Geschichte des
Gottesvolkes verweist.[40] Das Wort נעורים ("Jugend(-zeit)")
läßt sich als Grundbegriff für die Geschichtsbetrachtung des
Verfassers um so deutlicher kennzeichnen, als es sich in 3,
25a in Verbindung mit מן ("von ... an") als מנעורינו ("von
unsrer Jugendzeit an") formulieren läßt.[41] Diese Akzentua-
tion läßt als Gegenstück von מנעורינו sofort עד־היום הזה
("bis auf diesen Tag" 3,25a) auftauchen, so daß ein Schema
der Geschichtsbetrachtung des Verfassers sichtbar wird:
"Vom Anfang bis jetzt". Dieses Denkschema läßt sich in den
Aufforderungen in 6,16a erkennen: "fragt nach den Pfaden der
Vorzeit (לנתבות עולם)... und geht auf ihm." Das Wort עולם
bedeutet nicht einfach eine Zeit in der Vergangenheit, sondern verweist als "Extrembegriff" auf eine "fernste Zeit".[42]
Hier rät Gott dem Volk also zuerst zur Rückbesinnung auf den
Weg, der bis auf die uralte Zeit zurückführt, und fordert
dann zur Entscheidung auf, diesen Weg jetzt einzuschlagen.

---

40 Die Erwähnung der Herausführung Israels aus Ägypten sowie seiner
    Führung durch das Wüstenland im jeremianischen Spruch 2,6 haben
    anscheinend unmittelbar nichts mit den Formulierungen der vor-dtr.
    Worte V.2aγ-4 zu tun, siehe oben auf S.139ff. die Erörterungen,
    die einleuchtend gemacht haben, daß V.2aγ-4 hauptsächlich in An-
    lehnung an die Sprüche Jeremias 31,2-6 und anscheinend auch 2,17-
    25 sowie V.32-37 gestaltet wurden.

41 Siehe über die Nachträglichkeit von מנעודינו in V.24a oben
    EXKURS 5.

42 Jenni, Art. עולם , THAT II, Sp.230.

Da es sich bei diesem zeitlichen Schema anscheinend um
eine Wesensauffassung der betreffenden Vergangenheit handelt, versteht es sich, daß in dieser gründlichen Perspektive eine Unterscheidung zwischen Judäern und Israeliten
als Adressaten des Verfassers unterbleibt.[43]

Unbeantwortet bleibt die Frage, inwieweit die "Wege" in
den vor-dtr. Heilsworten metaphorisch verstanden werden. Zur
Beantwortung dieser Frage ist wiederum 6,16a heranzuziehen,
wo der Parallelismus דרך // נתבות vorkommt. Das Nebenbeispiel
דרך // מסלה (31,21a, vor-dtr.) beweist, daß man diese Worte
hinsichtlich der gestellten Frage ohne besondere Unterschei-
dungen in Betracht ziehen kann. Es fragt sich, ob der Ausdruck "Pfade der Vorzeit" in 6,16a nicht bildhaft, sondern
konkret verstanden werden könnte. Der ähnlich aufgebaute
Ausdruck שבלי עולם (18,15b, ebenfalls im Parallelismus mit
דרכים) ist aufschlußreich; hier handelt es sich wahrscheinlich um eine Metapher derjenigen Missetat des Volkes, auf
die durch die vorangehenden Vorwürfe ("Mein Volk hat mich
vergessen, dem Nichtigen opfern sie", V.15a) konkret verwiesen ist, denn die beiden Umstände in V.15a einerseits
und in V.15b andererseits lassen sich sehr schwer als zwei
andere, wenn auch nicht ganz unterschiedliche Tatsachen verstehen. Die formale Analogie läßt die Interpretation zu,
daß auch die "Pfade der Vorzeit" in 6,16a in erster Linie
metaphorisch zu verstehen sind. Auch dem oben besprochenen Sinn des Wortes עולם als "fernste Zeit" entspricht
dieses Verständnis besser. Das Wort schließt die Vorstellung von "Dauer" bzw. "Ewigkeit" ein.[44] Wenn mit den betreffenden "Pfaden der Vorzeit" wirklich konkrete Wege ge-

---

43 Dies kontrastiert z.B. zu der polarisierenden Sicht der "gola-
    orientierten Redaktion" im Sinne von Pohlmann, die "die Vorrang-
    stellung der babylonischen Gola" im Gegensatz zu den im Lande
    Zurückgebliebenen unterstreichen sollte, siehe oben S.65ff.

44 Jenni, aaSt.

meint wären, müßten sie als diejenigen, die von der uralten
Zeit bis jetzt bestanden haben, wahrscheinlich allgemein bekannt sein, so daß man <u>danach</u> nicht eigens zu <u>fragen</u> (6,16aγ)
braucht. Dagegen scheinen die "Wege" in 31,9a (דרך ישר)
und in V.21a (למסלה, דרך) konkret gemeint zu sein: "ein
ebener Weg" (V.9a) ist dem Kontext nach eindeutig eine
Marschroute, auf der Jahwe sein Volk "hierher" (V.8) zurückführt. Ebenso sind die "Straße" und der "Weg" (V.21a) offenbar ein konkreter Weg, der die Jungfrau Israel zu ihren
"Städten" (V.21b) zurückleitet.[45] Die bisherigen Beobachtungen lassen sich mit der Feststellung abschließen, daß die
"Wege" in den vor-dtr. Heilsworten in erster Linie nicht metaphorisch, sondern konkret gemeint sind, wobei die Vorstellung von den "Pfaden der Vorzeit" in 6,16a eine Ausnahme
bildet. Sie spricht jedoch nicht gegen die vor-dtr. Verfasserschaft dieser Stelle, sondern bezeugt eher eine obener-
mittelte Betrachtungsweise der Geschichte seines Volkes, die
mit dem Schema "vom Anfang bis jetzt" gekennzeichnet wird.

Nun wird aus dieser eigentümlichen Gründlichkeit in der
Geschichtsbetrachtung des vor-dtr. Verfassers vermutlich
auch ein wesentlicher Charakterzug seiner unbedingten Heilszusage richtig verstanden; denn eine Geschichtsbetrachtung
bringt explizit oder implizit immer ein Zukunftsbild mit
sich. Da sich der Verfasser mittels des Ausdrucks zeitlicher
Kategorie "vom Anfang bis jetzt" wohl mit der Wesensauffassung der Geschichte Gesamtisraels beschäftigt, besteht eine
Möglichkeit, daß der Verfasser die ganze Strecke der Zukunft
auf einmal in sein Blickfeld aufgenommen hat, wobei er auf
eine zeitliche Abstufung der geschichtlichen Abläufe ver-
zichtete [46] und ihre wesenhafte Umwandlung durch Jahwe

---

45 Siehe auch oben S.136f.

46 Vgl. in diesem Zusammenhang J.Pedersen, Israel I-II, S.489:
"The colourless idea of 'hour', measuring time in a purely
quantitative way, is far from the old Israelitic conception."
Des weiteren S.490: "That which characterizes the Israelitic
conception of time is, thus, not so much the distances as the

in Gegenüberstellung zur gesamten Schuldgeschichte des Gottesvolkes erwartet hat. Eine derartige Zukunftsauffassung
des Verfassers scheint auch der rätselhafte Spruch zu indi-
zieren:

"Und sein Herrscher soll aus seiner Mitte hervorgehen,
und ich will ihm Zutritt geben, daß er sich mir nahen
darf, denn wer sonst wollte sein Leben dranwagen, mir
zu nahen? - Spruch Jahwes" (30,21f.)

H.-J.Kraus versucht, diese Worte, die nach ihm jeremianischer Herkunft sein sollen, im Zusammenhang mit einem staat-
lichen "Bundeserneuerungskultus" zu der Zeit des Königs Josia zu verstehen: Der zu erwartende "Herrscher", den Jeremia
hier bespricht, soll nach der Gestalt eines "Bundesmittlers"
gedacht sein, dessen Rolle im wirklichen Kult die Könige ge-
spielt haben. Obwohl Kraus richtig bemerkt, daß der Herrscher
hier nicht als König genannt ist und er den Sachverhalt so
versteht, daß der Titel König "wohl absichtlich vermieden"
wird,[47] bleibt dabei die angenommene Absicht unerklärt. Immerhin konnte sich Kraus der folgenden Auslegung der Worte
nicht enthalten: "Die messianische Verheißung in Jer 31,22
aber sagt an, daß der Heilskönig der Zukunft diesen letzten
Zugang zu Jahwe empfangen wird."[48] Auf solch einen ungewöhn-
lichen Charakter dieser Person weist vor allem die rhetorische Frage am Ende der Worte (V.22b) hin, weil sie offenbar
einen wirklichen Todesfall wegen eines Zutritts zu Gott po-
stuliert, jedoch die Vorstellung eines solchen Todes im AT
im Vergleich mit dem Sterben wegen des Anblickes des Heili-
gen (z.B. Num 4,19f.) eigenartig ist und sich nicht ohne

---

substance and context of the events. The conceptions of time and
space are uniform; in both cases it is the question of wholes
which are not sharply outlined, but determined by their charac-
ter and quality."

47   H.-J.Kraus, Gottesdienst in Israel, 1962, S.233.

48   Kraus, aaO.S.233. Hervorhebung von mir.

weiteres aus dem kultischen Bereich herleiten läßt. Diesen
Sachverhalt deutet auch der zuletzt zitierte Satz von Kraus
an. Wenn die Erörterungen soweit richtig sind, liegt der
Schluß nahe, daß der vor-dtr. Verfasser in seinem "Trostbüchlein" eine Zukunft der von Jahwes Heilstaten umgewan-
delten Ordnung bereits vor sich sieht, die weder Ungehor-
sam noch Sünden der Menschen umwenden können. Allein diese Zukunftsvorstellung des Verfassers, die sich "eschatologisch" nennen lassen kann, kann sowohl die obenbesprochene
underschiedslose Heimkehraufforderung an das Gottesvolk aus
der Ferne als auch die fast unbedingte Heilszusage Jahwes
zu dem Volk verständlich machen. Es erübrigt sich zu bemerken, daß die Kennzeichnung "eschatologisch" hier weder eine
Ordnung nach einem Abschluß der Geschichte noch über die
Geschichte hinaus bedeutet, sondern eine von Gott erbrachte
Neuordnung dieser wirklichen Welt,[49] wie sie im AT im Grunde
schon erwartet wird. Der vor-dtr. Verfasser ist schließlich
auf der einen Seite in dem Sinne Vorläufer der Deuteronomisten, daß er Interpret der religiösen Überlieferungen unter
dem nachhaltigen Druck der Katastrophe von 587 war, auf der
anderen Seite aber mit der soeben erörterten Geschichtstheo-
logie verbunden war; denn vom Propheten Jeremia erbten die
Deuteronomisten vornehmlich seine Gerichtsworte, während von
ihm der vor-dtr. Verfasser die unbedingte Heilszusage Jahwes übernommen hat, um sie der kommenden Generation zu vermit-
teln.

e. Hinweise auf mögliche Reihenfolge der Überlieferungen
   in einem früheren Stadium der Entstehungsgeschichte
   des Jeremiabuches

Zum Schluß sollte auch davon die Rede sein, was sich aus
den bisherigen Beobachtungen über die vor-dtr. Bearbeitungen

---

49   Vgl. geographische Erwähnungen in 30,18; 31,9.21. Der Versteil
      31,22bα "Denn Jahwe schafft etwas Neues im Land" wird in diesem
      Zusammenhang herangezogen, wenn er vom vor-dtr. Verfasser her-
      rührt, vgl. aber oben EXKURS 4.

nun im Hinblick auf die Entstehungsgeschichte des Jeremiabuches ergibt. Die neueren Untersuchungen Thiels, Wankes
und Pohlmanns haben die letzten Phasen der Entstehungsgeschichte des Buches nicht wenig aufgehellt, während dagegen ihre früheren Phasen im Grunde noch im dunkeln bleiben.
Zur Erhellung dieser unerklärten Vorgänge dienen die soweit
gewonnenen Erkenntnisse der vor-dtr. Bearbeitungen der jeremianischen Überlieferungen, da diese Bearbeitungen zeitlich
früher als die dtr. sind, da sich zudem die beiden voneinander gut unterscheiden lassen.[50]

Freilich kann man sich nicht genau darüber informieren,
wie weit der vor-dtr. Verfasser in den jeremianischen Überlieferungen bewandert war. Doch lassen sich, wie oben ermittelt, aus seinen Bearbeitungen an sich die jeremianischen
Überlieferungen erschließen, die er sich angeeignet hat. Abgesehen von den Sprüchen Jeremias in Kap. 30-31, die dem
Verfasser sicherlich vorlagen, belaufen sich die anderen
Überlieferungen, auf deren Basis oder in Berücksichtigung
derer der Verfasser seine Worte gestaltete, auf 2,5-3,5;
6,9-15. 20-21 und V.22-26.[51] Dieser Sachverhalt besagt,
daß der vor-dtr. Verfasser, abgesehen von den Sprüchen Jeremias, deren sich der Verfasser bei Konzipierung seines
"Trostbüchleins" Kap. 30-31 bediente, sich nur die Sprüche
Jeremias in 2,5-10,18* angeeignet hat. Wenn man im MT aber
den großen Abstand zwischen diesen ersten Kapiteln und Kap.
30-31 bedenkt, scheint die Annahme nahezuliegen, daß Kap.
30-31 auf einer Phase der Entstehungsgeschichte des Buches
unmittelbar auf Kap. 2-10* in ihren früheren Schichten gefolgt sein können, und zwar in dem Sinne, daß der vor-dtr.
Verfasser sein "Trostbüchlein" auf die ihm vorliegenden
Spruchsammlungen Kap. 2-10* unmittelbar folgen ließ. Für
diese Annahme ehemaliger Selbständigkeit der Kap. 2-10*
spricht wohl auch, daß Kap. 11-20 vor der deuteronomisti-

---

50   Vgl. auch Böhmer 85.

51   Siehe im Hinblick auf 2,5-3,5 oben III.1-3., auf 6,9-15. 20-21
      oben III.4. und auf 6,22-26 oben II.2.

schen Redaktion viel kürzer als im MT sind,[52] daß zum zweiten die Deuteronomisten in die ihnen vorliegenden Überlieferungen gerade nach Kap. 10, nämlich in 11,1-17 so in weitem Ausmaß eingegriffen haben,[53] wie sie in Kap. 7 die Überlieferung nach ihren Vorstellungen gestalteten. Es ist
folglich durchaus möglich, daß der vor-dtr. Verfasser sein
"Trostbüchlein" in die ihm vorliegenden Überlieferungen
nicht eingeschaltet, sondern es dem Schlußteil des Blocks
hinzugefügt und gleichzeitig an den Anfang des Überliefe-
rungsblocks seine Ankündigung 2,2aγ-4 angeschlossen hat.
Dieser angenommene Sachverhalt ändert sich im Grunde nicht,
wenn auch das Textstück 10,24f. vor-dtr. Herkunft ist. Aufmerksamkeit erregt auch, daß sich der vor-dtr. Verfasser
nicht für die Prosatexte, sondern in erster Linie für die
poetisch formulierten bzw. poetisch gefärbten Texte interessierte. Dies weist darauf hin, daß die letzteren Texte
frühere Schichten der Überlieferung darzustellen scheinen.
Etwas weiteres zu sagen, wäre beim jetzigen Stand der Er-
forschung des Buches reine Vermutung.

---

52 Vgl. Wanke, Baruchschrift, 150, der die Einschaltung der sog.
Konfessionen in die andersartigen Texte einer späteren Phase
der Entstehungsgeschichte des Buches zuschreibt, und zwar
frühestens, nachdem Kap. 1-20 und 25 + 46-51 vereinigt waren.
Die Kap. 11-20 wären um so kürzer, wenn die Meinung Vermeylens,
Essai de Redaktionsgeschichte des Confessions de Jérémie ,
BETL 54, 1981, 239-270, bes. 269, zutreffend ist; er führt die
Gestaltung der gesamten Konfessionen, abgesehen von einem
Spruch Jeremias 12,4-5 (ohne V.4bβ, aaO. S.244-247), auf die
"interprétation du message et de la personne de Jérémie" zurück, die "des développements successifs" in der nachexilischen Gemeinde des 5. und 4. Jhts erkennen lasse. Diese These
Vermeylens beruft sich aber, soweit sein Aufsatz zeigt, im
Grunde auf die Analyse der Texte von 11,18-12,6; er legt in bezug auf die anderen Konfessionen nur die Ergebnisse der Analyse vor. Man sollte sich deshalb vor einem endgültigen Urteil
über seine These zurückhalten.

53 Siehe Thiel, (1973), S.156f.

ANHANG Die handschriftlichen Korrigenda, die S. Mowinckel
zu den gedruckten Berichtigungen seiner Abhandlung,
Zur Komposition des Buches Jeremia 1914, S. 68, hin-
zufügte. Ich verdanke sie einem freundlichen Hinweis
von Prof. M. Sekine, der mir ein Exemplar mit den genannten Korrigenda zur Verfügung stellte (siehe Näheres oben S. 6, A. 16).

Berichtigungen.

S. 4, Z. 17 v. o. statt „Untersuchung" l. „Unterscheidung".
S. 4, Z. 16 v. u. „aus einen Guß" l. „aus einem Gusse".
S. 6, Z. 4 v. o. l. „dieselben formellen und stilistischen".
S. 8, Z. 11 v. o. „sonst" l. „den".
S. 9, Z. 16 v. o. l. „Zusammenstoß mit dem Nabi H."
S. 14, Z. 4 v. o. „Kap. 28—43" l. „Kap. 28. 43".
S. 16, Z. 14 v. u. l. „Jes. 21,1—11 und 13—14".

S. 6, Z. 12 v. ü. 43,27f l. 46,27f.

S. 8, Z. 7 v. ü. Kap. 17 l. Kap. 7.

S. 13, Z. 9 v. ü. Kap. 32 l. Kap. 36.

S. 15, Z. 20 v. o. Kapitel 48 l. Kapitel 45.

S. 25, Z. 19 v. ü.

S. 27, Z. 18 v. ü. } Jojakim l. Jojakin.

S. 29, Z. 16 v. o.

S. 47, Z. 15 v. ü. } 30,3 l. 30,4.

S. 47, Z. 7 v. ü.

S. 48, Z. 15 v. ü. 26,6aa l. 22,6aa.
S. 22, Z. 20 v. o. l. „scheint also 21,4a".
S. 17, Z. 18 v. o. l. II Kg 25, 8ff.
S. 36, Z. 20 v. ü. Dtn 4, 16 l. Dtn 4, 20.
S. 38, Z. 1 v. ü. 23,5 l. 25,5.
S. 41, Z. 10 v. ü. 11—19 l. 10—14.
S. 41, Z. 4 v. u. 11—15 l. 10—15.
S. 49, Z. 20 v. u. l. 19,2b—9.

Gedruckt 7. August 1914.

S. 58, Z. 1 v. o. 11,1—17 l. 11,1—14.
S. 59, Z. 20 v. o. 2,12—16 l. 27,12—16.
S. 60, Z. 11 v. o. 13—17 l. 13,17.
S. 65, Z. 5 v. ü. l. Jes 15.

314

a) Kommentare

AB	The Anchor Bible, Garden City, N.Y.
ATD	Das Alte Testament Deutsch, Göttingen
BC	Biblischer Commentar über das AT, Leipzig
BK	Biblischer Kommentar, AT, Neukirchen
BOT	De Boeken van het Oude Testament, Roermond/Maaseik
CAT	Commentaire de l'Ancien Testament, Neuchâtel
CamB	The Cambridge Bible for Schools and Colleges, London
CBC	The Cambridge Bible Commentary, Cambridge
EAT	Erläuterungen zum AT, Stuttgart
EK	Einzelkommentar
EtBi	Etudes Bibliques, Paris
HAT	Handbuch zum AT, Tübingen
HK	Handkommentar zum AT, Göttingen
HS	Die Heilige Schrift des AT, Bonn
HSAT	Die Heilige Schrift des AT (Kautzsch), Tübingen, 1909, 3. Aufl.
IB	The Interpreter's Bible, New York, Nashville (Tenn.)
ICC	The International Critical Commentary, Edinburgh
Jerus-B	La sainte Bible traduite en français sous la direction de l'Ecole Biblique de Jérusalem
KAT (Leipzig)	Kommentar zum AT, Leipzig
KAT (Gütersloh)	Kommentar zum AT, Gütersloh
KeH	Kurzgefaßtes exegetisches Handbuch zum AT, Leipzig
KHC	Kurzer Hand-Commentar zum AT, Freiburg-Leipzig-Tübingen
KKHS	Kurzgefaßter Kommentar zu den Heiligen Schriften. AT und NT, München

LD	Lectio Divina, Paris
NEB	Neue Echter Bibel, Freiburg
NICOT	The New International Commentary on the Old Testament, Grand Rapids, Michigan
Poet-proph BAT	Die poetischen und prophetischen Bücher des ATs. Übersetzungen in den Versmaßen der Urschrift, Tübingen-Leipzig
SacB	La Sacra Bibbia, Torino/Roma
SAT	Die Schriften des ATs, Leipzig
SB	Sources Bibliques, Paris
TU	Tekst en Uitleg, Den Haag
ThhBW	Theologisch-homiletisches Bibelwerk, Bielefeld/Leipzig

b) Zeitschriften und Sammelwerke

AevTh	Abhandlungen zur evangelischen Theologie, Helsinki
AnOr	Analecta Orientalia, Roma
ANQ	Andover Newton Quarterly, Newton Centre, Mass.
ANVAO	Avhandlinger utgitt av det Norske Videnskaps-Akademi i Oslo
BBB	Bonner Biblische Beiträge
BET	Beiträge zur biblischen Exegese und Theologie, Frankfurt/M. und Bern
BETL	Bibliotheca Ephemeridum Theologicarum Lovaniensium
BevTh	Beiträge zur evangelischen Theologie, München
Bib	Biblica, Roma
BST	Basel Studies of Theology, Zürich
BWA(N)T	Beiträge zur Wissenschaft vom Alten (und Neuen) Testament, Leipzig-Stuttgart
BZ	Biblische Zeitschrift, Paderborn
BZAW	Beihefte zur Zeitschrift für die alttestamentliche Wissenschaft, Gießen-Berlin

CBQ	Catholic Biblical Quarterly, Washington, D.C.
ChuW	Christentum und Wissenschaft, Leipzig
Enc.Bibl.	Encyclopaedia Biblica (hebräisch אנציקלופדיה מקראית), Jerusalem
Et.bibl.	Etudes bibliques, Paris
EvTh	Evangelische Theologie, München
FRLANT	Forschungen zur Religion und Literatur des Alten und Neuen Testaments, Göttingen
GTA	Göttinger Theologische Arbeiten, Göttingen
HSM	Harvard Semitic Monographs, Cambridge, Mass.
IEJ	Israel Exploration Journal, Jerusalem
Interpr	Interpretation. A Journal of Bible and Theology, Richmond, Vir.
JBL	Journal of Biblical Literature, Philadel. Pa.
JBS	Jerusalem Biblical Studies
JNES	Journal of Near Eastern Studies, Chicago
JQR	The Jewish Quarterly Review, Philadelphia
JThSt	Journal of Theological Studies, Oxford
MSU	Mitteilungen des Septuaginta-Unternehmens, Göttingen
NKZ	Neue Kirchliche Zeitschrift, Erlangen-Leipzig
RB	Revue Biblique, Paris
RGG	Die Religion in Geschichte und Gegenwart, Tübingen, 3.Aufl.
RSR	Recherches des Science Religieuse, Paris
SBL	The Society of Biblical Literature, Dissertation Series, Missoula, Mont.
SPIB	Scripta Pontificii Instituti Biblica, Roma
SSE	Schriften der Stiftung Europa-Kolleg
StTh	Studia Theologica, cura ordinum theologorum Scandinavicorum edita, Lund
SVT	Supplements to Vetus Testamentum, Leiden
THAT	Theologisches Handwörterbuch zum AT, hg. E. Jenni und C.Westermann, München/Zürich. 1971/1976
ThB	Theologische Bücherei, München

ThLZ	Theologische Literaturzeitung, Leipzig-Berlin
ThSt	Theological Studies, Woodstock, Md.
ThStKr	Theologische Studien und Kritiken, Berlin
ThWAT	Theologisches Wörterbuch zum Alten Testament, hg. G.J.Botterweck u. H.Ringgren, Stuttgart, 1970ff.
ThWi	Theologische Wissenschaft, Stuttgart
UUÅ	Uppsala Universitets Årsskrift
VSH	Vanderbilt Studies in the Humanities, Nashville, Tenn.
VT	Vetus Testamentum, Leiden
WMANT	Wissenschaftliche Monographien zum Alten und Neuen Testament, Neukirchen
ZAW	Zeitschrift für die alttestamentliche Wissenschaft, Gießen-Berlin
ZThK	Zeitschrift für Theologie und Kirche, Tübingen

c) Biblische Bücher

Gen	Genesis		Nah	Nahum
Ex	Exodus		Hab	Habakuk
Lev	Leviticus		Zeph	Zephanja
Num	Numeri		Hag	Haggai
Dtn	Deuteronomium		Sach	Sacharja
Jos	Josua		Mal	Maleachi
Ri	Richter		Ps	Psalmen
1,2 Sam	Samuel		Hi	Hiob
1,2 Kön	Könige		Spr	Sprüche
Jes	Jesaja		Ru	Ruth
Jer	Jeremia		Hl	Hohelied
Ez	Ezechiel		Pr	Prediger
Hos	Hosea		Thr	Threni
Joel	Joel		Esth	Esther
Amos	Amos		Dan	Daniel
Ob	Obadja		Esr	Esra
Jon	Jona		Neh	Nehemia
Micha	Micha		1,2 Chr	Chronik

LITERATURVERZEICHNIS

Vorbemerkung

In den Anmerkungen werden Kurztitel gebraucht. Nur mit Ver-
fassernamen wird sowohl auf die Kommentare zum Jeremiabuch
als auch auf die Monographien von S.Böhmer und W.Thiel verwiesen; sie sind jeweils durch Unterstreichung im Literatur-
verzeichnis kenntlich gemacht.

a) Festschriften (=FS)

CHAINE   Memorial J.Chaine. Bibliotheque de la faculté
     catholique de théologie de Lyon   5, 1950

DAVIES   Proclamation and Presence. OT Essays in Honour of
     Gwynne H.Davies, Hg. J.I.Durham & J.R.Porter, SCM 1970

ELLIGER   Wort und Geschichte, Hg.,H.Gese & H.P.Rüger,
     Alter Orient und Altes Testament 1973

FOHRER   Prophecy, Hg., J.A.Emerton, BZAW 150, Berlin/
     New York 1980

MEISER   Viva vox evangelii, Hg., Luther.Kirchenamt,
     Hannover 1951

MÜLLER   Reich Gottes und Wirklichkeit, Ev. Verlagsanstalt,
     Berlin 1961

ROBERT   Mélanges bibliques, rédigés en l'honneur de André
     Robert, Travaux de l'institute catholique de Paris 1955

ROST   Das ferne und nahe Wort, Hg., F.Maaß, BZAW 105 1966

ZIMMERLI Beiträge zur alttestamentlichen Theologie, Hg.,
     H.Donner, B.Hanhart & R.Smend, Göttingen 1977

b) Quellentexte, Monographien und Aufsätze

AESCHIMANN, A., Le prophète Jérémie, EK, Neuchâtel
     (Suisse) 1959

AISTLEITNER, J., Wörterbuch der Ugaritischen Sprache, hg.
     von O.Eißfeldt, Berlin 1974, 4.Aufl.

ALBERTZ,R., Jer 2-6 und die Frühzeitverkündigung Jeremias, ZAW 94 1982, S.20-47

ALBRIGHT,W.F., The Oracles of Balaam, JBL 63 1944, S.207-233

------, Some Canaanite-Phoenician Sources of Hebrew Wisdom, SVT 1955, 3.Aufl., 1969, S.1-15

------, The Refrain "And God saw ki tob" in Genesis, FS Robert, 1957, S.22-26

ALT,A., Hosea 5,8-6,6. Ein Krieg und seine Folgen in prophetischer Beleuchtung, in Kl.Schr. zur Geschichte des Volkes Israel II, München 1964, 3.Aufl., S.163-187

------, Judas Gaue unter Josia, Kl.Schr. zur Geschichte des Volkes Israel II, München 1964, 3.Aufl., S.276-288

------, Zelte und Hütte, Kl.Schr. zur Geschichte des Volkes Israel III, München 1959, S.233-242

AUGUSTIN,F., Baruch und das Buch Jeremia, ZAW 67 1955, S.50-56

BACH,R., Die Erwählung Israels in der Wüste. Diss.Bonn 1951

BARTH,H./STECK,O.H., Exegese des ATs, Ein Arbeitsbuch für Proseminare, Seminare und Vorlesungen. Neukirchen 1976, 6.Aufl.

BAUER,H./LEANDER,P., Historische Grammatik der hebräischen Sprache des ATs, Halle 1922, Nachdruck Hildesheim 1962

BAUER,J., Encore une fois Proverbes VIII 22, VT 8 1958, S.91-92

BAUMANN,A., Urrolle und Fasttag. Zur Rekonstruktion der Urrolle des Jeremiabuches nach den Angaben in Jer 36, ZAW 80 1968, S.350-377

BEGRICH,J., Das priesterliche Heilsorakel, Gesammelte Studien zum AT, ThB 21 1964, S.217-231

BERGMAN,J., Art. דרך , ThWAT II, Sp.288-292

BERGSTRÄSSER,G., Hebräische Grammatik, Leipzig 1918, Nachdruck Hildesheim 1962

BERRIDGE,J.M., Prophet, People, and the Word of Jahwe. An Examination of Form and Content in the Proclamation of the Prophet Jeremiah, BST 4 1970

BIBLIA HEBRAICA STUTTGARTENSIA, Hg. K.Elliger und W.Rudolph, Stuttgart 1977 (BHS)

BIBLIA SACRA VULGATA, hg. R.Weber, 1969 Stuttgart

BIRKELAND,H., Zum hebräischen Traditionswesen. Die Kompo-
    sition der prophetischen Bücher des ATs,ANVAO II 1938/1,
    1938

BÖHMER,S., Heimkehr und neuer Bund. Studien zu Jeremia 30-
    31, GTA 5 1976

BOGAERT,P.-M. (Hg.), Le Livre de Jérémie. Le prophète et son
    milieu. Les oracles et leur transmission, BETL 54, 1981

BRIGHT,J., The Date of the Prose Sermons of Jeremiah, JBL
    70 1951, S.15-35

------, The Book of Jeremiah. Its Structure, its Problems,
    and their Significance for the Interpreter, Interpr 9
    1955, S.257-278

------, Jeremiah, AB 21, 1965 (zitiert hiernach), 1979,
    2.Aufl.

BROCKELMANN,C., Grundriß der vergleichenden Grammatik der
    semitischen Sprachen II, Syntax, Berlin 1913, Nachdruck
    Hildesheim 1966

BROWN,F./DRIVER,S.R./BRIGGS,C.A., Hebrew and English Lexi-
    con, Oxford 1968 (BDB)

BUDDE,K., Das hebräische Klagelied, ZAW 2 1882, S.1-52

CLEMENTS,R.E., Art.זכר,ThWAT II, Sp.593-599

CONDAMIN,A., Le Livre de Jérémie, Et Bibl 1936, 3.Aufl.

CORNILL,C.H., Die metrischen Stücke des Buches Jeremia,
    Leipzig 1901

------, Das Buch Jeremia, EK, Leipzig 1905

CROSS,F.M., The Contribution of the Qumrân Discoveries to
    the Study of the Biblical Text, IEJ 16 1966, S.81-95

DAHOOD,M., Canaanite-Phoenician Influence in Qoheleth,
    Bib. 33 1952, S.30-52.191-221

------, Ugaritic drkt and Biblical derek, ThSt 15 1954,
    S.627-631

------, Some North-West Semitic Words in Job, Bib 38 1957,
    S.306-320

------, Proverbs and North West Semitic Philology, SPIB
    113 1963

------, The Word-Pair 'ĀKAL//KĀLĀH in Jeremiah XXX 16, VT 27 1977, S.482

DELITZSCH,F., Die Lese- und Schreibfehler im AT nebst den den Schrifttexten einverleibten Randnoten klassifiziert, Berlin und Leipzig 1920

DOMMERSHAUSEN,W., Art. חלל I, ThWAT II, Sp.972-986

DRIVER,G.R., Studies in the Vocabulary of the OT.III, JThSt 33 1932, S.361-366

------, Linguistic and Textual Problems: Jeremiah, JQR 28 1937-38, S.97-129.

DRIVER,S.R., The Book of the Prophet Jeremiah, EK, London 1906

DUHM,B., Das Buch Jeremia, KHC XI 1901

------, Das Buch Jeremia. Poet-proph BAT III 1903

EHRLICH,A.B., Randglossen zur Hebräischen Bibel IV, Leipzig 1912

EICHHORN,J.G., Einleitung in das AT, I-V, Göttingen 1823-1824, 4.Aufl.

EIßFELDT,O., Einleitung in das AT, Tübingen 1956, 2.Aufl., 1964, 3.Aufl. (zumeist zitiert hiernach)

ELLIGER,K., Leviticus, HAT I,4, 1966

ERBT,W., Jeremia und seine Zeit. Die Geschichte der letzten fünfzig Jahre des vorexilischen Juda, Göttingen 1902

EWALD,H., Die Propheten des Alten Bundes II: Jeremja und Hezeqiel mit ihren Zeitgenossen, EK, Göttingen 1868, 2.Aufl.

FOHRER,G., Jeremias Tempelrede 7,1-15, ThZ 5 1949, S.401-417

------, Die Geschichte der israelitischen Religion, Berlin 1969

------, Die Propheten des ATs 2, Die Propheten des 7. Jahrhunderts, Gütersloh 1974

FOX,M.V., Jeremiah 2:2 and the "Desert Ideal", CBQ 35 1973, S.441-450

GELIN,A., Le sens du mot ⟨Israel⟩ en Jérémie 30-31, FS Chaine 1950, S.161-168

------, Jérémie. Les lamentations. Baruch, Jerus-B 1959,
   2.Aufl.

GERLEMAN,G., Art אכל, THAT I, Sp.138-142

------, Die lärmende Menge. Der Sinn des hebräischen Wortes
   hamon, FS Elliger 1973, S.71-75

GESENIUS,W./KAUTZSCH,E., Hebräische Grammatik, Leipzig
   1909, 28.Aufl., Nachdruck Hildesheim 1962 (GK)

GESENIUS,W./BUHL,F., Hebräisches und aramäisches Handwörter-
   buch über das AT, Berlin/Göttingen/Heidelberg 1962, 17.
   Aufl. (GBHW)

GIESEBRECHT,F., Das Buch Jeremia und die Klagelieder Jeremiae HK III,2 1894 (in dem EXKURS 1 zitiert hiernach),
   1907, 2.Aufl. (sonst zitiert hiernach)

------, Jeremias Metrik am Texte dargestellt. Göttingen 1905

GORDON,C.H., Ugaritic Textbook, AnOr 38, Nachdruck 1965 (UT)

GOTTSTEIN,M., Art. אהל I, Enc. Bibl. I 1965, Sp.124-126

GRAF,K.H., Der Prophet Jeremia, EK, Leipzig 1862

GROSS,K., Hoseas Einfluß auf Jeremias Anschauungen, NKZ 42
   1931, S.241-256.327-343

GUNKEL,H./BEGRICH,J., Einleitung in die Psalmen. Die Gattungen der religiösen Lyrik Israels,Göttingen, 1966, 2.Aufl.

HERRMANN,S., Das prophetische Wort, für die Gegenwart interpretiert, EvTh 31 1971, S.650-664

------, Die prophetischen Heilserwartungen im AT. Ursprung
   und Gestaltwandel, BWANT 5F. H.5 1965

------, Das Prophetische. Reich Gottes und Wirklichkeit. FS
   Müller 1961, S.32-52, jetzt gekürzt in: C.Westermann
   (Hg.), Probleme alttestamentlicher Hermeneutik. Aufsätze
   zum Verstehen des ATs, ThB 11, München 1968, 2.Aufl.,
   S.341-362

------, Geschichte Israels in alttestamentlicher Zeit, München 1973, 2.Aufl. 1980

------, Ursprung und Funktion der Prophetie im alten Israel,
   Rheinisch-Westfälische Akademie der Wissenschaften, Vor-
   träge G 208, Opladen in Nordrh.Westf. 1976

------, Die Bewältigung der Krise Israels. Bemerkungen zur Interpretation des Buches Jeremia, FS Zimmerli 1977, S.164-178

------, Forschungen am Jeremiabuch, ThLZ 102 1977/7, Sp. 481-490

------, Kurzreferat über Holladay, The Architecture of Jeremiah 1-20 1976, ThLZ 105 1980, Sp.104f.

------, Jeremia - der Prophet und die Verfasser des Buches Jeremia, BETL 54 1981, S.197-214

------, Jeremia, BK XII/1, 1.Lieferung, 1986

HERTZBERG,H.W., Jeremia und das Nordreich Israel, ThLZ 77 1952, Sp.592-602, jetzt in: Beiträge zur Traditionsgeschichte und Theologie des ATs, Göttingen 1962, S.91-100 (zitiert hiernach)

HILLERS,D.R., Treaty-Curses and the OT Prophets 1964

------, A Convention in Hebrew Literature: The Reaction to Bad News, ZAW 77 1965, S.86-90

HITZIG,F., Der Prophet Jeremia, KeH III, 1866, 2.Aufl.

HÖLSCHER,G., Die Profeten. Untersuchungen zur Religionsgeschichte Israels, Leipzig 1914

------, Geschichte der israelitischen und jüdischen Religion, Gießen 1922

HOBBS,T.R., Jeremiah 3,1-5 and Deuteronomy 24,1-4, ZAW 86 1974, S.23-29

JEAN,C.-F./HOFTIJZER,J., Dictionnaire des inscriptions sémitiques de l'ouest, Leiden 1965

HOLLADAY,W.L., The Root ŠÛBH in the OT, Leiden 1958

------, Prototype and Copies: A New Approach to the Poetry-Prose Problem in the Book of Jeremiah, JBL 79 1960, S. 351-367

------, "On every high hill and under every green tree", VT 11 1961, S.170-176

------, Style, Irony, and Authenticity in Jeremiah, JBL 81 1962, S.44-54

------, Jer XXXI 22B Reconsidered: "The woman encompasses the man", VT 16 1966, S.236-239

------, The Recovery of Poetic Passages of Jeremiah, JBL 85 1966, S.401-435

------, Jeremiah and Women's Liberation, ANQ 12 1972, S.213-223

------, A Fresh Look at "Source B" and "Source C" in Jeremiah, VT 25 1975, S.394-412

------, The Architecture of Jeremiah 1-20, Cranbury, NJ 1976

HYATT,J.P., The Peril from the North in Jeremiah, JBL 59 1940, S.499-513

------, Jeremiah and Deuteronomy, JNES I 1942, S.156-173

------, The Deuteronomic Edition of Jeremiah, VBH 1951, S.71-95

HYATT,J.P./HOPPER,S.R., The Book of Jeremiah, IB V, S.775-1142

ITTMANN,N., Die Konfessionen Jeremias. Ihre Bedeutung für die Verkündigung des Propheten, WMANT 54 1981

JACOB,E., Féminisme ou Messianisme? A propos de Jérémie 31,22, FS Zimmerli 1977, S.179-184

JACOBY,G., Glossen zu den neuesten kritischen Aufstellungen über die Composition des Buches Jeremja (Capp.1-20), Diss. Königsberg 1903

------, Zur Komposition des Buches Jeremja, ThStKr 79 1906, S.1-30

JANSSEN,E., Juda in der Exilszeit. Ein Beitrag zur Frage der Entstehung des Judentums, FRLANT NF 51 1956

JANZEN,J.G., Studies in the Text of Jeremiah, HSM 6 1973

JENNI,E., Das hebräische Pi'el. Syntaktisch-semasiologische Untersuchung einer Verbalform im AT, Zürich 1968

------, Art. עולם , THAT, II, Sp.228-248

JOÜON,P., Grammaire de l'Hébreu Biblique,Rome 1923, Edition photomécanique corrigée 1965

KAISER,O., Einleitung in das AT. Eine Einführung in ihre Ergebnisse und Probleme, Gütersloh, 1978, 4.Aufl.

KEIL,C.F., Biblischer Commentar über den Propheten Jeremia und die Klagelieder, BC III,2 Leipzig 1872

KELLERMANN,U., Nehemia. Quellen, Überlieferung und Geschichte, BZAW 102 1967

KITTEL,R., Geschichte des Volkes Israel III. Die Zeit der Wegführung nach Babel und die Aufrichtung der neuen Gemeinde, Stuttgart 1927-1929, 1. und 2.Aufl.

KLOPFENSTEIN,A.M., Art. שקר , THAT II, Sp.1010-1019

KNIERIM,R., Art. עון,THAT II, Sp.243-249

KOCH,K. Was ist Formgeschichte? Methoden der Bibelexegese, Neukirchen 1974, 3.Aufl.

KÖBERLE,J., Der Prophet Jeremia. Sein Leben und Wirken, EAT 2.Teil 1925, 2.Aufl.

KÖHLER,L./BAUMGARTNER,W., Hebräisches und Aramäisches Lexikon zum AT, Lieferung I-III Leiden 1967-1974, 3.Aufl. (KBL)

KÖNIG,E., Historisch-Comparative Syntax der hebräischen Sprache. Schlussteil des historisch-kritischen Lehrgebäudes des Hebräischen, Leipzig 1897

KOSMALA,H., Art. גבר , ThWAT I, Sp.901-919

KRAUS,H.-J., Gottesdienst in Israel. Grundriß einer alttestamentlichen Kultgeschichte, München 1957, 1962, 2.Aufl.

------, Psalmen, BK XV/1-2 1978, 5.Aufl.

KUENEN,A., Historisch-critisch onderzoek naar het ontstaan en de verzameling van de boeken des Ouden Verbonds, II. De profetische boeken des Ouden Verbonds, Amsterdam 1889

KÜHLEWEIN,J., Art. גבר , THAT I, Sp.398-402

KUSCHKE,A., Die Menschenwege und der Weg Gottes im AT, StTh 5 1952, S.105-118

LESLIE,E.A. Jeremiah. Chronologically arranged, translated and interpreted, New York/Nashville 1954

LISOWSKY,G./ROST,L., Konkordanz zum hebräischen Alten Testament, Stuttgart 1958

LÖHR,M., Kurzreferat zu Mowinckel, Zur Komposition des Buches Jeremia, in: ThLZ 40 1915, Sp.429f.

LOHFINK,N., Der junge Jeremia als Propagandist und Poet. Zum Grundstock von Jer 30-31, BETL 54, 1981, S.351-368

LONG,B.O., The Stylistic Components of Jeremiah 3,1-5, ZAW 88 1976, S. 386-390

LUNDBOM,J.R., Jeremiah: A Study in Ancient Hebrew Rhetoric, SBL 18 1975

LUTHER,M., Vorrede vber den Propheten Jeremia, Bibel XI/1,
    Weimarer Ausgabe, 1883ff.

MANDELKERN,S. Veteris Testamenti Concordantiae Hebraicae
    atque Chaldaicae, Graz 1955

MARGALIOT,M., Jeremiah X 1-16: A Re-Examination, VT 30 1980
    S.295-308

MARTIN-ACHARD,R., Art. זר /Zār, THAT I, Sp.520-522

MAY,H.G., Towards an Objective Approach to the Book of
    Jeremiah: The Biographer, JBL 61 1942, S.139-155

McKANE,W., The Book of Jeremiah, Vol.1., ICC 1986

MICHEL,D., Tempora und Satzteilung in den Psalmen, AevTH 1,
    1960

MILLER,J.W., Das Verhältnis Jeremias und Hesekiels sprachlich
    und theologisch untersucht mit besonderer Berücksichtigung
    der Prosareden Jeremias, Assen/Neukirchen 1955

MOWINCKEL,S., Zur Komposition des Buches Jeremia, Kristia-
    nia 1914

------, Prophecy and Tradition. The Prophetic Books in the
    Light of the Study of the Growth and History of the Tra-
    dition, ANVAO 2 1946/3 1946

MOVERS,F.C., De utriusque recensionis vaticiniorum Ieremiae,
    Graece Alexandrinae et Hebraicae masorethicae, indole et
    origine, Commentatio critica, Hamburg 1837

MUILENBURG,J., A Study in Hebrew Rhetoric: Repetition and
    Style. SVT 1 1953, S.97-111

------, Baruch the Scribe, FS Davies 1970, S.215-238

MULDER,M.J., Art. בעל ThWAT I, Sp.706-727

NAEGELSBACH,E., Der Prophet Jeremia, ThhBW 1868

NEUMANN,K.D., Das Wort, das geschehen ist ..... Zum Problem
    der Wortempfangsterminologie in Jer 1-25, VT 23 1973,
    S.171-217

------, Das Wort Jahwäs. Ein Beitrag zur Komposition alte-
    stamentlicher Schriften, SSE 30 1975

NEUMANN,W., Jeremias von Anathoth, Die Weissagungen und Kla-
    gelieder des Propheten nach dem masorethischen Text aus-
    gelegt, 1-2, Leipzig 1856-1858

NICHOLSON,E.W., Preaching to the Exiles. A Study of the
    Prose Tradition in the Book of Jeremiah, Oxford 1970
------, Jeremiah 1-25, CBC 1973
NÖTSCHER,F., Das Buch Jeremias, HS VII,2 1934
------, Gotteswege und Menschenwege in der Bibel und in
    Qumran, BBB 15 1958
NORTH,R., Art.חדש , ThWAT II, Sp.759-780
NOTH,M., Das Buch Josua, HAT I,7 1953, 2.Aufl.
------, Überlieferungsgeschichtliche Studien. Die sammelnden
    und bearbeitenden Geschichtswerke im AT, Tübingen 1957,
    2.Aufl.
------, Die Welt des ATs, Berlin 1962, 4.Aufl.
------, Das System der zwölf Stämme Israels, Stuttgart 1930,
    Nachdruck 1966
NYBERG,H.S., Studien zum Hoseabuche. Zugleich ein Beitrag
    zur Klärung des Problems der alttestamentlichen Textkri-
    tik, UUÅ 1935:6
ODASHIMA,T., Untersuchungen zu den vordeuteronomistischen
    Bearbeitungen der Heilsworte im Jeremiabuch. Ein Beitrag
    zum Verständnis der Entstehungsgeschichte des Propheten-
    buches, Diss. Bochum 1985
VON ORELLI,C., Die Propheten Jesaja und Jeremia, KKHS AT 4
    1891, 2.Aufl.
------, Der Prophet Jeremia, KKHS IV, 2, 1905, 3.Aufl. (zi-
    tiert hiernach)
PEDERSEN,J., Israel. Its life and culture, Vol.1-2, London/
    Kopenhagen 1926, Nachdruck 1973
PENNA,A., Geremia, Lamentazioni, Baruch, SacB 1970
PODECHARD,E., Le livre de Jérémie: structure et formation,
    RB 37 1928, S.181-197
POHLMANN,K.-F., Studien zum Jeremiabuch. Ein Beitrag zur Fra-
    ge nach der Entstehung des Jeremiabuches, FRLANT 118 1978
PROCKSCH,O., Die Genesis, KAT(Leipzig)I 1913
------, Jesaia 1, KAT(Leipzig)IX 1930
VON RAD,G. Theologie des ATs 1, Die Theologie der geschicht-
    lichen Überlieferungen Israels, München 1962, 5.Aufl.
------, Theologie des ATs, Die Theologie der prophetischen

Überlieferungen Israels 1962, 2.Aufl.

------, Das fünfte Buch Mose. Deuteronomium ATD 8 1964,
    1968, 2.Aufl.

------, Das formgeschichtliche Problem des Hexateuch, Gesam-
    melte Studien zum AT, München 1965, 3.Aufl., S.9-86

VAN RAVESTEIJN,TH.L.W., Jeremia I und II TU 8, Den Haag 1925
    und 1927

GRAF REVENTLOW,H., Liturgie und prophetisches Ich bei Jeremia,
    Gütersloh 1963

------, Gattung und Überlieferung in der "Tempelrede Jeremi-
    as" Jer 7 und 26, ZAW 81 1969, S.315-352

RICHTER,W., Exegese als Literaturwissenschaft. Entwurf einer
    alttestamentlichen Literaturtheorie und Methodologie,
    Göttingen 1971

RIETZSCHEL,C., Das Problem der Urrolle. Ein Beitrag zur Re-
    daktionsgeschichte des Jeremiabuches, Gütersloh 1966

RINGGREN,H., Art. אב, III 3. h) und i), ThWAT I, Sp.1-19

ROBINSON,TH.H., Baruch's Roll, ZAW NF 1 (42) 1924, S.209-221

ROBINSON,TH.H./HORST,F., Die Zwölf Kleinen Propheten HAT 14
    1964, 3.Aufl.

ROST,L., Jeremias Stellungnahme zur Außenpolitik der Könige
    Josia und Jojakim, ChuW 5 1929, S.69-78

------, Israel bei den Propheten, BWANT 4.F.H.19 1957

------, Zur Problematik der Jeremiabiographie Baruchs,
    FS Meiser 1951, S.241-245

ROTHSTEIN,J.W., Das Buch Jeremia, HSAT I, S.671-813, 1909,
    3.Aufl. (hiernach zitiert), 1922, 4.Aufl.

RUDOLPH,W., Zum Jeremiabuch, ZAW 60 1944, S.85-106

------, Jeremia, HAT I,12 1968, 3.Aufl.

SAEBØ,M., Art. יסר, THAT I, Sp.738-742

SAUER,G., Art. דרך, THAT I, Sp.456-460

SCHMIDT,H., Die großen Propheten, SAT II,2 Göttingen 1923,
    2.Aufl. (zitiert hiernach), 1925, 3.Aufl.

SCHOTTROFF,W., Jeremia 2 $_{1-3}$. Erwägungen zur Methode der
    Prophetenexegese, ZThK 67 1970, S.263-294

SCHREINER,J., Jeremia 1-25,14, Jeremia II 25,15-52,34, NEB,
    Freiburg 1981, 1984

SCHREINER,S., Mischehen-Ehebruch-Ehescheidung. Betrachtungen zu Mal 2,10-16, ZAW 91 1979, S.207-228

SCHRÖTER,U., Jeremias Botschaft für das Nordreich, zu N.Loh-
finks Überlegungen zum Grundbestand von Jeremia XXX-XXXI,
VT 35 1985, S.312-329

SEEBAß,H., Art. בוש , ThWAT I, Sp.568-580

SELLIN,E./FOHRER,G., Einleitung in das AT, Heidelberg 1965,
10.Aufl.

SHARON,A., A New Concordance of the Bible, Jerusalem 1982

SKINNER,J., Prophecy and Religion. Studies in the Life of
Jeremiah, Cambridge 1922, 9.Nachdruck 1963

SMEND,R., Die Entstehung des ATs, ThWi I 1978

SNIJDERS,L.A., The Meaning of זר in the OT, Leiden 1953
------, Art. זור /זר ThWAT II, Sp.556-564

SPERBER,A., The Bible in Aramaic, III. The Latter Prophets
according to Targum Jonathan, Leiden 1962

STADE,B., Miscellen, 2. Jer 3,6-16, ZAW 4 1884, S.151-154
------, Streiflichter auf die Entstehung der jetzigen Gestalt der alttestamentlichen Prophetenschriften, ZAW
23 1903, S.153-171

STEINMANN,J., Le prophète Jérémie. Sa vie, son œuvre et
son temps, LD 9 1952

STOEBE,H.J., Art. חסד , THAT I, Sp.600-621

STREANE,A.W., The Book of the Prophet Jeremiah together
with the Lamentations, Camb 1913, Nachdruck 1926

SUTCLIFFE,E.F., A Gloss in Jeremiah VII 4, VT V 1955, S.
313-314

THIEL,W., Die deuteronomistische Redaktion des Buches Jere-
mia, Diss. Berlin 1970
------, Die deuteronomistische Redaktion von Jeremia 1-25,
WMANT 41 (1973)
------, Die deuteronomistische Redaktion von Jeremia 26-45,
WMANT 52 (1981)

THOMPSON,J.A., The Book of Jeremiah, NICOT 1980

TOV,E., The Text-Critical Use of the Septuagint in Biblical
Research, JBS 1981

TSEVAT,M., Art. בחור , ThWAT I, Sp.643-650
------, Art. בתולה II-IV, ThWAT I, Sp.874-877

VERMEYLEN,I., Essai de Redaktionsgeschichte de ≪Confessions de Jérémie≫, BETL 54 1981, S.239-270

VETTER,D., Art עם /גור , THAT I, Sp.316f.

VOLZ,P., Studien zum Text des Jeremia, BWAT H.25 1920

------, Der Prophet Jeremia, KAT(Leipzig)X 1928, 2.Aufl.

VORWAHL,H., Die Gebärdensprache im AT, 1932

WAMBACQ,B.N., Jeremias/Klaagliederen/Baruch/Brief van Jeremias, BOT X 1957

------, Jérémie, 10,1-16, RB 81 1974, S.57-62

WANKE,G., Untersuchungen zur sogenannten Baruchschrift, BZAW 122 1971

WARMUTH,G., Das Mahnwort. Seine Bedeutung für die Verkündigung der vorexilischen Propheten Amos, Hosea, Micha, Jesaja und Jeremia, BET 1 1976

WEINFELD,M., Deuteronomy and the Deuteronomic School, 1972

WEIPPERT,H., Die Prosareden des Jeremiabuchs, BZAW 132, Berlin/New York 1973

------, Der Beitrag ausserbiblischer Prophetentexte zum Verständnis der Prosareden des Jeremiabuches, BETL 54 1981, S.83-104

WEISER,A., Das Buch des Propheten Jeremia, ATD 20/21, 1952/55

------, Das Buch Jeremia, ATD 20/21 1952/55 (zitiert im Forschungsgeschichtlichen Überblick hiernach)

------, Das Buch Jeremia, Kap.1-25,14, ATD 20, 6.Aufl. (zitiert hiernach), 1981, 8.Aufl.

------, Das Buch Jeremia, Kap.25,15-52,34, ATD 21, 1966, 5.Aufl. (zitiert hiernach), 1982, 7.Aufl.

WELCH,A.C., Jeremiah. His Time and his Work, London 1928

WESTERMANN,C., Grundformen prophetischer Rede, BevTh 31 1960

------, (Hg.), Probleme alttestamentlicher Hermeneutik, ThB 11 1963, 2.Aufl.

------, Sprache und Struktur der Prophetie Deuterojesajas, in: Forschung am AT, ThB 24 1964, S.92-170 "Calwer Theologische Monographien 11, Stuttgart 1981"

------, Genesis 1-11, BK I/1 1984

------, Genesis 12-36, BK I/2 1981

------, Lob und Klage in den Psalmen, Göttingen 1977

WIDENGREN,G., Literary and Psychological Aspects of the
Hebrew Prophets, UUÅ 1948: 10

WIENER,C., Jérémie II,2: "fiançailles" ou "épousailles"?,
RSR 44 1956, S.403-407

WILDBERGER,H., Jahwewort und prophetische Rede bei Jeremia,
Zürich 1942

------, Jeremia, RGG III, 1959, Sp.581-584

------, Jeremiabuch, RGG III, 1959, Sp.584-590

WOLFF,H.W., Das Zitat im Prophetenspruch, ThB 22, 1964,
S.36-129

------, Dodekapropheton 1: Hosea, BK/XIV/1, Neukirchen-Vluyn
1965, 2.Aufl. (zitiert hiernach), 1976, 3.Aufl.

WORKMAN,G.C., The Text of Jeremiah; A Critical Investigation
of the Greek and Hebrew, with the Variations in the LXX.
Retranslated into the Original and Explained, Edinburgh
1889

ZIEGLER,J., Ieremias.Baruch.Threni.Epistula Ieremiae, Göttingen 1957 (LXX)

------, Beiträge zur Ieremia-Septuaginta MSU VI 1958

ZIMMERLI,W., Ezechiel 1-24 BK XIII/1 1969, 2.Aufl.

------, Ezechiel 25-48 BK XIII/2 1979, 2.Aufl.

------, Das Phänomen der "Fortschreibung" im Buche Ezechiel,
FS Fohrer 1980, S.174-191

ZIRKER,H., דרך = potentia? BZ, NF 2, 1958, S.291-294

21,3f.	111 A.39
24,4	93 A.306
24,17	201
28,12	233 A.197
30,17	208 A.157
41,8-13	234,270
41,10b	234
41,14-16	234,270
41,14bα	234
42,16	243 A.211
43,1-4	234,270
43,1b	234
43,5-7	234,270
43,16	243 A.211
44,1-5	234,270
44,1bβ	234
49,19f.	134
54,1-3	134
54,4-6	234,270
55,3	140 A.4
59,8	243 A.211

Jer

1	54,158
1-6	46
1-20	32 A.124,313 A.52
1-24	46
1-25	26f.,39,57 A.237,72,74f., 76 A.282,77-79,153
1-36	6,11
1-45	6,21
1,4	153
1,4-10	153
1,4-19	28f.,155 A.45
1,4-2,3	153,155A.45
1,11	153
1,11-12	153
1,13	153
1,13ff.	154
1,13-19	153f.
1,14ff.	154 A.45
1,14-19	154 A.45
1,15	33,154 A.45
1,16	171 A.82
2	139,163+A.63, 166+A.68,167 A.71f.,169, 176 A.96,288, 290
2-3	252
2-6	155 A.45,159
2-10	293
2-10*	312
2,1	153
2,1-3	143+A.10,144f., 146+A.23,148, 153f.,154 A.45, 155 A.45
2,2	130 A.71,139+ A.1,140 A.4, 141+A.6,143+ A.9,145,147+ A.29,149 A.34, 150,151+A.40, 152+A.42f., 159f.,169, 175,189,191, 196,290,307
2,2a	140+A.4,148, 154
2,2aα	154 A.45

2,2aγ 148
2,2aγ-b 140
2,2aγ-3 139,142
2,2aγ-4 139,182,187,
189,196,217,
220,240+A.205,
288,290f.,307+
A.40,313
2,2aδ 148
2,2f. 143 A.9,
144+A.14,
146f.,149f.,
152,155,157,
159-161,290
2,2-3a 146,147 A.29,
159
2,2-4 158f.,162
2,3 139f.,142 A.8,
144,146+A.26,
147+A.29,148,
152,159f.,189
2,3a 141,150
2,3aα 148
2,3aα-β 148
2,3b 144,146,
147 A.29,148
2,3bα 207
2,4 103 A.14,
144 A.14,
154-158,160f.,
182 A.109
2,4ff. 143-145
154 A.45,159
2,4-4,4 154 A.45
2,5 175,289
2,5ff. 144 A.14,157,
164,208f.,291,

307

2,5-37 163,166,168
2,5-3,5 94,158,162,
167 A.71,168,
170,175-177,
180f.,182+A.109,
183-188,194-
196,209,212f.,
217-220,291,
297,312+A.51
2,5-10,18* 312
2,6 175,307 A.40
2,8 168f.,175
2,10ff. 299 A.22
2,14 155,182 A.109,
289
2,17 131
2,17-25 152,160
307 A.40
2,17b 175 A.94
2,18 175,185
2,18a.b 185
2,19 171,183
2,19a 176
2,20 258,263
2,20-28 54 A.221,257,
262f.,266f.,
275f.
2,20a 255,262
2,20aα 259,275
2,20aγ 258f.
2,20aγ-bγ 257,275
2,20b 171,208
2,21b 259 A.235
2,22 171,211
2,22b 176
2,23 173,175,183f.,

	184 A.114,185, 258,263	2,31f.	214
2,23-25	184 A.114,214	2,31ff.	167
2,23a	171,176,184f., 255,262	2,31-37	166 A.68,167
2,23aα	258f.,275	2,31b	182 A.109,217
2,23aα-β	257,275	2,32-37	152,160, 307 A.40
2,23aβ	258f.,275	2,32bα	207
2,23b	185,200	2,33	175,185
2,24	176 A.96	2,33ff.	167
2,25	170f.,175, 184+A.114,208, 258,263	2,33-37	167 A.72
		2,33a.b	185
2,25f.	267,277	2,35	171,176 A.96, 260 A.236
2,25a	260,267	2,35a	255
2,25b	171,255,257-260,262,275	2,35bβ	208
2,25bα	214,258,275	2,36	167 A.72,175, 185f.
2,25bβ-γ	217	2,36f.	214
2,26	182 A.109,267, 289	2,36a	176 A.98,186, 207
2,27	169 A.75,171, 258	2,36aβ	214
2,27a	171,262	2,36b	186
2,27aα-β	257,275	3	95,139,161, 196,209,217, 288f.,290,302
2,27b	303	3,1	61,171,175f., 184,210f.,217, 301
2,28	182 A.109,257, 266,275		
2,28-30	169 A.75	3,1-4	176 A.97,197
2,28b	171	3,1-5	161+A.55,163, 164+A.63-65, 165,166+A.68, 167+A.71f., 168+A.73, 176+A.97,178f., 180-182,187 190f.,194,196
2,29	168f.,169 A.75, 175		
2,30	169 A.75,303		
2,30a	169 A.75		
2,31	130 A.71,166, 182 A.109, 260 A.236,289		

8-10	159	10,3	156
8,1	154 A.45	10,6	156
8,4f.	301	10,10-25	103 A.14
8,4b	301	10,12	156
8,4-6	301	10,16	155+A.46,156f.,
8,5a.b	301		160,289
8,6	247	10,17f.	102f.,277+A.252
8,8	260 A.236	10,17-21	120
8,8a	255	10,17-25*	99-103
8,11	260 A.236		110,117,
8,12	245 A.215		119+A.53,120,
8,13-17	278 A.253		277,279,285
8,16	278 A.253	10,18aβ-γ	100
8,19	260 A.236	10,18aδ	100
8,21	281 A.262,286	10,18bα	100
8,21-22	281f.,286	10,19	278,284,287
8,21-23	281	10,19f.	277,288,292
8,22	102,281	10,19-25*	98,103,285
8,22b	281,286	10,19a	278-281,283-
9,9-10	13 A.49		287
9,10	100 A.7	10,19b	278
9,13	221	10,20	277 A.253,278,
9,16-21	13 A.49		281f.
9,17	277 A.252	10,20a	100 A.5,278,
9,17-21	120f.		279 A.255,280
9,18	277 A.252,280	10,20aα	100
9,19	260 A.236	10,20b	278,279 A.255,
9,19-21	277 A.252		284,287
9,20f.	277 A.252	10,20bα	100+A.8
9,21	277 A.252	10,20bα-β	285
9,22-25	120 A.56	10,21	277 A.253
9,22-10,16	120 A.56	10,22	102,121,
9,23	191 A.128		277+A.253,
10	98f.,101,103,		278+A.253
	139,277,288-	10,22aα	100
	290,313	10,22aβ	100
10,1-16	120 A.56,155f.	10,22bα	100+A.6

346

30,18	122f., 138A91 156,160, 231 A.195,302, 311 A.49		139+A.1,140, 141+A.5.A.7, 191 A.128,233, 292,305
30,18-21	82,86,89,123, 127,238f., 240+A.205,271, 283,286,288,290	31,2-3	130 A.71, 139 A.1, 143 A.9,250, 273
30,18a	100 A.5,283, 287	31,2-3a	124f.
		31,2-5	127
30,18aβ	100	31,2-6	82,84-87,
30,18b	100 A.6		124f.,129,
30,18bα	100+A.6		130 A.71,
30,19	134,231 A.195		139+A.2,142f.,
30,19a	137,238		145-147,159f.,
30,19bα	100,285,287		232, 270, 290, 292
30,20	231 A.195		295,302,304,
30,20a	283,287		307 A.40
30,20aα	100	31,2-13	139 A.2
30,20b	86	31,2a	86,125,250,273
30,21	231 A.195	31,2aβ-6	139
30,21f.	310	31,2b	125,250,273
30,22	82,231 A.195	31,3	130 A.71,
30,22b	235 A.200,310		139+A.1,140
30,23f.	82,85-87,102, 130 A.71 181 A.108,298	31,3a 31,3b	125 140,143 A.9, 233,250,273
30,23a	103	31,3b-4	126
30,24a	86	31,3b-6	124f.
31	14,86f., 137 A.91 181 A.108,290, 292,304	31,4	84,91,125, 130 A.71, 137 A.91,139, 141+A.6,150
31,1	82,85,118	31,4f.	140
31,1-6	177,181	31,4-6	130 A.71, 139 A.2,305
31,2	124,130 A.71, 137 A.91,	31,4a	125f.

31,4b	125	31,8aγ	100
31,5	84,93,137, 139,141, 142 A.8,182, 305	31,8b	297
		31,9	84,126, 148 A.33, 149 A.33, 246 A.217,297, 311 A.49
31,5a	125,233		
31,5b	142 A.8		
31,6	84,88,93, 139,182,305	31,9a	238,245,247, 249,252,272, 309
31,6a	125,233		
31,6b	123 A.59,125, 233,246 A.217	31,9b	132,148,150, 160
31,7	84,93+A.306, 124,126, 137 A.91,155f., 160,235f., 246+A.217	31,10	239+A.204, 299+A.22,305
		31,10f.	124,239,289
		31,10-13	108
31,7f.	232,234f., 269f.	31,10-14	82,89,124- 126,238-240, 271,288,292
31,7-9	82,89,124f., 233f.,238f., 246+A.217, 270f.,272, 288f.,292,305	31,10aα-β	100
		31,10bα	100
		31,11	126,156, 182 A.109, 239 A.204
31,7-14	82,84f., 113 A.41,124, 177,187,237	31,11f.	123
		31,11a	240
		31,12	84,93+A.306, 123 A.59
31,7b	125,235,237, 271	31,12-17	130 A.71 125,238+A.202
31,8	82,84,119, 121,134, 231 A.195, 299 A.22, 301f.,309	31,12a	137,238,
		31,12b	250 A.227
		31,13	84,131, 137 A.91,150, 231 A.195,290
31,8a	119,121,125, 132		
31,8aα	235	31,13a	125f., 132
		31,13aβ	125f.

31,13b 105 A.20,
250 A.227
31,14 231 A.195,250
31,14a 125,238+A.202
31,14b 250
31,15 84,88,182,
205,218 A.173,
233,304f.
31,15f. 301
31,15-17 82,85,87,
108,127,
130 A.71,
147 A.31,205,
218f.,232,270,
292,295,302,
304
31,15-20 84,87,177,
181
31,15a 233
31,15aβ-γ 207
31,15b 105 A.20
31,16 84,304f.
31,16f. 205,292,302
31,16-18 301
31,16-19 181
31,16a 233
31,17 84,132,304
31,17b 233
31,18 88,182,205,
233,301,305
31,18f. 149 A.34,
199 A.144,205
31,18-20 82,85,87,
106 A.21,127,
130 A.71,
147+A.31,148-
150,160,199f.,

201+A.148f.,
203,205f.,
215 A.171,218f.,
232,270,292,
295
31,18-21 304
31,18-25 203
31,18a 200+A.146,203
31,18aα-β 200,202
31,18aδ 200
31,18b 200f.,233
31,18b-19 203
31,18bα 200
31,18bβ 207
31,19 201 A.148,198,
202 A.153,
216 A.172,
223 A.180,305
31,19a 202,301 A.23
31,19b 148,200
31,19bβ 148,202,207
31,19bγ 203
31,20 80,88,147,
148+A.32,182,
201,203,292f.,
305
31,20a 149
31,20aα 148
31,20aα-β 148
31,20aδ 148
31,20b 207+A.155,233
31,20bβ 148
31,21 130,138,192,
293,302
311 A.49
31,21f. 82f.,89,127,
129,130A.71,

14,3f.	198	Hi	
14,5	201 A.149	24,13	243 A.211
Joel		Spr	
1f.	28,198 A.140	1,15	243 A.211
1,8	136 A.89	3,17	243 A.211
		7,25	243 A.211
Micha		8,2.20	243 A.211
2,12	246 A.217	12,28	243 A.211
Nah		Hl	
3,19	278 A.254	1,2.4	173 A.87
		2,17	131
Zeph		4,10	173 A.87
3,13	246 A.217	5,1	173 A.87
		5,6	192 A.130
Sach		7,2	192 A.130
2,8	134	7,13	173 A.87
Mal		Prd	
2,10–16	135+A.187	7,18	173 A.87
		8,22	174 A.90
Ps		31,2	174 A.91
20,10	236		
22,5	199 A.143	Thr	
28,9	236	3,9	243 A.211
40,8a	198 A.141		
59,18	140 A.4	Esth	
69,7f.	199 A.143	2,17	140,159
79,13	199 A.143		
80,19	199 A.143	Esr	
86,2	236	9,12	134+A.86
105,7	201	9,15	134
106,6	222	10	134
115,18	199 A.143	10,2f.10f.14.18f.44	134
118,25	236		
139,24	244 A.213		

Kohlhammer

Urban-Taschenbücher   Kohlhammer

Klaus Koch
Die Profeten II
Babylonisch-persische Zeit
2., durchges. Auflage 1988
220 Seiten. Kart. DM 22,–
ISBN 3-17-010025-4
Urban-Taschenbücher, Bd. 281

Der Zusammenbruch des Staates
Juda im 6. Jahrhundert v. Chr. und
das daraffab ande babylonische
litische
ng zu wan-
göttliche
hoffnung für
nachexili-
els will
solche
litische
nd stellt
geschicht-
e heraus.

Die P

Klaus Koch
Die Profe
Assyrische
2., durchges
186 Seiten.
ISBN 3-17-0
Urban-Tasch

Die Darstellu
Hamburger
ein in die We
Sprache und
ihre religions
und ihre bib
Bedeutung.
diesem Rahr
neue Erkenn
Autor selbst
Weise mit be
forschung.

452-988-345/35

Verlag W. Kohlhammer
Stuttgart · Berlin · Köln · Mainz